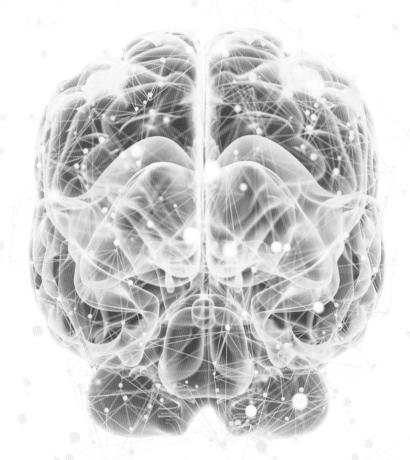

Textbook of
Neuroanesthesia

뇌신경마취학

대한뇌신경마취학회

뇌신경마취학

첫째판 1쇄 인쇄 | 2019년 3월 20일
첫째판 1쇄 발행 | 2019년 4월 06일

집   필   대한뇌신경마취학회
발 행 인   장주연
출 판 기 획   김도성
책 임 편 집   배혜주
편집디자인   양은정
표지디자인   김재욱
일 러 스 트   김경렬
발 행 처   군자출판사(주)
　　　　　　등록 제4-139호(1991. 6. 24)
　　　　　　본사 (10881) **파주출판단지** 경기도 파주시 회동길 338(서패동 474-1)
　　　　　　전화 (031) 943-1888　　팩스 (031) 955-9545
　　　　　　홈페이지 | www.koonja.co.kr

ISBN   979-11-5955-425-4
정가   90,000원

집필진

편집위원장
이윤석 동국대학교 의과대학

편집위원
김희주 고려대학교 의과대학
박희평 서울대학교 의과대학
최승호 연세대학교 의과대학

집필진
권재영 부산대학교 의과대학
김계민 인제대학교 의과대학
김남오 연세대학교 의과대학
김동원 한양대학교 의과대학
김현주 인하대학교 의과대학
문봉기 아주대학교 의과대학
민경태 연세대학교 의과대학
박성식 경북대학교 의과대학
스티븐비부 뉴저지주립의대

옥성호 경상대학교 의과대학
윤원기 고려대학교 의과대학
이기원 뉴저지주립의대
이정진 성균관대학교 의과대학
임병건 고려대학교 의과대학
전영태 서울대학교 의과대학
정성태 전남대학교 의과대학
정우석 충남대학교 의과대학
최승홍 서울대학교 의과대학

발간사

인공지능이 진료 현장에 도입되고, 급속하게 학문이 발전하는 동안 편집위원장을 맡았던 뇌신경마취과학 핸드북이 출판된 지도 10여 년이 흘렀다. 제26차 2019년 대한뇌신경마취학회의 춘계학술대회에 맞춰 출판된 뇌신경마취학의 출간을 진심으로 축하한다.

새 옷을 입은 뇌신경마취학 교과서의 특징은 뇌신경마취에서 논쟁의 여지가 있는 내용들을 상세하게 기술하였고, 영상의학 부분도 추가되었다는 점이다. 이윤석 편집위원장을 포함하여 편집위원들 그리고 저자들의 노고에 존경을 표한다. 그리고 물심양면으로 뇌신경마취학 집필에 도움을 주신 군자출판사 관계자 여러분께도 감사드린다.

모쪼록 출판되는 뇌신경마취학 개정판이 전공의와 전문의 선생님들의 환자 진료와 뇌신경마취에 대한 연구에 많은 도움이 되길 바란다.

손주태
대한뇌신경마취학회장

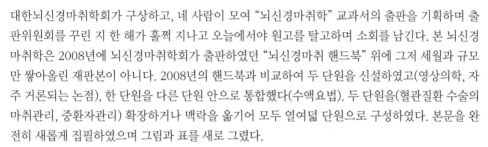

서문

대한뇌신경마취학회가 구상하고, 네 사람이 모여 "뇌신경마취학" 교과서의 출판을 기획하며 출판위원회를 꾸린 지 한 해가 훌쩍 지나고 오늘에서야 원고를 탈고하며 소회를 남긴다. 본 뇌신경마취학은 2008년에 뇌신경마취학회가 출판하였던 "뇌신경마취 핸드북" 위에 그저 세월과 규모만 쌓아올린 재판본이 아니다. 2008년의 핸드북과 비교하여 두 단원을 신설하였고(영상의학, 자주 거론되는 논점), 한 단원을 다른 단원 안으로 통합했다(수액요법). 두 단원을(혈관질환 수술의 마취관리, 중환자관리) 확장하거나 맥락을 옮기어 모두 열여덟 단원으로 구성하였다. 본문을 완전히 새롭게 집필하였으며 그림과 표를 새로 그렸다.

주목받아 마땅한 여러 단원이 있을 것이지만 특히 "뇌신경마취에서 자주 거론되는 논점들" 단원 앞에서 독자들의 눈길이 먼저 멈출지도 모르겠다. 일반적인 교과서 편집에서 다루지 않는 형식이다. 개별 단원의 원고를 읽은 뒤에 뇌신경마취의 임상이 요구하는 핵심 논점을 열네 개로 선정하여 출판위원들이 따로 집필한 단원이다. 우리는 독자들이 이 책을 안아 들고 첫 장부터 끝 장까지 정독하기를 바라는 욕심을 부리면서도 다른 한편에선, 예고 없이 질문들과 직면하는 임상현장에서 이 단원을 교범 삼아 빠르게 참조하는 독자들의 모습을 상상해 보았다. 이 단원의 참고문헌은 바로 이 책이 될 수밖에 없으며 독자들은 이 단원의 빈 참고문헌 목록을 통해 그 까닭을 가늠해 볼 수 있다.

종이로 된 교과서를 출판한다는 일이 이 시대에 얼마나 무모한 일인지 알고 있어서 우리는 전자책과 종이책을 겸하여 뇌신경마취학을 출판하였다. 전자책 교과서를 읽을 때 겪는 불편을 일소하기 위한 고민의 시간이 넉넉지 못했던 점이 아쉽다. 다만, 광범위하고 일관적이며 편리한 한영 색인어를 도입함으로써 차근차근한 전자책 독자들께 보답하도록 힘썼다.

전국의 뇌신경마취학 전문가를 위시하여 신경외과 전문가, 그리고 해외의 뇌신경집중치료 전문가들이 집필에 참여하였다. 참여한 모든 저자께 감사드린다. 바쁜 가운데에도 뇌신경마취학 편집에 애써 준 배혜주 사원과 김도성 과장을 비롯한 군자출판사 직원들께 특별한 감사를 남긴다. 우리 학회가 내놓은 최초의 본격적인 교과서이기에 부족한 점이 많을 것이다. 이 책이 가진 모든 문제는 온전히 우리 편집위원들의 소루로부터 비롯하였다.

아낌없는 지적과 더불어 양해를 구한다.

편집위원장 이윤석
편집위원 김희주 박희평 최승호

목차

뇌혈관 해부학

Neurovascular Anatomy

01

학습목표

1. 내경동맥의 주행을 이해하고 분지혈관들을 열거할 수 있다.
2. 중대뇌동맥의 주행을 이해하고 분지혈관들을 열거할 수 있다.
3. 전대뇌동맥의 주행을 이해하고 분지혈관들을 열거할 수 있다.
4. 후대뇌동맥의 주행을 이해하고 분지혈관들을 열거할 수 있다.
5. 척추동맥-기저동맥계뇌의 혈관분포를 이해한다.
6. 정맥 분포와 특성을 설명한다.

KOREAN
SOCIETY OF
NEUROSCIENCE
IN ANESTHESIOLOGY
AND CRITICAL CARE

뇌혈관 해부학

Neurovascular Anatomy

01

윤원기
고려대학교 의과대학

뇌혈관은 그 구조와 분지가 매우 복잡하고 뇌신경과 뇌실질의 기능에 직접적인 영향을 미치기 때문에 정확한 해부학적 지식은 뇌생리의 이해에 매우 중요하다. 뇌수술을 위한 미세 수술적 뇌혈관의 해부학은 매우 방대한 학문이며 이 책에서 모두 기술한다는 것은 불필요하며 주제를 벗어나는 것이다. 따라서 기본적 마취와 뇌생리의 이해에 필요한 뇌혈관 해부학에 국한하여 되도록 간단히 다루고자 한다. 본 장의 대부분은 2008년 출판된 대한 뇌신경마취의학회의 뇌신경마취 핸드북 중 이원택 교수가 집필한 '중추신경계의 혈관 해부학'을 바탕으로 가감하였다. 본 장의 구조는 다음과 같다.

《동맥계》

1. 총경동맥
2. 내경동맥
  1) 분류
  2) 주행
  3) 내경동맥의 분지혈관
    ⑴ 안동맥
    ⑵ 후교통동맥
    ⑶ 전맥락총동맥
3. 중대뇌동맥
  1) 주행
  2) 분절
  3) 천공분지
  4) 분지 패턴
4. 전대뇌동맥
  1) 전체 구조
  2) 분절

5. 후대뇌동맥

  1) 분절

  2) 분지혈관

6. 척추동맥-기저동맥계(Vertebra-basilar arterial system)

7. 뇌기저동맥

8. 뇌의 정맥분포

그림 1-1

뇌로 들어가는 혈관의
기시부, 왼쪽은 측면에서
관찰한 구조로 주위 구조와
의 관계를 표시하였다.
오른쪽의 그림은 전면에서
관찰한 구조로 혈관 외에는
두개강과 두개골의
일부만을 표시하였다.

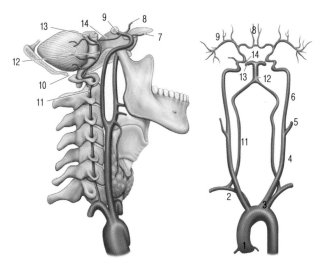

1. 대동맥(aorta)
2. 쇄골밑동맥(subclavian artery)
3. 완두동맥(brachiocephalic trunk)
4. 총경동맥(common cartid artery)
5. 외경동맥(external cartid artery)
6. 내경동맥(internal cartid artery)
7. 안동맥(ophthalmic artery)
8. 전대뇌동맥(anterior cerebral artery)
9. 중대뇌동맥(middle cerebral artery)
10. 대후도공(foramen magnum)
11. 척추동맥(vertebral artery, 추골동맥)
12. 뇌기저동맥(basilar artery, 뇌저동맥)
13. 후대뇌동맥(posterior cerebral artery)
14. 후교통동맥(posterior communicating artery)

그림 1-2

뇌 기저면(basal surface)의
동맥분포

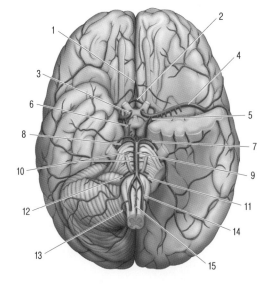

1. 전대뇌동맥(anterior cerebral artery)
2. 전교통동맥(anterior communicating artery)
3. 내경동맥(internal cartid artery)
4. 중대뇌동맥(middle cerebral artery)
5. 전맥락동맥(anterior choroidal artery)
6. 후교통동맥(posterior communicating artery)
7. 후대뇌동맥(posterior cerebral artery)
8. 상소뇌동맥(supeior cerebral artery)
9. 뇌기저동맥(basilar artery, 뇌저동맥)
10. 교뇌동맥(pontine branches)
11. 전하소뇌동맥(anterior inferiorcerebellar artery)
12. 미로동맥(labyrinthine artery)
13. 후하소뇌동맥(posterior inferiorcerebellar artery)
14. 척추동맥(vertebral artery, 추골동맥)
15. 전척수동맥(anterior spinal artery)

1. 총경동맥

총경동맥은 우측의 경우 팔머리 동맥(brachiocephalic trunk)에서 분지하여 경부로 상행하고 좌측은 대동맥궁(aortic arch)에서 직접 분지하여 상행한다. 경부에서의 주행은 양측이 비슷한 양상을 보인다.

경부에서 심부경부근막(deep cervical fascia)에서 기원하는 경동맥막(carotid sheath)에 안쪽 목정맥(internal jugular vein) 및 미주신경(vagus nerve)과 함께 싸여 상행한다. 안쪽 목정맥은 경동맥의 외측에, 미주신경은 그 사이에 주행한다. 총경동맥의 근위부는 원위부보다 깊은 곳에 위치하고 상행할수록 피부 표면에 가까워진다.

총경동맥은 주로 4번 경추 높이에서 내경동맥과 외경동맥으로 분지된다. 외경동맥은 전방내측을 향하고 분지 직후 갑상선 동맥을 분지한다. 내경동맥은 후외측으로 분지되어 내측으로 상행하는 방향을 형성하고 두개골 기저부를 향해 상행한다. 총경동맥의 분지 부위는 경동맥내막절제술(carotid endarterectomy)을 시행하는 부위이며 이 곳은 경동맥삼각(carotid triangle)이라는 해부학적 구조물로 구별할 수 있다. 즉 목빗근(sternocleidomastoid muscle)의 앞면이 후벽을 형성하고 상벽은 두힘살(digastric muscle)의 후부, 전상부 벽은 붓목뿔근(stylohyoid muscle), 전하부 벽은 어깨 목뿔근(omohyoid muscle)의 superior belly로 감싸 있는 삼각형의 지형적 구조물 안에 총경동맥의 분지부가 위치하며 이 삼각 구조물은 수술 시 쉽게 구별할 수 있고 총경동맥과 주변 신경 혈관 구조물을 안전하게 박리하도록 도와주는 안내 역할을 한다.

총경동맥의 내측에는 식도, 기관지 및 갑상선이 위치하고 그 사이에 아래 부갑상선 동맥(inferior thyroid artery)과 반회후두신경(recurrent laryngeal nerve)이 주행한다.

2. 내경동맥

1) 분류

내경동맥은 해부학적 위치, 발생학적 관점, 혈관 조영술상의 위치에 따라 여러 가지 분류법으로 명명한다. 이 때문에 의사소통에 문제가 생기기도 하는데 보통 임상적으로는 Bouthillier의 분류법이 유용하므로 여기에서는 그를 따르기로 한다.

C1 내경동맥 분절: 경부(cervical)
C2 내경동맥 분절: 추체부(petrous)
C3 내경동맥 분절: 추체 파열부(laceral)
C4 내경동맥 분절: 해면정맥동부(cavernous)

C5 내경동맥 분절: 전상돌기부(clinoid)
C6 내경동맥 분절: 안동맥부(ophthalmic)
C7 내경동맥 분절: 교통동맥부(communicating)

2) 주행

(1) C1, cervical ICA, 경부 내경동맥
총경동맥에서 내경동맥이 분지된 후 측두골추체부로 들어가기까지의 부분이다.

(2) C2, petrous ICA, 추체부 내경동맥
측두골의 추체부에 주행하는 부위이다. 추체골의 파열공(Foramen lacerum)까지를 일컫는다. 3개의 부위로 세분할 수 있는데 상행부(ascending segment), 굴부(genu segment), 수평부(horizontal segment)이다. C3 분절절까지 petrous ICA로 포함시키는 경우 파열구멍 구획(laceral segment)을 포함하여 anterior genu를 넣기도 한다.

내경동맥이 측두골을 들어가서 약간 상행 후 전내측으로 평행 주행하는데 이 부위는 choclea와 tympanic cavity의 앞에 위치하게 된다. 최근 이 부위에서 내경동맥을 노출시켜 혈행 재건수술을 할 수 있게 되면서 외과적 해부학으로서 중요해지고 있다.

(3) C3, laceral segment ICA, 추체 파열부 내경동맥
추체 파열부에서 시작해서 추체설인대(petrolingula ligament)에서 끝나는 부위이다. Periosteum과 fibrocartilage에 감싸 있기 때문에 경막외 부위로 분류된다. Vidian artery가 이 부위에서 분지한다.

(4) C4, cavernous segment ICA, 해면정맥동부 내경동맥
추체설인대에서 시작하여 근위경막 링(proximal dural ring)까지의 부위를 일컫는다. 해면정맥동 내에 위치한다. 평행부의 외측에 3, 4, 5, 6 뇌신경이 주행한다. 거대 뇌동맥류가 발생하거나 해면정맥동 종양이 발생하면 뇌신경 압박증상이 발생한다. 평행부는 추체 파열공에서 전내측으로 향하여 상행부에서 전방돌기의 내측으로 올라간다.

(5) C5, clinoid segment ICA, 전방돌기부 내경동맥
근위 경막 링에서부터 원위 경막 링(from proximal dural ring to distal dural ring)까지의 부위이다. 매우 짧은 부위로서 C4원위부부터 구부러진 부위를 carotid siphon이라 한다. 대부분 이곳에서의 분지혈관은 없으나 간혹 안동맥이 분지하기도 한다. 전방돌기의 내측에 위치하므로 이 부위에 수술적 접근을 하기 위해서는 전방돌기를 제거해야 한다.

(6) C6, ophthalmic segment ICA, 안동맥부 내경동맥

원위 경막 링에서부터 후교통동맥(posterior communicating artery) 분지부 전까지로 길이는 약 10-15 mm이다. Carotid siphon을 지나면서 후상방 외측으로 주행하기 시작한다. 시신경과는 Optic strut으로 분리되어 있고 간혹 siphon이 시신경의 밑으로 형성되는 경우도 있다. 이 부위에 뇌동맥류가 발생할 경우 시신경 압박 증상이 발생한다.

(7) C7, communicating segment ICA, 교통동맥부 내경동맥

후교통동맥의 분지부에서부터 내경동맥의 끝, 즉 중대뇌동맥과 전대뇌동맥으로 분지하는 곳까지이다. 시신경과 동안신경 사이로 전방 천공물(anterior perforated substance)까지 주행한다.

3) 내경동맥의 분지혈관

(1) 안동맥(ophthalmic artery)

두개 내 내경동맥에서 분지한 후, 두개 밖으로 나와서, 뇌 이외의 부분, 즉, 안와 및 주변 구조물을 관류하는 점에서 다른 두개 내의 동맥과 다른 특이한 혈관이다. 안동맥은 내경동맥 폐색증 등의 폐색성 뇌혈관 장애로, 내경동맥과 외경동맥 사이에서 문합로를 형성하는 중요한 혈관이다. 또 여러 종양에서 안동맥은 영양혈관이 되는 경우가 있다.

안동맥은 보통은 내경동맥이 해면 정맥동을 통과하여 경막을 관통한 직후의 부분에서 분지한다. 그리고 시신경의 아래쪽을 주행하여, 시신경관을 지나서 안와로 들어가서, 안구, 안근 등을 관류하고 일부는 안와를 나와서 안검, 비배, 전액부의 피부에 분포한다.
안동맥은 위치에 따라서 두개 내부, 시속관 내부, 안와부로 분류된다

(2) 후교통동맥(posterior communicaing artery)

내경동맥의 후내측에서 분지하여 후방 또는 배측으로 주행하고 동안신경의 상방에서 후대뇌동맥과 합류하기까지의 부분이며 평균 길이는 12-16 mm이다. 그 직경에 따라서 정상형, 저형성형, 태아형으로 분류한다. 정상형은 직경이 1 mm 이상이며 후대뇌동맥 근위부보다도 가는 것을 말하며 저형성형은 후교통동맥의 직경이 1 mm 미만으로 가는 것, 태아형은 직경이 P1보다 굵고 내경동맥에서 후대뇌동맥이 분지되어 있는 것처럼 보이는 것을 말한다.

후교통동맥의 천공분지혈관

평균 7-8개가 후교통동맥의 상외부에서 분지된 후 후상방으로 주행한다. 회백융기(tuber cinerium), 후유공질(posterior perofrated substance), 유두체(mammillary body), 대뇌각(cerebral peduncle), 시상(전부, 내측부), 시상하부, 내포후각 등의 중요기관을 관류한다. 이 중에서

가장 중요한 천공분지는 anterior thalamoperforator이다.

(3) 전맥락총 동맥(anterior choroidal artery)

후교통 동맥 기시부의 원위부 내경동맥의 후면에서 기시한다. Cisternal segment와 choroidal segment로 나뉘는데 cisternal segment는 내경동맥에서 기시한 후 후내측을 향해 주행하다가 대뇌각 근방에서 분지혈관을 낸 후 외측으로 방향을 틀어서 시삭을 가로지른 후 맥락열(choroidal fissure)에서 뇌실로 들어가 맥락총을 관류한다. 뇌실 내 choroidal segment는 주로 맥락총을 관류하나 시상 등에도 분지혈관을 낸다.

전맥락총 동맥의 폐색(뇌동맥류 결찰 중 발생하는 등)의 경우 관류 영역에 따라 다르지만 다음의 세 가지 주된 증상이 관찰된다. 편측 하지 마비, 편측 지각 장애, 동측 반맹 또는 1/4맹 등이다.

3. 중대뇌동맥

중대뇌동맥은 대뇌동맥 중 가장 크고 복잡한 동맥이다. 내경동맥의 최종 분지 두 개 중 큰 것으로 직경은 2.4-4.6 ㎜이다.

1) 주행

기시부에서 외측으로 전방유공질의 아래를 지나면서 후방으로 약 1 ㎝ 정도 주행하며 sphenoid ridge를 향해 간다. 전방 유공질을 지나면서 lenticulostriate artery로 불리는 천공분지들을 낸다. 실비안 열에서 나뉘어 급격하게 후상방으로 주행하여 insula의 표면을 지난다. Insula의 끝에서 전두엽, 측두엽 및 두정엽의 operculum의 내측변을 지나고 뇌겉질에 도달하여 대뇌반구의 외측면과 바닥면의 일부를 관류한다.

2) 분절

4개의 분절로 나눌 수 있다. M1 (sphenoidal), M2 (insular), M3 (opercular), M4 (cortical)

3) 천공분지

MCA에서 분지하여 전유공질 들어가는 천공분지를 lenticulostriate artery (LSA)라고 한다. 대뇌반구당 평균 10개(1-21개)의 LSA가 있다. 80%가 분기전 부분에서 발생하고 나머지 20%가 분기 후 부위에서 발생한다. LSA는 발생 지점에 따라 내측(medial), 중간(intermediate), 외측(lateral) 그룹으로 나뉜다.

중간 및 외측 그룹은 putamen을 지나 내측과 후측으로 진행하여 internal capsule 상부의 전장과 caudate nucleus의 두부와 몸통에 관류한다. 내측 그룹은 중간 및 외측 그룹이 관류하는 영역보다 내측과 아래쪽을 관류한다.

(1) Medial group

약 50%에서 발견된다. 1–5개의 분지가 분기전 부분M1의 내측에서 분지되어 바로 전유공질로 들어간다. 대부분 M1의 상부 또는 후상부에서 발생한다.

(2) Intermediate group

내측과 외측 그룹사이 위치에서 분지한다. 약 90%에서 발견된다. 특징적인 것은 적어도 하나 이상의 전유공질에 30여 개의 작은분지를 보내는 큰 분지가 관찰된다는 것이다. 이 그룹은 대부분 M1에서 발생한다. M1의 후면, 후상면 또는 상면에서 분지한다.

(3) Lateral group

대부분의 대뇌반구에서 관찰된다. M1의 원위부에서 분지하기 때문에 S 모양의 주행을 보이면서 전유공질의 후외면으로 들어간다. 평균 5개 정도의 동맥이 약 20개 정도로 분지되어 전유공질에 혈액을 공급한다. 전술한 대로 M1의 원위부에 발생하거나 M1의 조기 분지 또는 M2에서 발생하기도 하고 분기부가 짧다면 분기부 이후 부위 M1에서 발생하기도 한다. 분기부 이후에서 발생하는 경우 superior trunk보다 inferior trunk에서 호발한다. 이 그룹의 발생위치가 중요한 이유는 중대뇌 뇌동맥류의 호발 부위가 분기부이기 때문이며 약 70%의 분기부 중대뇌동맥류에서 5 ㎜ 이내에 lateral group LSA가 발견되므로 수술 시 주의를 요한다.

4) 분지 패턴

중대뇌동맥의 M1이 분지하는 것은 다음 세 가지 중 하나이다. 두 개로 분지하는 경우(상하 분지 bifurcation), 세 개로 분지하는 경우(상중하 분기 trifurcation), 다발성으로 분지하는 경우(네 개 이상). Rhoton은 78%에서 두 개로 분기하고 12%에서 3분지, 10%에서 다발 분지를 관찰하였다.

　　분지부위(bifurcation or trifurcation)보다 앞서 작은 분지가 M1에서 나오는 경우를 조기 분지(early branch)라고 한다.

　　상하 분지(bifurcation)은 세 가지로 세분할 수 있다. 상하 분지의 크기가 같은 경우(equal bifurcation), 상분지가 하분지 보다 큰 경우(superior trunk dominant), 하분지가 상분지보다 큰 경우(inferior trunk dominant)이다. Equal bifurcation은 약 18%에서 관찰되고 두 분지가 분포하는 영역의 넓이가 비슷하다. 상분지는 전두엽과 두정엽을 관류하고 하분지는 주로 측두엽, 측두–후두엽, angular area를 관류한다. 하분지가 큰 경우는 약 32%에서 발견되고 하분지가 두정엽까지 관류한다 상분지가 큰 경우는 약 28%에서 발견되고 작은 하분지는 측두엽만을 관류한다.

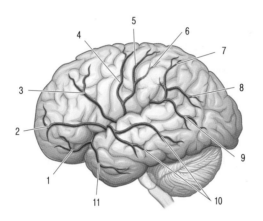

그림 1-3
중대뇌동맥
(middle cerebral artery)의
가지

1. 외측전두기저동맥(lateral frontobasal artery)
2. 전전두엽동맥(prefrontal artery)
3. 중심전고랑동맥(artery of precentral sulcus)
4. 중심고랑동맥(artery of central sulcus)
5. 중심후고랑동맥(artery of postcentral sulcus)
6. 전두정엽동맥(anterior parietal artery)
7. 후두정엽동맥(posterior parietal artery)
8. 각이랑동맥(artery of angular gyrus)
9. 후측두엽동맥(posterior temporal artery)
10. 중간측두엽동맥(middle temporal artery)
11. 전측두엽동맥(anterior temporal artery)

4. 전대뇌동맥

1) 전체 구조

내경동맥의 두 개의 분지 중 하나로 주로 내측 전두엽과 상부 전두엽 및 두정엽 일부를 관류한다. 내경동맥에서 분지하여 실비우스 열의 내측에서 시신경위 외측, 전유공질의 아래에서 기원한다. 전내측으로 주행을 시작하여 시신경의 위쪽을 지나 대뇌반구열로 들어간다. 반구열로 진입할 때 반대편 전대뇌동맥과 만나면서 전교통동맥을 형성하고 lamina terminalis 앞에서 대뇌반구열로 상행하여 들어간다. 양측 전대뇌동맥은 나란히 병렬하여 진행하지 않고 대부분 앞뒤로 위치하여 반구열을 주행하게 된다. Corpus callosum의 슬부(genu) 앞으로 지나면서 부드럽게 꺾여 뒤로 주행하고 corpus callosum의 위쪽 pericallosal cistern 내에

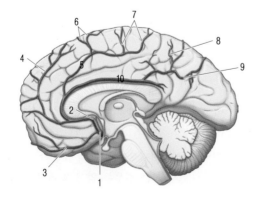

그림 1-4
전대뇌동맥
(anterior cerebral artery)의
가지

1. 전대뇌동맥(anterior cerebral artery)
2. 전내측중심동맥(anteromedial cerebral artery)
3. 내측전두기저동맥(medial frontobasal artery)
4. 전두극동맥(frontobasal artery)
5. 뇌량변연동맥(callosomarginal artery)
6. 전두엽가지(frontal branches)
7. 중심옆동맥(paracentral artery)
8. 쐐기앞동맥(precuneate artery)
9. 두정후두엽동맥(parieto-occipital artery)
10. 뇌량주위동맥(pericalloal artery)

위치한다. 주행하면서 표재 동맥들을 분지하고 corpus callosum의 splenium으로 진행하고 제3 뇌실 지붕(roof of 3rd ventricle)의 맥락총에서 끝이 난다. 후방 끝은 후대뇌동맥의 관류 영역 범위와 관계가 있어 상호 측부 순환을 이룬다.

2) 분절
5개의 분절로 나눈다. A1 (precommunicating), A2 (infracallosal), A3 (precallosal), A4 (supracallosal), A5 (postcallosal)

(1) A1
전대뇌동맥의 수평부(A1)에는 수많은 변이가 보고되어 있으나 평균적으로 직경은 중대뇌동맥의 수평부(M1)의 1/2로, 2.5 mm 정도이며 평균 길이는 12.7 mm (7.2-18 mm)이다. 굵기의 좌우 차이가 많이 발견되는데(36-78%) 왼쪽이 우세한 경우가 많다(2:1).
천공동맥은 크게 3가지로 분류한다.

① Proximal (lateral) group
7-8개 정도이며 A1 천공동맥의 대부분을 차지하고 직경도 distal group보다 굵다. 전유공질로 주로 천공하고 시교차, 시신경과 시속에도 분포한다. 전유공질로 천공하는 분지들은 미상핵두부 및 피각의 내하방부, 내포슬부, 내포후각이다.

② Distal (medial) group
2-3개의 비교적 가는 천공동맥군으로 proximal group과 비교하면 중요성이 낮고 주로 시신경, 시교차, 시속에 분포한다.

③ Recurrent artery of Heubner
A1 원위부(14%) 또는 A1-2 교차점(8%), A2(78%)에서 분지하여 A1을 따라 역주행하여 실비우스열을 향해 주행한다. 95%에서 전교통동맥 주변 4 mm 이내에서 발원한다.
대부분 A1의 전방부에 위치하기 때문에 전두엽을 거상하면 A1보다 먼저 발견되지만 A1의 위쪽이나 뒷면에서 관찰되는 경우도 있다. 관류영역은 미상핵두부 전반, 피각의 앞 1/3, 담창구(특히 바깥쪽 일부), 내포전각이다.
이 혈관이 막히거나 손상될 경우 실어(우위반구), 편마비, 안면이나 혀의 마비 등이 발생할 수 있다.

(2) 전교통동맥
직경은 1.2-1.5 mm, 길이는 약 3.0 mm 정도이다. 발생학적으로 multichanneled vascular

network의 유합에 의해 형성도므로 aplasia는 거의 확인되지 않지만 duplication, triplication fenestration, fusion 등의 변이가 많이 관찰된다. 실제 전형적인 전교통동맥은 41%에서만 관찰된다.

천공동맥은 전교통동맥의 후면에서 주로 분지한다. 전교통 동맥류의 결찰수술 시 천공동맥을 손상시키지 안호록 주의를 요한다. 관류 영역은 시교차, 시상하부 전반, 뇌궁, 투명중격, 뇌량, lamina terminalis에 걸친 대뇌변연계이며 대상회 등의 전두엽까지 관류하는 경우가 있다. 따라서 폐색 증상은 주로 전해질 이상, 내분비 장애, 자율신경증상, 기억장애, 성격변화 등이다.

(3) 원위부

전교통동맥 이후 부위를 말하며 뇌량을 감싸며 주행한다. 전술한 바와 같이 원위부 전대뇌동맥은 4부분으로 나눌 수 있다(A2-5).

① 뇌량주위 동맥(pericallosal artery, A2-5)

전대뇌동맥의 교통이후 부분은 뇌량주위동맥이라고도 하며 전교통동맥의 원위부에 있는 전대뇌동맥을 통칭하여 말하지만 학자에 따라서는 뇌량 변연 동맥(callosomarginal artery)을 분지한 이후의 종말가지만을 뇌량주위동맥이라 명하기도 한다. 그러나 뇌량변연동맥이 없는 경우도 많고 그 변이가 다양하기 때문에 본 장에서는 교통부위 이후의 전대뇌동맥의 전장을 뇌량주위동맥으로 정하기로 한다.

② 뇌량변연동맥(callosomarginal artery)

뇌량주위동맥의 가장 큰 분지로서 대상구(cingulate sulcus)를 따라 주행하며 두 개 이상의 표재 동맥을 분지한다. 대뇌반구의 80%에서 관찰된다. 대상이랑 위 또는 대상구안에 위치하면서 뇌량주위동맥과 평행하게 주행한다. 분지 위치는 다양해서 전교통동맥의 원위부에 서부터 대뇌이랑 무릎 위치 어디든 발생한다. 가장 흔한 위치는 A3이지만 A2 또는 A4에서도 분지한다. 가지 혈관들은 대뇌반구의 내측을 따라 상행하여 약 2 ㎝ 정도의 외측면까지 진행한다. 전운동겉질, 운동겉질, 감각겉질이 관류영역에 속한다.

③ 뇌량주위 동맥의 분지들

크게 두 가지로 분류한다. 하나는 시교차, 시삭, lamina terminalis, 전시상하부, 뇌량 머리 밑의 구조물들에 관류하는 기저 천공분지들이며, 다른 하나는 겉질 동맥들이다.

   i. 기저 천공분지

     A2에서 전형적으로 4-5개의 천공분지를 내고 시상하부의 앞부분, 투명중격, 전방교량

의 내측, 뇌궁 등을 관류한다. 대부분 A2에서 직접 분지하나 A2에서 분지하는 큰 가지인 뇌궁앞동맥(precallosal artery)에서 분지하는 경우도 있다.

ii. 겉질 동맥

8개의 전형적인 겉질동맥분지가 있다.

- 안와전두엽 가지(orbitofrontal artery): 원위 전대뇌동맥의 첫 번째 가지이다. A2에서 주로 분지하지만 전두극동맥(frontopolar artery)와 함께 분지하기도 한다. 분지부에서 하방 및 전방으로 주행하여 곧은 이랑(gyrus rectus), 후각신경, 전두엽의 안와면 중 내측면을 관류한다.

- 전두극동맥(frontopolar artery): A2에서 분지한다. 90%는 뇌량주변동맥에서, 10%는 뇌량변연동맥에서 분지한다. 전방으로 주행하여 전두엽의 앞 끝으로 향한다. 전두엽 앞 끝의 내측면과 외측면 겉질을 관류한다.

- 내전두동맥(internal frontal artery): 상부 전두 이랑(superior frontal gyrus)부터 중심옆소엽(paracentral lobule)에 이르는 전두엽의 내측면과 외측면을 관류한다. 주로 A3에서 분지하며 앞, 중간, 후방 전두 동맥으로 세분한다.

- 중심옆동맥(paracentral artery): 뇌량의 무릎과 팽대(splenium)의 중간 부근 A4 또는 뇌량변연동맥에서 분지한다. 전운동, 운동, 그리고 체감각 겉질에 관류한다.

- 두정엽동맥들(Parietal arteries): 중심옆소엽 이후의 전대뇌동맥 관류를 책임지며 상하 두정엽 동맥이 있다. 상두정엽 동맥은A4또는 A5와 뇌량변연동맥에서 분지하여 설전부(precuneus)의 윗쪽을 관류한다. 주로 뇌량팽대부 전에 발원하고 대상구(cingulate sulcus)의 변연을 주행한다. 하두정엽동맥은 A5에서 분지하여 뇌량팽대부 앞으로하여 설전부의 후하면을 관류한다.

5. 후대뇌동맥(Posterior cerebral artery)

뇌기저동맥(basilar artery)의 종말부가 둘로 나뉘어져 형성된 혈관으로 후교통동맥을 통해 내경도맥과 이어져 있으며 후두엽과 측두엽의 내측면 교뇌의 상부, 중뇌, 시상하부와 시상의 뒷부분에 관류한다. 발생학적으로 내경동맥의 분지이나 출생하면서 기저동맥에서 기원한다.

1) 분절
네 개의 분절로(P1-4) 이루어져 있다.

(1) P1
교통이전부분이며 기저동맥분기부에서부터 양 옆으로 뻗어 후교통동맥과 만나는 지점까지를 말한다. 이 부위의에서 발원하는 주요분지는 다음과 같다. 시상관통동맥(thalamoperfo-rating artery), 내측후맥락동맥(medial posterior choroidal artery), 사구판(quadrigeminal plate)로 가는 분지, 대뇌각(cerebral peduncle)과 중간뇌덮개(mesencephalic tegmen)으로 가는 분지이다.

(2) P2
후교통동맥에서 시작하여 각수조(crural cistern)와 중간뇌주위 수조(ambient cistern)를 거쳐 중뇌 후면끝까지의 후대뇌동맥을 일컫는다. 수술적 접근법이 다르고 발생 천공분지가 다르기 때문에 두 부분으로 세분하는데, 시작부위부터 중간뇌주위 수조까지를 전방 P2 (P2A)라 하며 구상회(uncus)와 대뇌각 사이를 지난다. 후방 P2 (P2P)는 중뇌외면과 해마주변(para-hippocampal) 및 치아이랑(dentate gyrus) 사이를 주행한다.

(3) P3
사구부분(quadrigeminal segment)이라고도 하며 중뇌 외면의 후면끝부터 사구수조의 외측을 거쳐 새발톱고랑(calcarine fissure)의 앞까지 이른다. 평균 길이는 2 ㎝이다. 양측 후대뇌동맥들끼리 가장 근접하는 부위를 일컬어 collicular 또는 quadrigeminal point라 한다.

(4) P4
새발톱고랑(calcarine sulcus)부터 겉질까지 분포한다.

2) 분지혈관
세 가지 종류의 분지혈관이 있다. ① 간뇌(diencephalon)와 중뇌(midbrain)를 관류하는 중심 천공분지와 ② 맥락총과 외실 및 제3 뇌실의 벽에 관류하는 뇌실분지, ③ 대뇌겉질과 뇌량팽대부를 관류하는 대뇌분지이다.

(1) 중심 천공분지
직접천공 분지와 휘돌이 분지(circumflex artery)로서 시상천공동맥(thalamoperforating artery), 대뇌각동맥(peduncular artery), 시상슬상체동맥(thalamogeniculate artery)이 있다.
　이 중 시상천공동맥은 P1에서 분지하여 후유공질과 대뇌각의 내측을 통해 들어간다. 같은 부위로 들어가되 후교통동맥에서 분지하여 들어가는 천공동맥을 전유두체 동맥(pre-mamillary artery)이라 한다. 시상천공동맥의 대부분은 P1의 중간에서 주로 발생한다. 시상과 시상하부의 앞부분, 시상밑부(subthalamus) 및 상부 중뇌의 내측(substantia nigra, red nucleus, oculomotor nucleus, trochlear nucleus, oculomotor nerve, mesencephalic reticular for-mation, pretectum, rostromedial floor of fourth ventricle, posterior portion of internal capsule)

을 관류한다. 이 때문에 시상천공동맥이 폐색될 경우 반대측 편마비, 기억력 저하, 자율신경 불균형, 복시, 의식저하, 이상 운동, 내분비 이상 등이 발생하게 된다.

시상슬상체동맥은 슬상체의 하면을 관통하고 최종적으로는 슬상체, 시상침, 시상외측의 후반부, 내포후각, 상구, 시삭등을 관류한다. 이 동맥의 폐색으로 인하여 반대측의 표재 및 심부감각장애, 견디기 힘든 시상통, 가벼운 반신마비, 불수의 운동 등의 증상을 나타내는 Dejerine-Roussy시상 증후군이 알려져 있다.

(2) 뇌실분지
외측 및 내측 후맥락총동맥이다.

(3) 대뇌분지
해마와 전/중/후 그리고 공통 측두 동맥들을 포함하는 아래 측두 그룹(inferior temporal group)과 두정-후두 동맥(parieto-occipital artery), 새발톱 동맥(calcarine artery), 팽대 동맥(splenial artery)이다.

6. 척추동맥-기저동맥계(Vertebra-basilar arterial system)

1) 척추 동맥(Vertebral artery)
척추 동맥은 쇄골밑 동맥(subclavian artery)의 가지로 4개의 부분으로 나눈다(V1-4). V1 (preforaminal segment)은 쇄골밑 동맥에서 분지하여 6번 경추 횡돌기로 들어가기 전까지의 구간이다. V2 (foraminal segment)는 6번 경추 횡돌기의 구멍으로 들어가서 2번 경추까지 횡돌기 구멍을 관통하여 나오기 까지이다. V3 (extradural or atlantic segment)는 C2의 횡돌기 구멍에서 나와서 경막에 들어가기 까지인데 C1의 횡돌기구멍까지의 수직부(vertical sement V3v)와 C1의 횡돌기 윗면을 가로지르며 내측으로 향하는 수평부(horizontal segment V3h)로 세분할 수 있다. V4는 경막을 관통하여 내측으로 주행한 후 연수의 앞으로 간 후 교뇌(pons) 와 연수 사이에서 반대측의 척추 동맥과 합쳐지면서 기저동맥(basilar artery)을 형성한다.
척추 동맥과 기저동맥의 가지들은 척수의 상부와 뇌간, 소뇌 및 대뇌겉질의 뒤쪽 아래쪽에 분포한다. 이 동맥계를 척추 동맥-뇌기저동맥계라고도 한다. 이 동맥계가 손상되면 사망하거나 혼수상태에 빠지게 되는 경우가 많아 기능적으로 매우 중요하다.

2) 두개강부의 가지
뇌막가지(meningeal branches), 전척수동맥(anterior spinal artery), 후하소뇌동맥(posterior inferior cerebellar artery, PICA), 후척수동맥(posterior spinal artery) 등의 동맥가지들이 나온

다. 후척수 동맥은 대부분의 교과서에서 척추동맥의 가지로 기술되어 있으나, 실제로는 후하소뇌동맥에서 나오는 경우(60%)가 척추동맥에서 나오는 경우보다 많다.

(1) 뇌막가지

대후두공(foramen magnum) 부위에서 나오는 한두 개의, 이 작은 혈관으로 두개골과 뇌경질막 사이에서 가지를 내어 소뇌우묵(cerebellar fossa)에 분포하며 소뇌겸(falx cerebelli) 부분에도 공급한다.

(2) 전척수동맥

좌우 척추동맥에서 각각 하나의 가지가 나와 연수의 상부에서 두개가 합쳐져 형성되며, 척수의 전정중틈새(anterior median fissure)를 따라 세로로 배열되어 연수의 앞쪽과 척수에 혈액을 공급한다. 전척수동맥은 양쪽에서 기시하는 것이 대부분이지만 어느 한쪽에서만 기시하는 경우도 있다. 한쪽에서만 기시하는 경우가 한국인에서는 10.7-12.8%이다. 양쪽에서 기시하여 합쳐지지 않고 따로 하행하는 경우는 약 절반이다. 이 두 혈관 사이에 연결이 있어 H자 모양을 하는 경우가 그렇지 않은 경우보다 많았다. 이 혈관은 양쪽 척추동맥이 합쳐져 뇌바닥동맥을 이루는 부분에서 좌측은 6.9 ± 2.77 ㎜, 우측은 6.5 ± 3.17 ㎜ 지점에서 기시한다.

(3) 후하소뇌동맥(posterior inferior cerebellar artery, PICA)

① 경로

척추동맥의 가장 큰 가지이며, 올리브(olive)를 뒤쪽으로 돌아 설하신경(XII)의 소근(rootlet) 사이를 지나 미주신경(X)과 설인신경(IX)의 뒤쪽으로 하소뇌각(inferior cerebellar peduncle)을 넘어 소뇌로 들어간다(그림 1-5).

② 변이

이 혈관은 변이가 많은 혈관으로 한쪽이 결손된 경우는 흔하다. 한국인에서는 한쪽이 결손된 경우가 5.9-10.7%이다. 뇌바닥동맥에서 기시하는 경우도 2.9-5.0%이다. 이 경우에는 대부분 전소뇌동맥과 공통줄기를 이루어 기시하였다. 이 혈관은 양쪽 척추동맥이 합쳐져 뇌바닥동맥을 이루는 부분에서 좌측은 7.9 ± 3.37 ㎜, 우측은 8.1 ± 4.20 ㎜ 지점에서 기시한다.

③ 기능

후하소뇌동맥의 가지는 연수의 외측과 제4 뇌실의 맥락총(choroid plexus)에 혈액을 공급하

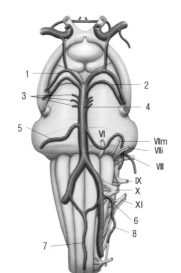

그림 1-5

척추동맥(vertebral artery)−
뇌기저동맥(basilar artery)의
가지

1. 후대뇌동맥(posterior cerebral artery)
2. 상소뇌동맥(superior cerebral artery)
3. 교뇌동맥(pontine branches)
4. 뇌기저동맥(basilar artery, 뇌저동맥)
5. 전하소뇌동맥(anterior inferior cerebellar artery, AICA)
6. 척추동맥(vertebral artery, 추골동맥)
7. 전척수동맥(anterior spinal artery)
8. 후하소뇌동맥(posterior inferior cerebellar artery, PICA)

며(제4 뇌실맥락가지 choroidal branch of 4th ventricle), 소뇌에서 외측가지(lateral branch)와 내측가지(medial branch)로 나누어진다. 소뇌에 분포하는 후하소뇌동맥의 작은 가지들은 전하소뇌동맥(anterior inferior cerebellar artery)과 상소뇌동맥(superior cerebellar artery)의 가지들과 연결되기도 한다.

(4) 후척수동맥(posterior spinal artery)

후하소뇌동맥의 가지로 전척수동맥과는 달리 좌우 한쌍이며, 척수의 후외측고랑(posterolateral sulcus)을 따라 세로로 배열되어 있다. 척추동맥에서 후척수동맥이 기시되는 경우 후척수동맥이 나오는 위치는 전척수동맥이 나오는 위치보다 항상 아래에 있다.

(5) 연수가지(medullary branch)

척추동맥에서 기원되는 작은 동맥들로 연수에 분포한다.

7. 뇌기저동맥(Basilar artery)(표 1-1)

1) 경로

양쪽의 척추동맥이 교뇌−연수 이행부(pontomedullary junction)에서 만나 형성되며, 교뇌의 배쪽 표면 정중앙에 있는 기저고랑(basilar groove)을 따라 올라간 후, 교뇌의 위쪽 경계에서 두 개의 후대뇌동맥(posterior cerebral artery)으로 분지되어 끝난다. 한국인에서 뇌기저동맥의 길이는 26.2-27.5 mm이다.

표 1-1	뇌기저동맥(basilar artery)의 가지
교뇌동맥(Pontine branches) 전하소뇌동맥(anterior inferior cerebellar artery, AICA) 미로동맥(Labyrinthine artery)	상소뇌동맥(Supeior cerebellar artery) 후대뇌동맥(Posterior cerebral artery)

2) 가지

교뇌동맥(pontine arteries, 교뇌가지 pontine branches), 전하소뇌동맥(anterior inferior cerebel-lar artery, AICA), 상소뇌동맥(superior cerebellar artery), 후대뇌동맥(posterior cerebral artery)이 있다. 이들 이외에 미로동맥(labyrinthine artery)이 나올 수 있으나, 미로동맥의 90% 정도는 전하소뇌동맥에서 기시하기 때문에 전하소뇌동맥의 가지로 기술한다.

(1) 교뇌동맥(pontine arteries)

뇌기저동맥에서 기원되는 작은 혈관들로 교뇌의 내측에 분포한다. 대부분 양쪽이 대칭이며 한쪽의 교뇌동맥의 수는 2-9개의 범위 내에 있고, 3-5개인 경우가 가장 많다.

(2) 전하소뇌동맥(anterior inferior cerebellar artery, AICA)

뇌기저동맥에서 기시하는 한쌍의 혈관으로, 교뇌를 돌아 소뇌 아래 표면의 위쪽으로 주행한다. 후하소뇌동맥(PICA)의 가지들과 연결된 경우도 많다. 한국인에서 전하소뇌동맥이 결손된 경우는 4.5-5.5%로 조사되었으며, 직경이 1 mm 이하인 경우는 3.7%로 보고되어 있다. 가지로는 내이(inner ear)에 분포하는 미로동맥(labyrinthine artery)과 상소뇌동맥(superior cerebellar artery)이 있으며 이후 바로 한 쌍의 후대뇌동맥(posterior cerebral artery)으로 나누어져 끝난다.

① 미로동맥(labyrinthine artery, 내이동맥 internal auditory artery)

전하소뇌동맥의 가지이지만 드물게는 뇌기저동맥에서 직접 기시하는 경우도 있다. 전정달팽이신경(VIII), 안면신경(VII)과 함께 내이도(internal acoustic meatus)로 들어가 내이(inner ear)에 분포한다. 미로동맥은 대부분의 교과서에는 뇌기저동맥의 가지라고 기술되어 있지만 실제로는 전하소뇌동맥의 가지인 것이 대부분으로 한국인에서는 91.9-98%가 전하소뇌동맥에서 나오는 것으로 조사되었다.

(3) 상소뇌동맥(superior cerebellar artery)

뇌기저동맥이 후대뇌동맥(posterior cerebral artery)으로 나누어지기 직전(2-3 mm 전) 뇌기저동맥에서 기시하는 한 쌍의 동맥이다(그림 1-5). 외측으로 동안신경(III)의 바로 아래쪽을 지나 후

대뇌동맥(posterior cerebral artery)과 거의 평행하게 주행한다. 계속 외측으로 주행하여 대뇌각(cerebral peduncle)을 돌아 소뇌의 상면에 분포하며, 이 혈관의 종말가지들은 전하소뇌동맥과 후하소뇌동맥의 종말가지들과 연결된다.

8. 뇌의 정맥분포(Venous drainage of the brain)

뇌의 정맥은 대부분 동맥과 동반되지 않으며, 판막(valve)이 없고 근육층(muscle layer)이 발달되어 있지 않기 때문에 혈관벽이 매우 얇다. 뇌에 분포하는 정맥은 대뇌정맥(cerebral vein), 소뇌정맥(cerebellar vein), 뇌간정맥(veins of the brain stem)으로 나누어지며, 경질막정맥동(dural sinuses)을 통해 내경정맥(internal jugular vein)으로 이어진다(그림 1-6, 7, 9). 뇌의 정맥은 동맥에 비해 변이가 많으며 그 경로도 일정하지 않은 경우가 많다.

1) 대뇌정맥(Cerebral veins)

대뇌정맥은 대뇌의 표면에 분포하는 천정맥(superficial vein, 얕은정맥)과 내부에 분포하는 심정맥(deep vein, 깊은정맥)으로 나눌 수 있다. 천정맥은 직접 경질막정맥동(dural sinus)으로 이어지며, 심정맥은 대대뇌정맥(greater cerebral vein of Galen, 갈렌정맥)으로 모인 후 곧은정맥동(straight sinus, rectus sinus)으로 이어진다.

(1) 천대뇌정맥(superficial cerebral vein, 얕은대뇌정맥)(표 1-2)

주로 대뇌겉질에 분포하는 정맥으로 상대뇌정맥(superior cerebral vein), 천중간대뇌정맥(superficial middle cerebral vein), 하대뇌정맥(inferior cerebral vein)으로 구성되어 있다(그림 1-6).

표 1-2 이천대뇌정맥(superficial cerebral vein)의 가지

상대뇌정맥(Superior Cerebral Vein)	천중간대뇌정맥(Superficial Middle Cerebral Vein)	하대뇌정맥(Inferior Cerebral Vein)
전두엽전정맥(Prefrontal Vein) 전두엽정맥(Frontal Vein) 두정엽정맥(Parietal Vein) 후두엽정맥(Occipital Vein)	상연결정맥(Superior Anastomosing Vein of Trolard 트롤라드정맥, 상문합정맥) 하연결정맥(Inferior Anastomosing Vein of Labbe 라베정맥, 하문합정맥)	갈고리정맥(Vein of Uncus)

① 상대뇌정맥(superior cerebral vein)

10-16개 정도의 정맥군으로, 대뇌겉질의 위쪽 외측과 내측 표면에 분포하며, 상시상정맥동(superior sagittal sinus)으로 직접 열린다. 전두엽과 전두엽 앞부분, 두정엽, 후두엽에 분

포하는 여러 가지들이 있다.

② 천중간대뇌정맥(superficial middle cerebral vein)

대뇌겉질 외측면의 대부분에 분포하며, 외측고랑을 따라 주행한다. 실비우스열과 밀접하게 관계되어 있는 점에서 임상적으로는 실비우스정맥이라고 부르는 경우가 많다. 심중간대뇌정맥(deep middle cerebral vein, deep sylvian vein)은 도(insula)의 표면을 주행하여 기저정맥(basal vein of Rosenthal)로 이어진다.

천중간대뇌정맥은 실비우스열의 후연에서 시작하여 실비우스열을 따라서 주행하며 전하방을 향하고 접형골릉(sphenoid ridge)을 따라서 주행하여, 접형두정정맥동(sphenoparietal sinus) 또는 해면정맥동(cavernous sinus)으로 이어지지만, 상연결정맥(superior anastomosing vein of Trolard 트롤라드정맥, 상문합정맥)을 통해 상시상정맥동(superior sagittal sinus)과 이어지고 하연결정맥(inferior anastomosing vein of Labbe, 라베정맥, 하문합정맥)을 통해 가로정맥동(transverse sinus)과 연결된다(그림 1-6).

그림 1-6
천대뇌정맥
(superficial celebral vein)의
가지

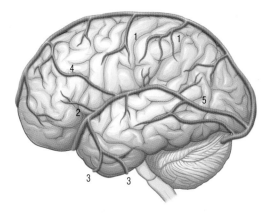

1. 상대뇌정맥(superior cerebral vein)
2. 천중간대뇌동맥(superficial middle cerebral vein, 얕은중대뇌정맥)
3. 하대뇌정맥(inferior cerebral vein)
4. 상연결정맥(superior anastomosing vein of Trolard 트롤라르정맥, 상문합정맥)
5. 하연결정맥(inferior anastomosing vein of Labbe 라베정맥, 하문합정맥)

③ 하대뇌정맥(inferior cerebral vein)

대뇌겉질의 하면에 분포하는 작은 정맥으로 주위의 정맥동(상시상정맥동, 해면정맥동, 상암석정맥동, 가로정맥동 등)으로 이어진다. 이 정맥의 가지 중에는 갈고리이랑(uncus)에 분포하는 갈고리정맥(vein of uncus)이 있다.

(2) 심대뇌정맥(deep cerebral vein, 깊은대뇌정맥)(표 1-3)

주로 대뇌반구의 심부에 분포하는 정맥으로 대부분 대대뇌정맥으로 모여 곧은정맥동(straight sinus)으로 이어진다(그림 1-7). 대대뇌정맥(great cerebral vein, 갈렌정맥(vein of Galen))은 두 개

표 1-3 심대뇌정맥(deep cerebral vein)의 가지

대대뇌정맥(great cerebral vein of Galen)	
내대뇌정맥(internal cerebral vein)	뇌기저정맥(basal vein of Rosenthal, 로젠탈정맥, 뇌저정맥)
상맥락정맥(superior choroidal vein) 상시상선조체정맥(superior thalamostriate vein, 분계정맥 vena terminalis) 　전투명중격정맥(anterior vein of septum pellucidum) 　후투명중격정맥(posterior vein of septum pellucidum) 　외측뇌실내측정맥(medial atrial vein of lateral ventricle) 　외측뇌실외측동맥(medial atrial vein of lateral ventricle) 　미상핵정맥(vein of caudate nucleus)	전대뇌정맥(anterior cerebral vein) 심중간대뇌정맥(deep middle cerebral vein) 하시상선조체정맥(inferior thalamostriate vein) 후각이랑정맥(vein of olfactory gyrus) 하뇌실정맥(inferior ventricular vein) 하맥락정맥(inferior choroidal vein) 대뇌각정맥(peduncular vein) 외측바로정맥(direct lateral vein) 후뇌량정맥(posterior vein of corpus callosum) 등쪽뇌량정맥(dorsal vein of corpus callosum)

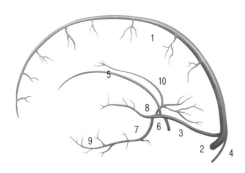
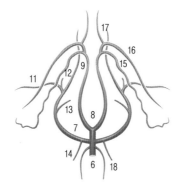

그림 1-7
대뇌의 정중시상단면(왼쪽)과 기저면(오른쪽)에 나타난 심대뇌정맥 (deep cerebral vein)의 가지

1. 상시상정맥동(superior sagital sinus)
2. 가로정맥동(transverse sinus)
3. 곧은정맥동(straight sinus, 직정맥동)
4. 후두정맥동(occipital sinus)
5. 하시상정맥동(inferior sagital sinus)
6. 대대뇌정맥(great cerebral vein of Galen, 갈렌정맥)
7. 뇌기저정맥(basal vein of Rosenthal)
8. 내대뇌정맥(internal cerebral vein)
9. 전대뇌정맥(anterior cerebral vein)
10. 후뇌량정맥(posterior vein of corpus callosum)

11. 심중간대뇌정맥(deep middle cerebral vein)
12. 하시상선조체정맥(inferior thalamostriate vein)
13. 대뇌각정맥(peduncular vein)
14. 소뇌중심소엽전정맥(precentral vein)
15. 상맥락정맥(superior choroidal vein)
16. 상시상선조체정맥(superior thalamostriate vein, 종말정맥 vena terminalis)
17. 투명중격정맥(veins of septum pelucidum)
18. 상소뇌벌레정맥(superior vermian vein)

의 내대뇌정맥(internal cerebral vein)이 합쳐져 형성된 하나의 짧고(길이 1-2 ㎝) 굵은 정맥이다. 뇌량팽대(splenium) 부위에서 형성되어 하시상정맥동(inferior sagittal sinus)과 만나 곧은 정맥동(straight sinus)으로 이어진다. 대대뇌정맥으로 직접 들어오는 정맥에는 내대뇌정맥과 뇌기저정맥(basal vein), 그리고 외측직정맥(direct lateral vein), 후뇌량정맥(posterior vein of corpus callosum), 등쪽뇌량정맥(dorsal vein of corpus callosum) 등이 있다(그림 1-7).

① 내대뇌정맥(internal cerebral vein)

Monro공의 위치에서 중격정맥(septal vein), 상맥락총정맥(superior choroidal vein)과 상시상선조체정맥(superior thalamostriate vein)이 합쳐져 형성되며, 양쪽의 내대뇌정맥이 합쳐져 대대뇌정맥을 형성한다(그림 1-7). 정맥각(venous angle)은 뇌혈관 촬영의 측면상에서 비교적 변이가 적은 시상선조체정맥(thalamostriate vein)과 내대뇌정맥(internal cerebral vein)이 이루는 각이며, 이 부위는 Monro공의 후상연(posterosuperior margin)을 나타낸다. 또 여러 점거성 병변으로 시상선조체정맥이나 내대뇌정맥이 영향을 받으면 그 위치가 변위된다.

  i. 상맥락정맥

  맥락총을 따라 위치해 있으며, 해마형성체(hippocampal formation), 뇌궁(fornix), 뇌량(corpus callosum) 등에 분포한다.

  ii. 상시상선조체정맥

  시상선조체정맥(thalamostriate vein)이라고도 하며, 분계선조(stria terminalis) 위에 놓여 있기 때문에 분계정맥(vena terminalis)이라고도 한다. 이 정맥은 시상(thalamus)과 미상핵(caudate nucleus)을 나누는 경계구조가 되기도 한다. 상시상선조체정맥은 투명중격의 앞부분과 뒷부분에 분포하는 전투명중격정맥(anterior vein of septum pellucidum)과 후투명중격정맥(posterior vein of septum pellucidum), 외측뇌실 내측의 두정엽과 후두엽에 분포하는 외측뇌실 내측벽정맥(medial atrial vein of lateral ventricle), 외측뇌실 외측의 측두엽과 두정엽에 분포하는 외측뇌실외측벽동맥(lateral atrial vein of lateral ventricle), 미상핵에 분포하는 미상핵정맥(vein of caudate nucleus) 등의 정맥가지에서 오는 혈액을 받는다.

② 뇌기저정맥(로젠탈정맥, basal vein, vein of Rosenthal)

전관통질(anterior perforating substance)에서 기시하여 후방으로 대뇌각(cerebral peduncle)을 돌아 내대뇌정맥(internal cerebral vein)으로 열리는 큰 정맥이다. 이 정맥은 전두엽의 기저부와 내측부 및 기저핵에 분포한다. 대뇌동맥과 동반된 전대뇌정맥(anterior cerebral vein), 중간대뇌동맥의 관통동맥과 동반되는 심중간대뇌정맥(deep middle cerebral vein), 시상과 선조체에 분포하는 하시상선조체정맥(inferior thalamostriate vein), 후각이랑에 분포하는 후각이랑정맥(vein of olfactory gyrus), 측두엽에 분포하는 하뇌실정맥(inferior ventricular vein), 맥락총에 분포하는 하맥락정맥(inferior choroidal vein), 중뇌의 대뇌각에 분포하는 대뇌각정맥(peduncular vein)등의 정맥가지에서 오는 혈액을 받는다.

③ 기타

대대뇌정맥으로 직접 열리는 정맥에는 외측뇌실(lateral ventricle)에 분포하는 외측직정맥(direct lateral vein)과 뇌량의 후면에 분포하는 후뇌량정맥(posterior vein of corpus callosum), 뇌량의 상면에 분포하는 등쪽뇌량정맥(dorsal vein of corpus callosum)이 있다.

2) 소뇌정맥(Cerebellar veins)

소뇌의 정맥은 소뇌의 표면에 있으며 상면에 분포하는 정맥과 하면에 분포하는 정맥으로 나눌 수 있고, 소뇌벌레(vermis)에 분포하는 정맥과 소뇌반구(cerebellar hemisphere)에 분포하는 정맥으로 나눌 수도 있다. 소뇌와 뇌간에 분포하는 정맥계를 천막하정맥계(infratentorial venous system)라고 하며 대부분이 정맥동(venous sinus)으로 직접 이어지지만, 일부 정맥은 대대뇌정맥(greater cerebral vein of Galen)으로 이어지기도 한다. 이 부분의 정맥들은 대부분이 서로 문합(anastomosis)되어 있으며 동맥에 비해 변이가 많다.

(1) 상소뇌벌레정맥(superior vermian vein)

소뇌벌레(vermis) 부위에 분포하는 정맥으로 대대뇌정맥(greater cerebral vein of Galen)이나 뇌기저정맥(basal vein of Rosenthal)으로 이어진다. 소뇌중심소엽전정맥(precentral vein)은 일차틈새(primary fissure)에서 나와 소뇌전엽을 따라 올라가다가 대대뇌정맥으로 이어지는 정맥이다. 상면 소뇌반구(cerebellar hemisphere)에 분포하는 상소뇌반구정맥(superior cerebellar hemispheric vein)은 수와 위치가 사람에 따라 차이가 있으며, 반구의 내측에 위치하는 경우가 많다. 이 정맥은 상소뇌벌레정맥과 소뇌중심소엽전정맥으로 이어지거나, 곧은정맥동(straight sinus)으로 직접 이어진다. 외측으로 주행하는 상소뇌반구정맥은 가로정맥동(transverse sinus)이나 상암석정맥동(superior petrosal sinus)으로 이어지기도 한다.

(2) 하소뇌벌레정맥(inferior vermian vein)

소뇌벌레의 하면에 분포하는 정맥으로 소뇌벌레의 외측을 따라 주행하여 곧은정맥동(straight sinus)으로 들어간다. 소뇌반구 하면의 외측에 분포하는 하소뇌반구정맥(inferior cerebellar hemispheric vein)은 상소뇌반구정맥보다 크며 가로정맥동(transverse sinus)으로 이어진다.

(3) 제4 뇌실외측오목정맥(vein of lateral recess of 4th ventricle)

소뇌심부핵(deep cerebellar nuclei)과 소뇌백색질(cerebellar white matter) 및 제4 뇌실 맥락총에서 정맥혈액을 받아 암석정맥(petrosal vein)으로 이어진다. 암석정맥은 상암석정맥동(superior petrosal sinus)으로 이어진다.

3) 뇌간의 정맥(Veins of the brain stem)

연수, 교뇌, 중뇌의 표면에 정맥얼기(venous plexus)가 형성되며, 이를 각각 연수정맥(medullary vein), 교뇌정맥(pontine vein), 전교뇌중뇌정맥(anterior pontomesencephlic vein)이라고

한다. 연수정맥은 척추정맥얼기(vertebral venous plexus) 및 교뇌정맥과 이어져 있으며, 교뇌정맥은 연수정맥 및 전교뇌중뇌정맥과 이어져 있다. 이 정맥들은 주로 암석정맥(petrosal vein)을 통해 상암석정맥동(superior petrosal sinus)으로 들어가며, 전교뇌중뇌정맥은 뇌기저정맥(basal vein)을 통해 대대뇌정맥(great cerebral vein)으로 이어진다. 전교뇌중뇌정맥이 둘로 나누어져 양쪽의 뇌기저정맥으로 이어지는 부분을 대뇌각간정맥(interpeduncular vein)이라고 한다. 대부분의 경우, 양쪽의 대뇌각간정맥을 잇는 후교통정맥(posterior communicating vein)이 존재하기도 한다.

4) 경질막정맥동(Dural venous sinuses)

미세 정맥이 뇌조직으로부터 나와 pial venous plexus를 형성하고 대뇌정맥으로 이어진다. 정맥은 지주막하 공간을 통과하여 경막에 있는 혈관 내피세포로 덮여 있는 정맥동으로 유출한다. 경질막정맥동은 혈관이기는 하지만 근육층이 없어 벽이 얇으며, 경질막의 치밀결합조직이 혈관벽의 역할을 한다. 경질막정맥동의 내강은 내피(endothelium)로 덮여 있으며, 정맥의 내피와 연속되어 있다. 경막의 뇌막층과 골막층 사이에 있으며 쉽게 눌리지 않고 밸브가 없다. 경막 정맥동은 상방 및 후방으로 혈액을 보내며 후두부 protuberance에서 모이면서 confluens sinuum을 형성한다. 여기에서 두 개의 횡행정맥동이 형성되어 옆으로 나가고 내경정맥(internal jugular vein)을 통해 양측으로 혈액이 유출된다.

(1) 상시상정맥동(superior sagittal sinus)

대뇌겸(falx cerebri)의 상면을 따라 세로 방향으로 길게 뻗어 있으며 후두골의 내후두융기(internal occipital protuberance) 부근에서 정맥동합류(confluence of sinuses, 정맥동교회)로 열린다(그림 1-8). 이 정맥동의 단면은 역삼각형 모양이며 뒤쪽으로 갈수록 내강이 조금씩 커진

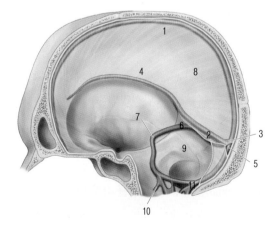

그림 1-8
정중시상단면에서
나타나는 경질막정맥동
(dural venous sinus)

1. 상시상정맥동(superior sagittal sinus)
2. 곧은정맥동(straight sinus, 직정맥동)
3. 정맥동합류(confluence of sinuses, onfluens sinuum, 정맥동교회 헤로필루스동 torcular Herophili)
4. 하시상정맥동(inferior sagittal sinus)
5. 후두정맥동(occipital sinus)
6. 가로정맥동(transverse sinus)
7. 에스상정맥동(sigmoid sinus)
8. 대뇌겸(falx cerebri)
9. 소뇌천막(tentorium cerebelli)
10. 내경정맥(internal jugular vein)
11. 기저정맥얼기(basal plexus)

다. 두정골(parietal bone) 부위에서 상시상정맥동의 외측으로는 외측정맥주머니(lateral ve-nous lacunae)가 있으며 이 부분에는 거미막과립(arachnoid granulation, 지주막과립)이 있다. 거미막과립은 거미막밑공간(subarachnoid space)의 뇌척수액(CSF)이 정맥동으로 흡수될 수 있도록 특수하게 분화된 구조이다.

(2) 하시상정맥동(inferior sagittal sinus)

대뇌겸(falx cerebri)의 하면을 따라 세로 방향으로 뻗어 있다. 이 정맥동은 뒤쪽에서 곧은정맥동(straight sinus)으로 이어진다. 대뇌겸 부위와 대뇌반구에 분포하는 작은 정맥들이 이 정맥동으로 들어온다. 아래쪽으로 내려가면서 대대뇌정맥과 합쳐지고 곧은 정맥동을 형성한다.

(3) 곧은정맥동(straight sinus, 직정맥동)

대뇌겸(falx cerebri)과 소뇌천막(tentorium)이 만나는 경계부에 위치하고 정맥동합류로 흘러간다. 앞쪽으로는 하시상정맥동과 이어지며, 대대뇌정맥(greater cerebral vein of Galen)도 곧은정맥동으로 들어온다. 상소뇌반구정맥(superior cerebellar hemispheric vein)이 곧은정맥동으로 직접 열리기도 한다.

(4) 후두정맥동(occipital sinus)

매우 작은 정맥동으로(falx cerebelli)이 후두골에 붙어있는 부위를 따라 있으며 위쪽에서 정맥동합류로 열린다. 대후두공(foramen magnum) 주위의 작은 정맥들이 이 정맥동으로 들어온다.

(5) 정맥동합류(confluence of sinuses, confluens sinuum, 정맥동교회, 헤로필루스동 torcular Herophili)

상시상정맥동, 곧은정맥동, 후두정맥동, 가로정맥동이 만나는 부분으로 후두골의 내후두융기(internal occipital protuberance) 부근에 위치한다. 상시상정맥동, 곧은정맥동, 후두정맥동에서 들어온 정맥 혈액이 이곳에 모여 가로정맥동을 통해 에스상정맥동 쪽으로 유입된다.

① 가로정맥동(transverse sinus)

정맥동합류에서 양쪽 옆으로 이어지는 큰정맥동으로 소뇌천막(tentorium cerebelli)이 후두골에 붙어있는 부분에 위치해 있다. 후두골의 안쪽에 있는 골을 따라 평행하게 외측으로 주행하다가 소뇌천막이 끝나는 후두골과 측두골의 경계에서 에스상정맥동으로 이어진다. 이 정맥동으로는 대뇌정맥 중에서 하연결정맥(inferior anastomosing vein of Labbe, 라베정맥)이 들어오며, 하대뇌정맥(inferior cerebral vein)의 일부도 열린다. 소뇌에 분포하는 하소뇌반구정맥(inferior cerebellar hemispheric vein)이 들어오며, 상소뇌반구정맥(superior cerebellar hemispheric vein)도 이 정맥동으로 열리기도 한다.

② 에스상정맥동(sigmoid sinus)

소뇌천막이 끝나는 부분에서 시작되는 정맥동으로 대부분이 측두골의 암석부분에 있으며 앞쪽 내측 아래쪽으로 돌아 경정맥공(jugular foramen)의 뒤쪽에서 내경정맥(internal jugular vein)으로 이어진다. 대부분 비대칭으로 발달한다. 상시상정맥동이 주로 우측으로 연결되고 곧은 정맥동이 주로 좌측으로 연결된다.

③ 해면정맥동(cavernous sinus)

상안구열(superior orbitl fissure)에서 측두골 암석부분까지 이르는 곳에 양측 접형동, sella turcica, 뇌하수체접형골체(body of sphenoid bone)에 형성된 불규칙한 정맥 네트워크이다. 뇌하수체 깔때기(infundibulum)의 앞쪽과 뒤쪽에서 해면간정맥동(intercavernous sinus)과 뇌기저정맥얼기(basilar plexus)에 의해 연결되어 있다(그림 1-9). 해면정맥동내에는 결합조직으로 구성된 수많은 섬유성 구조가 정맥동의 내강을 가로지른다. 내경동맥과 뇌신경(3-6번)을 감싸고 있다.

해면정맥동으로는 천중간대뇌정맥(superficial middle cerebral vein)과 일부 하대뇌정맥(inferior cerebral vein)이 열리며, 위눈정맥(superior opthalmic vein)과 아래눈정맥(inferior opthalmic vein)도 이 정맥동으로 들어온다. 접형두정정맥동(sphenoparietal sinus)도 해면정맥동으로 이어진다. 해면정맥동은 상암석정맥동(superior petrosal sinus)을 통해 가로정맥동(transverse sinus)으로 이어지며, 하암석정맥동(inferior petrosal sinus)을 통해 내경정맥으로 이어진다(그림 1-9).

그림 1-9
두개골기저부(skull base)
에서 나타나는
경질막정맥동
(dural venous sinus)

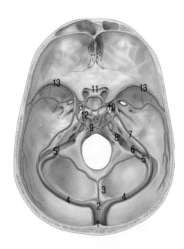

1. 상시상정맥동(superior sagittal sinus)
2. 정맥동합류(confluence of sinuses, confluens sinuum, 정맥동교회 헤로필루스동 torcular Herophili)
3. 후두정맥동(occipital sinus)
4. 가로정맥동(transverse sinus)
5. 에스상정맥동(sigmoid sinus)
6. 내경정맥(internal jugular vein)
7. 상암석정맥동(superior petrosal sinus, 상추체정맥동)
8. 하암석정맥동(inferior petrosal sinus, 하추체정맥동)
9. 기저정맥얼기(basilar plexus)
10. 해면정맥동(sigmoid sinus)
11. 전해면간정맥동(anterior intercavernous sinus)
12. 후해면간정맥동(posterior intercavernous sinus)
13. 접형두정동(sphenoparietal sinus)

참고문헌

• 정희원: 임상의를 위한 뇌국소해부학 2001, 군자출판사.

• 이원택: 뇌신경마취 핸드북. 1-49, 2008, 군자출판사.

• Gibo H, Rhoton AL Jr et al: Micorsurgical anatomy of the middle cerebral artery. J Neurosurg 54:151-69, 1981.

• Gibo H, Rhoton AL Jr et al: Micorsurgical anatomy of supraclinoid portion of internal carotid artery. J Neursurg 55:560-674, Fujii K 1981.

• Liu Q, Rhoton AL Jr et al: Middle meningeal origin of the ophthalmic artery. Neurosurgery 49:401-7, 2001.

• Fujii K, Rhoton AL Jr et al: Microsurgical anatomy of the choroidal arteries: Lateral and third ventricles. J Neurosurg 52:165-88, 1980.

• Ono M, Rhoton AL Jr, et al: Microsurgical anatomy of the region of the tentorial incisura. J Neurosurg 60:365-99, 1984.

• Perlmutter D, Rhoton AL Jr, et al: Microsurgical anatomy of the anterior cerebral-anterior communicating- recurrent artery complex. J Neurosurg 45:259-72,1976.

• Perlmutter D, Rhoton AL Jr, et al: Microsurgical anatomy of the distal anterior cerebral artery. J Neurosurg 49:204-28, 1978.

• Rhoton AL Jr: The cerebellar arteries. Neurosurgery 47[suppl 1]:S29-S68, 2000.

• Rhoton AL Jr et al: Microsurgical anatomy of anterior choroidal artery Surg Neurol 12:171-87, 1979.

• Rosner SS, Rhoton AL Jr et al: Microsurgical anatomy of the anterior perforating arteries. J Neurosurg 61:468-85, 1984.

• Saeki N, Rhoton AL Jr: Microsurgical anatomy of the upper basilar artery and the posterior circle of Willis. J Neurosurg 46:563-78, 1977.

• Rhoton AL Jr: The supratentorial arteries. Neurosurg 51[suppl]S1-53 ‐ S1-151, 2002.

• Malcolm B. Carpenter. Core text of neuroanatomy,4th edition 1991, Williams & wilkins.

KOREAN
SOCIETY OF
NEUROSCIENCE
IN ANESTHESIOLOGY
AND CRITICAL CARE

뇌와 척수의 생리 및 대사

Physiology and Metabolism of the Brain and Spinal Cord

뇌와 척수의 생리 및 대사

02

Physiology and Metabolism of the Brain and Spinal Cord

정우석
충남대학교 의과대학

해변에서 맨발로 걷다가 날카로운 조개 껍질을 밟았다고 가정해보자. 정상인이라면 갑작스러운 통증을 느끼면서 다리를 반사적으로 들어올릴 것이다. 매우 당연하고 단순해 보이는 이 행동조차 매우 복잡한 신경계를 통해서만 가능하다. 먼저 발바닥의 감각이 전기 신호로 전환이 되고, 이 신호는 매우 빠른 속도로 척수로 전달된다. 여기서 일부의 신호는 다시 다리로 내려가 발을 들어올리게 하는 반사 반응(reflex)을 일으키게 될 것이고, 일부는 뇌로 전달되어 날카로운 물체로 인한 통증이 느껴지게 된다. 이 모든 과정을 이해하기 위해서는 우리 신경계의 신경생리(neurophysiology)에 대한 지식이 필요하다. 전신마취는 이러한 정상적인 신경생리를 막는 과정이며, 많은 연구에서 전신마취가 신경생리, 에너지 대사 및 혈류에 지대한 영향을 미친다는 것이 밝혀졌다. 이 단원에서는 전신마취에 의한 뇌신경계의 변화를 이해하기에 앞서 정상 신경계의 생리 및 대사 그리고 혈류 조절에 대해 살펴보고자 한다.

1. 뇌와 척수의 신경생리(Brain and spinal cord neurophysiology)

우리 몸의 조직들은 모두 특수한 세포들을 지니고 있다. 뇌신경계 역시 매우 특수한 세포들로 구성되어 있으며, 이 세포들의 기능에 의해 뇌의 기능이 결정된다. 신경계에 존재하는 세포는 크게 신경세포(neuron)와 아교세포(glial cell)로 나눌 수 있다. 인간 성인의 뇌에는 신경세포와 아교세포가 같은 숫자만큼 존재하지만(각 850억 개), 신경세포가 뇌기능의 중요한 기능 중 대부분을 조절한다. 아교세포들은 주변 신경세포에 수초(myelin sheath)를 형성하고, 형태를 유지해주며, 영양분을 공급하는 것과 같이 신경세포가 효과적으로 기능을 유지할 수 있게 해준다. 아교세포의 기능을 이렇게 단순하게 설명하기에는 매우 부족하지만, 주요 뇌기능을 신경세포가 담당하기 때문에 이 단원에서는 신경세포에 초점을 맞췄다.

1) 막전위(Membrane potential)
중추신경계의 신호전달을 이해하기 위해서는 먼저 신경세포의 전기생리(electrophysiology)에 대한 이해가 필요하다. 막전위란 세포 내를 기준으로 세포내외의 전위차를 말한다. 신속한 신경전달을 위해 신경세포의 막전위는 평소에 −65 ㎷로 유지되며, 이를 정지막전위(resting membrane potential)라고 부른다. 즉, 신경 전달을 하고 있지 않는 신경세포는 세포막의 내부가 외부보다 전압이 낮게 유지가 되는 것이다. 많은 사람들이 혼란스럽게 생각할 수 있으나, 그렇다고 세포의 내부와 외부에 음/양이온의 균형이 깨진 것은 아니다. 매우 얇은 세포막을 두고 음/양이온들이 다르게 분포하고 있으나 전체적인 양/이온은 평형을 유지하고 있다(그림 2-1).

그림 2-1
세포막을 중심으로 양/음이온들의 분포 상태. 세포막을 중심으로 양/음이온들이 불균형적으로 위치하고 있으나 세포 안팎의 양/음이온 균형이 유지되고 있다.

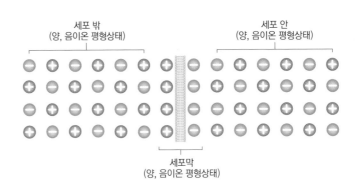

세포 밖
(양, 음이온 평형상태)

세포 안
(양, 음이온 평형상태)

세포막
(양, 음이온 평형상태)

세포막은 기본적으로 인지질 이중층(phospholipid bilayer)으로 이뤄져 있어 수용성 이온들의 통과가 불가능하기 때문에 세포막을 중심으로 정지막전위가 낮게 유지되기(−65 ㎷) 위해서는 세포막의 이온통로(ion channels)와 이온펌프(ion pumps)가 매우 중요하다. 이 중 제일 중요한 펌프는 나트륨-칼륨 펌프(sodium-potassium pump, Na^+/K^+-ATPase)로 에너지(ATP)를 사용하여 3개의 Na^+ 이온을 세포 밖으로, 2개의 K^+ 이온을 세포 안으로 이동시킴으로써 세포내의 전위를 세포 밖보다 낮게 유지한다. 신경세포는 평소에 세포막 내의 전위를 낮게 유지하고 있지만, 신호 전달을 위해서는 활동 전위로 전환된다.

신경세포와 마찬가지로 심장에서도 전기적 신호 전달이 매우 중요하다. 심장도 평소에 정지막전위가 제대로 유지되어야 일정하게 심장이 정상적으로 수축할 수 있다. 그러나 잘못하여 고농도의 K^+ 이온이 주입될 경우 세포 밖의 K^+ 농도가 갑작스럽게 증가되어 정지막전위가 깨질 수 있으며, 이로 인해 심근육의 수축이 일어나지 못하여 환자가 사망할 수 있는 것이다.

2) 활동전위(Action potential)
활동전위란 일부 신경세포막의 막전위가 음전위(정지막전위)에서 양전위로 역전되는 현상을 의미한다. 예를 들면, 신경세포막의 특정 이온통로가 열리면서 양이온이 신경세포 내로 유입되어 −65 ㎷(정지막전위)로 유지되고 있던 세포막의 막전위가 높아진다(그림 2-2A). 막전위

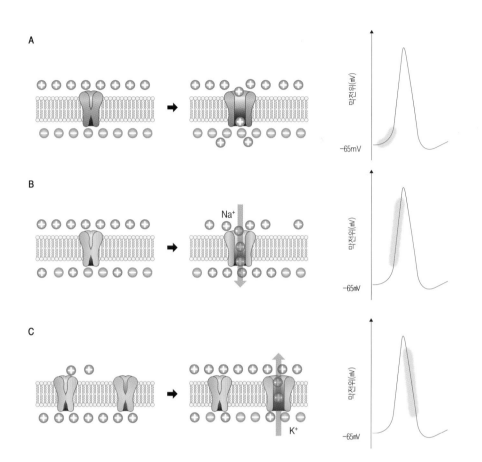

그림 2-2

세포막의 활동전위
발생 기전.
(A) 세포막의 이온통로를
통해 양이온들이 유입되면서
막전위가 증가한다.
오른쪽 그래프는 양이온이
세포내로 유입되면서 세포막
의 막전위가 증가되는
구간을 표시하였다.
(B) 세포막의 막전위 상승으로
인해 나트륨 이온통로
(voltage-gated Na⁺ channel)
가 열리면서 Na⁺ 이온들이
급속도로 들어와 세포막의
탈분극이 일어난다. 오른쪽
그래프는 Na⁺ 이온들이
급속도로 세포내로
유입되면서 탈분극이
일어나는 구간을 표시하였다.
(C) 나트륨 이온통로가 닫히고
칼륨 이온통로(voltage-gated
K⁺ channel)가 열리면서
K⁺ 이온들이 세포밖으로
빠져나가면서 다시 막전위가
낮아진다. 오른쪽 그래프는
K⁺ 이온들이 세포밖으로
나가면서 막전위가 다시 낮아
지는 구간을 표시하였다.

가 일정 수준 이상 올라가면 나트륨 이온통로(voltage-gated sodium channel)들이 일시적으로 열리고, 평소 나트륨-칼륨 펌프(sodium-potassium pump, Na⁺/K⁺-ATPase)에 의해 유지되었던 Na⁺ 농도 차이 및 전압 차이로 인해 Na⁺이 신경세포 안으로 급속도로 들어오게 되어 세포막이 탈분극(depolorization)되면서 활동전위가 일어나게 된다(그림 2-2B). 이후 나트륨 이온통로들이 닫히고 칼륨 이온통로(voltage-gated K⁺ channel)들을 통해 K⁺ 이온들이 신경세포 밖으로 빠져나가면서 다시 정지막전위로 전환된다(그림 2-2C). 신경세포막의 일부분에서 일어난 활동전위는 주변 세포막의 막전위를 상승시킴으로써 활동전위가 지속적으로 세포막을 따라 전달되어 신경세포의 신호가 효과적으로 전달 될 수 있다(그림 2-3). 이렇게 세포막을 통해 전달되는 전기 신호는 축삭 말단(axon terminal)까지 도달하고, 축삭 말단에서의 활동 전위는 신경전달물질(neurotransmitter)의 분비를 일으켜 다른 신경세포까지 신호를 전달할 수 있다(신경세포접합부전달, synaptic transmission). 우리가 임상에서 흔히 사용하는 국소마취제인 리도카인(lidocaine)의 주요 마취기전은 나트륨 이온통로(voltage-gated Na⁺ channel)과 결합하여 활동전위 발생을 억제하는 것이다.

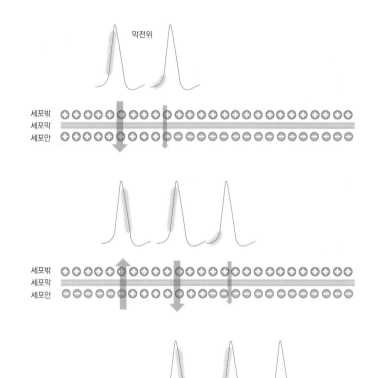

그림 2-3
세포막을 따라 활동전위가 왼쪽에서 오른쪽으로 이동하는 모양(A ⇒ B ⇒ C). 세포막 일부에서 활동전위가 일어나면서 주변의 막전위도 증가하여 활동전위가 세포막을 따라 이동한다. 세포막 위의 활동전위 그래프는 현재 막전위가 해당되는 구간을 붉은 색으로 표시하였다. 화살표는 양이온의 이동을 의미한다.

3) 신경세포접합부전달(Synaptic transmission)

신경세포는 세포막의 활동전위를 이용해 신호를 축삭 말단(axon terminal)까지 전달한다. 축삭 말단까지 전달된 활동전위는 신경전달물질(neurotransmitter)을 분비시켜 다른 신경세포로 신호를 전달할 수 있다. 서로 다른 신경 세포 사이에서 신호가 전달되는 곳을 시냅스(synapse)라고 부른다. 시냅스는 크게 전기적 시냅스(electrical synapse)와 화학적 시냅스(chemical synapse)로 분류할 수 있으나, 인간은 대부분의 신경전달이 화학적 시냅스에서 이뤄진다. 화학적 시냅스는 신경전달물질을 분비하는 시냅스전신경세포막(presynaptic membrane), 신경전달물질에 반응하는 시냅스후신경세포막(postsynaptic membrane), 그리고 두 신경세포 사이의 공간(20-50 ㎜)인 시냅스 간극(synaptic cleft)으로 구성되어 있다(그림 2-4).

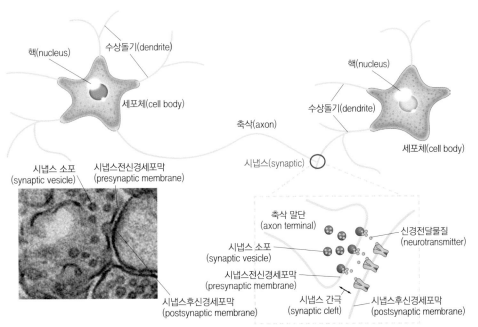

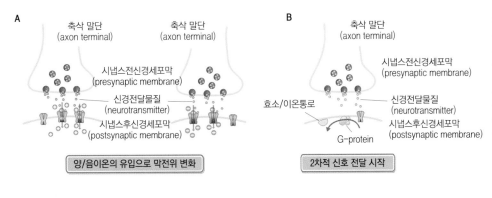

그림 2-5

신경전달물질이 시냅스후신경세포막에 존재하는 수용체에 따라 다양한 신경세포 신호로 전달된다.
(A) 이온통로 수용체 (ionotropic receptor). 신경전달물질이 이온통로를 활성화하여 이온의 유입으로 막전위가 변한다.
(B) G 단백질 연결 수용체 (G protein coupled receptor, GPCR). 신경전달물질이 G-단백질-연결 수용체를 통해 2차적 신호 전달을 활성화한다.

시냅스전신경세포막(presynaptic membrane)은 신경세포의 축삭 말단(axon terminal)에 존재하며, 여기에는 신경전달물질들이 들어있는 시냅스 소포(synaptic vesicle)들이 존재한다. 신경세포막에서 발생한 활동전위가 신경세포막을 따라 축산 말단까지 전달되면, 칼슘 이온 통로(voltage-gated calcium channel)를 통해 Ca^{2+}이 세포내로 유입되고 시냅스 소포가 시냅스전신경세포막(presynaptic membrane)과 융합하여 신경전달물질들이 소포에서 시냅스 간극(synaptic cleft)으로 방출된다.

반면, 시냅스후신경세포막(postsynaptic membrane)에는 많은 단백질들이 밀집되어 있는 시냅스후밀집체(postsynaptic density, PSD)가 존재한다. PSD에는 다양한 수용체들이 시냅스 간극(synaptic cleft)에 분비된 신경전달물질과 반응하여 신경세포 밖의 화학적 신호(extracellular chemical signal [neurotransmitter])를 신경세포 내의 전기적 신호(막전위 변화) 또는 신경세포 내의 2차적인 신호 전달(G-protein-coupled receptor)로 변환시킨다(그림 2-5).

　　신경세포의 축삭 말단(axon terminal)에 존재하는 시냅스 소포 안에는 다양한 종류의 신경전달 물질이 들어있으며, 시냅스후신경세포막(postsynaptic membrane)에 있는 수용체에 작용하여 다양한 효과를 나타낸다. 글루탐산염(glutamate)은 중요한 흥분성 신경전달물질(excitatory neurotransmitter)로 시냅스후신경세포막(postsynaptic membrane)에 존재하는 3개의 이온통로 수용체(ionotropic glutamate receptors)를 열리게 하여 양이온들(Na^+, Ca^{2+} 등)이 세포내로 유입되어 신경세포막의 막전위를 올림으로써 활동전위(action potential)가 유발될 수 있다. 글루탐산염(glutamate)은 이온통로 수용체 외에 대사성 수용체(metabotropic receptor)에 작용하여 GTP (guanosine-5'-triphosphate) 연결 단백질(G proteins)을 통해 다른 이온통로나 2차적 신호 전달(second-messenger pathways)을 활성화시킬 수 있다. 감마아미노부티르산(gamma-aminobutyric acid[GABA])과 글리신(glycine)은 신경세포의 억제성 신경전달물질(inhibitory neurotransmitter)로 이온통로 수용체를 통해 음이온(Cl^-)을 신경세포 내부로 유입시키 활동전위가 일어나는 것을 억제한다. GABA는 뇌와 척수에 존재하는 반면, glycine은 주로 척수에 존재한다. 이외에도 아세틸콜린(acetylcholine), 노르에피네프린(norepinephrine), 세로토닌(serotonin) 등 다양한 신경전달물질이 존재한다.

2. 뇌와 척수의 대사(Brain and spinal cord metabolism)

신경세포가 막전위를 유지하고 시냅스에서 신호전달을 효율적으로 하기 위해서는 많은 양의 에너지가 필요하다. 실제로 성인의 뇌는 전체 체중의 2%를 차지하지만, 평소 심박출량의 17%를 받고 있다. 또한 성인의 총 산소 소모량 중 20%를 소비할 정도로 에너지의 사용이 많다. 이런 특징 때문에 중추신경계가 생존하기 위해서는 매우 효율적인 에너지의 생성 및 대사가 동시에 일어나야 한다. 그러나 에너지원(포도당, 산소)의 저장량은 매우 적어 공급이 중단될 경우 저장된 에너지원은 3분 이내에 고갈되며, 약 10분 후에는 비가역적인 손상이 일어날 수 있다. 다행히 뇌는 에너지 저장능력은 매우 낮지만, 신경세포의 활성도와 에너지소모를 밀접하게 연관시켜 조절하는 에너지의 보존능력을 가지고 있다.

1) 에너지 생성

중추신경계의 대사에 필요한 에너지는 보통 간과 근육에서 생성된 글리코겐(glycogen)을 포도당(glucose)으로 분해하여 혈액을 통해 뇌로 전달되며, 해당 과정(glycolytic pathway)을 통해 세포내로 유입된다. 세포내부로 유입된 포도당은 glycolytic pathway를 통해 피루브산염(pyruvate)으로 전환되며, 이 과정에서 glucose 한 분자당 2개의 ATP 분자가 생성된다.

Pyruvate는 이후 산소 유무에 따라 추가적인 대사가 이뤄진다.

산소가 있는 경우, pyruvate는 신경세포 내의 미토콘드리아로 들어가서 산화되어 acetyl CoA로 전환된다. Acetyl CoA는 구연산회로(citric acid cycle)로 들어가 일련의 산화, 환원 과정을 거치면서 다량의 에너지를 생성하게 되어, 포도당 한 분자당 총 38분자의 ATP가 만들어진다. 젖산(lactate) 내부의 ATP는 미토콘드리아 외부의 ADP와 교환되면서 세포질로 운반되어, 가수분해를 통해 신경세포에 에너지를 공급한다. 반면, 산소가 결핍될 경우 pyruvate는 lactate로 환원되며, 이때 발생한 수소 이온으로 인해 세포내 산성도가 증가하게 된다. 결국, 산소가 없는 상황에서는 포도당은 pyruvate로 전환되는 과정에서(glycolysis) 생성되는 ATP가 전부이며, 이는 중추신경계의 에너지 요구량을 절대 충족시킬 수 없다.

2) 에너지의 소모와 보존

중추신경계는 의식, 감각, 운동, 감정, 학습 및 기억과 같이 매우 다양한 기능을 가지고 있으며, 이 기능을 유지하기 위해 신경세포는 끊임없이 에너지를 사용한다. 신경세포가 에너지를 가장 많이 소비하는 곳은 신경세포막이다. 여기서 많은 이온펌프들이 에너지를 사용하면서 이온들을 세포 안팎으로 이동시켜 정지막전위(resting membrane potential)를 유지한다. 정상적인 신경생리(막전위, 시냅스전도)가 유지되기 위해서는 전기화학적 기울기(electrochemical gradient)에 반하여 다양한 이온들이 능동적(에너지를 소비하면서)으로 옮겨져야만 한다. 세포막의 대표적인 이온펌프 중 하나인 나트륨-칼륨 펌프(sodium-potassium pump, Na+/K+-ATPase)도 에너지를 지속적으로 사용하여 정지막전위(resting membrane potential)를 유지한다. 나트륨-칼륨 펌프 하나만 작동하더라도 신경세포의 에너지원(ATP)의 25-40%를 사용한다. 만약 이때 에너지가 없어 이온펌프가 작동하지 못한다면 정지막전위가 유지될 수 없고, 이로 인해 신경세포 신호 전달을 위한 세포막의 활동전위도 일어나지 않게 된다. Ca^{2+} 이온도 세포막과 세포 내 기능을 유지하는 데 중요한 역할을 하며, 세포 안팎의 전기화학적 차이(electrochemical gradient)를 유지하기 위해 이온 펌프가 에너지를 지속적으로 소모해야 한다.

신경전달을 위해서 신경세포막의 다양한 이온펌프들이 막대한 에너지를 소모해야 하기 때문에 신경전달이 일어나고 있을 때 훨씬 많은 에너지를 사용한다. 그러나 신경전달에만 에너지가 사용되는 것은 아니며, 신경세포의 기본적인 생존을 위해서도 에너지가 필요하다. 신경세포의 세포막, 세포질, 세포내 구조물들은 모두 단백질, 지방, 탄수화물로 이루어져 있으며 끊임없이 분해/합성되고 세포내 필요한 부위까지 운반 등 모든 생리적 기능에는 에너지가 필요하다. 뇌의 총 에너지 중 60%는 뇌기능을 위해서 사용된다면 나머지 40%는 신경세포 자체의 보존과 기초대사를 위해 사용된다. 전신마취제는 신경세포의 activity를 감소시켜 신경계의 기능에 필요한 에너지의 사용량을 감소시킬 수 있으나, 기본적인 신경세포의 보존을 위한 에너지에는 영향을 미치지 못하기 때문에 전신마취 중에도 적절한 에너지가 공

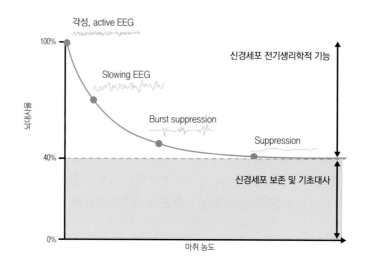

그림 2-6

신경세포의 활성도에 따른 뇌대사율 변화. 깊은 마취 심도에서도 신경세포의 보존 및 기초대사에 필요한 에너지는 계속 소모된다.

급되지 않을 경우 중추신경계의 비가역적 손상이 발생한다(그림 2-6).

중추신경계의 중요한 특징 중 하나는 다른 조직과 다르게 에너지를 저장할 수 있는 능력이 매우 저조하다는 점이다. 다행히 중추신경계는 에너지 보존을 위해 세포기능의 정도에 따라서 에너지 소모를 조절할 수 있는 능력을 가지고 있다. 쉽게 표현하면, 뇌에서 에너지의 소비는 뇌가 하는 일의 양에 따라 조절이 된다는 것이며, 이를 위해서 뇌로 운반되는 에너지의 양이 매우 잘 조절된다. 의식이 없는 혼수(coma)의 경우, 신경계의 기능이 저하되면 에너지 요구량도 감소되어 전체 뇌혈류량 및 산소와 포도당 소비량이 정상상태보다 낮아진다. 반대로 경련(뇌의 기능적 활성화가 아주 심한 상태) 동안에는 에너지의 요구량이 증가하며, 공급도 동시에 증가한다. 이러한 에너지 보존은 뇌신경계 전반에 걸쳐서 일어나기도 하며, 특정 뇌부위에서 국소적으로 일어나기도 한다. 에너지의 보존은 뇌로 공급되는 에너지가 감소될 경우에 신경 기능을 줄이거나 완전히 차단하여 뇌의 60%의 에너지 소모를 감소시킬 수 있음으로써, 세포를 유지하기 위한 기초 대사에 효율적으로 사용될 수 있다.

체온도 신경계의 에너지 소비 및 보존에 있어서 매우 중요한 변수이다. 전신마취 심도를 높이면 신경세포의 기능을 억제(complete suppression of EEG)하여 에너지를 소모를 감소시키지만, 기본적인 신경세포의 보존을 위한 에너지에는 영향을 미치지 못한다. 18-20℃의 저체온에서는 신경세포의 기능이 억제(complete suppression of EEG)될 뿐만 아니라, 신경세포의 생존을 유지하기 위한 모든 생화학적 반응이 감소되기 때문에 신경세포의 에너지 소모를 더욱 낮출 수 있다. 체온의 10℃ 하강에 따른 뇌 산소대사율(cerebral metabolic rate of oxygen, $CMRO_2$)의 감소 비율을 체온계수(metabolic temperature, Q10)라고 하며, 현재체온(T)에서의 $CMRO_2$을 T-10℃ 체온에서의 $CMRO_2$으로 나눈 값이다. 체온의 감소에 따른 $CMRO_2$

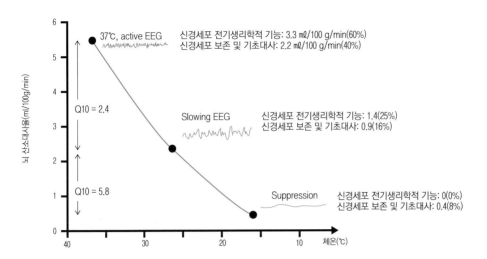

그림 2-7
체온과 뇌 산소대사율
(CMRO₂)의 관계

감소는 구간별로 다르며, 체온이 37℃에서 27℃로 감소하면 Q10은 약 2.4이며, 이는 체온 감소에 따라 생화학적 반응들이 느려지기 때문이다. 그러나 체온이 27℃에서 17℃로 감소할 경우 Q10의 값은 훨씬 크다. 이는 신경세포의 기능이 떨어질 뿐만 아니라 체온이 20℃ 근처 부터는 등전위뇌파(isoelectric EEG)가 나타나기 때문이라고 생각된다(그림 2-7).

3. 뇌와 척수의 혈류(Cerebral and spinal cord blood flow)

신경세포가 제대로 기능을 하기위해서는 적절한 포도당과 산소가 공급이 필요하다. 그러나 신경계가 필요로 하는 에너지는 늘 일정하지 않을 뿐만 아니라, 부위에 따라 에너지 소모량 이 다르기 때문에 뇌혈류량은 다양한 조절 인자들에 의해 영향을 받는다. 척수의 혈류 조절 에 관한 연구는 뇌에 비해 상대적으로 매우 적지만, 척수에서 혈류의 조절은 뇌의 혈류 조절 과 매우 유사한 것으로 알려져 있다.

1) 뇌대사율(cerebral metabolic rate, CMR)

뇌의 활동에 따라 신경세포에서 다양한 생화학적 반응을 통해 다양한 물질들(호르몬, 단백질 등)이 분비되며, 이 물질들은 뇌혈관의 평활근 세포에 직접 작용하거나 혈관 내피세포의 매 개 물질을 통해 혈관의 긴장도를 변화시킨다. 뇌혈류량(cerebral blood flow, CBF)의 가장 큰 결정인자는 뇌대사율(cerebral metabolic rate, CMR)이다. 쉽게 말해, CBF은 CMR와 비례한 다(flow-metabolism coupling). 성인의 경우, 평균 CBF은 50 ㎖/100 g/min이지만, 신경세포들이 많이 존재하는 회색질(gray matter)의 경우 CMR이 더 높기 때문에 CBF는 75 ㎖/100 g/min로 높은 반면, 섬유로(fiber tract)로 주로 구성된 백색질(white matter)에서는 CMR이 낮기 때문에 CBF가 20 ㎖/100 g/min로 낮다. 척수의 혈류량도 대사율에 따라 달라진다. 척수의 경우, 회색질의 혈류량은 약 60 ㎖/100 g/min이고 백색질은 뇌와 비슷하게 약 20 ㎖/100 g/min 정도이다. 뇌대사와 뇌혈류량의 관계(flow-metabolism coupling)의 기전이 완벽하게 밝혀지지 않았으나, 대사에 따라 발생하는 물질들이 뇌혈관에 작용하여 뇌혈류량을 조절하는 것으로 알려졌다. 산화질소(nitric oxide, NO)는 신경세포가 활성화되면서 세포내에서 만들어지고 분비된다. NO는 작용시간이 짧고, 반응성이 매우 강한 혈관확장제로 신경계 전반에 걸친 대사와 혈류 관계(flow-metabolism coupling)의 중요한 인자이다. NO는 신경세포 외에도 아교세포 중 하나인 성상세포(astrocyte)에서도 분비되며, 성상세포는 NO 외에도 프로스타글란딘(prostaglandins), 에폭시에이코사트리엔 산(epoxyeicosatrienoic acids [EETs]) 등을 분비하여 flow-metabolism coupling에 관여한다. 신경세포의 활성화는 이산화탄소를 증가시키며, 주변의 물과 반응하여 중탄산이온(HCO_3^-)과 수소이온(H^+)으로 변환된다. 수소이온(H^+)은 간접적으로 혈관 주위의 산도(pH)를 변화시킴으로써 소동맥의 혈관 확장을 일으킨다. 칼륨이온(K^+)도 flow-metabolism coupling의 중요한 인자이다. 대사와 함께 생성되는 물질들이 flow-metabolism coupling의 중요한 역할을 차지하고 있는 것은 확실하지만, 이것만으로는 신경세포의 활성화에 따른 뇌혈류량의 폭발적인 증가를 설명하기에는 부족하다.

그림 2-8
동맥혈이산화탄소분압
(Pa_{CO_2})와 뇌혈류량(cerebral
blood flow, CBF)의 관계

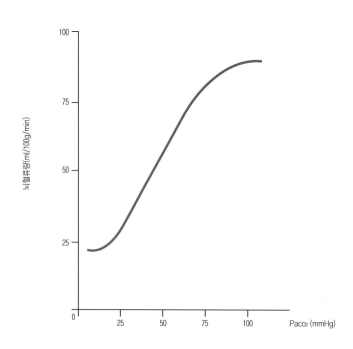

2) 동맥혈이산화탄소분압(Pa_{CO_2})

이산화탄소는 매우 중요한 뇌혈류량(cerebral blood flow, CBF) 조절 인자이다. 대사 과정 중 대표적인 부산물이 이산화탄소라는 점에서 이산화탄소는 뇌에서 대사와 혈류 관계(flow-metabolism coupling)를 설명해 줄 수 있는 중요한 인자이기도 하다. 정상인의 경우 Pa_{CO_2}가 증가하면 뇌혈관이 확장되어 뇌혈류량(cerebral blood flow, CBF)도 증가한다. 정상 혈압에서는 Pa_{CO_2}가 20-75 mmHg 사이에서 1 mmHg 증가할 때마다 CBF는 1-2 mℓ/100 g/min(3-5%) 증가한다. 그러나 Pa_{CO_2}가 이 범위를 벗어날 경우, CBF 변화는 거의 없다. 이는 이산화탄소에 의한 혈관의 확장/수축이 최대로 나타난 이후이기 때문이다(그림 2-8).

Pa_{CO_2} 변화에 따른 CBF 변화가 늘 일정한 것은 아니다. Pa_{CO_2}의 변화에 대한 CBF의 변화 정도($\Delta CBF/\Delta Pa_{CO_2}$)는 CBF의 resting level에 의해 결정된다. 예를 들면, 고농도의 흡입 마취제를 투여 중인 환자처럼 CBF이 증가되어 있는 경우, Pa_{CO_2} 감소에 따른 CBF의 감소 폭은 매우 큰 반면, 정맥마취제 투여로 CBF이 감소되어 있는 경우에는 Pa_{CO_2} 감소에 따른 CBF의 감소폭은 매우 작다.

Pa_{CO_2} 변화에 따른 뇌혈관의 확장/수축 기전은 다양하지만, 뇌에서 이산화탄소의 증가에 따른 pH의 변화가 대표적 기전으로 여겨진다. CO_2는 확산성 분자로 혈뇌장벽(blood brain barrier)을 쉽게 통과할 수 있다. 이렇게 유입된 CO_2는 물과 반응하여 중탄산이온(HCO_3^-)과 수소이온(H^+)으로 변환된다($CO_2 + H_2O \rightarrow H_2CO_3 \rightarrow HCO_3^- + H^-$). 새로 생성된 수소이온이 뇌 혈관 주위의 pH를 감소시킴으로써 뇌혈관의 확장, 즉 CBF 증가를 일으키는 것이다. 반면,

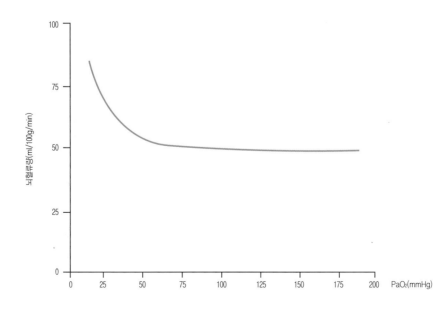

그림 2-9

동맥혈산소분압(Pa_{O_2})과 뇌혈류량(cerebral blood flow, CBF)의 관계

대사성 산증(metabolic acidosis)의 경우에는 혈관 내의 수소이온이 혈뇌장벽(blood-brain barrier, BBB)을 잘 투과하지 못하기 때문에 CBF에 미치는 영향이 거의 없다. 이런 특성 때문에 호흡성 산증(과탄산혈증)이 뇌혈류량에 영향을 미치는 반면, 대사상 산증은 영향이 거의 없다. $Paco_2$에 의한 pH 변화 외에도 산화질소(NO)와 시클로옥시게나아제(cyclo-oxygenase)에 의한 프로스타글란딘(prostaglandin)의 생성이 과탄산혈증(hypercapnia)에 의한 혈관확장에 관여하는 것으로 밝혀졌다.

　　$Paco_2$ 변화에 따른 CBF의 변화는 매우 빠르게 나타나지만, 지속적으로 유지되지 않는다. 과호흡을 통해 $Paco_2$를 낮추면 뇌의 pH가 높아지면서 CBF이 증가되지만, $Paco_2$를 지속적으로 낮추더라도 6-8시간 후에는 CBF은 다시 정상 수준을 회복한다. 이는 낮게 유지되었던 뇌척수액의 pH를 정상화하고자 중탄산염(HCO_3^-)가 증가되기 때문이다. 이때 빠르게 $Paco_2$를 정상화 시킬 경우 CBF이 다시 급변하기 때문에 주의가 필요하다.

3) 동맥혈산소분압(PaO₂)

$Paco_2$가 60 mmHg보다 높을 경우 뇌혈류량(cerebral blood flow, CBF)에 미치는 영향은 매우 작다. 그러나 Pa_{O_2}가 60 mmHg 이하로 감소할 경우, CBF이 급속도로 증가한다(그림 2-9). Pa_{O_2} 감소에 따른 CBF의 증가 기전은 아직 명확하지 않다. $Paco_2$와는 다르게 산화질소(NO)의 연관성이 없다는 연구들과 함께, 저산소증에 의한 칼륨 이온펌프(ATP-dependent K^+ channel)들이 혈관 확장과 연관성이 있다는 연구들도 있다.

그림 2-10
뇌혈류 자동조절기능
(autoregulation)

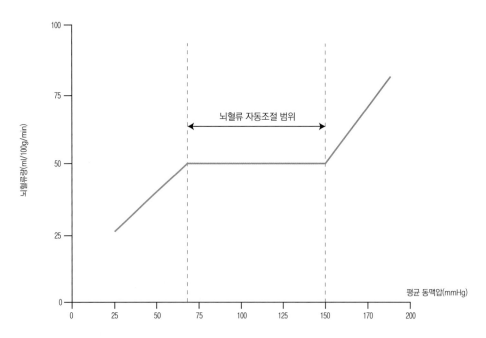

4) 뇌혈류 자동조절(autoregulation)

뇌혈류량(cerebral blood flow, CBF)은 뇌혈류 자동조절(autoregulation)이라는 기전을 통해서 평균 동맥압(mean arterial pressure, MAP) 값이 변하더라도 CBF를 일정하게 유지할 수 있다(그림 2-10). 그러나 자동조절이 모든 혈압 범위에서 작용되는 것은 아니다. 뇌혈류 자동조절 곡선에는 3개의 중요한 요소가 존재한다: 하한(lower limit), 상한(upper limit), 수평 구역(plateau). 하한과 상한 경계는 뇌혈류 자동조절이 일어날 수 있는 한계점을 의미한다. 하한보다 적은 압력, 상한보다 높은 압력에서는 CBF는 일정하지 않으며 압력과 비례하여 흐르게 된다. 정상인의 자동 조절의 한계는 MAP 70−150 mmHg 사이로 알려져 있다. 뇌관류압(cerebral perfusion pressure, CPP)이란 뇌로 혈류를 유도하는 압력을 의미하며, MAP에서 두 개강내압(intracranial pressure, ICP)을 뺀 값이다. ICP는 보통 정상인에서 측정되지 않으나, 정상인이 앙와위 자세에서 ICP는 5−10 mmHg이다. 정상인의 CPP는 약 50−150 mmHg 사이에서 CBF가 자동 조절되는 것이다. 자동조절 범위 밖의 경우, CBF는 압력 의존적(pressure dependent)이다.

뇌관류압이 자동 조절되는 범위 내에 있을 때, 뇌출혈이나 뇌부종과 같이 ICP가 증가하여 CPP가 감소하더라도 신경조직이 저산소증에 의해 손상을 받지 않도록 CBF가 유지된다. 이는 뇌관류압의 변화에 반응하여 뇌혈관 저항이 자동적으로 변화하기 때문에 가능하다. 즉, 뇌관류압이 증가되면 CBF를 일정하게 유지하기 위해서 뇌혈관 저항이 증가한다. 해부학적 측면에서 뇌혈류의 자동조절은 작은 동맥이나 소동맥(arteriole)에 의해 주로 일어나지만 큰

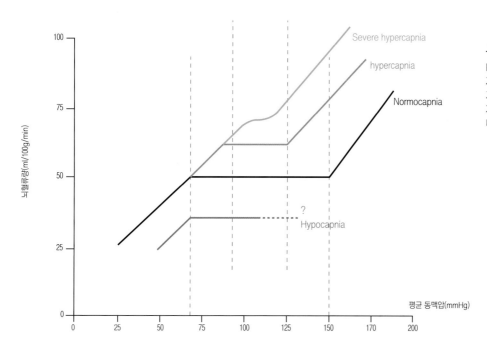

그림 2-11

PaCO2 변화에 따른 뇌혈류 자동조절 곡선의 변화. 저탄산혈증에서는 아직 자동조절 상한(upper limit)에 대한 연구가 미흡하다.

뇌동맥도 혈관 확장/축소기능을 어느 정도 가지고 있다. CBF가 이미 증가되어 있는 상태에서 Pa_{CO_2} 감소를 통해 CBF를 크게 감소시킬 수 있는 것처럼, 뇌혈류의 자동조절도 그 당시의 혈관확장/수축 상태에 따라 혈관 저항 변화 폭이 다르다.

많은 연구에서 사람마다 뇌혈류 자동조절 범위(MAP, CPP)가 일정하지 않음을 보고하였다. 젊고 건강한 성인에서도 자동조절이 되는 최소 CPP 값이 매우 다양하며, 만성 고혈압 환자들은 뇌혈류 자동조절 곡선이 오른쪽으로 이동되어 있다(right shifting). 고혈압에서 이러한 변화는 갑작스러운 혈압증가에 따른 급격한 CBF 증가를 억제할 수 있으나, 저혈압 시에 CBF가 급격하게 떨어질 수 있다. 급성 지주막하출혈(acute subarachnoid hemorrhage) 환자들을 대상으로 시행한 연구에서는 뇌혈류 자동조절이 가능한 CPP 범위가 80–120 mmHg로 매우 좁을 수 있으며, 심장수술의 경우 MAP이 43–90 mmHg 사이에서만 뇌혈류 자동조절이 일어날 수 있다고 보고하였다. 뇌혈류 자동조절에 있어서 이산화탄소(CO_2)도 중요한 요소이다. 그 자체만으로도 매우 중요한 CBF 조절 인자인 Pa_{CO_2}는 뇌혈류 자동조절에도 지대한 영향을 미치는 것으로 생각된다. 과탄산혈증(hypercapnia)의 경우, 뇌혈관이 확장되기 때문에 뇌혈류 자동조절의 하한(lower limit)이 높아지고(right shifting), 수평구역(plateau)에서의 혈류량이 많아지며, 상한(upper limit)이 낮아진다(left shifting). 심한 과탄산혈증에서는 이미 뇌혈관이 최대로 확장되어 있기 때문에 CBF는 압력(perfusion pressure)에 의해 조절될 수 있다. 반면, 저탄산혈증(hypocapnia)에서는 뇌혈관이 수축되어 있기는 하지만 하한(lower limit)의 변화는 없는 것으로 알려져 있으며, 수평구역(plateau)에서의 혈류량이 감소한다. 아직까지 저탄산혈증에 자동조절의 상한(upper limit)에 미치는 영향은 연구가 미흡한 상황이다(그림 2-11).

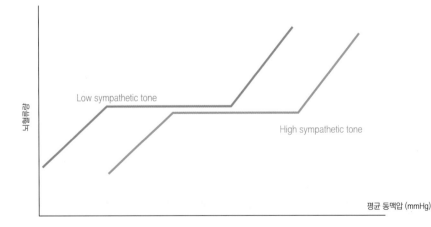

그림 2-12
교감신경 활성화 정도에 따른 뇌혈류 자동조절 구간의 변화

뇌혈류량

Low sympathetic tone

High sympathetic tone

평균 동맥압 (mmHg)

뇌혈류 자동조절의 기전은 아직 명확하지 않으나, 다양한 기전들을 통해 조절되는 것이 밝혀졌다. 근원성(myogenic), 신경성(neurogenic), 내피성(endothelial), 그리고 대사성(metabolic) 기전들이 종합적으로 작용하여 자동조절에 관여하는 것으로 밝혀졌다. 근원성 기전이란 혈관벽의 긴장도(vessel wall tension)가 혈관의 평활근세포에 직접 작용하여 혈관의 확장/수축을 조절하는 기전으로, CPP가 증가할 경우 평활근이 늘어나게(stretching)되고 세포막의 칼륨 이온통로가 억제된다. 결과적으로는 막전위(membrane potential)의 변화로 세포내로 Ca^{2+} 유입되어 혈관수축이 일어난다. 이러한 근원성 기전 외에도 뇌혈관에 분포하고 있는 신경들에 의한 신경학적 조절 기전이 뇌혈류 자동조절에 기여한다.

5) 뇌혈류량의 신경학적 조절(Neurogenic regulation of cerebral blood flow)

우리 뇌에는 많은 신경들이 뇌혈관들과 광범위하게 공존한다. 콜린성(cholinergic [parasympa-thetic and non-parasympathetic]), 아드레날린성(adrenergic [sympathetic and non-sympathetic]), 세로토닌성(seratonin) 및 VIPergic (vasoactive intestinal polypeptide-expressing) 신경 등과 같이 다양한 종류의 신경들이 뇌혈관을 조절하는 것으로 알려져 있다. 이 신경들에 의한 뇌혈관의 반응은 아직 이해가 많이 부족한 상황이지만, 교감신경계의 활성화에 따른 반응은 어느정도 알려져 있다.

교감신경 활성은 뇌혈관 자동조절 곡선을 오른쪽으로 이동시킨다(right shifting). 이때 자동조절의 상한(upper limit)이 높아짐으로써, 심각한 고혈압이 발생하더라도 뇌혈류량(cerebral blood flow, CBF)이 갑작스럽게 증가되는 것을 억제한다. 반면, 하한(lower limit)도 높아지기 때문에 저혈압 상황 발생 시에는 CBF가 감소한다. 출혈성 쇼크(hemorrhagic shock)는 교감신경계의 활성도가 매우 높은 대표적인 상태이며, 이때 저혈압이 발생할 경우 CBF가 감소한다. 교감신경 둔화의 경우 뇌혈관 자동조절 곡선이 반대로 왼쪽으로 이동한다(그림 2-12).

6) 혈액의 점성도(Blood viscosity)

뇌혈류량(cerebral blood flow, CBF)은 뇌관류압(cerebral perfusion pressure, CPP)과 뇌혈관 저항에 의해 결정된다. 용액의 저항은 점성도와 비례하며, 혈액의 경우 헤마토크리트(Hct)가 점성도를 결정하는 가장 큰 요인이므로, 단순하게 생각하면 Hct가 감소하면 CBF가 증가한다고 생각할 수 있다. 실제로 정상 Hct(33% to 45%) 범위 내에서는 Hct의 변화에 따른 점성도의 변화는 CBF에 큰 영향을 미치지 않는다. 그러나 정상 범위를 벗어날 경우 CBF는 Hct의 영향을 많이 받는다. 이런 이유로 빈혈에서는 점도의 감소와 함께 산소 전달 능력의 감소에 대한 보상 반응으로 뇌혈관 저항이 감소되고 CBF가 증가한다. Hct 감소에 따른 CBF 증가는 국소적 뇌허혈(local ischemia) 부위에서 가장 많이 일어난다. 뇌허혈 부위에서는 산소 전달을 증가시키기 위해 이미 혈관이 최대로 확장되어 있다. 이때, Hct의 감소로 점성도를 감소시키면 뇌허혈 부위로 추가적인 혈류량을 증가시킬 수 있다. 연구에 의하면 Hct 30-34%가 가장 적절한 것으로 알려져 있지만, 급성 뇌졸중 환자들에 있어서 Hct 조절은 뇌허혈 부위의 감소와는 무관하다고 밝혀졌기 때문에, Hct이 55%보다 높지 않을 경우에는 급성 뇌졸중 환자에서 희석을 시도할 필요는 없다.

4. 뇌척수액(Cerebrospinal fluid, CSF)

사람의 뇌에는 서로 연결되어 있는 4개의 빈 공간(뇌실, ventricle)이 존재하며, 이를 뇌실계통(ventricular system)이라고 한다(그림 2-13). 각 뇌실에 존재하는 맥락얼기(choroid plexus)에서 총 CSF 중 2/3를 분비하며, 그 외에도 뇌실의 특수 상피세포인 뇌실막세포(ependymal cell)와 같이 다른 곳에서도 분비된다. 뇌실계통은 뇌와 척수의 지주막하 공간(subarachnoid space)과 연결되어 있어 CSF가 중추신경계를 순환할 수 있으며, 일부는 척수의 중심관(central vein)으로 흐른다. 이렇게 순환된 CSF는 대부분 뇌와 척수의 지주막 융모(arachnoid villi)를 통해 정맥혈류로 흡수된다. CSF는 하루에 약 500-600 ㎖ 생산되며 하루에 4번 정도 새로 교체된다. 일반 성인의 CSF의 평균 용적은 150 ㎖이며, 뇌실계통에 약 25 ㎖만 존재하고 대부분 지주막 공간에 존재한다.

CSF는 혈액이 맥락얼기에서 초미세여과(ultrafiltration)된 이후 구성물의 능동/수동 수송을 통해 정밀하게 만들어지며, 결국 다른 신체 부위의 세포바깥액(extracellular fluid, ECF)과는 다르게 조절된다. 다른 조직의 ECF와 비교했을 때 Na^+, Cl^-, Mg^{2+}의 농도가 높지만, 포도당, 단백질, 아미노산, 요산, K^+, HCO_3^-, Ca^{2+}의 농도가 낮다. 혈액뇌장벽(blood brain barrier)과 혈액뇌척수액장벽(blood cerebrospinal fluid barrier)의 존재로 인해 혈액과 뇌척수액 사이의 차이를 유지할 수 있다. 혈액뇌장벽을 통하여 친지질 분자, H_2O, CO_2, O_2 등은 통

그림 2-13
뇌척수액의 순환
출처: Textbook OpenStax Anatomy and Physiology (Version 8.25. May 18, 2016. https://cnx.org/contents/FPtK1zmh@8.25:fEl3C8Ot@10/Preface)

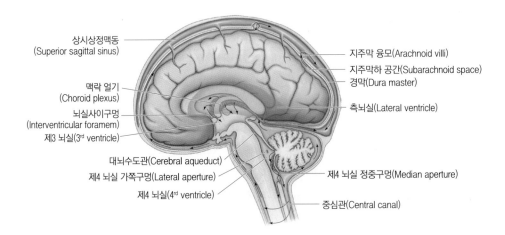

상시상정맥동 (Superior sagittal sinus)
지주막 융모(Arachnoid villi)
지주막하 공간(Subarachnoid space)
경막(Dura master)
맥락 얼기 (Choroid plexus)
측뇌실(Lateral ventricle)
뇌실사이구멍 (Interventricular foramem)
제3 뇌실(3rd ventricle)
대뇌수도관(Cerebral aqueduct)
제4 뇌실 가쪽구멍(Lateral aperture)
제4 뇌실 정중구멍(Median aperture)
제4 뇌실(4rd ventricle)
중심관(Central canal)

과가 잘 되지만, K^+, Ca^{2+}, Mg^{2+}, Na^+ 등의 이온이나 포도당, 아미노산과 극성분자, 단백질과 같은 거대분자는 통과가 되지 못한다. 혈액뇌장벽을 직접 통과하지는 못하지만, 다양한 성분들이 능동적으로 운반될 수 있다. 혈액뇌척수액장벽은 혈액뇌장벽과 유사한 투과성을 가진다.

CSF는 매우 다양하고 중요한 기능들을 가지고 있다. 가장 오랫동안 알려진 기능은 중추 신경계의 보호 기능이다. CSF의 비중은 뇌의 비중보다 낮기 때문에(1.007 vs 1.040), 실제로 1,400 g인 두뇌의 유효 질량을 47 g으로 감소시킬 수 있다. 또한, 혈중 농도가 지속적으로 변화하는 상황에서 CSF는 포도당을 포함하여 대사 및 정상 생리반응에 필요한 다양한 성분을 일정하게 공급하고, 중추신경계의 대사산물, 손상에 의한 병태생리적 물질 등을 제거한다.

5. 혈액-뇌 장벽(Blood-Brain Barrier, BBB)

우리의 혈관계는 조직에 혈액을 공급하는 동맥(artery)과 세동맥(arteriole), 조직 내의 가스와 영양소 교환에 필수적인 모세 혈관(capillary bed), 그리고 조직에서 혈액을 빼내는 정맥(vein)과 세정맥(venule)으로 구성된다. 미세 혈관계(microvasculature)는 세동백, 모세혈관, 세정맥으로 구성되어 있으며, 몸의 조직 특성에 따라 다양한 특성을 가진다. 중추 신경계(CNS)의 미세 혈관계 역시 독특한 특성을 가지고 있으며, 이를 혈액-뇌 장벽(BBB)이라고 명한다. 중추 신경계는 BBB로 인해 혈액과 신경계 사이의 분자, 이온 및 세포들의 움직임을 매우 제한시킴으로써 신경계를 보호하고 항상성을 유지할 수 있다. BBB의 특성은 주로 혈관벽을 형성하는 내피 세포(endothelial cell)에 의해 결정되며, 그 외에도 벽 세포(mural cell), 면역 세포, 신경 교세포 및 신경 세포 사이의 상호 작용들이 BBB의 형성 및 유지에 매우 중요한 역할을 한다.

1) 내피 세포(Endothelial cell)

내피 세포는 변형된 단순 편평 상피 세포(modified simple squamous epithelial cell)로 혈관벽을 형성한다. 큰 혈관의 경우에는 수십 개의 내피 세포가 혈관벽을 형성하는 반면, 가장 작은 모세 혈관은 단일 내피 세포가 접힘으로써 혈관벽을 형성한다. 신경계의 미세혈관벽을 형성하는 내피 세포는 매우 얇은 것이 특징이다(근육 내피 세포보다 약 40% 정도 얇다). 그러나 제일 중요한 특징은 혈액과 뇌 사이의 이온, 분자 및 세포의 움직임을 매우 제한적으로 조절할 수 있다는 점이다. 이는 내피 세포들이 tight junction (TJ)으로 조밀하게 결합되어 있어, 세포 사이의 흐름이 크게 제한될 뿐만 아니라, 다른 말초 조직에 비해 신경계의 혈관 내피 세포는 transcytosis가 극히 낮은 속도로 일어나기 때문이다. 그러나 혈관 내피 세포에는 특정 수송체(transporter)가 존재하여 필요한 물질 교환이 가능하다.

중추신경계의 내피 세포에는 두 가지 종류의 주요 수송체(transporter)가 있다. 첫 번째는 유출 수송체(efflux transporter)로 지방 친화성 분자들이 세포막을 통해 혈관내로 확산되어 나가는 것을 방지한다. 두 번째는 매우 특수화된 영양소 수송체(nutrient transporter)로 필요한 영양소를 혈관에서 뇌세포로 이송할 뿐만 아니라 신경세포의 노폐물을 혈관으로 제거하는 역할을 한다. 다른 조직에 비해 중추신경계의 내피 세포에는 많은 양의 미토콘드리아가 존재하고 있으며, 이는 이러한 수송체들을 유지하기 위함으로 생각된다. 또한, 중추신경계 내피 세포의 경우 백혈구 유착분자(leukocyte adhesion molecule, LAM)가 매우 적게 발현되어 면역 세포들의 신경계 유입이 대단히 제한적이다.

대부분 중추신경계 모세혈관들은 혈액-뇌 장벽을 가지고 있으나, 제3, 4 뇌실에 인접한 특정 신경핵(nuclei)에는 투과성이 상대적으로 높은 모세혈관들이 존재한다. 이러한 뇌실 주위기관(뇌활밑기관[subfornical organ], area postrema, 솔방울샘[pineal gland], 하수체[median eminence] 등)들의 모세혈관은 연속적인 창모세혈관(continuous fenestrated vessel)으로 높은 투과성을 가지고 있다. 이 높은 투과율은 혈액의 용질 농도를 감지하거나 혈액으로 특정 분자들을 분비하는 것과 같이 세포핵의 기능을 유지하는데 매우 중요하다.

■■■■ 참고문헌

• 대한마취통증의학회: 마취통증의학. 3판. 서울, 여문각. 2014, pp 477-82.

• Bear MF, Connors BW, Paradiso MA: Neurons and glia. In: Neuroscience. Exploring the brain. 4th edition. Philadelphia, Wolters Kluwer. 2016. pp 23-142.

• Daneman R, Prat A. The blood-brain barrier. Cold Spring Harb Perspect Biol 2015; 7: a020412.

• Hou YJ, Kass IS: Physiology and metabolism of the brain and spinal cord. In: Handbook of neuroanesthesia. 5th edition. Edited by Newfield P, Cottrell JE.: Philadelphia, Lippincott Williams and Wilkins. 2012, pp 1-19.

• Joshi S, Ornstein E, Young WL: Cerebral and spinal cord blood flow. In: Cottrell and Young's neuroanesthesia. 5th edition. Edited by Cottrell JE, Young WL: Philadelphia, Mosby. 2010, pp 17-35.

• Meng L, Gelb AW: Regulation of cerebral autoregulation by carbon dioxide. Anesthesiology 2015; 122: 196-205.

• Meng L, Hou W, Chui J, Han R, Gelb AW. Cardiac output and cerebral blood flow. The integrated regulation of brain perfusion in adult humans. Anesthesiology 2015; 123: 1198-208.

• Patel PM, Drummond JC, Lemkuil BP: Cerebral physiology and the effects of anesthetic drugs. In: Miller's anesthesia. 8th edition. Edited by Miller RD, Cohen NH, Eriksson LI, Fleisher LA, Wiener-Kronish JP, Young WL: Philadelphia, Saunders. 2015, pp 387-396.

• Rivera-Lara L, Zorrilla-Vaca A, Geocadin RG, Healy RJ, Ziai W, Mirski MA. Cerebral autoregulation-oriented therapy at the bedside. A comprehensive review. Anesthesiology 2017; 126: 1187-99.

• Tan CO, Hamner JW, Taylor JA. The role of myogenic mechanisms in human cerebrovascular regulation. J Physiol 2013; 20: 5095-105.

마취제가 뇌와 척수생리에 미치는 효과

The Effect of Anesthetics on Cerebral and Spinal Cord Physiology

03

학습목표

이 장에서는 약물이 중추신경계에 미치는 영향을 알아야 한다. 즉, 적절한 수술환경을 유지하고 더 좋은 결과를 얻기 위하여 마취제와 마취 중 사용되는 약들이 뇌혈역동학, 뇌산소대사율, 머릿속압력에 어떻게 영향을 미치는지를 알아야 한다.

1. 정맥마취제가 뇌혈류량과 뇌대사율에 어떤 영향을 주는지를 알아야 한다.
2. 정맥마취제가 뇌혈류자동조절과 이산화탄소에 대한 반응에 미치는 영향을 알아야 한다.
3. 정맥마취제가 뇌척수액의 생산과 분비에 어떠한 영향을 주는지 알아야 한다.
4. 정맥마취제가 머릿속압력에 미치는 영향을 알아야 한다.
5. Barbiturate와 propofol이 척수혈류량에 미치는 영향을 알아야 한다.
6. 흡입마취제가 뇌혈류량과 뇌산소대사율에 미치는 영향을 알아야 한다.
7. 흡입마취제가 뇌혈류자동조절과 이산화탄소에 대한 반응에 미치는 영향을 알아야 한다.
8. 흡입마취제가 뇌척수액의 생산과 분비에 어떠한 영향을 주는지 알아야 한다.
9. 흡입마취제가 머릿속압력에 미치는 영향을 알아야 한다.
10. 아산화질소와 isoflurane이 척수혈류에 미치는 영향을 알아야 한다.
11. 탈분극성 및 비탈분극성 신경근차단제가 뇌혈류량과 머릿속압력에 미치는 영향을 알아야 한다.

마취제가 뇌와 척수생리에 미치는 효과 03

The Effect of Anesthetics on Cerebral and Spinal Cord Physiology

권재영
부산대학교 의과대학

신경외과 마취에서 사용하는 모든 약제들이나 기법들이 뇌혈류량의 변화에 미치는 영향은 아주 중요하며 광범위하게 연구되어 왔다. 마취 중 뇌로 공급되는 에너지는 뇌혈류량에 영향을 받으며, 뇌혈류량을 뇌대사율에 맞게 충분히 공급해야 한다. 혈류 공급이 뇌대사율에 비해 적게 되면 뇌허혈이 발생하게 되며 비가역적 뇌손상을 초래할 수 있다. 또 뇌혈류량은 머릿속압력과 밀접한 관계를 가지는데, 수술 중 머릿속압력의 조절은 수술 시야확보나 출혈 감소뿐만 아니라 뇌손상과도 밀접한 관련이 있다.

정상적인 상황에서 뇌혈류량은 뇌대사율의 변화에 아주 빨리 반응한다. 뇌의 신경활동이 증가하여 뇌대사율이 증가하면 여러 가지 기전에 의해 뇌혈류량이 증가한다. 즉각적인 반응은 아산화질소나 칼륨이온과 같은 뇌혈관확장물질이 신경세포에서 분비되어 나타나고, 오래 지속되는 반응은 별아교세포에서 유래한 아라키돈산 대사물질에 의한 것으로 생각하고 있다.

마취제들에 의한 뇌혈류량의 변화는 뇌혈액량을 변화시켜 머릿속압력에 영향을 미친다. 뇌혈류량이 뇌혈액량에 꼭 비례하는 것은 아니지만 일반적으로 뇌혈류량의 변화에 영향을 받는다. 병적인 상태에서는, 특히 뇌혈류 자동조절기전이 파괴된 경우에는 뇌관류압의 증가에 의해 뇌혈액량이 증가해서 머릿속압력이 상승할 수 있다.

척수 생리에 영향을 주는 마취약제의 효과에 대해 보고하고 있다. 하지만 이러한 연구는 인간에서는 비침습적인 방법을 통해 얻어지기 때문에 그다지 많은 부분을 밝힐 수 없고, 대부분의 자료가 동물실험을 통해 얻게 되기 때문에 한계가 있다. 마취제가 척수의 혈류량이나 대사율에 미치는 영향은 뇌와 비슷한 양상이며, 신경활동의 정도에 따라 부위별로 다르게 나타난다.

1. 정맥마취제

Ketamine을 제외한 모든 정맥마취약제는 뇌혈류량(cerebral blood flow, CBF)과 뇌산소대사율(cerebral metabolic rate of oxygen, $CMRO_2$)을 감소시킨다(표 3-1). 뇌혈류량의 감소는 정맥마취 약제가 뇌혈관 수축작용을 가지기 때문이 아니라 뇌대사율의 감소에 의한 것으로 생각한다. 정맥마취약제의 뇌혈관에 대한 직접작용은 다양하며, barbiturate계 약물은 국소적으로 뇌혈관에 작용하여 혈관 확장을 나타낸다.

표 3-1 　 정맥마취제가 뇌혈류량, 뇌대사율, 및 머릿속압력에 미치는 영향

	뇌혈류량	뇌대사율	머릿속압력
Barbiturates	↓↓	↓↓	↓↓
Etomidate	↓↓	↓↓	↓↓
Propofol	↓↓	↓↓	↓↓
Opioids	→ or ↗	→ or ↓	→ or ↗
Ketamine	↑↑	↑ or →	↑ or ↑↑
Benzodiazepine	↓	↓	↓ or →
Dexmedetomidine	↓	→ or ↓	

↓↓: 매우 감소,
↓: 감소, →: 변화 없음,
↗: 약간 증가, ↑: 증가,
↑↑: 매우 증가

1) Barbiturates

(1) 뇌혈류량과 뇌산소대사율에 미치는 영향

Thiopental은 용량에 비례하여 뇌혈류량과 뇌산소대사율을 감소시킨다. 마취유도 용량을 투여하면 뇌혈류량과 뇌대사율이 약 30% 감소한다. Methohexital이나 pentobarbital도 비슷한 작용을 한다. Thiopental은 용량이 증가함에 따라 뇌혈류량과 뇌대사율이 감소하고 뇌파의 돌발파 억제가 나타나면 뇌혈류량과 뇌대사율은 약 40% 감소하며, 더이상 용량을 증가시켜도 추가 감소효과는 나타나지 않는다. 뇌혈류량 감소에 의해 뇌의 혈액량이 감소하고 머릿속압력을 감소시키는데, 뇌손상을 받아 머릿속압력이 많이 증가된 환자에게 치료 목적으로 사용할 수 있다. 외상성뇌손상 환자에서 과호흡에 의한 뇌혈류량의 감소가 잘 나타나는 사람에서는 barbiturate가 뇌혈류량과 머릿속압력을 감소시키는 효과가 잘 나타나지만, 과호흡에 의한 반응이 없는 환자에서는 barbiturate를 투여하여도 뇌혈류량과 머릿속압력의 감소가 잘 나타나지 않는다.

(2) 뇌혈류 자가조절과 이산화탄소에 대한 반응에 미치는 영향

Thiopental을 사용할 경우에는 혈중농도가 높아도 평균동맥압이 60 mmHg 이상이면 뇌혈류 자가조절과 이산화탄소에 대한 반응이 유지된다.

(3) 뇌척수액 역동학에 미치는 영향

저 용량의 thiopental을 투여하면 뇌척수액 생성율은 변화시키지 않고 뇌척수액 흡수에 대한 저항을 변화시키지 않거나 증가시킨다. 고용량의 thiopental을 투여하면 뇌혈류량의 감소에 의해 머릿속압력이 감소함과 동시에 뇌척수액 생성도 감소시키고, 뇌척수액 흡수 저항이 변하지 않거나 감소된다.

(4) 척수혈류량과 대사에 미치는 영향

Barbiturates는 척수혈류량도 현저히 감소시킨다. 척수혈류량의 자가 조절은 barbiturate 마취(thiopental의 실험에서)하에 약 60 mmHg에서 120 mmHg의 자가 조절 범위에서 그대로 유지된다. Pentobarbital은 뇌에서보다는 효과가 적지만 척수에서 포도당대사율의 감소를 보인다.

(5) 뇌보호 효과

신경 보호를 위해 임상적으로 사용할 때, 뇌파의 갑작스런 억제 시점이 종종 거의 최대 대사 억제 시점이 된다고 생각하면 된다. 고용량의 barbiturate를 뇌보호 목적으로 투여하면 심한 심혈관계 억제가 나타날 수 있다. 평균동맥압의 감소를 막고, 뇌관류압을 유지하기 위해 혈관수축제나 승압제를 함께 투여하는 것이 필요하다

2) Etomidate

Etomidate는 심혈관계 억제가 나타나지 않는 장점이 있어 심혈관계질환이 있는 환자나 심한 외상 환자의 마취유도 목적으로 많이 사용한다.

(1) 뇌혈류량과 뇌산소대사율에 대한 영향

용량에 비례하여 뇌산소대사율을 감소시키며, 뇌파의 돌발파억제가 나타난 이후에 추가 용량을 투여해도 뇌산소대사율은 더 이상의 감소하지 않는다. 뇌혈류량은 etomidate를 지속 투여 시 가파르게 감소하는데, 뇌산소대사율이 최대로 감소하기 전에 뇌혈류량이 먼저 최대로 감소한다. 이것으로 봐서 뇌혈류량 감소에 etomidate에 의한 직접적 혈관수축작용이 관여할 것으로 예상한다. 사람에게 etomidate를 투여하면 뇌혈류량과 뇌산소대사율은 비슷하게 감소하며, 임상용량에서 30-50% 정도 감소한다.

(2) 뇌혈류자동조절과 이산화탄소에 대한 반응에 미치는 영향

이산화탄소에 대한 반응은 잘 유지되며, 뇌혈류자동조절에 대한 효과는 아직 알려지지 않았다.

(3) 뇌척수액 역동학에 미치는 영향

저용량에서는 머릿속압력에 상관없이 뇌척수액 생성율과 뇌척수액 흡수에 대한 저항을 변화시키지 않는다. 고용량을 투여하면 뇌척수액 생성율을 감소시키고, 머릿속압력의 감소 없이 뇌척수액 흡수에 대한 저항을 변화시키지 않거나 감소시킨다.

(4) 머릿속압력에 미치는 영향

혈압에 대한 영향이 거의 없어 뇌관류압의 감소없이 머릿속압력을 감소시키므로 신경외과 환자에서 유용하다. 심한 외상성뇌손상 환자의 경우 뇌파가 있는 경우에 투여하면 머릿속압력을 감소시키지만 이미 뇌파의 억제가 나타난 경우는 머릿속압력의 감소가 나타나지 않았다. 따라서 etomidate의 머릿속압력 감소의 기전은 뇌산소소모율을 감소시켜 뇌혈류량을 감소시키는 것으로 생각할 수 있다.

(5) 뇌보호작용

동물실험에서 전뇌허혈 모델에서는 어느 정도의 뇌보호작용이 나타났으나, 불완전허혈 모델이나 중대뇌동맥 폐쇄모델에서는 뇌보호작용이 나타나지 않거나 더 나쁜 결과를 나타내었다. 임상적으로도 뇌동맥류 수술 환자에서 일시적 뇌동맥 폐쇄 시에 etomidate로 뇌파의 돌발파억제를 유도한 경우 조직의 허혈이 심화되는 것을 보고하였다.

3) Propofol

(1) 뇌혈류량과 뇌산소대사율에 미치는 영향

용량에 따라 뇌혈류량과 뇌산소대사율을 감소시킨다. 일회 주입 후 지속 주입하였을 때 평균 뇌혈류량 감소와 뇌산소대사율 감소는 각각 51%와 36%이며 건강한 성인을 양전자방출단층촬영술(positron emission tomography, PET)로 촬영한 결과는 뇌의 부분에 따라 차이가 있지만 48%에서 58% 정도였다고 보고한다. 최근의 연구에서 건강한 지원자들에 propofol 마취(BIS 35-40)를 시행하고 PET로 부위별 뇌혈류량과 뇌포도당대사율을 측정한 결과 각성상태에 비해 전체적인 뇌혈류량은 47% 감소하고, 뇌포도당대사율은 54% 감소하였다. 백질의 뇌혈류량은 37% 감소하고, 뇌포도당대사율은 49% 감소하였고, 회백질의 뇌혈류량은 45% 감소하고, 뇌포도당대사율은 57% 감소하였다. 뇌의 모든 부위의 국소뇌혈류량이 46-55% 감소하였으며, 시상과 측두엽의 혈류량이 가장 많이 감소하였다. Propofol은 혈압을 감소시켜 뇌관류압이 감소하고 뇌혈류량을 더욱 감소시킬 수 있다. 특히 저혈량 상태의 뇌수술을 시행 받는 환자에서 1회 주입 받을 때도 평균동맥압의 감소가 심하게 나타날 수 있어 주의를 요한다.

(2) 뇌혈류자동조절과 이산화탄소에 대한 반응에 미치는 영향

뇌혈류자동조절과 이산화탄소에 대한 반응은 보존되며, 다량을 투여하여 돌발파억제를 나타낼 경우에도 보존된다. 저탄산혈증의 경우에는 propofol에 의한 뇌혈류량 감소의 정도가 적어지는데, 이는 뇌산소대사율의 감소로 인한 뇌혈관 수축에 의한 것으로 생각된다.

(3) 뇌척수액 역동학에 미치는 영향

머릿속압력에 예견된 영향이 없고 뇌척수액 생성 속도나 뇌척수액 재흡수에 대한 저항을 변화시키지 않는다.

(4) 머릿속압력에 미치는 영향

머릿속압력 감소 효과로 인해 머릿속압력이 증가된 환자를 중환자실에서 진정시키는데 유용하게 쓰인다. 정위 조직검사를 시행하는 뇌종양 환자를 propofol로 매우 깊게 진정시키면 머릿속압력 증가를 감소시킬 수 있다. 뇌종양 절제를 위한 개두술에서 propofol-fentanyl을 사용하면 isoflurane-fentanyl 또는 sevoflurane-fentanyl로 사용할 때에 비하여 머릿속압력을 낮게 유지할 수 있다.

4) 아편유사제(Opioids)

(1) 뇌혈류량과 뇌산소대사율에 미치는 영향

대부분의 아편유사제들을 사용한 연구는 아산화질소나 다른 마취제들을 함께 사용하기 때문에 그 영향을 알기가 어렵다. 단독 투여 시에는 뇌혈류량을 변화시키지 않거나 증가시킬 수 있다.

병용하는 마취제에 따라 뇌혈류량에 미치는 영향은 달라진다. 만일 뇌혈관을 확장시키는 마취제와 함께 사용한 경우에 아편유사제는 뇌혈관 수축제로 작용하고, 뇌혈관을 수축시키는 마취제와 함께 사용한 경우는 뇌혈류량에 변화가 없거나 증가시킬 수 있다.

뇌산소대사율은 아산화질소와 함께 사용할 때는 감소시키지만 단독으로 사용할 때는 거의 영향을 미치지 않는다. Morphine 1 ㎎/㎏을 단독 투여하면 뇌혈류량의 변화 없이 뇌산소대사율은 점진적으로 41%까지 감소시킨다. 1 ㎎/㎏나 3 ㎎/㎏를 70% 아산화질소와 함께 사용하면 대조군에 비해 뇌혈류량과 뇌산소대사율의 차이가 없었다. 아산화질소를 단독으로 투여하면 뇌혈류량과 뇌산소대사율을 증가시키는 것으로 미루어 Morphine은 어느 정도의 뇌혈류량과 뇌산소대사율의 감소 효과가 있다고 추정할 수 있다. Morphine은 histamine을 분비하여 뇌혈관을 확장시켜 뇌혈류량과 뇌혈액량을 증가시킬 수 있으며, 이런 반응의 정도는 혈압에 대한 반응에 따라 다양하게 나타난다.

Fentanyl은 동물에서 pentobarbital과 함께 사용하면 뇌혈류량과 뇌산소대사율의 차이가 없으나 얕은 마취나 깨어 있는 상태에서 사용 시에는 많이 감소한다. 사람에서의 연구 결과는 많지 않으며, 50%의 아산화질소와 함께 12-30 $\mu g/kg$를 사용했을 경우 경련을 보인 한 명을 제외한 5명에서 뇌혈류량과 뇌산소대사율이 각각 21%와 26% 감소하였다고 한다. 따라서 fentanyl은 중등도의 뇌혈류량과 뇌산소대사율 감소 효과가 있으며, 깨어 있는 상태에서 사용 시 그 효과는 더욱 커진다.

Remifentanil은 저용량(0.05 $\mu g/kg/min$)을 단독투여 하면 부위에 따라 뇌혈류량을 증가시키거나 감소시키기도 하는데, 통증과 연관된 부위의 국소 뇌혈류량을 증가시킨다. 고용량(2-4 $\mu g/kg/min$)을 투여하면 뇌혈류량과 중대뇌동맥 혈류 속도가 감소한다.

(2) 뇌혈류자동조절과 이산화탄소에 대한 반응은 잘 유지된다.

(3) 뇌척수액 역학에 대한 영향

저용량의 fentanyl, alfentanil 및 sufentanil은 뇌척수액 생성 속도는 변화시키지 않고 뇌척수액 재흡수에 대한 저항의 감소를 유발하여 머릿속압력의 감소를 나타낼 수 있다. 고용량의 fentanyl은 뇌척수액 생성 속도를 감소시키지만 뇌척수액 재흡수에 대한 저항의 증가가 있거나 아무런 변화도 일으키지 않는다.

고용량의 sufentanil은 뇌척수액 생성 속도에는 아무런 영향이 없고 뇌척수액 재흡수에 대한 저항은 변화가 없거나 증가한다.

(4) 머릿속압력에 대한 효과

대부분의 경우에서 아편유사제는 머릿속압력을 변화시키지 않거나 약간 감소시킨다. 아편유사제를 임상적으로 널리 사용하는 용량을 투여하고, 적절한 환기가 되고, 근육경축이 나타나지 않으면 아편유사제에 의한 머릿속압력의 상승은 무시해도 된다.

하지만 병적인 상태에서는 머릿속압력을 증가시키는 경우도 있어 주의를 요한다. 심한 외상성뇌손상 환자에게 sufentanil을 한번에 많이 주입하면 일시적으로 머릿속압력이 많이 증가하였다. 천막상부 뇌종양이 있는 환자에서 sufentanil이나 alfentanil을 주입하면 뇌척수액 압력이 상승하였는데, 이는 평균동맥압의 감소에 따른 뇌혈류자동조절에 의한 뇌혈관 확장이 뇌척수액 압력에 변화를 준 것으로 설명할 수 있을 것이다. 따라서 신경외과 수술을 받는 환자에게 아편유사제를 투여할 때는 평균동맥압을 급격히 감소시키지 않는 방법으로 투여해야 한다.

Naloxone은 적절하게 투여한 경우에는 뇌혈류량과 머릿속압력에 영향을 주지 않는다. 그러나 아편유사제의 효과를 길항시키기 위해 많은 용량의 naloxone을 사용한 경우 고혈압, 부정맥 및 두개내출혈 등의 부작용이 발생할 수 있어 주의를 요한다.

5) Ketamine

(1) 뇌혈류량과 뇌산소대사율에 대한 효과

동물과 사람에서 뇌혈류량과 뇌산소대사율을 증가시킨다. 뇌혈류량은 자발 호흡 시 약한 고탄산혈증에 동반된 호흡 저하, 뇌대사율 증가에 따른 부분적인 신경자극 및 직접적인 뇌 혈관확장에 의해 증가한다. 저용량에서 뇌대사율의 큰 변화 없이 뇌혈류량이 14% 증가하며, 마취용량에서는 36% 증가하였다고 한다. Ketamine은 뇌혈관 확장효과도 가지고 있다. 혈관확장은 대사량증가에 따른 효과, 직접적인 혈관 확장 효과 및 콜린성기전에 의해 이루어진다. 미리 barbiturates를 전처치하면 ketamine의 뇌혈류량 증가가 나타나지 않는다.

동물에서 뇌포도당대사율은 부위에 따라 다른 양상을 나타낸다. 해마와 추체외로의 조직들에서 증가하였다. 사람에서 양전자단층촬영으로 관찰한 결과 저용량(0.2-0.3 mg/kg)으로 투여하면 전반적인 뇌산소대사율이 약 25% 증가하였는데, 전두엽 부위의 대사가 가장 많이 증가한 반면 소뇌의 대사는 감소한 소견을 나타내었다. 이것은 ketamine이 가지고 있는 환각이나 생생한 꿈과 연관이 있다.

일반적으로 사용하는 ketamine은(S)-와 (R)- 형태의 이성체가 혼합된 형태인데, (S)-ketamine은 뇌산소대사율을 증가시키고, (R)-ketamine은 약간 감소시킨다.

(2) 자동조절과 이산화탄소 반응에 대한 효과는 유지된다.

(3) 뇌척수액 역학에 대한 효과

뇌척수액 재흡수에 대한 저항을 증가시키지만, 머릿속압력 증가를 예측하게 해주는 뇌척수액 생성 속도에는 영향을 미치지 않는다.

(4) 머릿속압력에 대한 효과

자발호흡 동안은 머릿속압력의 증가 유무와 관계없이 동맥혈 이산화탄소분압과 머릿속압력을 높인다. Ketamine은 비경쟁적 NMDA 길항제로 불완전 뇌허혈 동물 모델에서 뇌경색의 크기를 줄여주었다. 그러나 임상에서 ketamine은 여전히 대부분의 신경외과 환자에서 쓰이지 않으며, 특히 머릿속압력이 높아질 수 있는 경우나 뇌종양이 있는 환자에서 더욱 그러하다.

6) Benzodiazepines

(1) 뇌혈류량과 뇌산소대사율에 미치는 영향

약의 종류에 관계없이 진정효과를 나타내는 용량에서 뇌혈류량과 뇌산소대사율을 약 20-

30% 감소시킨다.

Diazepam은 동물에서 뇌혈류량과 뇌대사율을 감소시킨다. 쥐에서는 뇌대사율이 70% 아산화질소를 함께 사용한 경우에만 감소하는데 반해 개에서는 아산화질소와 관계없이 감소하였다. 뇌손상 환자에서 diazepam은 뇌혈류량을 25% 정도 감소시켰으나, 머릿속압력의 감소는 없었다. Midazolam도 diazepam과 비슷하게 뇌혈류량과 뇌대사율을 감소시킨다. 양을 증량시켜서 benzodiazepine수용체가 포화되면 더이상 감소가 나타나지 않는다. Midazolam에 의한 뇌혈류량 감소는 섬이랑(insular gyrus)이나 띠이랑(cingulate gyrus) 같은 각성에 연관된 부위에서 주로 나타난다.

길항제인 flumazenil은 마취되지 않은 사람에게 투여하면 뇌혈류량이나 뇌산소대사율에 변화가 없으나, benzodiazepine계 약물을 사용하고 있는 경우는 이에 의한 뇌혈류량 감소나 뇌산소대사율 감소를 길항시킨다. 특히 뇌압이 잘 조절되지 않는 사람에서 benzodiazepine을 사용하다 flumazenil을 투여하면 뇌산소대사율에 비해 뇌혈류량이 많이 증가할 수 있어 주의를 요한다.

(2) 뇌혈류자동조절과 이산화탄소에 대한 반응은 잘 유지된다.

(3) 뇌척수액 역학에 미치는 영향

Midazolam은 저농도에서는 뇌척수액 생성에 변화가 없고 고농도에서는 생성이 감소한다. 재흡수저항도 변하거나 증가하지 않는다. 뇌척수액 역학 변화에서 뇌압에 미치는 영향은 확실하지 않다.

(4) 머릿속압력에 미치는 영향

약간 감소시키지만 영향은 적다. Midazolam은 보통 신경외과 환자를 마취할 때 전투약 약물로 사용된다. 그러나 진정효과가 연장될 수 있으므로 고용량은 피하는 것이 좋다. 머릿속압력이 조절되지 않는 환자에게 머릿속압력을 조절할 목적으로 사용할 경우 flumazenil을 투여하면 뇌압이 급격히 상승할 우려가 있다.

(5) Remimazolam

Remimazolam은 remifentanil처럼 혈중이나 조직에서 에스테르분해효소(esterase)에 의해 분해되어 아주 짧은 상황민감반감기(context-sensitive half time)를 가지는 약물이다. 작용시간이 짧아 마취와 시술에 널리 사용될 것으로 예상된다.

Remimazolam의 뇌에 대한 영향은 연구된 바가 없으며, 다른 benzodiazepine계 약물과 비슷할 것으로 생각한다.

7) Dexmedetomidine

Dexmedetomidine은 alpha-2 아드레날린수용체 항진제로서 뇌의 Locus Ceruleus에서 norepinephrine의 분비를 감소시키는 역할을 하여 수면을 유도하고 진정작용을 나타낸다. 빠른 약효발현과 호흡억제를 잘 일으키지 않는 장점이 있어 각성하개두술의 보조약제로도 많이 사용되고 있으며, 신경외과 영역의 중재적 시술을 위한 진정제로서 널리 사용되고 있다.

(1) 뇌혈류량에 미치는 영향

alpha-2 아드레날린수용체 항진제는 뇌혈관 수축을 일으킨다. 대부분의 동물실험에서 dexmedetomidine은 뇌대사율의 변화는 거의 없이 뇌혈류량을 감소시킨다. 뇌혈류량의 감소는 같이 사용하는 약제에 따라 달라진다. 개를 이용한 연구에서 isoflurane으로 마취한 경우는 뇌혈류량이 많이 감소하였으나 pentobarbital을 함께 사용한 경우는 뇌혈류량의 감소가 나타나지 않았다.

건강한 성인을 대상으로 한 연구에서는 dexmedetomidine은 뇌혈류량을 감소시켰는데, 최면 용량에서 약 25% 감소하였다. 뇌혈류량은 모든 뇌 부위에서 고르게 감소하였으며, 이런 감소는 느린눈운동수면(non-REM sleep)의 초기와 비슷하다.

(2) 뇌대사율에 미치는 영향

뇌대사율은 동물실험에서는 뇌혈류량의 감소에도 불구하고 감소하지 않아 뇌혈류량과 뇌대사율의 불균형을 야기할 수 있다. 그러나 건강한 성인을 대상으로 한 연구에서 dexmedetomidine 투여 후 뇌대사율이 투여량에 비례하여 감소하였다.

(3) 머릿속압력에 미치는 영향

Halothane으로 마취된 토끼를 이용한 연구에서 dexmedetomidine은 저용량에서 평균동맥압과 머릿속압력을 감소시키지만 고용량에서는 머릿속압력에 영향을 미치지 않았다. 최근의 연구에 의하면 머릿속압력이 증가된 환자에서 dexmedetomidine을 사용한 경우 심혈관계 부작용 없이 머릿속압력 치료에 사용하는 구조치료(고삼투압용액 과량투여나 뇌실외배액술)의 빈도를 줄일 수 있었다.

(4) 뇌보호작용

많은 동물실험에서 dexmedetomidine의 뇌보호작용을 보고하였으나 아직 명확히 밝혀진 기전은 없다. 임상적으로 dexmedetomidine의 뇌보호작용의 근거는 아직 없다.

2. 흡입마취제

모든 흡입마취제는 뇌혈관 확장작용을 가지고 있어 뇌혈류량을 증가시킨다(표 3-2). 뇌혈류량의 증가는 정도의 차이는 있지만 뇌의 혈액량을 증가시켜 머릿속압력을 상승시킨다.

표 3-2   흡입마취제가 뇌혈류량, 뇌대사율, 및 머릿속압력에 미치는 영향

	뇌혈류량	뇌대사율	머릿속압력
아산화질소	↑↑	↑ or →	↑↑
제논	↓(회백질) ↑(백질)	↓	↑ or →
Isoflurane	↑ or →	↓↓	→ or ╱ or ↑
Sevoflurane	↓ or → or ╱	↓ or ↓↓	→ or ╱ or ↑
Desflurane	↓ or ↑	↓↓	↑ or →

↓↓ : 매우 감소,
↓ : 감소, → : 변화 없음,
╱ : 약간 증가, ↑ : 증가,
↑↑ : 매우 증가

1) 아산화질소

(1) 뇌혈류량과 뇌대사율에 미치는 영향

아산화질소는 과거의 인체연구에서 뇌혈류량에 영향 없이 뇌대사율을 낮춘다고 하였으나, 그 연구들은 전투약이나 함께 투여한 마취제의 영향을 고려하지 않은 결과라고 생각한다. 그 후의 연구들에서 아산화질소는 정도의 차이는 있지만 뇌혈류량, 뇌대사율 및 머릿속압력을 모두 증가시킨다고 알려져 있다. 연구들마다 차이가 나타나는 것은 연구대상 종의 차이, 투여한 마취제 농도의 차이, 혹은 함께 투여한 약제들의 특성이 다른 것이 원인으로 생각되고 있다. 아산화질소 단독으로 투여하거나 다른 약제를 최소한으로 투여했을 때 뇌혈류량의 증가가 가장 많이 나타난다. 뇌혈류량의 증가는 아산화질소의 교감신경자극 효과와는 연관이 없어 보인다. 아산화질소 투여 시 양전자방출단층촬영술로 뇌혈류량과 뇌대사율을 조사하면 부위에 따른 차이가 나타난다는 것을 확인할 수 있다. 20%의 낮은 농도에서 앞쪽 띠이랑(anterior Cingulate gyrus)은 뇌혈류량이 증가한 반면 뒤쪽 띠이랑(posterior Cingulate gyrus)이나 해마는 증가하지 않았다.

50% 농도에서는 모든 회백질에서 뇌혈류와 뇌대사율이 증가하였으나 기저핵은 변화가 거의 나타나지 않았다. 반면 전체 뇌의 포도당대사율은 큰 차이가 없었으나 기저핵과 시상의 포도당대사율은 증가하였다.

아산화질소를 흡입마취제와 함께 투여하면 뇌혈류량과 뇌대사율을 많이 증가시킨다. 뇌종양이 있는 환자에서 아산화질소를 투여하면 중대뇌동맥의 혈류속도를 증가시키지만 과호흡에 의해 증가의 정도를 감소시킬 수 있다.

정맥마취제를 함께 투여하면 아산화질소에 의한 뇌혈류량 및 뇌대사율 증가를 감소시킬 수 있다. 적은 용량의 pentobarbital을 투여한 쥐에서 아산화질소를 투여하면 뇌의 포도당 대사율을 증가시키지만 뇌파를 등전위시키는 정도의 고용량을 투여하면 아산화질소에 의한 영향이 사라진다고 한다. 반면 propofol로 뇌파를 등전위시킨 건강한 성인 환자에서 70% 아산화질소를 투여하면 뇌파가 다시 나타나면서 중대뇌동맥 혈류속도가 증가하였다고 한다. 임상용량의 propofol로 마취한 사람에서 70% 아산화질소를 투여하고 양단자단층촬영으로 뇌혈류량을 측정한 결과 아산화질소가 propofol에 의한 뇌혈류량과 뇌대사율 감소를 상쇄시킨다고 하였다.

(2) 머릿속압력에 대한 영향

아산화질소는 뇌혈류량과 뇌혈액량을 증가시켜서 뇌압을 증가시키며, 이산화탄소에 대한 반응은 잘 보존된다. 머릿속압력의 증가는 정맥마취제를 함께 투여하거나 과호흡을 유발하여 감소시킬 수 있다. 머릿속압력이 높은 환자에서 아산화질소를 투여하는 것은 피하는 것이 좋은데, 꼭 투여해야 하는 경우는 과호흡을 시키거나 뇌혈관 수축약물을 함께 투여하는 것이 좋다.

(3) 뇌척수액 역학에 미치는 영향

흡입마취제를 함께 투여하여도 뇌압에 상관없이 뇌척수액 생성율이나 뇌척수액의 재흡수 저항에는 영향이 없다.

(4) 척수 대사에 미치는 영향

척수의 포도당대사율을 25% 정도 증가시킨다.

(5) 뇌보호작용

아산화질소는 N-methyl-D-aspartate (NMDA) 수용체 길항작용을 가지고 있어 뇌허혈이 있을 때 뇌보호작용을 할 수 있다. 하지만 영아의 경우와 같이 발달과정의 뇌에서는 뇌손상을 야기할 가능성이 있다.

(6) 부작용

아산화질소는 확산이 잘되어 폐쇄된 공간으로 빨리 확산되어 두개내강의 공기색전증이나 정맥내 공기색전증이 있는 경우 공기방울의 크기를 증가시켜 위험할 수 있다. 또 수술 후 오심과 구토의 빈도를 증가시켜 뇌압을 증가시킬 수 있어 신경외과 수술 시 신중하게 투여해야 한다.

2) 제논

제논(xe)은 원자번호 54의 천연기체로 무색 무취의 가스이다. 제논은 여러 수용체에 작용해서 마취작용을 가지며 40세에서 최소폐포내농도(minimal alveolar concentration, MAC)가 72%로 아산화질소에 비해 44% 정도 더 강력하고 산소와 함께 투여하여 단독으로 마취작용을 나타내게 할 수 있다. 제논은 용해도가 낮고 심혈관계 미치는 영향이 없어 뇌신경마취에서 사용시 장점이 많으나 값이 비싸 널리 사용되지 않고 있다.

(1) 뇌혈류량 및 뇌대사율에 미치는 영향

사람에서 양전자단층촬영을 이용한 연구에서 제논 1 MAC은 회백질의 뇌혈류량은 11% 감소시키고 백질의 뇌혈류량은 22% 증가시켰다. 회백질에서의 뇌혈류량 감소는 뇌대사율 감소에 의한 것으로 생각되는데, 혈류량이 감소된 부위의 포도당대사율이 많이 감소한 양상을 나타내었다. 뇌대사율의 감소가 휘발성마취제에 비해 적지만, 아산화질소보다는 휘발성 마취제와 비슷한 양상의 변화를 나타낸다.

(2) 머릿속압력에 미치는 영향

동물실험에서 제논은 머릿속압력이 정상 이거나 높은 상태 모두에서 머릿속압력에 영향을 미치지 않았다. 외상성뇌손상이 있는 환자에서는 머릿속압력을 7 ㎜Hg 정도 증가시킨다는 보고도 있는 반면, 다른 연구에서는 영향이 없다고 하였다.

(3) 뇌보호작용

제논은 glycine 부위의 NMDA 수용체 길항작용을 하며 ketamine과 같은 다른 NMDA 수용체 길항제들이 영아에서 뇌손상을 일으키는 것과 달리 뇌보호작용을 나타낸다. 새끼 쥐에서 저산소성뇌손상을 야기한 후 제논을 투여하여 뇌보호 효과를 나타내었고, 비슷한 모델에서 dexmedetomidine을 투여하거나 경도의 저체온을 함께 사용하여 뇌보호작용을 나타내었다.

3) 휘발성마취제

(1) 뇌혈류량에 미치는 영향

모든 휘발성마취제는 용량에 비례해서 뇌대사율을 감소시키고, 마취제 자체의 혈관확장 작용으로 뇌혈관을 확장시킨다. 뇌혈류량은 마취제에 의한 뇌대사율 감소에 의한 뇌혈류량 감소요인과 직접적인 뇌혈관 확장 작용으로 인한 뇌혈류량 증가 요인과의 균형에 따라 변하게 된다. 휘발성마취제의 농도가 0.5 MAC인 경우에는 뇌대사율감소에 의한 요인이 커서 뇌혈류량이 감소하고, 1 MAC인 경우는 뇌혈류량이 각성상태와 별 차이가 없고, 1 MAC 이상인 경우는 뇌대사율이 많이 감소함에도 불구하고 뇌혈류량은 증가한다. 높은 농도를 투여하면 뇌혈류량 증가가 더 많아지고 뇌혈액량이 증가하여 머릿속압력이 상승하게 된다. 휘발성 마취제들의 뇌혈관 확장작용은 마취제에 따라 다른데 그 순서는 다음과 같다.

halothane ≫ enflurane > desflurane ≈ isoflurane > sevoflurane

휘발성 마취제들은 혈관확장작용을 가지고 있어 뇌혈류자동조절기전을 방해하고 투여 농도에 따라 혈압을 감소시킨다. 뇌혈류량에 미치는 영향을 비교하기 위해 혈압을 일정하게 유지시키는 것이 중요하다. 사람에서 평균동맥압을 80 ㎜Hg로 유지하며 halothane을 투여한 결과 1.1 MAC에서 뇌산소대사율은 10% 감소한 반면 뇌혈류량은 191% 증가하였다. 1.2 MAC의 enflurane을 투여한 결과 뇌산소대사율은 15% 감소한 반면 뇌혈류량은 45% 증가하였다. Isoflurane은 halothane이나 enflurane에 비해 뇌혈류량을 많이 증가시키지 않는다. Isoflurane 1.1 MAC을 투여하고 혈압을 일정하게 유지하면 뇌산소대사율은 40% 감소한 반면 뇌혈류량은 19% 증가하였다.

Sevoflurane과 desflurane은 사람에서 깨어 있는 상태에 비해 뇌혈류량을 유의하게 감소시킨다. 1 MAC의 sevoflurane과 desflurane은 뇌산소대사율은 39%와 35% 감소하고, 뇌혈류량은 38%와 22% 각각 감소하였다. 이 연구는 대뇌겉질의 뇌혈류량을 측정한 결과로 전체 뇌의 뇌혈류량과는 차이가 있을 수 있다. PET를 이용하여 건강한 성인 지원자들을 대상으로 연구한 결과, 1 MAC의 sevoflurane을 투여하면 뇌혈류량과 뇌산소대사율을 약 50% 정도 감소시켰다. 뇌혈류량 감소에도 불구하고 뇌혈액량의 감소는 없었다.

(2) 뇌대사율에 미치는 영향

모든 휘발성 마취제는 뇌산소대사율을 낮추는데, 그 정도는 다른 마취제에 비해 halothane이 가장 적다. Sevoflurane의 뇌산소대사율 정도는 isoflurane과 비슷하며 desflurane은 감소가 덜하다. 사람에서 각 약제들 간에 뇌산소대사율 감소 정도를 비교한 연구는 없으며, 내경정맥과 동맥의 산소포화도 차이로 간접적으로 측정한 결과 isoflurane, sevoflurane, 및 desflurane의 뇌산소대사율은 각각 25%, 38%, 및 22% 감소하여 sevoflurane의 감소 정도가 가장 많았다.

Isoflurane에 의한 뇌산소대사율의 감소(sevoflurane이나 desflurane도 비슷하다)는 농도에 따라 증가하다가 뇌파가 소실되면 최고에 달한다. 뇌파의 소실이나 돌발파억제는 임상적으로 사용하는 농도인 1.5-2.0 MAC에서 나타날 수 있다.

(3) 머릿속압력에 미치는 영향

휘발성마취제에 의한 뇌혈관확장은 머릿속압력을 증가시킬 수 있다. 머릿속압력은 뇌혈류량의 변화보다는 뇌혈액량의 변화에 영향을 받는다. 뇌혈액량은 휘발성 마취제로 마취할 때 정맥마취제에 비해 증가하게 된다. 성인 지원자를 대상으로 1 MAC의 sevoflurane을 투여하면 국소 뇌혈류량은 감소시킨 반면 국소 뇌혈액량은 감소시키지 않은 반면, propofol은 모두 감소시켰다. Sevoflurane과 desflurane 모두 정상적인 두개골 탄성을 가진 사람에게는 머릿속압력의 변화는 미미하며, 약제를 투여하며 약간의 과호흡을 하면 머릿속압력 상승을 억제하기에 충분하다.

그러나 아주 큰 두개내종양이 있고 감소된 두개골탄성을 가진 사람에게는 뇌혈관확장을 초래하여 뇌혈액량을 증가시켜 머릿속압력을 증가시킬 수 있다.

(4) 뇌혈류자동조절 및 이산화탄소에 대한 반응

모든 휘발성 마취제들을 투여할 때 이산화탄소에 대한 뇌혈류량 반응은 잘 유지된다. 저혈압에서는 뇌혈류량이 잘 유지되며 각각의 마취제들 간에 차이가 없는 반면 고혈압에 대한 뇌혈류량 자동조절기전은 잘 유지되지 않는다. 이런 뇌혈류량 증가는 뇌혈관 확장기능의 정도와 용량에 비례하여 나타난다. Sevoflurane은 다른 마취제들에 비해 뇌혈류자동조절 기전이 비교적 잘 유지된다. 최근의 연구에서 1.2 MAC과 1.5 MAC의 sevoflurane을 투여하며 phenylephrine으로 고혈압을 유도한 결과 뇌혈류량 증가가 나타나지 않았다고 한다.

(5) 뇌척수액 역학에 미치는 영향

① Isoflurane

저농도에서는 뇌척수액 생성률에 변화를 주지 않으며, 뇌척수액 재흡수 저항이나 머릿속압력을 증가시키거나 변화시키지 않는다. 고농도에서는 뇌척수액 재흡수 저항을 감소시켜 머릿속압력을 저하시킬 수 있다.

② Desflurane

뇌척수액 생성율에 변화를 주지 않으며, 뇌척수액 재흡수 저항이나 뇌압을 증가시키거나 변화시키지 않는다. 저탄산혈증이나 뇌척수액압이 증가된 상태에서는 뇌척수액 생성율을 증가시키고 이는 머릿속압력의 증가를 초래할 수 있다.

③ Sevoflurane

뇌척수액 생성율은 감소시키고 재흡수 저항은 증가시킨다. 뇌척수액 역동학에 의한 뇌압에 대한 영향은 명확하지 않다.

(6) 척수혈류와 대사에 미치는 영향

Isoflurane의 경우는 1 MAC과 2 MAC 농도에서 모두 척수혈류를 증가시키고 자동조절을 억제시킨다. 2 MAC에서는 겉질이나 겉질하부보다 척수에 더 영향을 미친다.

3. 신경근차단제

신경근차단제는 혈액−뇌 장벽을 건너지 못한다. 따라서 신경근차단제의 뇌에 대한 영향은 histamine 방출, 전신적인 혈역학적 변화, 대사물의 작용 등에 의한 이차적인 영향이다.

1) 탈분극성 신경근차단제(Succinylcholine)

뇌혈류를 증가시켜 뇌압의 증가를 초래한다. 이것은 근육방추 작용에 의해 뇌구심성 입력이 증가되어 이차적으로 나타나는 현상이다. 또 succinylcholine에 의한 목 근육의 근육부분수축(fasciculation)에 의해 내경정맥이 수축되어 뇌로부터의 정맥혈류가 정체되어 뇌혈액량을 증가시킬 수 있다. 이런 근육부분수축에 의한 영향들은 비탈분극성 신경근차단제의 전처치로 억제할 수 있다. 뇌압의 변화는 크지 않고 일시적이므로 기도의 빠른 조절이 필요한 경우에는 빠르고 확실하게 근육을 이완시키기 위해 사용할 수 있다. 뇌척수액 역동학에는 영향을 미치지 않아 머릿속압력에 대한 영향을 예상하기 힘들다. 신경외과 환자에서 초기의 지주막하출혈이나 척수외상과 같은 경우에 succinylcholine을 사용하면 근육에서 K^+ 이온의 과도한 방출로 혈중 K^+ 농도가 많이 증가할 수 있어 주의를 요한다.

2) 비탈분극성 신경근차단제

비탈분극성 신경근차단제와 그 대사물질들은 히스타민을 분비시켜 뇌혈류에 영향을 미칠 수 있다.

(1) Mivacurium

혈장 cholinesterase에 의해 대사되고(succinylcholine 속도의 88%) 간에서 에스테르 가수분해되는 단기작용 이완제이다. 이는 빠른 대사 때문에 보통 지속 주입으로 투여한다. 많은 용량이 빠르게 공급되면 histamine의 방출이 발생한다. 그러나 이런 다량 주입에 의한 히스타민 방출이 임상적으로 머릿속압력이나 뇌혈류량에 미치는 영향은 아주 적다.

(2) Atracurium

많은 일회 용량으로 투여하는 경우 히스타민 방출을 초래한다. 에스테르 가수분해와 Hof−mann 제거로 약효가 소실되어 신장 또는 간장 장애 환자에서도 작용시간이 연장되지 않는 이점이 있다. Hoffmann 제거 시 생성되는 대사 물질인 laudanosine은 실험동물에서 경련을 유발한다고 알려져 있으나 임상적으로 유의한 농도는 밝혀지지 않았다. 비슷한 작용을 하는 cisatracuruim은 histamine을 거의 방출하지 않고 독성 대사물 생성을 하지 않는다.

(3) Vecuronium
많은 용량을 줄 때조차 안정적인 혈역학을 유지할 수 있는 이점이 있다. 한 가지 예외는 많은 용량의 아편유사제과 함께 마취 유도를 하는 경우 미주신경 작용 때문에 서맥을 유발할 수 있다. 뇌척수액 역동학에도 영향이 없어 머릿속압력의 변화도 일으키지 않는다.

(4) Rocuronium
상대적으로 안정적인 혈역학(약한 미주신경작용)을 가지며 담도계와 신장에 의해 변화를 받지 않고 배설되는 비탈분극성 신경근차단제이며, vecuronium과 달리 활성대사물을 형성하지 않는다. 작용 시간이 빨라 빠른 마취유도가 필요하나 succinylcholine의 부작용으로 위험해질 수 있는 신경외과마취가 필요한 환자에게 훌륭한 선택 약물로 사용될 수 있다.

(5) Pancuronium
콜린억제작용이 있어 많은 용량을 사용하면 고혈압과 빈맥이 유발되어 뇌혈류량과 머릿속압력을 증가시킨다. 이러한 영향은 평소 고혈압이 있는 환자에서 잘 나타난다.

(6) Suggamadex
선택적으로 rocuronium의 효과를 길항하는 약물이며, 뇌혈류량과 뇌대사율에 대한 연구는 되어있지 않다. 신경외과 환자에서 rocuronium을 사용하여 기관내삽관을 시도하다 실패한 경우나 수술 후에 신경근 차단이 빨리 회복이 안 되는 경우 유용하게 사용할 수 있다.

4. 리도카인

1) 뇌혈류량과 뇌산소대사율에 미치는 영향
용량에 따라 뇌산소대사율을 감소시킨다. 고용량을 사용하면 뇌산소대사율을 pentobarbital보다 더 많이 감소시키는데, 이는 lidocaine의 신경세포막 안정 효과가 뇌의 에너지 요구량을 감소시키기 때문이다. 마취되지 않은 사람에서 30분에 걸쳐 5 mg/kg 투여 후 45 μg/kg/min로 지속 투여하면 뇌혈류량과 뇌산소대사율을 각각 24%와 20% 감소시킨다.

2) 머릿속압력에 미치는 효과

뇌혈류량을 감소시켜 머릿속압력을 낮추는 작용을 한다. 뇌수술 시 머리에 정위 고정 핀을 꽂을 때 thiopental 3 mg/kg과 lidocaine 1.5 mg/kg을 각각 투여하여 비교한 결과 두 가지 방법 모두 효과적으로 머릿속압력 상승을 억제하였으며, thiopental 투여군에서 평균 동맥압이 더 많이 감소하였다. 급격한 머릿속압력의 상승이 예상되는 기관내관 흡인 시에 사용하면 머릿속압력 상승을 어느 정도 예방할 수 있다. 비록 마취된 환자에서는 나타나지 않지만 고용량의 lidocaine은 간질을 유발할 수 있어 조심해야 한다. 뇌압상승 예방을 위한 적정 용량은 1.5-2 mg/kg이다.

3) 뇌보호작용

여러 가지 나트륨이온 통로차단제들이 뇌보호에 효과가 있었다는 연구들이 있다. 리도카인은 심한 전뇌허혈 모델에서는 효과를 나타내지 않았지만 국소뇌허혈 모델에서는 임상적으로 사용하는 용량에서도 뇌보호효과를 나타내었다. 뇌보호효과의 기전은 허혈 기간 동안 미토콘드리아 기능의 보전과 허혈에 의한 세포자멸사를 줄이기 때문으로 생각한다. 심장수술에서도 적은 용량의 리도카인을 지속 투여하면 심폐우회로에 따른 신경손상을 줄일 수 있다고 한다.

■■■■ **참고문헌**

• Field LM, Dorrance DE, Krzeminska EK, Barsoum LZ: Effect of nitrous oxide on cerebral blood flow in normal humans. Br J Anaesth 1993;70:154-9.

• Kondo Y, Hirose N, Maeda T, Suzuki T, Yoshino A, Katayama Y: Changes in Cerebral Blood Flow and Oxygenation During Induction of General Anesthesia with Sevoflurane Versus Propofol. Adv Exp Med Biol. 2016;876:479-84.

• Lam AM, Mayberg TS, Eng CC, Cooper JO, Bachenberg KL, Mathisen TL: Nitrous oxide-isoflurane anesthesia causes more cerebral vasodilation than an equipotent dose of isoflurane in humans. Anesth Analg 1994;78:462-8.

• Mielck F, Stephan H, Buhre W, Weyland A, Sonntag H: Effects of 1 MAC desflurane on cerebral metabolism, blood flow and carbon dioxide reactivity in humans. Br J Anaesth 1998;81:155-60.

• Mielck F, Stephan H, Weyland A, Sonntag H: Effects of one minimum alveolar anesthetic concentration sevoflurane on cerebral metabolism, blood flow, and CO2 reactivity in cardiac patients. Anesth Analg 1999;89:364-9.

• Ogawa Y, Iwasaki K, Aoki K, Yanagida R, Ueda K, Kato J, et al: The effects of flumazenil after midazolam sedation on cerebral blood flow and dynamic cerebral autoregulation in healthy young males. J Neurosurg Anesthesiol 2015;27:275-81.

• Paris A, Scholz J, von Knobelsdorff G, Tonner PH, Schulte am Esch J: The effect of remifentanil on cerebral blood flow velocity. Anesth Analg 1998;87:569-73.

• Pierce EC Jr, Lambertsen CJ, Deusch S, Chase PE, Linde HW, Dripps RD, et al: Cerebral circulation and metabolism during thiopental anesthesia and hyper-ventilation in man. J Clin Invest 1962;41:1664-71.

• Renou AM, Macrez P, Vernhier J, Constant P, Billerey J, Caille JM: Effect of etomidate on cerebral blood flow and oxygen metabolism in man. Ann Anesthesiol Fr 1978;19:201-5.

• Scheller MS, Tateishi A, Drummond JC, Zornow MH: The effects of sevoflurane on cerebral blood flow, cerebral metabolic rate for oxygen, intracranial pressure, and the electroencephalogram are similar to those of isoflurane in the rabbit. Anesthesiology 1988;68:548-51.

- Schlü nzen L, Juul N, Hansen KV, Cold GE: Regional cerebral blood flow and glucose metabolism during propofol anaesthesia in healthy subjects studied with positron emission tomography. Acta Anaesthesiol Scand 2012;56:248-55.
- Stephan H, Groger P, Weyland A, Hoeft A, Sonntag H: The effect of sufentanil on cerebral blood flow, cerebral metabolism and the CO2 reactivity of the cerebral vessels in man. Anaesthesist 1991;40:153-60.
- Stephan H, Sonntag H, Schenk HD, Kettler D, Khambatta HJ: Effects of propofol on cardiovascular dynamics, myocardial blood flow and myocardial metabolism in patients with coronary artery disease. Br J Anaesth 1986;58:969-75.
- Takeshita H, Okuda Y, Sari A: The effects of ketamine on cerebral circulation and metabolism in man. Anesthesiology 1972;36:69-75.
- Todd MM, Drummond JC: A comparison of the cerebrovascular and metabolic effects of halothane and isoflurane in the cat. Anesthesiology 1984;60:276-82.
- Villa F, Iacca C, Molinari AF, Giussani C, Aletti G, Pesenti A, et al. Inhalation versus endovenous sedation in subarachnoid hemorrhage patients: effects on regional cerebral blood flow. Crit Care Med 2012;40:2797-804.

두개내 병변의 영상의학

Skull and Intracranial Radiology

04

학습목표

1. 두개내 병변의 영상진단방법들의 특징과 장점을 열거할 수 있다.
2. 두개뇌 외상 시 이차성 두개뇌병변의 영상의학적 특징을 이해할 수 있다.
3. 허혈성 경색의 시기별 MRI 특징을 이해할 수 있다.
4. 뇌내출혈에서 시기별 CT 및 MRI 특징을 열거할 수 있다.

두개내 병변의 영상의학

Skull and Intracranial Radiology

최승홍
서울대학교 의과대학

1. 두개내 병변의 영상진단방법

1) 단순두개 X-선 촬영

단순두개촬영은 환자에게 아무런 처치없이 머리의 전후면 및 측면 X-선 사진을 찍는 가장 간단한 영상진단방법이다. 외상으로 인한 두부의 금속성 이물질 유무와 두개골 골절 평가, 그리고 두개골 뼈의 비후나 경화증(sclerosis), 뼈의 파괴 여부 등 두개골 자체의 병변을 평가하는 데 주로 이용된다(그림 4-1).

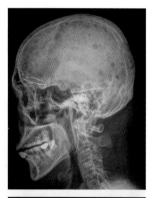

그림 4-1
다발성 골수종의 단순 X-선 촬영. 수 mm-1 cm 크기의 무수히 많은 방사선 투과성의 골결손 음영이 두개골 전체에 산재해 있다.

2) 전산화단층촬영(computed tomography, CT)

CT 장치는 X-선관과 검출기의 쌍으로 구성되어 X-선관과 반대편의 검출기가 인체 주위를 횡단면으로 360도 회전하면서 X-선관에서 조사한 X-선이 인체를 통과한 후 X-선의 감약정보를 검출기가 검출하고 이를 컴퓨터를 이용하여 계산하면 인체 단면의 각 지점(화소: pixel)에서의 X-선 흡수계수를 산출할 수 있다. 이렇게 산출된 각 화소의 X-선 흡수계수를 CT 번호(또는 Hounsfield 번호)라는 숫자로 표시하고, 각 화소에서 CT 번호가 큰 것은 희게, 작은 것은 검게, 회색조 단계(gray scale)로 변환하여 2차원 영상으로 재구성하여 화면에 나타낸 것이 CT의 기본 개념이다(그림 4-2).

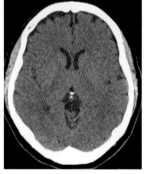

그림 4-2
정상 성인의 두부 CT. 두부 CT에서 두개골과 금속 이물질, 석회화의 CT 번호가 가장 높아 고감쇠로 나타나고, 급성 출혈이 그 다음으로 희게, 회색질, 백질, 뇌척수액, 지방조직의 순으로 낮아지는데 공기가 가장 낮다.

3) 자기공명영상(Magnetic resonance imaging)

인체를 강력한 자장 속에 넣은 후 수소(H)가 흡수할 수 있는, 즉 공명시킬 수 있는 고주파 에너지 즉 RF 펄스(pulse)를 가하면 인체 내의 수소는 이 에너지를 흡수하여 높은 에너지 준위가 된다. 이후 수소는 흡수했던 고주파 에너지를 다시 방출하면서 원래의 낮은 에너지 준위로 가려고 한다. 이때 방출되는 고주파 에너지(즉 MR 신호)를 수집하여 MR영상이 만들어진다. 신호의 크기는 각 조직의 고유한 수소의 밀도, T1 이완시간(T1 relaxation time) 및 T2 이완시간(T2 relaxation time)에 의해 좌우된다. T1 및 T2 이완시간은 조직의 물리적 성질에 따라 다르며 이 차이가 MR영상에 반영된다(그림 4-3).

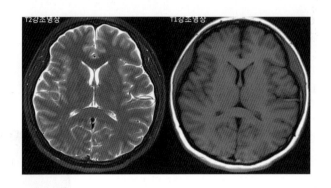

그림 4-3
정상 성인의 두부 MR T2 및 T1강조영상. 정상 뇌조직은 T2강조영상에서 뇌척수액, 뇌회색질, 뇌백질의 순으로 신호강도가 낮아지며, T1 강조영상에서 지방조직, 뇌백질, 뇌회색질, 뇌척수액 순으로 신호강도가 낮아진다.

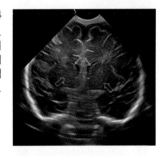

그림 4-4
정상 만삭아의 뇌 초음파. 먼로공을 지나는 면에서 전두각의 양쪽 하방에 미상핵(화살표)과 렌즈핵(빈 화살표)이 있다.

4) 초음파촬영(Ultrasonography)

인체 내에 짧은 초음파 펄스가 발사되면 이 펄스는 체내의 acoustic impedence가 다른 경계면과 만날 때까지 일정한 속도로 조직 속을 진행하다가 경계면에 부딪히면 초음파 속(ultrasound beam)의 일부는 진원(source) 쪽으로 반사되는데 이러한 원리를 이용하여 영상을 만드는 것이 초음파 영상이다(그림 4-4). 초음파 검사의 장점은 방사선 위해가 없고, 실시간(real-time) 단면영상을 얻을 수 있으며, 연부조직 간의 구별이 가능하고, 검사비가 저렴하며, 비교적 단순하고, 비침습적인 점을 들 수 있다.

5) 혈관조영술(Angiography)

혈관조영술은 뇌혈관질환의 진단을 위해 현재 사용되는 방법들 가운데 가장 침습적인 방법 중 하나이다. 혈관질환의 유무 및 양상을 진단하는 여러 가지의 비침습적인 방법들이 임상에 이용되면서 고식적(conventional, catheter-based) 혈관조영술의 이용은 많이 감소하였으나 혈관의 형태학적 양상을 가장 정확히 평가할 수 있는 방법이라는 점에서 혈관질환에 대한 정밀한 검사를 목적으로 이용된다(그림 4-5). 최근 기본적으로 혈관조영술의 기법을 이용하는 신경중재치료의학(interventional neuroradiology)이 뇌혈관질환의 치료에 중요한 역할을 담당하게 되었고, 이에 따라 한때 MR혈관조영술, CT혈관조영술 등 비침습적 검사들에 의해 그 효용성이 감소된 진단 목적의 혈관조영술의 이용이 다시 중요하게 인식되고 있다.

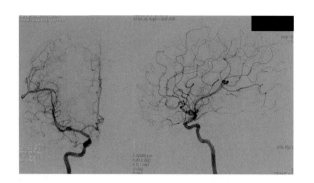

그림 4-5
정상인에서의 우측
내경동맥 혈관조영술 영상

2. 두개뇌외상(Traumatic craniocerebral injury)

외상에 의한 뇌손상은 국내외에서 소아와 성인 모두에서의 이환율과 사망률의 주된 원인으로 자리잡고 있다. 특히 현대사회에서 젊은 연령층의 중요한 의료문제로 인식되고 있다. 두개뇌 외상에 의한 신체장애 또는 사망은 추락, 교통사고 등의 일차적인 외상병변과 이에 따른 이차적인 병변, 저혈압, 두뇌압 상승, 고체온 등으로 발생할 수 있다.

영상진단기법은 이들 두개뇌외상의 정확한 초기 진단과 치료 결정에 중요한 역할을 하고 있으며 필수적인 검사기법으로 이용되고 있다. 응급상황에서 전산화단층촬영(computed tomography (CT))검사는 가장 우선적으로 시행되는 영상기법이며, CT영상기기의 발달과 함께 널리 이용되고 있다. 또한 자기공명영상(magnetic resonance imaging (MRI))기법은 CT영상에서 감별이 어려운 아급성 또는 만성 출혈과 급성 백질전단손상(shearing injury)의 진단에 매우 유용하다. 이러한 첨단 영상기법은 구조적인 뇌손상뿐만 아니라 기능적인 변화 및 손상의 진단에서 그 이용의 폭이 넓어지고 있다.

1) 두개골절

두개골절은 다섯 가지로 구분된다: 선상골절(linear), 함몰골절(depressed), 복합골절(comminuted), 개방골절(compound (open)), 이개골절(diastatic fracture). 또한 여러 개의 골절이 복합되어 나타날 수 있으며, 복합, 개방, 및 함몰골절은 자주 함께 나타난다.

선상골절(linear fractures)은 가장 흔한 두개골 골절형태이다. CT영상이 선상골절의 발견에 어려움이 있을 수 있으며, 특히 CT절편과 같이 평행한 골절의 경우는 축상면 영상에서 발견하지 못할 수 있으며, 관상면 영상 및 3차원 재구성영상에서 진단할 수 있다. 현재 고해상도의

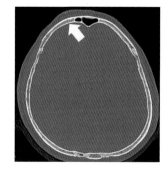

그림 4-6
1 mm 절편 고해상도 CT.
오른쪽 전두골의 선형 골절

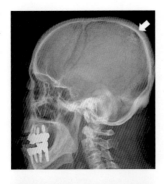

그림 4-7
오른쪽 두정뼈에 발생한
함몰골절

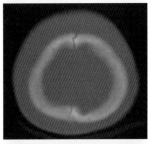

그림 4-8
시상봉합선을 따라 발생한
이개골절

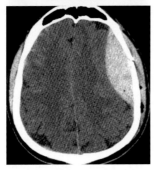

그림 4-9
경막외혈종.
외상 후 시행한 조영전
CT영상에서 좌측 두정부에
볼록렌즈 모양의
경막외혈종이 관찰된다.

CT영상은 얇은 절편(1 mm 이하)을 얻을 수 있어 대부분 진단이 가능하다(그림 4-6).

함몰골절(depressed)은 외상의 힘이 좀더 증가되면 두개골이 충격 후 정상상태로 돌아오는 것이 실패하면 함몰되게 된다. 정상두개골과 함몰골절의 골변, 골편 등이 겹쳐지는 부분은 단순 두부 촬영검사상 방사선 비투과성으로 보이고 함몰골절된 두개골이 있던 부위는 방사선 투과성으로 보여 쉽게 진단이 가능하며 접선 촬영법(tangential view)이 유용하다(그림 4-7).

이개골절(diastatic fracture)은 봉합부분이 벌어지는 것을 말하며 부분적인 이개골절은 외부충격에 의하여 발생하나 봉합이 결합되기 이전의 어린아이에서는 어떤 원인에 의해서든지 두개강내 압력이 증가하면 봉합의 전반적인 분리가 생길 수 있어 소아에 흔하다(그림 4-8).

복합골절은 두개골이 여러 개의 조각으로 골절되는 형태로 대개 강한 blunt or penestrating 손상으로 발생되며 대부분의 함몰결절이 복합골절과 동반된다. 개방골절은 두개골절에 의해 두피와 교통이 되거나 두개저(skull base), 부비동을 침범할 때 불리게 된다.

2) 일차성 두개뇌 병변

(1) 경막외 혈종(epidural hematoma)

경막외 혈종은 경막과 두개골 내벽 사이의 중경막동맥, 전겸상동맥, 추골 동맥의 경막분지 등의 동맥파열로 인하여 주로 발생하며, 드물게 정맥동의 손상으로도 발생된다. 두개골 중 가장 얇아 손상을 받기 쉬운 측두편평(squamous)골 하부를 지나는 중경막동맥의 중하부분지 파열에 의한 것이 가장 많다. 동맥과 정맥동 파열에 의한 심한 출혈에 의한 것일 경우 대개 CT상 양면으로 볼록한 모양을 보이나 때로는 반달모양으로 나타나며 작은 정맥파열에 의한 출혈인 경우는 일부 초생달 모양을 보이기도 한다(그림 4-9).

(2) 경막하혈종(subdural hematoma)

경막하혈종은 지주막과 경막내막 사이에 혈종이 발생하는 것으로 겉질과 정맥동을 연결하는 겉질교량정맥의 파열이 주원인이나 정맥동이나 작은 겉질동맥의 분지의 파열에 의해서도 나타난다. 이 혈종은 경막하부에 비교적 넓게 퍼지므로 전형적으로 초생달의 모양을 보이나 때로는 반달모양으로 보인다(그림 4-10).

(3) 경막하수활액낭종(subdural hygroma)

경막하수활액낭종과 만성경막하 혈종은 경막하에 액체가
고여 있다는 의미에서는 같으나 경막하수활액낭종은 지주
막이 파손되어 뇌척수액이 경막하부위내로 유입되어 고여
있는 것이며 만성 경막하 혈종은 흡수과정이 오래 경과된
액화된 혈액성분이 있는 것이므로 근본적으로 다르다.

(4) 지주막하 출혈(subarachnoid hemorrhage)

지주막하 출혈은 대개 연막이나 지주막하에 있는 작은 동
맥이나 정맥의 파손으로 생기나 때로는 큰 혈관의 파손과
뇌실질내출혈이나 뇌실내출혈의 지주막하 부위로의 파급
으로도 나타난다(그림 4-11). 외상환자에서 지주막하출혈의
소견만으로 발견되는 예는 드물며 대개는 다른 부위의 혈
종이 동반된 것을 볼 수 있다.

(5) 뇌진탕(cerebral concussion)

뇌진탕이란 경도 뇌손상(mild head injury)에 포함되는 개념
으로 두부 외상 후 일시적으로 신경학적 장애(의식소실, 시
력장애, 기억장애 등)가 발생하는 임상 증상을 의미한다. CT
및 MR영상에서 특이 소견은 대게 보이지 않는다. 그러나
영상의 발달로 약 15%의 경도뇌손상환자에서 CT영상에서
뇌병변이 발견되고 있으며, 약 1% 미만의 환자에서 수술
적치료를 받고 있는것으로 보고 되고 있다.

(6) 뇌좌상(cerebral contusion)

뇌좌상은 손상에 의한 두개골의 일시적인 함몰 때문에 생기는 충격(coup) 직하부에서의 뇌
압박과 동반될 수 있는 반충(contre coup) 등의 충격직하부 이외의 부위에서의 뇌압박으로 뇌
겉질의 물리적 연속성(physical continuity)는 대개 유지되며 타박(bruise)이나 압좌(crushing)
가 오는 것을 말하며 작은 혈관 손상에 의한 소량의 출혈과 부종의 소견을 주로 보인다(그림
4-12).

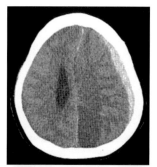

그림 4-10
경막하혈종의 모양.
조영전 축상면 CT영상에서
초승달 모양의 급성
경막하혈종이 좌측 대뇌를
따라 관찰되고 있다.

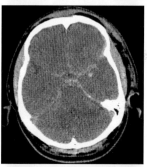

그림 4-11
외상성 지주막하 출혈.
외상 후 시행한 조영전
축상면 CT영상에서 좌측
측두엽의 출혈성 타박상이
보이고 뇌기저수조를 따라
지주막하 출혈이 관찰된다.

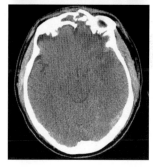

그림 4-12
외상 후 좌상.
충격 부위 좌측 전두골 골절
및 주위 전두엽과 측두엽에
발생한 저음영의 좌상이
관찰된다.

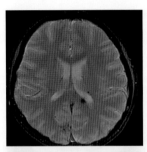

그림 4-13
미만축상손상의 MR 소견
(T2* 경사에코영상).
축상면 T2* 경사에코영상에서
좌측 뇌량과 양측 후두엽의
겉질-속질 접합부에 작은
다발성 저신호강의 출혈성
병변이 관찰된다.

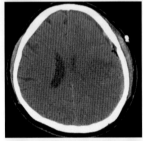

그림 4-14
외상 후 뇌부종.
외상 후 좌측 뇌부종으로
인해 좌측 측뇌실이
비대칭성으로 작아지고
좌측 뇌엽의 고랑이
소실되었다.

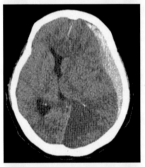

그림 4-15
대뇌낫하 탈뇌.
좌측 두부의 경막하 혈종의
종괴효과 및 좌측 뇌엽의
부종에 의한 중간선
전위가 보인다.

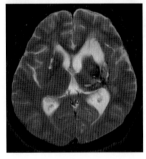

그림 4-16
뇌연화증.
외상 발생 수개월 후
양측 기저핵과 전두엽에
뇌척수액과 같은 정도의
고신호강도를 보이는
뇌연화증 및 주위
헤모시데린(hemosiderin)
침착에 의한
저신호강도가 보인다.

(7) 뇌실질혈종(intracerebral hematoma)

뇌실질혈종은 좌상에서의 출혈의 범위가 넓어지고 뇌백질 쪽으로 번진 것과 엄밀히 구분하기 어려워 좌상의 연장으로 생각할 수도 있으나 근본적으로는 회백질 심연부를 지나는 관통혈관들의 파열에 의한 출혈을 주로 말하며 경막하혈종 등의 뇌실질외 두개강내 혈종을 동반하는 경우가 많다.

(8) 미만축상손상(diffuse axonal injury)

미만축상손상은 과속에 의한 자동차 충돌사고 등에 의해 뇌의 일부가 다른 부위에 의하여 급격히 감가속하거나 회전되어 주로 축색의 손상과 때로는 이에 동반된 혈관의 손상을 일으키는 것으로, 환자는 축색 손상에 의한 심한 뇌기능 장애를 초래하며 사망하는 경우도 많다(그림 4-13).

3) 이차성 두개뇌 병변

(1) 뇌종창(cerebral swelling)

뇌종창은 가장 흔한 이차성 뇌병변으로 충혈(hyperemia, 혈액량(blood volume)의 증가)과 부종(edema, 조직수분의 증가)에 의해 유발된다. 상대적으로 어른보다 어린이에게 많이 나타나며, 빠르고 넓게 나타난다. 뇌손상 후 종창은 빠르게는 20−30분 후에 발생하기로 하지만 심한 종창은 1−2일 정도에서 많이 관찰되기 때문에 이 시기의 환자 처치에 주의하여야 한다. 뇌종창의 영상소견은 대뇌고랑(sulci)과 대뇌조(cistern) 소실과 뇌실의 압박이 전형적인 형태이다(그림 4-14).

(2) 탈뇌(brain herniation)

탈뇌는 뇌조직이 어떤 한 구획에서 다른 구획으로 전위되는 것을 의미하며 대개 6가지의 형태로 분류되는데, 대뇌낫(subfalcial, (subfalcine)) 소뇌편도(tonsillar), 갈고리이랑(uncal (medial transtentorial)), 하방천막(downward transtentorial), 상방천막(upward transtentorial), 외부(external) 탈뇌로 나누어진다(그림 4-15).

(3) 뇌연화증(encephalomalacia)

비특이적인 흔한 소견으로 뇌실질의 손상후의 후유증으로 발생한다. 대개 임상적으로 무증상이거나 발작의 원인이 될 수 있다. 영상소견으로는 CT 및 MRI 영상 모두에서 뇌척수액과 유사한 신호를 보이게 된다. 외상에 의한 경우는 기저부 전두엽과 측두엽에 가장 호발한다 (그림 4-16).

3. 허혈성 경색

1) 서론

성인 뇌의 정상 혈류량은 약 50–55 ㎖/100 g/min로 알려져 있다. 혈류량이 정상의 35% 이하로 감소하면 신경세포의 구조적인 손상은 나타나지 않으나 신경세포의 신호전달 기능에 문제가 생겨 뇌파의 이상과 함께 뇌기능 장애가 발생한다. 그러나 혈류량이 더욱 감소하여 20% 이하가 되면 비가역적인 신경세포의 손상, 즉 경색이 초래된다. 따라서 혈류량이 정상의 20–35% 사이에 있는 뇌조직은 최소한의 대사에 필요한 혈류량은 유지되어 있는 부위로서 허혈성 반영부(ischemic penumbra)라 부른다.

2) 동맥 폐색에 의한 경색(Arterial occlusive infarction)

(1) 급성기 경색(acute infarction)

근위부 중대뇌동맥의 초급성기 경색에서 고음영의 중대뇌동맥, 렌즈핵(lentiform nucleus)의 저음영, 도겉질(insular cortex)의 저음영 및 구(sulcus)의 소실 등을 CT에서 관찰할 수 있다. 고음영의 중대뇌동맥은 동맥내 혈전에 의한 것이며, 그 빈도는 급성 중대뇌동맥 경색의 35–50%로 보고되어 있으나 정상 뇌동맥의 음영도 뇌백질보다 다소 고음영을 보이므로 주의를 요한다(그림 4-17). 이 시기에 세포 파괴에 의한 혈관성 부종(vasogenic edema) 및 종괴효과가 나타나기 시작하여 3–7일 사이에 가장 심한 상태가 된다. 동맥 폐색에 의한 경색에서 그 원인이 색전일 경우 빠르면 수 시간부터 대개 수일 이내 혈관의 재개통이 일어난다. 재개통으로 인한 재관류는 이미 허혈성 손상을 받은 혈관벽에 다시 손상을 주어 경색 부위에 출혈을 일으키는 소위 출혈성 변환 (hemorrhagic transformation)의 원인이 될 수 있다(그림 4-18).

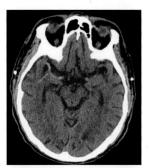

그림 4-17
급성기 경색 CT의 hyperdense MCA 징후. 발병 후 2시간째 시행한 CT에서 좌측 중대뇌동맥의 M1 분절이 혈전으로 인해 고음영으로 보인다(화살표). .

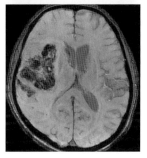

그림 4-18
아급성기 경색의 출혈성 변성. 경색 발병 후 추적검사 상 아급성기 경색 내부에 출혈성 변성에 의한 뚜렷한 저신호강도가 자화율 강조영상에서 관찰된다.

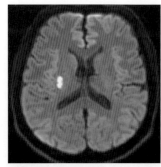

그림 4-19
급성기 경색
(발병 후 10시간째).
우측 기저핵의 급성기
경색이 확산강조영상에서
뚜렷한 고신호로 보인다.

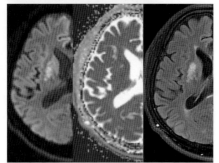

그림 4-20
T2 shine-through 효과.
확산강조영상(왼쪽)에서
오른쪽 기저핵에
고신호강도를 보이는 경색
병변이 있다. 해당 병변은
겉보기확산계수(가운데)는
감소되어 있지 않다.
FLAIR 영상(오른쪽)에서
해당 병변은 고신호강도를
보인다.

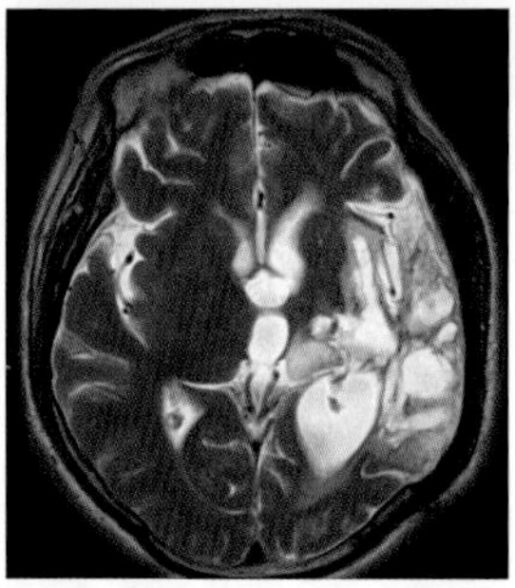

그림 4-21
만성기 경색의 MR영상.
T2강조영상에서 좌측
중대뇌동맥 영역의 광범위한
만성기 경색이 낭성변화와
뇌실질 수축의 소견으로
관찰된다.

혈류 차단 후 대개 1시간 정도 경과하면 확산강조영상에서 경색이 고신호로 나타나기 시작한다. 측부 순환의 발달 정도에 따라 사람마다 경색이 나타나는 시기에 차이가 있음을 감안하더라도 고식적인 MR영상보다 훨씬 조기에 진단할 수 있다. 증상 발생 후 약 5-6시간이 경과하면서, 경색은 확산강조영상에서 더욱 뚜렷한 고신호로 보이며, T2강조영상과 FLAIR 영상에서도 고신호로 나타나기 시작한다(그림 4-19).

(2) 아급성기 경색(subacute infarction)
경색은 1주가 지나면서 종괴 효과 및 부종이 감소하기 시작한다. 이 시기에는 CT에서 저음영으로, T2강조영상에서 고신호로 보였던 경색이 등음영, 등신호에 가깝게 보이는 경우가 있으며 이로 인해 경색의 범위가 실제보다 작게 오인될 수 있다. 아급성기 경색은 확산강조영상에서 급성기 경색처럼 여전히 고신호로 보이는 데, 이는 ADC 외에 T2 신호도 확산강조영상의 신호에 영향을 미치기 때문이다. 이렇게 아급성기 경색의 증가된 T2 신호 때문에 확산강조영상에서 고신호로 보이는 현상을 T2 shine-through 효과라고 한다(그림 4-20). 조영제 주입 후 경색 조직에 조영증강(parenchymal enhancement)이 나타나며 주로 경색의 뇌회질 부위를 따라 구불구불한 형태로 관찰되어 뇌회 조영증강(gyral enhancement)이라 부르기도 한다.

(3) 만성기 경색(chronic infarction)
발병 3-4주째부터 종괴 효과 및 부종이 더욱 감소하면서 경색 부위에 신경교증(gliosis)이나 낭성 변화가 진행되어 결국 뇌위축(atrophy) 또는 뇌연화증(encephalomalacia)으로 남게 되며, 허혈성 손상이 심할수록 신경교증보다 낭성 변화로 이행된다(그림 4-21). 경색 부위의 용적 감소와 함께 주변 뇌실, 수조(cistern) 및 구(sulcus)의 확장 소견이 함께 나타난다.

3) 저산소-허혈성 뇌질환(Hypoxic-ischemic encephalopathy)
저산소-허혈성 뇌질환은 심장마비, 심한 저혈압, 호흡곤란, 주산기 저산소증, 일산화탄소 중독 등과 같은 여러 가지 원인에 의하여 뇌 전체의 관류상태나 산소공급이 심하게 감소하여 발생하는 허혈성 뇌 손상을 말한다.

(1) 저산소−허혈성 뇌질환의 영상 소견

기저핵, 뇌겉질, 백질 등을 모두 침범할 수 있으며 좌우 대칭
적인 침범이 특징이다. 급성기에 확산강조영상에서 기저핵 또
는 뇌겉질을 대칭적으로 침범하는 고신호의 허혈성 병변을 볼
수 있다(그림 4-22). 1−2주 사이의 아급성기에는 백질에 지연성
의 허혈성 병변이 나타나기도 한다.

(2) 뇌실주위 백질연화증(periventricular leukomalacia)

주산기(perinatal period)의 질식, 호흡곤란, 쇼크, 폐혈증 등
다양한 원인이 신생아에 저산소−허혈성 상태를 초래하여 백
질연화증을 일으킬 수 있다. 미숙아의 뇌에서 허혈성 경계 구
역(border zone)은 뇌실 주변부 백질이며, 뇌가 더 성숙된 만삭
아의 경우 경계구역이 뇌겉질 쪽으로 이동된다. 따라서 미숙
아에서 저산소−허혈성 상태가 유발되면 뇌실 주변부에 허혈
성 병변(즉 백질연화증)이 나타나고, 만삭아의 경우 뇌겉질이나
겉질하 백질에 병변이 생기는 경향이 있다(그림 4-23).

(3) 일산화탄소 중독(carbon monoxide poisoning)

일산화탄소는 혈액내에서 산소보다 혈색소와의 결합력이
250배 이상 강하여 조직에 저산소증을 초래하게 된다. 환기
가 잘 되지 않는 곳에서 연탄, 숯, 휘발유 등 화석연료가 불완전 연소될 때 중독이 발생할 수
있다. 주요 침범부위는 창백핵(globus pallidus)과 대뇌백질이다. 창백핵은 주로 급성기에 침
범되며, 대뇌백질은 지연성으로 침범되는 경향이 있다(그림 4-24). 드물게 해마(hippocampus)
를 비롯한 뇌겉질과 소뇌도 침범될 수 있다.

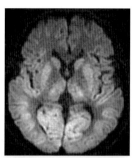

그림 4-22
심한 저산소증의 MR영상.
심폐소생술을 시행한 후
촬영한 확산강조영상에서
양측 기저핵, 시상,
대뇌 후두엽 겉질에
고신호의 허혈성 병변들이
대칭성으로 관찰된다.

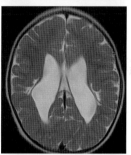

그림 4-23
뇌실 주위 백질연화증.
심한 백질연화증 후 만성기의
T2강조영상 뇌실 주변부
백질의 용적이 감소되고
신경교증 및 낭성 변화가
관찰된다. 양측 측뇌실의
불규칙한 확장이 동반되었다.

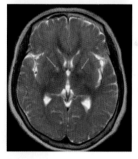

그림 4-24
일산화탄소 중독.
일산화탄소 중독 3주 후
시행한 T2강조영상에서
양측 창백핵에 고신호
병변이 보인다(화살표).

4) 정맥 혈전증(Venous thrombosis)

뇌의 정맥 혈전증은 정맥동(venous sinus) 또는 겉질정맥(cortical vein)에 혈전이 발생하는 질
환으로써 비특이적이고 다양한 임상증상을 보이므로 영상 진단의 역할이 중요하다. 매우 다
양한 원인 또는 소인(predisposing factor)들이 있으며 크게 패혈성(septic)과 비패혈성(aseptic)
으로 나눌 수 있다. 패혈성 원인에는 뇌막염, 뇌염, 경막하축농(empyema), 경막외축농 등 두
개내 염증성 질환과 유양돌기염(mastoiditis), 부비동염 등 두개외 염증성 질환이 포함된다.
비패혈성 원인은 다양하며 임신, 분만 직후, 피임약 복용, 탈수, 진성 다혈구증(polycythemia

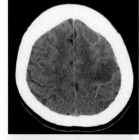

그림 4-25
정맥성 경색.
좌측 전두엽 고랑을 따라
겉질 정맥내 급성기 혈전에
의한 고음영(화살표)이 보이고
주위 좌측 전두엽에 허혈성
저음영 병변이 관찰된다.

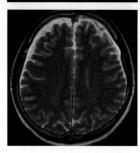

그림 4-26
시상정맥동 혈전.
후방 시상정맥동 내 혈전이
T2강조영상에서 저신호
강도로 관찰된다(화살표).

vera), 겸상혈구성 질환(sickle cell disease), 백혈병, 혈소판감소증(thrombocytopenia), 파종성 혈관내응고(disseminated intravascular coagulation), 한성섬유소원증(cryofibrinogenemia), 영양실조, 심장질환, 두부외상, 당뇨병, 교원질혈관병(collagen vascular disease), 동정맥루, 베세씨병, 종양에 의한 직접적인 압박이나 침범 등을 포함한다.

발병 후 1주 이내 CT에서 급성기 혈전에 의한 고음영이 침범된 정맥동에서 관찰되며 뇌부종 소견(뇌실 크기의 감소, 뇌백질의 미만성 저음영 등)이 동반될 수 있다(그림 4-25). 이 시기에 MR영상에서 침범된 정맥동의 혈전 신호는 급성기 혈종과 동일하며 T1강조영상에서 등신호(isointense signal) 또는 저신호로, T2강조영상에서 저신호로 보인다(그림 4-26). 조영증강 CT와 MR영상에서 혈전에 의해 정맥동의 내부는 조영증강되지 않고 정맥동의 벽만 조영증강되는 'empty delta sign'을 관찰할 수 있다. MR정맥조영술 또는 고식적 정맥조영술에서 정맥 또는 정맥동의 폐색을 직접 볼 수 있다(그림 4-27).

그림 4-27
시상정맥동 혈전증.
조영증강 축상 T1강조
영상에서 후방 시상정맥동 내
혈전에 의한 'empty delta sign'
이 보이며, MR 정맥조영술 상
이환된 시상정맥동이
막혀 보이지 않는다.

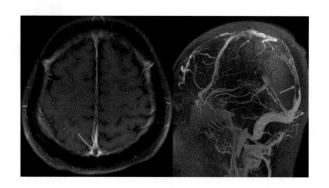

5) 모야모야병(Moyamoya disease)

모야모야병은 내경동맥의 말단부가 서서히 좁아져 폐색에 이르는 원인 불명의 질환으로써 한국, 일본 등 극동 아시아에 흔하다. 병리학적으로 혈관내막이 증식하여 협착이나 폐색을 초래한다. 초기에 협착이 관찰되다가 시간이 경과하면서 폐색으로 진행되고 나중에는 후대뇌동맥까지 좁아질 수 있다. 진단은 내경동맥의 협착, 폐색과 측부순환의 발달을 관찰하면 된다(그림 4-28). 모야모야병에서는 기저부(basal), 연수막(leptomeningeal) 및 경막을 통한 transdural 세가지 경로의 대표적인 측부순환이 발달한다.

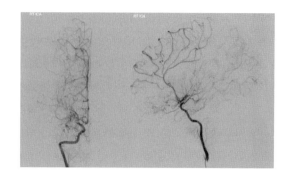

그림 4-28
모야모야병.
우측 내경동맥을 통한
뇌혈관조영술에서
내경동맥의 원위부가 거의
막히고 관통혈관들이 확장된
전형적인 모야모야병의
소견을 보인다.

4. 두개내출혈

두개내출혈(intracranial hemorrhage)은 매우 다양한 원인에 의해 발생하여 신경학적 증상을 일으키며, 출혈의 원인이나 그 부위에 따라 다양한 임상적인 의미를 갖는다. 출혈의 원인, 위치 및 상태에 따라 영상의학적 소견은 달라질 수 있으므로 출혈이 발생하는 배경 및 출혈이 발생한 후 일어나는 변화에 대하여 이해할 필요가 있다. 고혈압이나 파열에 의해서는 뇌실질내 출혈(intracerebral hemorrhage)이, 동맥류 파열에 의해서는 지주막하출혈이 주로 발생한다. 고혈압성 출혈은 우리나라에서 매우 흔하며 비교적 특징적인 병소 위치(피각(puta-men), 외포(external capsule), 시상(thalamus), 뇌교(pons), 소뇌 등)를 보인다.

1) 뇌내출혈에서 시기별 CT음영(감쇠)과 MR신호강도의 변화

(1) 시기별 CT음영(감쇠)의 변화
CT에서 급성 뇌내출혈은 거의 예외 없이 뇌실질과 비교하여 고음영으로 보인다(그림 4-29). 초급성 출혈의 경우 혈괴형성이 미처 되기 전에는 액체 상태이므로 부분적인 저음영의 병변으로 관찰될 수도 있으나 출혈이후 빠르게 혈괴가 형성되므로 거의 모든 출혈부위는 고음영으로 비교적 쉽게 관찰된다. 얇은 선상의 출혈이 두개골과 인접하여 있을 경우 두개골의 고음영으로 인해 발견이 어려운 경우가 있는 데, 이때는 CT영상에서 창(window)을 조절하여야만 확인되는 경우가 있으므로 주의할 필요가 있다. 출혈 후 시간이 경과하면 혈괴의 용해가 생긴다. 이로 인해 병변의 음영은 감소하며 1-6주 사이에 뇌조직과 비슷한 음영의 시기를 갖는다(isodense hematoma)(그림 4-30). 이 경우에도 대부분 부분적으로 다른 음영을 보이는데 대체로 주변부가 더 낮은 음영을 보이고 중심부의 음영은 상대적으로 높다. 이러한 아급성 출혈은 병변 주변에 혈종을 둘러싸는 혈관성 막(vascularized capsule)이 조영증강되어 보이는 데 이는 이 부위의 혈액-뇌 장벽(blood-brain barrier)의 소실에 의한 현상으로 설명한다. 따

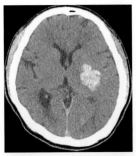

그림 4-29
급성 뇌내출혈의 CT영상.
왼쪽 기저핵에 높은 감쇄를
보이는 급성 혈종이 보인다.

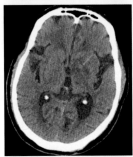

그림 4-30
아급성 뇌내혈종의
CT영상소견.
좌측 기저핵에 급성
뇌내혈종이 있었던 환자의
추적 검사 영상으로 주위
뇌조직과 비슷한 음영을
보이고 있다(화살표).

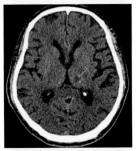

그림 4-31
만성기 뇌내 혈종.
CT영상에서 왼쪽 시상에
혈종이 있었던 환자로
저음영의 병소로 보인다.

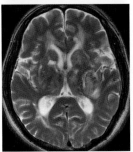

그림 4-32
초급성기 뇌내출혈.
T2강조영상에서
왼쪽 기저핵에 뇌실질보다
다소 높은 신호강도를
보이는 병변이 있다.

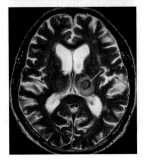

그림 4-33
급성기 뇌내출혈.
왼쪽 시상에 T2강조영상에서
저신호강도와 부종을 보인다.

라서 이 시기의 혈종은 조영증강 CT에서 환상조영증강(ring enhancement)을 보여 악성 종양과 감별이 필요하다. 중심부의 상대적으로 높은 음영이 감별에 도움이 되는데 종양과 달리 이 시기의 혈종은 주위 뇌부종이 소실되는 시기이므로 역시 감별에 도움이 된다. 시간경과에 따라 만성기가 되면 혈종은 점차 크기가 감소하고 저음영의 병변으로 변하며 상당기간 남게 된다(그림 4-31). 혈종 주위의 조영증강은 2-6개월의 기간에 소실되고 병변은 공동으로 남는데 그 모양은 다양하다.

(2) 시기별 MR신호강도의 변화

MR이 임상에 이용된 직후부터 출혈 영상에 대한 매우 활발한 연구가 있어 왔는데 혈종의 화학적인 변화를 관찰할 수 있게 되었기 때문이다. CT와는 달리 출혈의 MR영상소견에 영향을 미치는 매우 다양한 인자들이 있으며 병변의 상태뿐만 아니라 MR장비 종류 및 영상획득 기법에 따른 차이도 매우 크게 나타난다. 최근에는 3Tesla의 고자장 장비가 실제 임상진료에 많이 이용되고, 자화율강조영상(susceptibility-weighted imaging, SWI)기법이 도입되면서 미세한 출혈을 T2*경사에코기법보다도 더 민감하게 진단할 수 있게 되었다.

① 초급성기(출혈-수시간)

이 시기에는 CT에서는 고감쇄의 특징적 소견을 보이나 MR 영상에서는 비특이적인 소견을 보인다. T1강조영상에서는 뇌실질과 동등신호강도를, T2스핀에코 및 FLAIR 영상에서는 고신호강도를, T2* 영상에서는 부분적인 저신호강도, 동등 신호강도 및 고신호강도의 혼합신호강도를 보인다(그림 4-32). 이 시기의 혈색소는 대부분 비상자성체인 oxyhemoglobin이다.

② 급성기(수시간-4일)

CT에서는 초급성기와 같이 고감쇄를 보이나, MR T1강조영상에서는 동등 또는 약간의 저신호강도를, 그리고 T2스핀에

코영상, FLAIR 영상, T2* 영상에서는 모두 강한 저신호강도를 보인다(그림 4-33). 이러한 영상소견은 이 시기의 혈색소가 대부분 강한 T2 단축 상자성체인 deoxyhemoglobin으로 변해 있기 때문이다. 이 시기에는 혈종 주변에 부종이 생기기 시작하여 3–4일에 가장 심한 부종을 보인다.

③ 초기 아급성기(5일-14일)

CT에서는 급성기 출혈의 고감쇄가 차차 감소하여 경미한 고감쇄 또는 동등감쇄를 보인다. MR T1강조영상에서는 출혈의 대부분 또는 일부분이 부분적으로 강한 고신호강도를 보이나, T2강조영상, FLAIR 영상, T2* 영상에서는 모두 강한 저신호강도를 보인다(그림 4-34). 이러한 영상소견은 이 시기의 혈색소가 대부분 강한 T2단축 상자성체인 세포내멧헤모글로빈(intracellular methemoglobin) 때문이라고 알려져 있다. 이 시기에도 부종이 혈종 주변에 지속되다가 점차 감소한다.

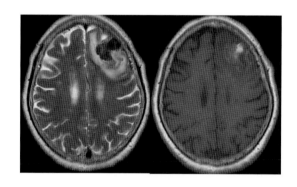

그림 4-34
초기 아급성기 뇌내출혈의 T2강조영상(왼쪽) 및 T1강조영상(오른쪽).

④ 후기 아급성 및 초기 만성기(15일-6주)

MR T1 및 T2강조영상에서 모두 강한 고신호강도를, 그리고 FLAIR 영상, T2* 영상에서도 강한 고신호강도를 보인다. T2* 영상에서는 강한 고신호강도의 출혈 주변부에 hemosiderin 침착으로 인한 저신호강도의 띠 또는 테두리(rim)가 둘러싸고 있다(그림 4-35). 이러한

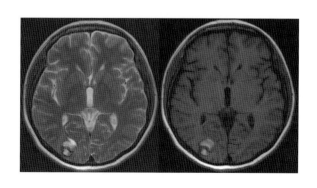

그림 4-35
후기 아급성기 뇌내출혈의 T2강조영상(왼쪽) 및 T1강조영상(오른쪽).

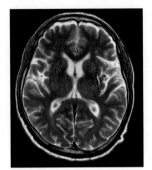

그림 4-36
만성 뇌내혈종의
T2강조영상.
왼쪽 외포(external capsule)에
저신호강도 변연을 가지는
병변이 있다.

영상 소견은 적혈구가 용혈되어 혈색소가 대부분 세포외멧 헤모글로빈(extracellular methemoglobin)으로 변한 것과 관련되어 있다. 이 시기에도 부종은 혈종 주변에 남아 있다가 결국 완전히 소실된다. CT에서는 출혈이 뇌실질과 같거나 낮은 저감쇠로 나타나는 시기이다.

⑤ 만기 만성기(7주-6개월 그리고 그 이후)

CT에서는 만성 경색처럼 뇌실질보다 약간 낮거나 뇌척수액과 같은 정도의 낮은 저감쇠로 나타나는데 주의 깊게 관찰하면 병변 주변부에 혈철소(hemosiderin)침착으로 인한 경미한 고감쇠의 얇은 띠(rim)를 볼 수 있다. MR T1강조영상에서는 혈종의 고신호강도가 약 8주까지도 남아 있는 경우도 있으나 대부분 이 시기에는 뇌실질보다 약간 낮거나 뇌척수액만큼 매우 낮은 저신호강도로, T2강조영상과 T2* 영상에서는 뇌척수액과 같은 정도의 고신호강도를, 그리고 FLAIR 영상에서는 저신호강도를 보인다. T2* 영상에서는 만성출혈 주변부에 hemosiderin 침착으로 인한 저신호강도의 띠 또는 테두리(rim)를 볼 수 있다(그림 4-36). 이러한 영상소견은 출혈성분은 모두 흡수되고 뇌척수액 같은 체액으로 채워진 작은 공동(cavity)만 남아 있고 주위에 혈철소가 침착되어 있기 때문이다. 이 시기에는 부종은 완전히 사라지고 없다.

5. 두개내 종양

1) 두개내 종양의 영상의학적 접근

정확한 뇌종양의 수술 전 진단을 위해 다양한 종양 유형 및 비종양 질환의 임상적 및 영상의학적 특징 모두를 고려해야 한다. 환자의 나이, 성별, 증상 및 징후와 과거 병력은 진단에 중요한 초기 단서를 제공한다. 또한, 역학 및 환자의 과거력 등의 임상정보는 영상 결과만을 기반으로 한 것보다 진단 정확도를 향상시킬 수 있다. 뇌종양 환자에 대한 일반적인 영상 접근법은 다음과 같은 단계로 구성된다: (1) 종괴 효과의 확인, (2) 뇌의 특정 해부학적 영역으로 종양의 국소화, (3) 병변 및 주변의 영상소견의 분석 순이다.

(1) 종괴 효과

종괴 효과의 분석은 종양을 다른 질환으로부터의 감별뿐만 아니라, 치료지침을 제공하는데도 도움이 된다. 뇌종양의 대부분은 발현 당시 경계가 좋은 측정 가능한 종괴로 나타나지만, 다수의 종양, 특히 축내종양은 명확한 경계가 없는 불규칙한 모양을 가지는 경우가 많다. 종괴 효과의 영상 소견에는 뇌, 수막, 신경 또는 두개골의 직접적인 확장뿐만 아니라 대뇌 고량, 뇌실 또는 수조의 소실, 혈관 또는 뇌신경의 변위, 폐쇄성 수두증 및 뇌이탈(herniation) 등의 간접적인 소견도 포함한다.

(2) 종양 위치: 축내종양 대 축외종양

종괴의 위치를 축내(뇌에서 유래함) 또는 축외(뇌밖에서 유래함)로 판단하는 것은 영상 진단 및 수술 계획에 중요하다. 성인에서 발생하는 축외종양의 대다수(>80%)는 수막종과 신경초종을 포함하여 양성이지만, 축내종양의 대다수는 악성이며, 예후가 나쁜 전이암과 고등급 신경교종(glioma)을 포함한다.

축외종양은 다음과 같은 특성을 나타낼 수 있다.
- 인접 겉질의 변위 또는 압축
- 종괴와 뇌사이의 뇌척수액 또는 대뇌 겉질 혈관의 존재
- 경질막, 연수막 또는 뇌신경의 조영증강 및 비후

축내 종양의 소견은 다음과 같다
- 병변의 모든 변연의 뇌실질 안으로 제한됨
- 겉질의 확장

(3) 종양 혈관 투과성(vascular permeability)

혈관 투과성은 종양에 의해 영향을 받을 수 있는데, 이는 뇌혈관장벽(blood-brain barrier, BBB)의 직접적인 파괴 또는 종양에서 유래한 혈관작용 분비물에 의한 간접적인 영향에서 기인한다. 이러한 생리적 변화는 조영제 투여 후 얻은 CT 스캔 또는 T1강조 MR영상에서 조영증강을 유발하게 되고, 이는 조영제의 혈관외 누출 때문이다. 동일한 기본 현상은 역동적조영증강영상(dynamic contrast-enhanced MRI, DCE-MRI)을 사용하여 종양의 투과성을 정량화하는 데 이용될 수 있다. 또한, 종양의 재발/진행으로 인한 조영증강과 치료 후 이차적으로 발생한 방사선괴사(radiation necrosis)에서도 비슷하게 보이는 조영증강을 구별하기 위해 이러한 정량화가 이용될 수 있다.

(4) 국소부종(perilesional edema)

간질 부종은 혈관 투과성 증가의 한 결과이며, 영향을 받은 뇌 조직은 CT에서 음영이 감소되어 보이고, T2강조 MR영상에서는 고신호 강도로 나타난다. 뇌 병변 주변의 부종 패턴을 평가하는 것은 진단에도 매우 도움이 될 수 있는데, 이는 종양 주위 부종에서 혈관투과성 증가가 흔히 관찰되기 때문이다. 혈관성 부종은 회색질-백색질 접합부에서 경계를 넘지 않는 것이 특징이고, 회색질과 백색질사이의 영상 대조도 차이가 CT 및 MRI 모두에서 더 크기 때문에, 쉽게 식별할 수 있다. 원발성 축내종양 중에서, 전형적으로 부종은 교모세포종(glioblastoma)에서 나타나지만, 저등급 별아교세포종, 희소돌기아교세포종(oligodendroglioma), 신경절교종(ganglioglioma), 뇌실막종(ependymoma) 및 혈관모세포종(hemangioblastoma)에서는 보이지 않는다. 낮은 등급의 신경교종은 전형적으로 주변 부종이 없지만, 이들 종양 조직은 부종과 T2 이완 시간이 유사하므로, 기존의 MR영상에서는 구별하기가 어려울 수 있다.

(5) 종양 혈관분포도(tumor vascularity)

다수의 뇌종양에서 관찰되는 혈관 투과성의 증가 이외에도, 혈관내 혈액량 또는 종양 혈관분포도는 종양 유발성 혈관신생 때문에 증가될 수 있다. 이는 종양 조직의 미세혈관 밀도(microvessel density, MVD)를 증가시키고, 이는 관류 영상에서 증가된 국소뇌혈류량(regional cerebral blood volume, rCBV)에 상응하게 된다. 종양의 혈관내 용적을 추정하기 위해서는 역동적 조영증강영상, 역동적 자화율대조조영증강(dynamic susceptibility contrast MRI, DSC-MRI) 및 동적 조영증강 CT와 같은 역동적 촬영 방법이 필요하다. rCBV와 종양의 조직학적 등급 간의 상관관계는 별아교세포 종양에서 증명되었으며, 혈관분포도 자체가 예후 인자이기도 하다.

(6) 종양 세포조밀도(tumor cellularity)

종양 세포조밀도 또는 단위 체적당 종양 세포의 밀도는 예후와 관련이 있는 조직학적 지표이다. 예를 들어, 신경교종에서 높은 등급의 종양은 전형적으로 고세포조밀도를 나타내며 나쁜 예후를 보인다. 또한, 종양의 세포조밀도는 병변 종류의 감별, 생검 부위 선택 및 치료 반응 평가에서 진단적 가치가 있다. 예를 들어, 뇌신경계 림프종은 다른 일반적인 뇌신경계종양보다 높은 세포조밀도를 가지는 것으로 잘 알려져 있다. 더구나 뇌신경계 림프종은 기본적으로 화학 방사선 요법을 통한 비외과적 치료를 하게 되는데, 수술 전 종양의 세포조밀도 평가는 생검이냐, 절제냐의 수술 목표 결정뿐만 아니라, 생검 위치를 세포조밀도가 높은 부분으로 결정하는데 도움을 준다. 종양 세포조밀도는 CT 감쇠값과 직접적인 상관관계가 있으며, 높은 세포조밀도의 영역은 고음영을 보이게 된다. MRI에서는 확산강조영상(diffusion-weighted imaging, DWI)에서 측정된 겉보기확산계수(apparent diffusion coeffcient, ADC) 값이 세포 밀도와 상관관계가 있다. 높은 세포밀도는 전형적으로 ADC 지도에서 감소된 확산계수로 나타난다.

(7) 종양 괴사(tumor necrosis)

조직 표본에서 관찰된 괴사가 영상에서는 분명하게 나타나지 않을 수도 있지만, 괴사는 고등급 신경교종, 특히 교모세포종에서 흔한 영상 소견이다. 전이암은 괴사를 자주 동반하며, 단발성으로 나타날 경우는 신경교종과 비슷하게 보인다.

(8) 종양 관련 낭종(tumor-associated cyst)

종양 관련 낭종은 괴사와 유사하게 보일 수 있지만, 후자는 경계가 좋지 않고 불규칙한 모양으로 나타나며, 주변 부종의 정도가 더 크다. 낭종은 혈관모세포종, 털모양별교세포종, 유아의 결합조직형성성 신경절교종(desmoplastic infantile ganglioglioma, DIG), 배엽부전성 신경상피종(dysembryoplastic neuroepithelial tumor, DNET) 및 두개인두종을 포함하는 다수의 원발성 뇌종양에서 빈번히 관찰된다.

(9) 석회화(calcifications)

종양 내 석회화는 여러 두개 내 종양, 흔히 희소돌기아교세포종, 신경세포종(neurocytoma) 및 두개인두종에서 흔히 발견된다. 희소돌기아교세포종의 석회화는 거친 경향이 있으며, 전형적인 겉질 침범을 보일 때, 높은 특이도로 이 종양을 진단할 수 있다. 뇌전이암 중, 비뇨생식기 또는 위장관 기원의 점액성 선암종, 골육종 및 연골육종은 일반적으로 종양 내 석회화와 관련이 있다. 치료받지 않은 림프종은 거의 석회화가 없지만, 많은 다른 종양들과 마찬가지로, 치료 후에는 석회화가 자주 발생한다.

2) 해부학적 위치에 따른 뇌종양의 영상소견

(1) 축외 종양(extra-axial mass)

① 수막종(meningioma)

수막종은 성인에서 가장 흔한 두개 내 축외 신생물이며, 성인의 두개 내 신 생물의 약 25%를 차지한다. 수막종은 전형적으로 CT에서 정상적인 뇌 실질보다 높은 밀도를 나타내지만 그 차이가 작으며, 비조영증상 검사에서 인접한 겉질과 구별하기 어려울 수 있다. MRI에서 수막종은 전형적으로 회백질에 비해 T1강조영상에서 동일 신호, T2강조영상에서 약간 고신호강도이며, 강한 조영증강을 나타낸다. 그러나 수막종의 신호 특성은 매우 다양할 수 있으며, 때로는 낭성 또는 괴사 성분 및 지방 변성을 나타낼 수 있다. 일부보고에 따르면 syncytial, transitional 및 angioimmunoblastic meningiomas는 내부 조직에 따라 다른 신호 강도 특성을 보일 수 있다. 수막종은 석회화를 보일 수 있으며, 이는 수막종을 전이암 및 림프종과 같은 다른 악성 축외 병변과 구별하는 중요한 진단 단서가 될 수 있다(그림 4-37). 수막종의 잘 알려진 영상 소견은 경막 꼬리이며, 이것은 경막 변연을 따라 퍼지는 조영 증강을 가리킨다. 경막 꼬리의 조직학적 구성은 명확하지 않으며, 수막종의 직접적인 침범이나 반응성 경막의 비후로 생각된다. 그러나 경막 꼬리는 수막종에만 특이적인 것은 아니기 때문에, 감별 진단 시 유의해야 한다. 과골증(bony hyperostosis)은 수막종이 있는 환자의 약 30%에서 동반되며, 그 변화는 CT 스캔에서 가장 잘 보이고, 두개골 겉질의 비후,

뼈의 내판과 외판의 확장, 뼈돌출증 또는 통기성 부비동의 확대로 나타난다.

그림 4-37
수막종. CT영상에서 종양 내부에 고감쇄를 보이는 석회화가 있다(왼쪽). 조영증강 T1강조영상에서 강한 조영증강을 보이는 종괴가 대뇌낫(falx cerebri)에 연하여 있으며, 경막 꼬리를 보인다(오른쪽).

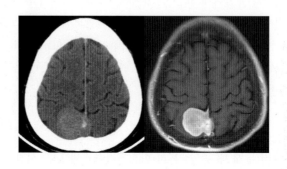

그림 4-38
오른쪽 내이도에 발생한 전정신경초종. 조영증강 T1강조영상에서 낭성 변화를 보이는 종괴가 내이도의 내부와 외부에 걸쳐 있다.

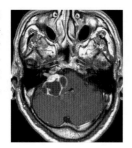

② 신경초종(schwannoma)

신경초종은 두 번째로 흔한 두개 내 축외 종양이다. 대부분의 두개 내 신경초종은 내이도(IAC) 근처의 소뇌다리뇌각(cerebel-lopontine angle)에서 발생하며, 이는 8번째 뇌신경에서 가장 흔하게 발생한다. 이 위치에서 수막종은 경막 꼬리(dural tail)의 존재로 구별될 수 있지만, 전정신경초종(vestibular schwannoma)과 유사한 MR 신호 특성을 가질 수 있으며, 때때로 내이도로 확장될 수 있다. 전정 신경초종은 전형적으로 내이도의 내부와 외부에 걸쳐 있으며 때로는 내이도를 부드럽게 확장시킨다(그림 4-38). 또한 전정신경초종은 낭종, 괴사 또는 출혈을 포함할 수 있으며, 때때로 인접한 뇌 조직에 부종을 일으킬 수 있다.

(2) 축내종양(intra-axial neoplasms)

WHO 중추신경 종양 분류는 별아교세포종을 국소적(양성) 별아교세포종, 비국소적 별아교세포종, 역형성별아교세포종 및 교모세포종으로 나눈다. 이러한 조직학적 분류의 명확한 감별이 가능한 영상 기준은 없지만, 다양한 영상학적 특징과 특히 환자 연령 및 종양 위치와 같은 임상정보를 종합하면, 저등급 종양(grade II)과 고등급 종양(grade III and IV)을 분류하는데 도움이 된다.

① 교모세포종(glioblastoma)

교모세포종은 불규칙한 침윤성 경계, 광범위한 부종, 괴사, 혈관투과성 증과 및 다양한 형태의 조영 증강(불규칙, 결절성 또는 링 모양)과 과혈관성(flow void나 관류 영상에서 증가된 CBV)을 특징으로 한다. 종양 내 출혈 또한 흔하며 T2* 강조영상에서 쉽게 발견될 수 있다(그림 4-39). 교모세포종의 침윤은 corpus callosum을 포함한 백색질을 따라 발생하는 경향이 있고, 이러한 소견은 FLAIR 영상에서 잘 보이지만, 영상에서 보이는 부분 너머에도 종양세포가 있을 수 있다. 종양의 뇌실막 및 지주막하 침윤 또한 드문 일이 아니다. 성인에서 생기는 종양 중 림프종과 단발성 전이가 교모세포종과 유사하게 보일 수 있다.

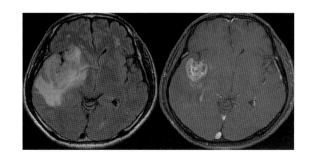

그림 4-39
교모세포종.
FLAIR 영상에서 침윤성 경계를 보이며 광범위한 부종을 동반하고 있다.

② 역형성 별아교세포종과 저등급 별아교세포종(anaplastic [WHO grade III] astrocytoma and low-grade [WHO grade II] astrocytoma)

종양의 침윤성 경계는 2등급과 3등급 별아교세포종에서도 관찰되지만, 조영 증강, 낮은 확산성, rCBV의 증가 및 종양의 이질성은 3등급 별아교세포종에서 더 흔히 관찰된다. 2등급 별아교세포종의 10% 미만이 조영 증강을 보이고, 증강의 패턴은 종종 미약하게 나타나는 정도이다. 또한 2등급 종양은 매우 느리게 성장하는 경향이 있으며, 종양 성장률의 변화는 악성화를 시사하는 소견이 될 수 있다(그림 4-40).

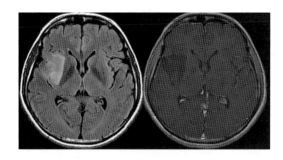

그림 4-40
저등급 별아교세포종.
FLAIR 영상에서 오른쪽 기저핵에 바깥쪽으로 침윤성 경계를 보이는 고신호강도의 병변이 보인다(왼쪽).
조영증강 T1강조영상에서는 조영증강을 보이지 않으며 저등급 교종을 의미한다 (오른쪽).

③ 털모양별아교세포종(pilocytic astrocytomas [WHO grade I])

주로 소아 인구에서 발견되는 털모양별아교세포종은 소뇌에서 가장 흔히 발생하는 조영 증강 벽결절이 있는 낭성 종괴이다. 천막 상부에서는 시상 근처, 시상 하부, 그리고 시신경 경로를 따라 발견된다. 침윤성 교종과 달리, 털모양별아교세포종은 대부분 뚜렷한 경계를 보인다(그림 4-41).

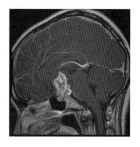

그림 4-41
시상하부에 발생한 털모양별아교세포종의 조영증강 T1강조 시상면 영상.

④ 희소돌기아교세포종(oligodendrogliomas)

희소돌기아교세포종은 보통 전두엽 및 측두엽에 위치하며, 별아교세포종보다 석회화를 흔히 동반하고 대뇌 겉질을 잘 침범한다(그림 4-42). 조영 증강은 다양하며 더욱 저등급(grade II)의 희소돌기아교세포종에서도 보일 수 있다. 낭종과 출혈이 종양 내에서 보일 수 있으며, 이로 인해 영상에서 불균질한 모양을 보일 수 있다.

그림 4-42
희소돌기아교세포종.
CT에서 일부 석회화를
보이는 저감쇄 병변이
왼쪽 전두엽에 있으며(왼쪽),
FLAIR 영상에서 고신호강도를
보인다(오른쪽).

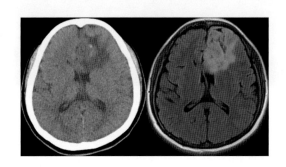

⑤ 림프종(lymphoma)

림프종의 발생 빈도가 높아짐에 따라, 원발성 중추신경계 림프종은 신경영상에서 흔하게 볼 수 있다. 다른 대부분의 두개내 종양과 달리 림프종 치료는 일차적으로 비수술적이다. 따라서, 뇌실 주위 위치, 균일한 조영증강과 높은 세포밀도(조영전 CT의 고밀도의 종괴 및 ADC 영상에서 낮은 확산성)와 같은 특징적인 영상 소견이 있다면 림프종의 가능성을 생각해야 한다. 또한 관류 영상에서 강한 조영증강에 비해 증가하지 않는 rCBV가 특징적인 소견이다 (그림 4-43).

그림 4-43
미만성 대형 B세포
림프종으로 진단된 환자.
조영증강 T1 영상(왼쪽)에서
뇌실 주위에 강한 조영증강을
보이는 병변이 있다.
확산강조영상(오른쪽)에서
고신호강도는 높은
세포밀도를 시사한다.

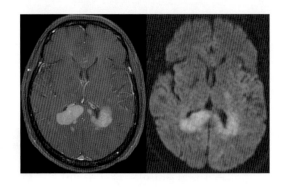

⑥ 전이암(metastasis)

두개내 전이는 신경축내(intra-axial) 전이 또는 신경축외(extra-axial) 전이로 나눌 수 있으며, 종종 두 구획을 모두 침범하기도 한다. 두개골과 두개골 기저 전이는 골용해성(osteolytic), 골형성(osteoblastic) 또는 혼합 형태로 나타날 수 있으며, 폐암과 유방암이 가장 흔한 원발암이다. 전이암은 경막 종괴, 지주막하 파종 및 뇌실 내 병변으로 발현하기도 한다. 뇌실질에서 발생하는 경우, 전이암은 혈행성 색전 과정과 같이 회백질과 회색질의 경계에서 시작되는 경향이 있다. 전이암은 인접한 뇌 실질과의 뚜렷한 경계를 보이는 조영증강을 보이는 경우가 대부분이며 거의 항상 종양 주변에 혈관성 부종을 동

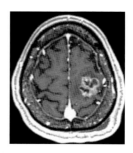

그림 4-44
유방암의 뇌전이로 진단된 43세 여성의 조영증강 T1강조영상. 조영증강 되는 병변의 주위로 저신호강도를 보이는 부종이 동반되어 있다.

반한다(그림 4-44). 다발성이 진단을 내리는 데 도움이 될 수 있지만 단발성 전이가 흔하기 때문에 원발성 교세포종 및 림프종과 같은 다른 축내 종양과 구별하기가 어려울 수 있다.

6. 염증성 질환

1) 뇌막염(Meningitis), 뇌실염(Ventriculitis) 및 맥락총염(Choroid plexitis)

(1) 뇌막염

보통 뇌막염으로 부르는 것은 지주막(arachnoid)과 유막(pia mater)을 침범하는 연수막염(leptomeningitis)을 말한다. 진단은 임상증세, 이학적소견 및 뇌척수액 CSF 등의 검사소견에 의존하게 되며, CT 및 MR영상은 뇌막염의 합병증의 유무를 찾아내는 데 그 일차적인 목적이 있다. 연수막염은 보통 호흡기 염증 등 두개강 밖에 있는 원위부의 염증 병소로부터 혈행성으로 파급되어 생긴다. 그러나 원인균이 맥락총 조직과 같이 정상적인 혈뇌장벽(blood-brain barrier)이 없는 부위를 통과해서 생길 수도 있다. 또한 부비동염, 안와 세포염, 유양돌기염 혹은 중이염 등 두개강에 인접한 부위의 염증에서 직접적인 파급으로 생기는 경우도 있다. 일반적으로 초기의 연 뇌막염이나 잘 치료가 된 경우에는 CT/MR영상소견이 정상이다. 일반적으로 연수막염의 발병 후 비교적 조기에 연수막의 조영증강을 보일 수 있는데 CT보다 MR에서 더 예민하게 잘 보인다(그림 4-45).

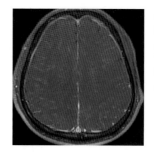

그림 4-45
바이러스성 뇌막염으로 의심되는 환자의 조영증강 T1강조영상. 연뇌막을 따라 광범위한 조영증강 소견을 보인다.

(2) 뇌실염

뇌실염(ventriculitis)은 뇌막염의 합병증으로 혹은 단독으로도 올 수 있고 뇌실의 뇌실복막단락술(VP shunting) 후 합병증으로도 올 수 있다. 원인균은 보통 세균혈증의 결과로, 혹은 농양 또는 외상 혹은 뇌실의 기구조작을 통해서 뇌실내로 들어갈 수 있다. CT/MR영상소견으로는 뇌실이 커지고 T2강조영상에서 뇌실주변에 고신호강도가 보이며 가장 중요한 소견은

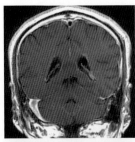

그림 4-46
뇌막염의 합병증으로
동반된 뇌실염의 조영증강
T1강조영상.
양측 측뇌실 벽을 따라
조영증강을 보인다.

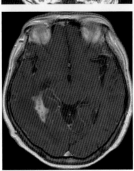

그림 4-47
결핵성 맥락총염으로
진단된 환자의 조영증강
T1강조영상.

뇌실벽의 조영증강이다(그림 4-46). 가끔 맥락총의 조영증강을 동반하기도 한다. 신생아의 뇌실염 후에는 CT상 뇌실주위 석회화가 관찰될 수 있다.

(3) 맥락총염

맥락총염(choroid plexitis)은 뇌막염 혹은 뇌실염과 잘 동반된다. 그러나 드물게 단독으로도 생긴다. 맥락총염을 잘 일으키는 병원균은 크립토코쿠스, 노칼디아(nocardia), 결핵균 등이다. 맥락총의 모세혈관은 그 상피세포에 미세한 구멍이 나 있기 때문에 염증이 뇌로 들어가는 통로 역할을 할 수 있다. 맥락총염의 영상소견은 측뇌실의 맥락총이 비대칭으로 커지고 조영증강이 미만성으로 잘 되며 뇌실주위의 부종을 동반할 수 있다(그림 4-47). 또한 측뇌실이 trapping되어 확장되기도 한다. 양측성으로 대칭성으로 나타날 수도 있으며 드물게 제3 뇌실과 제4 뇌실의 맥락총도 침범될 수 있다.

2) 뇌농양(Abscess)

뇌농양이 발생되는 기전은 부비동염, 중이염 혹은 유양돌기염 등의 인접장기 염증의 파급, 혈행성 파급 그리고 외상 등이 있다. 하지만, 약 15−25%에서는 감염의 원인이 분명치 않다. 성인에서는 주로 혐기성 세균이나 호기성/혐기성세균의 혼합물이 혈행성으로 파급되어 뇌농양이 발생하며, 어린이의 경우는 포도상구균(staphylococci), 연쇄상구균(streptococci), 그리고 폐렴구균(pneumococci)이 가장 흔한 원인이다. 이전에 수술이나 외상의 병력이 있는 환자의 경우, 황색 포도상구균(staphyloccus aureus)이 흔히 원인이 된다. 뇌 농양은 국소적인 뇌염(cerebritis)으로 시작하여 비교적 짧은 시간내에 중심부에 액화괴사(liquefaction necrosis)를 일으키고, 섬유교원질 피막(fibrocollagenous capsule)에 의해서 둘러싸이는 국소적인 뇌실질 염증의 형태로 나타난다.

〈뇌농양의 MR영상소견(그림 4-48)〉
• 조기뇌염기: 국소 부종, 종괴효과, 불규칙한 조영증강
• 만기뇌염기: 부종 증가, 불규칙하고 두꺼운 환상 조영증강
• 성숙피막기: 3층의 피막형성, T1에서 동등 또는 고신호강도의 피막
　　　　　　 T2에서 동등 또는 저신호강도의 피막
　　　　　 조영 후 T1에서 얇고 평활한 조영증강
　　　　　 주농양 주위의 딸 농양 혹은 위성 농양형성

• 종양과의 감별: 확산강조영상에서 농의 고신호강도

　　　　H1-MR분광법에서 acetate, succinate, 아미노산 관찰

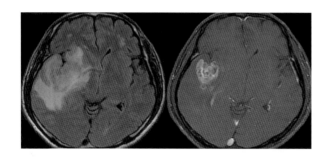

그림 4-48
뇌농양으로 진단된
54세 여성. 조영증강
T1강조영상(왼쪽)에서
환형 조영증강을 보이며,
확산강조영상(오른쪽)에서
내부가 고신호강도를 보인다.

3) 육아종(Granuloma)

(1) 결핵종(tuberculoma)

뇌의 결핵종은 결핵성 뇌막염과 합병하여 발생하거나 혹은 단독으로 국소적으로 생길 수 있다. 결핵종의 10%가 결핵성 뇌막염을 동반한다. 결핵종은 보통 뇌의 겉질 혹은 피-수질 경계 부위에 잘 생기며, 그 크기는 수 ㎜에서부터 2 ㎝ 크기로 다양하게 나타날 수 있으나 대개 1-2 ㎝이고, 단발성이거나 다발성일 수도 있다. 결핵종은 건락괴사(caseation necrosis)를 특징적으로 보이며 주위에는 다양한 정도의 부종을 동반한다.

〈결핵종의 CT/MR영상 소견(그림 4-49)〉
• 고형성 혹은 환상 조영증강 결절(1-3 ㎝)
• 겉질-백질 경계부위에 호발
• 중심부 건락괴사가 T2에서 저신호강도
• 환상 조영증강 결절이 뭉친 집합결절 모양
• 감별진단: 퇴행기의 낭미충증, 전이암, 농양 등

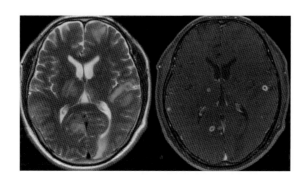

그림 4-49
뇌에 다발성으로 발생한
결핵종으로 진단된 환자의
T2강조영상(왼쪽) 및
조영증강 T1강조영상
(오른쪽).

(2) 기타 육아종

결핵종이외에도 여러 가지의 진균성 육아종, 기생충성 육아종 등이 CT/MR영상에서 1–3 ㎝ 크기의 조영증강 결절로 나타날 수 있는데 비특이적이다.

4) 바이러스성 뇌염(Viral encephalitis)

여러 종류의 병원체가 뇌염을 일으킬 수 있으나, 바이러스가 뇌염을 가장 흔히 일으킨다. 또한, 다수에서 바이러스는 뇌막을 침범하기 때문에, 뇌수막염(meningoencephalitis)과 혼용되어 쓰이기도 한다. 그 중에서도 단순포진(herpes simplex) 바이러스가 임상적으로 가장 중요하고 중증인 뇌염을 일으킨다. 바이러스성 급성뇌염의 일반적인 특징은 염증이 미만성이고 삼출성이면서 주로 단핵구 침윤을 보이고 비화농성(non-suppurative)이며 교세포(glial cell)보다는 신경세포(nerve cell)를 침범하고 퇴행성 변화가 강하다.

(1) 단순포진뇌염(herpes simplex encephalitis)

단순포진(herpes simplex) 바이러스에는 제1 유형(구강 균주, oral strain)과 제2 유형(생식기 균주, genital strain) 두 가지 유형이 있다. 이들 모두 사람에서 뇌염을 일으킬 수 있다. 그러나 제1 유형과 제2 유형은 염증의 양상이 다르다. 제2 유형은 주로 신생아에서 염증을 일으키는 균주로서 신생아에서 뇌내 석회화, 소뇌(microcephaly), 소안(microphthalmia), 망막이형성(retinal dysplasia), 다발성 낭성 뇌연화증, 간질 등을 일으킨다. 이 제2 유형에 의한 뇌염의 조기 CT/MR영상소견은 뇌회백질과 소뇌를 포함한 뇌실질의 여러부위에 CT와 T1강조 MR영상에서 매우 경미한 정도의 저음영(저신호강도)을 보이고 T2강조 MR영상에서 고신호강도를 보이는 것이다. 이러한 병변은 급격히 퍼지고 뇌막과 뇌실질의 조영증강을 보일 수 있다. 나중에는 이러한 뇌실질이 석회화를 보이기도 하며 시상부위에 출현이 나타날 수도 있다. 비교적 조기에 뇌위축이 나타난다. 제1 유형에 의한 단순포진뇌염은 주로 성인에서 급성 미만성 괴사성 뇌염을 일으키며 치사율이 높다. 침범부위가 비교적 특징적인데, 일측 혹은 양측으로 측두엽(temporal lobe)의 하내부, 전두엽의 안와면(orbitofrontal gyri), 도(insula), 대상회전(cingulate gyrus) 등에 호발한다. 현미경적으로는 급성 괴사성 출혈성 염증으로서 혈관주위 염증세포 침윤, 출혈성 괴사, 신경세포 소실, 교세포증식이 보인다. 이 뇌염은 빠른 뇌세포의 파괴로 인하여 급속한 임상경과를 보이므로 조기 발견과 조기치료가 매우 중요하다.

〈단순포진뇌염(제1형) 영상소견〉

MR영상소견
- 특징적 위치: 일측 혹은 양측의 측두엽 하내부 겉질, 전두엽 안와면
  겉질, 도, 대상회전에 호발
- T2에서 고신호강도, T1영상에서 저신호강도 병변

- 간혹 점상출혈(T1에서 국소적 고신호, T2에서 국소적 저신호강도)
- 비특이적 조영증강
- 확산강조영상에서 확산 제한을 보이나, CBV와 CBF는 증가됨
- 만성기: 특징적 위치에 뇌위축

(2) 일본뇌염

모기에 의해 매개되는 arbovirus에 의한 일본뇌염은 과거에 상당수의 환자가 우리나라에서 발생하였으나 최근에는 우리나라에서도 매우 드물게 발생하는 유행성 뇌염이다. 과거에는 일본 B형 뇌염이라고 불렀으나 현재는 일본뇌염으로 불린다. 대개 어린이에 발병하며 발열, 두통, 의식장애를 보이며 심하면 혼수에 빠지고 사망한다.

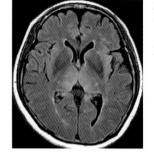

그림 4-50
일본뇌염으로 진단된 환자. FLAIR 영상에서 양측 시상에 고신호강도를 보인다.

미만성 뇌부종에 의해 뇌실이 압박되고 T2강조 MR영상에서 대뇌겉질, 시상, 뇌간(brain stem)에 다발성 고신호강도 병변을 보인다(그림 4-50). gadolinium-조영증강 MR영상에서는 조영증강이 없거나 여러 가지 모양의 조영증강양상을 보일 수 있는데 연뇌막 조영증강 양상, 뇌회전모양(gyriform) 혹은 불규칙한 모양으로 나타날 수 있다.

5) 급성 파종성 뇌척수염(Actue disseminated encephalomyelitis)

이 질환은 바이러스의 직접적인 감염에 의한 것이 아니라, 수일 혹은 수 주일 전에 선행된 상기도 등의 바이러스 감염 혹은 예방접종 후에 2차적인 면역반응으로 인하여 생기는 급성 뇌염의 하나로서, 면역매개뇌염(immune-mediated encephalitis) 또는 감염후뇌염(postinfectious encephalitis)이라고도 불린다. CT/MR영상에서는 주로 대뇌의 겉질하백질 혹은 뇌실주위백질에 다발성의 병변이 나타나는데, 양자밀도 및 T2강조영상에서는 다발성의 불규칙한 고신호강도로, T1강조영상에서는 저신호강도로 보인다. 조영후 T1강조영상에서는 거의 조영증강이 없거나 비특이적인 불규칙한 조영증강이 관찰될 수 있다(그림 4-51).

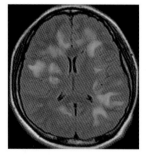

그림 4-51
ADEM. 두통과 고열이 있은 후 2주 후 발생한 상지 위약감, 감각저하 및 구음장애로 시행한 22세 여성의 FLAIR 영상. 위 병소는 3년 후 추적검사 영상에서 모두 사라졌음을 확인하였다.

6) HIV 뇌염(진행성 복합치매, progressive dementia complex 또는 AIDS 복합 치매)

HIV 뇌염은 임상적으로 아급성 뇌염의 형태로 치매를 주소로 나타난다. 병리학적으로 백질과 심부 회백질을 잘 침범한다. 중심반난원(centrum semiovale) 등의 뇌백질이 감소하는데 특히 대뇌 중심부 백질과 겉질하백질이 가장 심하게 영향을 받는다. 주요 MR영상소견은 국소

그림 4-52
HIV 뇌염으로 진단된
환자의 FLAIR 영상.

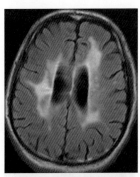

그림 4-53
혈청 단백연쇄중합반응에서
JC 바이러스 양성으로 확인된
진행성 다초점성 백질뇌병증
(PML) 환자의 FLAIR 영상.

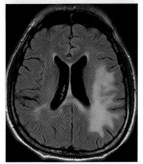

적인 백질병변으로 양자밀도강조영상과 T2강조영상에서 고신호강도를 나타내고(그림 4-52) 뇌위축을 보인다. 백질병변은 대칭성이거나 비대칭성일 수도 있고, 초점성이거나 미만성으로도 나타나는데 보통 종괴효과와 조영증강은 없다. 하지만, 진행성 다초점성 백질뇌병증(progressive multifocal leucoencephalopathy, PML)과 비교하여, 주로 난형 중심(centrum semiovale)과 뇌실주위 백질을 비교적 대칭적으로 침범하는 경향을 보인다. 또한, PML은 대뇌 후부를 주로 침범하는 반면, HIV 뇌염의 가장 흔한 병소는 전두엽이다. 이러한 MR영상소견은 병리학적으로 2차적인 탈수초화와 교질화를 반영한다. PML은 면역 결핍환자에서 발생하는 JC polomavirus에 의한 드문 질환으로, AIDS 환자에서 생기는 가장 대표적인 백질병변이다. AIDS 환자에서 HIV 뇌염 자체에 의한 백질병변과 2차적인 PML 혹은 다른 감염에 의한 백질병변을 감별하는 것은 매우 어렵다. PML의 가장 중요한 소견은 뇌백질에 조영증강이나 종괴효과는 없이 T2 FLAIR 및 T2강조영상에서 비특이적으로 고신호강도를 보이는 것이다. 하지만, 약 10%의 증례에서 병변의 주변부에서 조영증강을 보일 수 있다(그림 4-53). 이러한 병변은 주로 다발성, 양측성이며, 비대칭적인 분포를 보인다.

7. 노화와 퇴행성 질환

중추신경계의 퇴행성 질환은 일단 정상적으로 성숙된 신경계의 파괴가 서서히 진행되는 다양한 질환들이 포함되며 아직 원인과 기전이 불분명하고, 뚜렷한 치료방법이 없는 경우가 많다. 이들 질환들에서 세포의 기능이상과 신경원(neuron)의 퇴행성 변화에 대한 연구가 활발히 진행되고 있으며 상당수의 질환들에서 MR영상 소견이 알려져 있고 MR 분광법(spectroscopy)이나 기능성(functional) MR영상 등을 이용한 퇴행성 질환의 진단에 관한 연구도 시행되고 있다.

많은 퇴행성질환들에서 관찰되는 공통적인 특징으로 영상소견상 1) 신경원의 소실(neuronal loss)로 인한 뇌위축 2) T2강조MR영상에서 철분 침착에 의한 저신호와 신경교증(gliosis)과 탈수초(demyelination)에 의한 고신호강도를 보이고, 신경병리학적으로 3) 증상과 관련된 해부학적 구조의 신경세포가 선택적으로 소실되지만 대개 염증반응은 동반되지 않으며, 비정상적인 신경세포내 물질들을 보일 수 있다.

1) 뇌의 노화성 변화

연령증가에 따른 정상적인 노화성 변화로는 뇌의 위축에 따른 대뇌겉질구(cortical sulci)와 뇌실(ventricle)의 확장, 대뇌백질의 비정상적인 고신호 강도, 비정상적인 철분의 침착과 함께 동맥경화증(arteriosclerosis)과 아밀로이드 혈관병증(amyloid angiopathy) 등의 혈관 변화나 뇌혈류(cerebral blood flow)의 감소, 포도당 대사의 감소를 보인다.

(1) 뇌위축과 수두증과의 감별

뇌위축이나 수두증은 모두 뇌실확장을 보이지만 뇌위축에 의한 뇌실확장과 수두증에 의한 그것과는 대부분의 경우 쉽게 감별이 가능하다. 즉 수두증에서는 대뇌겉질구가 폐쇄되고 뇌척수액압의 상승으로 뇌실 확장은 대칭적인 모양으로 모든 방향으로 동심성 확장(concentric expansion)의 양상으로 커진다. 이때 뇌실의 면적이 큰 부위 즉 측뇌실의 전두각(frontal horn)과 후두각(occipital horn)이 풍선모양으

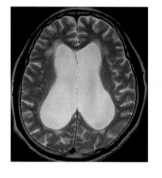

그림 4-54
정상압 수두증.
T2강조영상에서 뇌실의 동심성 확장이 보인다.

로 커지고 대뇌간열(interhemispheric fissure)과 전두각의 앞면이 이루는 각도(뇌실각)가 작고 전두각의 반경도 넓다(그림 4-54). 또한 측두각도 측뇌실의 다른부위와 비례하여 커진다. 이에 반해 뇌위축에서는 모든 부위가 전반적으로 커지는데 대뇌겉질구가 커지고 뇌실은 뇌실각이 크고 전두각의 반경이 작으며 측두각의 확장도 적다. 또 수두증에서는 뇌량(corpus callosum)이 위로 들리고 얇아진다. 급성 수두증에서 뇌실주위백질의 고신호강도가 관찰될 수 있는데 이는 뇌실압의 상승으로 인해 뇌척수액이 상의세포막을 통해 뇌실 주위 실질로 확산된 것으로 대체로 바깥 경계는 편평한 경우가 많다(그림 4-55). 때로 뇌위축과 정상압수두증(normal pressure hydrocephalus) 같은 만성 교통성수두증과 감별이 어려운 경우도 있어 주의를 요한다.

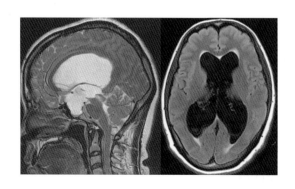

그림 4-55
폐쇄성 수두증.
시상면 T2강조영상에서 수도관주위 교종(periaqueductal glioma)으로 뇌수도관을 막고 있으며 측뇌실과 제3 뇌실이 확장되어 있다. 축상면 FLAIR 영상에서 양쪽 측뇌실이 확장되어 있으며 뇌실주위 백질에 신호증가 소견이 보인다.

(2) 대뇌백질의 고신호강도(white matter hyperintensity)

건강한 정상노인에서 T2강조 MR영상소견상 백질내 다수의 고신호강도 병변들을 흔히 볼

수 있는데 그 원인은 현재까지 확실하지 않고 임상적 의의도 분명하지 않다. 이러한 고신호강도 병변들은 백질내 여러 위치에 흩어져 있고 그 위치와 모양에 따라 추정되는 발생기전도 다양하다.

〈대뇌백질의 정상적인 고신호강도〉
• Ependymitis granularis
• 측뇌실주위 얇은 띠(thin, smooth periventricular rim)
• 최종수초화지역(terminal area of myelination)
• 혈관주위공간(perivascular space)
• 내포후각(posterior limb of internal capsule)
• 고령성(age-related white matter high signal intensity)

2) 신경계 퇴행성 질환(Neurodegenerative diseases)

퇴행성 질환의 분류는 임상증상에 따라, 또는 주로 침범되는 부위에 따라 다양하게 나누어지는데 여기서는 주로 침범되는 부위에 따라 나누고 증상이 유사한 감별해야 할 질환들을 함께 분류하였다.

(1) Alzheimer병

치매의 약 75%를 차지하는 Alzheimer병은 고등지능의 점진적인 장애와 함께 정서(mood)와 행동(behavior)의 변화를 보이며 후에는 점차 지남력장애(disorientation), 기억상실(memory loss), 삼킴불능(aphasia)을 보이다가 5-10년에 걸쳐 극심한 무능력(disabled), 벙어리증상(mute), 고정상태(immobile)를 보이는 질환으로 발생 원인은 현재까지 잘 알려져 있지 않다.

영상소견상 광범위한 대뇌겉질의 위축, 특히 측두엽과 해마의 위축이 현저하며 측두엽뇌실각(temporal horn)과 안상조(suprasellar cistern), 실비우스열(sylvian fissure)이 대칭적 또는 비대칭적으로 확장되는데 해마의 위축은 거의 항상, 그리고 가장 현저히 나타난다(그림 4-56). 해마는 기억과정(memory processing)과 밀접한 관계가 있으며 Alzheimer병 초기부터 손상을 보인다. 그에 따라 기억장애가 가장 흔한 증상으로 나타난다. MR영상소견상 해마의 위축은 초기 Alzheimer병에서 민감한 지표가 된다. 이를 검출하기 위해 해마의 부피측정이나 안상조(suprasellar cistern)에서 양측 구상돌기(uncus)간의 거리측정(interuncal distance)을 시도하기도 하지만, MR이나 CT영상으로 Alzheimer병의 조기진단은 어렵다. 그 외에도 T2강조영상에서 대뇌회에 철분이나 다른 상자성물질(paramagnetic substance)의 침착에 의한 것으로 생

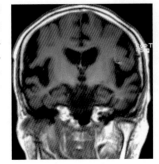

그림 4-56
알츠하이머 치매로 진단된 82세 여성. 관상면 T1강조 영상에서 전반적으로 뇌실질의 위축이 있으며, 해마의 위축이 보인다.

각되는 띠모양의 저신호강도가 관찰되기도 하는데 특히 두정엽에서 현저하다.

(2) 혈관성 치매(vascular dementia)

대뇌겉질과 겉질하백질의 허혈성 혹은 출혈성 뇌질환이
나, 뇌혈류량의 감소에 의해 나타나는 치매이다. 치매의
원인 중 Alzheimer병 다음으로 빈도가 높아 약 10-30%
를 차지하며, 혈관성 치매와 Alzheimer병이 병발하는 형
태가 더 흔하다. 고혈압, 당뇨, 고지혈증, 뇌졸중, 관상동
맥질환, 흡연이 중요한 위험인자이다.

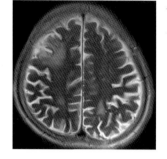

그림 4-57
치매 증상을 보이는 68세 남성.
T2강조영상에서 양측 전두엽
및 두정엽에 다발성의
경색 병변이 보인다.

　혈관성 치매는 발생 기전에 따라 다발성 경색성 치매
(multi-infarct dementia)와 겉질하 혈관성 치매(subcortical vascular dementia)로 분류할 수 있
다. 다발성 경색성 치매는 주로 큰 혈관들의 혈전 혹은 색전 폐색에 의해 뇌겉질 및 인접 겉
질하백질에 뇌경색이 발생하여 유발되는 치매이다(그림 4-57). 겉질하 혈관성 치매는 기저
뇌나 뇌교에 혈류를 공급하는 렌즈핵줄무늬체동맥(lenticulostriate artery) 혹은 시상관통동
맥(thalamoperforating artery) 등 짧은 관통동맥의 폐쇄로 인해 발생되는 열공경색(lacunar
infarct) 및 심부 대뇌백질(deep cerebral white matter)의 긴 관통동맥인 수질동맥(medullary
artery)의 폐쇄로 인해 발생되는 허혈성 병변들에 의해 발생되는 치매이다.

(3) 루이소체치매(dementia with lewy bodies)

루이소체치매는 퇴행변화에 의한 치매의 원인질환 중 20%를 차지하며 Alzheimer병 다음으
로 흔하다. Parkinson병에 선행해서 치매의 증상이 나타나거나, Parkinson병의 초기에 치
매 증상이 있으면 반드시 이 질환을 감별하여야 한다. 병리적으로 Parkinson병에서도 보이
는 루이소체가 변연계(limbic system)을 중심으로 발견된다. MR상에서 루이소체치매에 특이
한 소견은 없으나, 내측 측두엽이나 해마의 위축이 현저하지 않고, SPECT/PET상에서 두정
엽 및 후두엽의 혈류감소와 포도당대사 감소가 있다는 점이 Alzheimer병과의 차이점이다.

(4) 전두측두엽 퇴행(frontotemporal lobar degeneration)

Alzheimer 병과 루이소체치매가 65세 이상에서 흔하다면,
전두측두엽 퇴행은 60세 이하의 비교적 젊은 연령층에서 흔
하다. 성격변화나 이상행동, 혹은 언어장애로 임상증상이 시
작되고 상대적으로 기억력이나 방향감각은 유지된다. 병리
소견상 Pick body가 특징적이다. 임상양상에 따라 세 가지
군으로 나눈다. ① 전두측두 치매(frontotemporal dementia)
는 전두측두엽 퇴행의 가장 흔한 아형이고, 행동변화가 주된

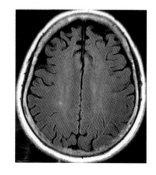

그림 4-58
전두측두엽 치매로 진단된
행동변화를 보인 61세 여성.
MRI FLAIR 영상에서
전두엽의 위축이 보인다.

증상이며, 주로 양측 전두엽에 위축소견을 보인다. ② 의미치매(semantic dementia)는 단어의 유창성은 유지되지만, 이름대기와 알아듣기에 장애가 있다. 주로 측두엽의 앞쪽에 위축소견을 보인다. ③ 진행비유창언어상실증(progressive nonfluent aphasia)은 서서히 진행되는 언어 장애가 주 증상이며, 좌측 전두엽과 대뇌섬(insula)에 위축소견을 보인다(그림 4-58).

(5) Parkinson병

원발성(primary) 또는 특발성(idiopathic) 형태의 Parkinson증(parkinsonism)으로 Alzheimer 병 다음으로 흔한 신경퇴행성 질환이다. 미국에서는 65세 이상에서 약 1%의 유병률을 나타 내는 것으로 보고되어 있으며 증상은 대개 50-60세에 시작된다.

병리학적으로 흑질(substantia nigra)의 치밀부(pars compacta)의 도파민신경세포(dopami-nergic neuron)과 멜라닌(melanin)의 소실이 특징이며 그 외에도 청색반점(locus ceruleus), 등 쪽 미주신경핵(dorsal nucleus of vagus), substantia innominata 등도 침범한다. Neuron의 소실과 함께 신경교증이 생기고 Lewy 소체가 형성된다. 흑질의 도파민신경세포의 소실로 인해 피각(putamen)의 도파민 결핍(dopamine depletion)이 심하지만 피각에는 조직학적 변화 는 없다. 뇌의 여러 부위에 철분침착이 오고 장기간 생존환 자에서는 Alzheimer병과 유사한 대뇌겉질의 위축을 보이며 치매증상도 나타날 수 있다. Parkinson병은 levodopa에 잘 반응하여 증상이 호전된다.

MR영상소견상 흑질치밀부(pars compacta)의 세포소실과 철분침착으로 인해 흑질과 적핵간의 거리가 감소하지만 정 상 노화와의 중복이 많고, 보편적인 MR영상에서 관찰하기 힘든 소견이다(그림 4-59). 대부분 전반적인 뇌위축을 보인다.

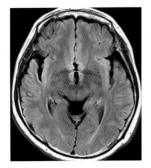

그림 4-59
특발성 파킨슨 병으로 진단된 60세 여성. FLAIR 영상에서 흑질과 적핵 간의 거리가 감소되어 있다.

■■■■ **참고문헌**

• 장기현, 김인원, 한문희. 신경영상의학. 일조각. 2011.
• Anne G. Osbron. Brain imaging, pathology and anatomy. Amirsys. 2013.
• Dalrymple NC, Prasad SR, Freckleton MW, Chintapalli KN. Informatics in radiology (infoRAD): introduction to the language of three-dimensional imaging with multidetector CT. Radiographics. 2005;25:1409-1428.
• Warach S, Li W, Ronthal M, Edelman RR. Acute cerebral ischemia: evaluation with dynamic contrast-enhanced MR imaging and MR angiography. Raiology 1992;182:41-7.
• Heegaard W, Biros M. Traumatic brain injury. Emerg Med Clin N Am 2007 25:655-78.
• Le TH, Gean AD. Neuroimaging of traumatic brain injury. Mount Sinai Jounal of Medicine 2009;76:145-62.
• Provenzale JM. Imaging of traumatic brain injury: a review of the recent medical literature. AJR 2010; 194:16-9.
• Huang BY, Castillo M. Hypoxic-ischemic brain injury: imaging findings from birth to adulthood. Radiographics 2008;28:417-39.
• Leach JL, Fortuna RB, Jones BV, Gaskill-Shipley MF. Imaging of cerebral venous thrombosis: current techniques,

spectrum of findings, and diagnostic pitfalls. Radiographics 2006;26:S19-41.

- Srinivasan A, Goyal M, Al Azri F, Lum C. State-of-the-art imaging of acute stroke. Radiographics 2006;26:S75-95.
- Bradley WG. MR appearance of hemorrhage in the brain. Radiology 1993;189:15-26.
- Kirkpatrick JB, Hayman LA. Pathophysiology of intracranial hemorrhage. Neuroimaging Clinics of North America 1992;2:11-23.
- Kang Y, Choi SH, Kim YJ, Kim KG, Sohn CH, Kim JH, Yun TJ, Chang KH. Histogram analysis of the apparent diffusion coefficient map of standard and high b-value diffusion MR imaging of gliomas: A correlation study with tumor grade. Radiology. 2011;261:882-90.
- Al-Okaili RN, Krejza J, Woo JH, et al. Intraaxial brain masses: MR imaging-based diagnostic strategy—initial experience. Radiology. 2007;243:539-50.
- Hu LS, Eschbacher JM, Dueck AC, et al. Correlations between perfusion MR imaging cerebral blood volume, microvessel quantification, and clinical outcome using stereotactic analysis in recurrent high-grade glioma. AJNR Am J Neuroradiol. 2012;33:69-76.
- Hurley RA, Ernst T, Khalili K, et al. Identification of HIV-associated progressive multifocal leukoencephalopathy: magnetic resonance imaging and spectroscopy. J Neuropsychiatry Clin Neurosci 2003;15:1-6.
- Rushing EJ, Burns DK. Infections of the nervous system. Neuroimaging Clin North Am 2001;11:1-13.
- Atlas SW, Normal Aging, Dementia, and Neurodegenerative Disease, Magnetic Resonance Imaging of the Brain and Spine 4th edition, Philadelphia, Lippincott Williams & Wilkins, 2009;1026-87.
- Gallucci M, Limbucci N, Catalucci A, Caulo M. Neurodegenerative diseases. Radiol Clin North Am. 2008;46:799-817.

KOREAN
SOCIETY OF
NEUROSCIENCE
IN ANESTHESIOLOGY
AND CRITICAL CARE

중추신경계의 전기생리학적 검사

Electrophysiological Monitoring of the Central Nervous System

05

중추신경계의 전기생리학적 검사

05

Electrophysiological Monitoring of the Central Nervous System

민경태
연세대학교 의과대학

중추신경계, 특히 뇌의 생리와 병리에 대한 개념의 이해를 통하여 안전한 환자의 마취관리를 위하여 다양한 감시들이 임상에 사용된다. 영국 에든버러 의사인 Alexander Monro와 George Kellie는 딱딱한 두개골내의 부피는 일정하므로 세 가지 구성요소인 혈액(약 150 ㎖), 뇌척수액(약 150 ㎖), 뇌조직(약 1,400 ㎖) 중 어느 하나의 부피가 증가하면 나머지 구성물의 부피에는 보상적으로 영향을 받는다고 하였다(Monro-Kellie doctrine). 이 개념을 좀 더 확대 적용하면 두개골내의 세 구조물 중 하나의 부피가 변하거나 새로운 형태의 용적을 차지하는 상황이 발생하면 두개골내의 구조물들의 용적-압력의 상관관계는 보상상태 여부에 따라 크게 달라진다. 예를 들어, 뇌부종이나 종양이 생기는 경우 보상상태에서는 압력의 변화가 거의 없이 뇌척수액과 혈액량의 용적만 변하지만 보상이 한계치를 넘어서는 상황에서는 머리속압력이 조금만 더 증가하여도 뇌척수액, 혈액, 뇌조직의 압력에 크게 영향을 미치게 된다. 중추신경계 감시장치에는 머리속압력 또는 뇌척수압, 뇌실질압 또는 뇌관류혈압 등 압력의 측정, 초음파를 이용한 뇌혈류량의 측정, 뇌조직이나 혈액의 산소포화도, 대사산물들의 측정 등이 포함된다. 하지만 이들은 신경세포들의 생명력이나 활동 능력을 간접적으로 감시할 뿐이지만, 중추신경계 감시장치의 궁극적인 목적은 뇌조직의 상태를 판단하는 것이다. 뇌공학과 컴퓨터의 발달로 인해 감시장비들이 개발, 개선되고 감시방법과 분석 방법도 매우 빠른 속도로 개발되고 있는 현실에서 신경세포의 전기활동을 통하여 신경조직들의 생명과 건강상태를 판단하는 신경전기생리감시가 수술 중에 어떻게 이용되는지 알아보기로 한다.

1. 수술중전기생리검사(intraoperative neurophysiological monitor, IONM)의 목적과 기본개념

1) 목적

수술 중 신체활동에 중요한 해부학적 신경구조물의 위치와 구조물들의 온전함을 확인하고 (이런 과정을 신경지도, mapping이라고 한다), 외과적 조작, 수술 중 허혈, 그리고 어떠한 원인에 의해 발생 가능한 신경손상을 가역적인 상태에서 발견하여 내과적, 외과적 조치를 취함으로써 수술 후 신경학적 손상을 최소화하거나 영구적인 손상이 발생하는 것을 방지하기 위하여 수술중전기생리검사 방법들이 사용된다. 척추수술에 수술중신경생리검사가 도입된 이후 하반신마비 발생이 60%나 감소되었다. 이는 적절하게 선택된 수술중신경생리검사가 올바르게 적용되고 작동될 때 비로소 정확하고 믿을 수 있게 됨을 의미한다. 이렇게 얻은 결과들은 외과의사, 신경생리전문가, 마취과의사는 한 팀이 되어, 특히 위험한 시기에는 지속적으로 소통하여야 한다.

2) 기본개념

겉질의 신경세포는 자발적인 전기적 활동을 지속적으로 하고 있는 반면, 일정수준에 도달한 신경세포의 활동전위(action potential)는 축색(axon)을 통하여 전도(conduction)되고 연접(synapse)을 통하여 다른 신경세포로 전달된다. 감각신경계의 전기활동은 말초신경에서 척수를 지나 대뇌겉질로, 운동신경계는 대뇌겉질에서 척수, 말초신경을 거쳐 말단근육에 도달하므로, 수술중신경생리검사는 종류와 방법에 따라 이러한 두 신경계의 신경전달과정을 감시한다. 잡음이 배제되고 측정이 가능한 순도 높은 전기신호를 얻기 위해서 측정 장비와 측정방법들(protocol)의 개발이 끊임없이 이루어지고 있다. 최근에는 겉질밑 시상(thalamus)내에 존재하는 특정 신경세포들의 전기활동까지도 측정이 가능해짐에 따라 심부뇌자극(deep brain stimulation)과 같은 뇌정위수술(functional neurosurgery)이 보편적으로 시행된다. 본 장에서는 점차 수술실내에서 점차 사용의 빈도가 높아지고 적용의 범위가 확장되는 뇌파와 감각 및 운동 신경계의 신경 전달과정의 전기활동을 감시하는 감각유발, 운동유발전위(근전도를 포함)에 대하여 기술한다. 뇌파와 유발전위를 교통상황 정보 시스템으로 비유하자면, 어떤 도시 내 여러 장소에 설치되어 장소별 교통상황을 파악하는 교통정보 카메라들이 뇌파의 감시를 위해 여러 군데 두피 위에 부착된 전극들에 해당되는 반면, 출발지와 종착지가 있는 특정 고속도로 내의 곳곳에 설치되어 구간 전체 또는 특정 구간별 교통정보를 감시하는 교통정보 카메라는 유발전위에서 주행경로내에 위치한 자극전극과 측정전극으로 비유할 수 있

표 5-1   뇌파와 유발전위의 차이

	뇌파	유발 전위
전기활동 특성	대뇌 신경세포의 자발적인 전기활동	신경전달경로 내의 신경전달활동
특이성	비특이적	특이적
진폭의 크기	$10{-}100\ \mu V$	$0.1{-}20\ \mu V$
측정의 범위	전극의 개수에 비례하여 확장 가능	측정부위에 따라 신경전달경로의 구간 세분화 가능
실시간 측정여부	거의 실시간	수초-수십 초 소요
마취깊이의 영향	크다	상대적으로 작다

겠다. 뇌파와 유발 전위의 차이점은 표 5-1에 표시하였다. 뇌파는 대뇌 겉질의 자발적인 전기활성을 반영하므로 겉질밑(subcortical) 이하의 심부 뇌조직의 신경활동은 반영하지 못한다. 마취제의 주된 작용 부위는 가바(GABA), 글루타메이트(glutamate) 등의 신경전달물질로 매개되는 세포와 세포의 연접으로 여겨지고 있는 반면, 이온수용체가 주로 관여하는 신경세포 축색에서의 신경전도에 대한 마취제의 영향은 고농도가 아닌 이상 미미한 것으로 생각된다. 그러므로 겉질의 피라미드 세포들의 연접후활동전위(postsynaptic action potential)를 반영하는 뇌파는 마취제에 영향을 크게 받고 축색의 신경전도를 평가하는 유발전위는 마취제의 영향이 상대적으로 덜하다. 이는 중추신경계의 회백질에서 신경세포들간 연접이 이루어지고 백질에는 신경세포의 축색이 상대적으로 많이 분포하는 것을 생각하면 쉽게 이해가 된다.

2. 뇌파(Electroencephalogram)

1) 뇌파발생의 전기생리학적 이해

뇌파는 대뇌겉질의 피라미드층(pyramidal layer)에 있는 약 수천 개의 피라미드 세포(pyramidal cell)에서 발생된 흥분성 및 억제성 연접후활동전위(postsynaptic potential)들이 합쳐져서 생긴 부위전위(field potential)가 한쌍의 전극(이 쌍을 몽타주, montage라 부름)간 전위차로 나타난다. 즉, 대뇌겉질의 피라미드층에서 나타나는 흥분성과 억제성 전기적 활성도에 의해 나타나는 전위의 합을 의미한다(그림 5-1). 두피에서 측정되는 뇌파는 대뇌신경세포와 기록 전극 사이에 있는 조직의 전도성, 기록 전극 자체, 그리고 신경세포에서 기록 전극까지의 방향에 의해 변형된다.

　모든 세포들이 에너지에 의해 생명력이 유지되고 고유의 활동을 하는 것과 마찬가지로 신

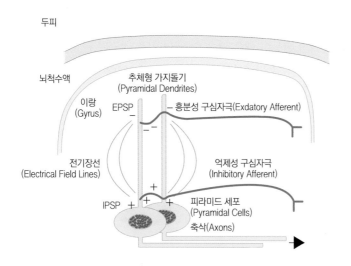

그림 5-1
뇌파의 생성

경세포도 생명유지와 고유의 전기활동을 하기 위해서 에너지가 필요하다. 에너지 생산에 필요한 산소와 영양소들은 혈류에 의해 뇌조직으로 공급된다. 뇌파가 뇌조직의 허혈 감지에 주로 이용되는 근거는 대뇌겉질에 있는 신경세포의 전기적 활동과 뇌의 국소 혈류량(rCBF)과 연관성이 높기 때문이다. 대뇌로 공급되는 뇌혈류량은 대략 분당 뇌조직 100 g당 50 ㎖ 정도다. 뇌 혈류량이 분당 조직 100 g당 18 ㎖ 이하로 낮아지면 신경세포의 전기활동이 저하되고 뇌파 변화가 일어나기 시작한다. 뇌혈류량이 분당 조직 100 g당 10 ㎖ 이하에 이르면 신경세포의 생명이 위험해지고 뇌파가 소실된다. 대뇌의 생명과 활동에 필요한 대뇌산소소모량($CMRO_2$)을 살펴보면, 대뇌조직의 산소소모량의 60%(분당 대뇌조직 100 g당 3.3 g)는 세포의 고유 전기활동을 위해 사용되고, 40%(분당 대뇌조직 100 g당 2.2 g)는 세포의 골격유지 즉 생명을 유지하는 데 사용된다. 쇼크 상태와 같이 전신적으로 뇌혈류가 감소하면 좌, 우측 대뇌겉질 모든 영역에서 허혈에 의한 뇌파 변화가 나타나고 이를 전뇌허혈(global ischemia)이라 하며, 색전이나 혈전에 의해 특정 뇌혈관의 관류가 저해되어 그 혈관에 의해 공급되는 뇌겉질 부위에서만 발생된 손상을 국소허혈(focal ischemia)이라고 하여 해당 부위의 겉질에서 뇌파가 변한다. 허혈손상 외에도 뇌파의 변화가 양측 대칭적으로 나타나면 전신적 원인에 의할 가능성이 크고, 비대칭적이고 특정 전극에서만 나타나면 국소적 원인에 의할 가능성이 크다. 정중시상선(mid-sagittal line)을 기준으로 뇌파 활성도는 대칭성을 보이므로 해부학적 위치를 판단하는 데 이용되기도 한다. 뇌파 활성도가 국소적으로 증가하거나 감소한 것은 대부분 병적인 상태에 의해 나타낸다. 대뇌 신경세포의 전기활동이 비정상적으로 활성화되는 간질(epilepsy) 환자는 뇌세포의 산소소모량이 증가할 뿐 아니라 비정상적인 양상의 간질파가 나타나므로 간질의 병터(epileptic focus) 위치와 전파경로를 예측할 수 있다. 그러므로 간질파 생성의 유무는 간질 절제술 시 절제 범위를 결정하는데 매우 중요하다.

2) 뇌파의 측정

뇌파는 한쌍의 두피전극 간의 전기 활동을 증폭시켜 기록한다. 전극의 쌍은 기준점을 이용하여 배치하는데, 전기적 활동이 매우 낮은 한 개의 기준 전극(주로 귀바퀴앞)과 전기적 활동이 있는 부위의 전극 간의 쌍을 단극몽타주(unipolar montage)라 하고 전기적 활동이 있는 두

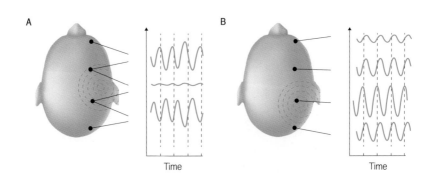

그림 5-2
뇌파를 측정하기 위한
전극 쌍, 몽타주.
A: 양극 몽타주,
B: 단극몽타주
(기준 전극은 보이지 않음)

A

B

Time

Time

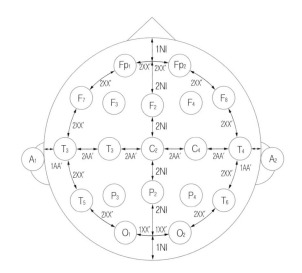

그림 5-3
뇌파와 유발전위에
사용되는 전극위치에 대한
International 10-20 system

 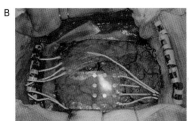

그림 5-4
뇌파의 측정 부위.
A: 두피에 전극을 부착한
두피뇌파
B: 겉질 위에 전극을
부착한 겉질뇌파.

개의 전극 간의 쌍을 양극몽타주(bipolar montage)라고 한다(그림 5-2). 전극의 부착위치는 국제 10-20 체계(international 10-20 system)에 따라 명명함으로써 몽타주 위치와 방향을 구분한다(그림 5-3). 두피위에 전극을 부착하여 기록(scalp encephalography, 두피뇌파)하기도 하고, 개두술에서는 겉질위에서 직접 기록(electrocorticography, ECoG, 뇌겉질파)하기도 한다(그림 5-4).

3) 뇌파의 분석

(1) 고전적인 수기분석
다양한 뇌파 양상들: 순수한 전기적인 신호만을 얻고자 하는 노력은 모든 전기신호들을 얻는 장치에게 해당하겠지만, 뇌파도 신경세포의 순수한 전기적 신호만을 얻도록 노력한다. 낮은 임피던스의 전극을 사용하고 전극과 뇌조직 사이에 불순물을 제거함으로써 임피던스를 줄이고 50-60 Hz의 교류전원을 포함한 다양한 종류의 전기적 잡음을 배제하는 것이 매우 중요하다.

고전적인 뇌파의 분석은 특정적인 파들을 눈으로 직접 판독하는 것이다. 수기분석은 파

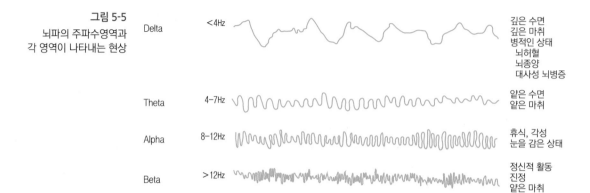

그림 5-5
뇌파의 주파수영역과
각 영역이 나타내는 현상

Delta	<4Hz	깊은 수면 깊은 마취 병적인 상태 뇌허혈 뇌종양 대사성 뇌병증
Theta	4–7Hz	얕은 수면 얕은 마취
Alpha	8–12Hz	휴식, 각성 눈을 감은 상태
Beta	>12Hz	정신적 활동 진정 얕은 마취

형(waveform), 주파수(frequency), 진폭(amplitude)을 이용한다. 또한 뇌파활성도의 정중시상선을 기준으로 한 대칭성은 뇌파분석에 매우 중요한 요소이다. 주파수에 따라 아주 느린 델타밴드(0.5–4 Hz), 기면이나 수면 시 나타나는 느린 세타밴드(4–7 Hz), 눈을 감거나 긴장이 이완된 상태에서 나타나는 알파밴드(8–13 Hz), 각성상태나 사고 등 뇌활동이 활발할 때 나타나는 베타밴드(13–30 Hz) 등 주파수의 영역별 밴드로 구분해 왔으며(그림 5-5), 30 Hz 이상을 감마밴드로 부른다.

(2) 컴퓨터를 이용한 뇌파 분석

전통적인 뇌파의 수기 분석은 뇌파의 해석에 있어 경험 있는 전문가를 필요로 하고 분석 결과가 객관적이지 못하다는 제한이 있다. 근래에는 컴퓨터의 도움으로 디지털 뇌파를 이용하여 뇌파를 새로운 변수를 이용하여 분석하고 있다. 컴퓨터 하드웨어의 발전 덕분으로 아날로그뇌파 대신 디지털 뇌파를 수학적 방법과 알고리듬을 통하여 새로운 변수들이 개발이 가능해졌다. 이러한 뇌파처리 과정으로는 대표적으로 power spectrum analysis와 bispectrum analysis가 있다. 이를 가공뇌파(processed EEG)라고 한다.

① power spectrum analysis

새롭게 개발된 뇌파의 변수들은 파워스펙트럼(power spectrum) 분석을 기반으로 하는데, 푸리에 전환(Fourier transformation)이라는 수학적 기법의 도움으로 커다란 파도의 물결들을 미세한 작은 물결들로 쪼개어 분석하듯이 복잡한 뇌파의 파들을 다양한 진폭을 가진 여러 개의 사인, 코사인파로 재구성함으로써 새로운 변수의 개발이 가능해졌다. 따라서 고적적인 뇌파를 주파수에 따른 상대적 세기(relative power)로 나타내고 이를 스펙트럼분석(spectral analysis)이라고 한다(그림 5-6). 시간과 주파수에 따른 세기(power)의 크기를 '정상과 계곡(peak and valley)'으로 표시하는 것을 압축스펙트럼배열(compressed spectral array, CSA)라 하고 동일한 자료를 밀도나 색상이나 회색조의 강도로 표시하는 것을 밀도스펙트

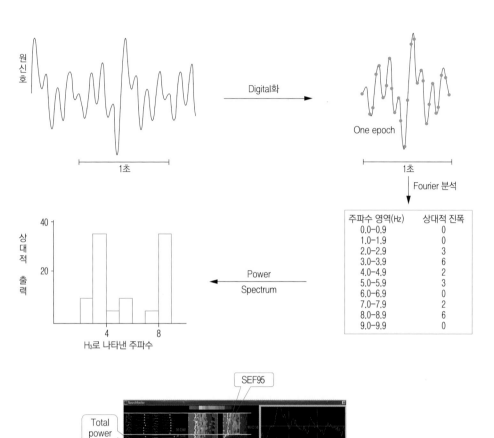

그림 5-6

Power spectrum 분석. Fourier 분석을 통하여 아날로그 신호를 디지털화하고 각주파수 영역의 진폭을 계산한다.

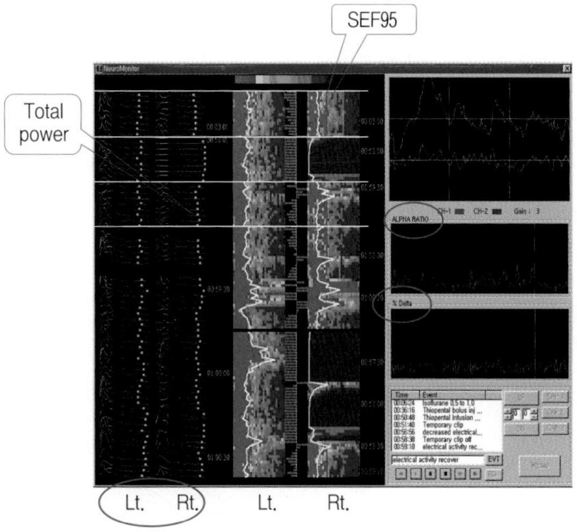

그림 5-7

퓨리에 전환을 통한 스펙트럼 분석결과의 가공뇌파. 좌, 우 뇌반구의 가공뇌파를 시간과 주파수대에 따라 세기(power)의 크기를 압축스펙트럼배열(CSA)과 밀도(색상)스펙트럼배열(DSA)로 나타냄. 새로운 가공변수로 Total power, SEF95, 알파비, 델타비 등이 실시간 디지털뇌파와 함께 보여준다.

럼배열(density spectral array, DSA)라고 한다. 또한 전체 세기의 95-99%를 포함하는 주파수의 경계를 spectral edge frequency (SEF95)라고 한다. 특정 주기 동안 가장 큰 세기를 보이는 주파수의 범위를 peak power frequency, 그 외에 median power frequency, mean power frequency 등 다양한 새로운 변수들을 이용하여 거의 실시간으로 표시한다 (그림 5-7).

② Bispectrum analysis

서로 다른 주파수 간의 상호작용이나 위상관계(phase relationship)를 평가하는 수학적 방법으로 거의 실시간으로 마취/진정의 깊이의 단계를 객관화된 수치로 표시하는 장비들이 임상에 사용된다. 즉, 3가지의 다른 기술자(descriptor)로부터 계산을 하게 되는데 돌발파의 억제비율(burst suppression ratio)은 깊은 마취를, 베타비율은 얕은 진정을, 위상 일치 정도(SynchFastSlow)는 중등도 진정이나 얕은 마취 깊이를 잘 반영한다. 이 3가지 지표로 구해진 값에 가중치를 곱하여 합산하여 이미 수집된 database로부터 그 값에 해당되는 백분위의 bispectral index (BIS) 값을 구한다.

현재 뇌파와 뇌간청각유발전위를 기반으로 마취/진정의 수준을 반영하는 여러 장비들이 임상에 사용되고 있다. 마취 깊이를 객관적으로 평가하는 장비가 임상에서 사용되는 이유는 0.1% 정도의 빈도로 알려진 수술 중 각성 위험(특히 제왕절개수술, 심장수술, 중증외상환자 등의 수술이 고위험 수술임)을 줄이고, 환자 개인에 따라 마취제의 투여용량을 조절하여 불필요하게 깊은 심도의 마취를 피함으로써 환자의 수술 후 예후에 도움이 되고자 함이다. 그러나 이런 장점의 임상근거에 대해서 논란이 있지만 적어도 가바 신경전달체계를 항진시키는 마취/진정제는 이러한 장비가 도움이 되는 것 같다. 이에 반해 해리성 마취제인 ket-amine와 청반핵(ceruleus nucleus)에 작용하는 dexmedetomidine에 의한 의식변화는 가바 신경전달체계와 무관하게 작용하므로 마취/진정 심도 장비와 상관성이 결여된다. 그러나 모든 디지털 장비와 마찬가지로 잡음이 개입된 전기신호는 신뢰하기 어렵다. 장비에서 보여주는 마취깊이의 객관적인 값에 여러 가지 잡음이 개입되었는지(그림 5-8) 여부의 판단은 실시간으로 보여주는 뇌파와 근전도 신호를 관찰함으로써 도움을 얻어야 한다.

그림 5-8

Bispectral index. 외부로부터 전기적 잡음이 개입되지 않은 53의 수치(A)와 근전도 전기적 잡음이 개입되어 68(B)의 수치가 보임. B의 경우는 BIS의 수치를 신뢰할 수 없는 그릇된 값이다.

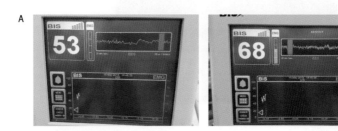

③ 새로운 가공변수들

최근에는 거의 실시간으로 보여줄 수 있는 또 다른 새로운 변수들이 개발됨에 따라 마취 심도에 따른 뇌파의 위상적, 공간적 변화를 이를 마취에 수반되는 여러 가지 임상 현상들의 기전연구로 활용된다. 의식소실과 연관된 대뇌겉질과 시상간의 위상, 기억소실과 관련한 변연계, 운동불능과 통증에 대한 척수 등, 뇌조직간 연결도(connectivity)의 연구가 활발하게 전개되고 있다.

4) 뇌파검사의 임상 적용

(1) 마취제에 의한 뇌파의 변화양상

가바성 억제 신경전달계의 항진에 의해 약리효과가 나타나는 마취제와 수면/진정제(hyp-notics, sedatives)는 용량 의존적으로 이상성(biphasic) 뇌파 반응을 보인다. 마취/수면이 나타나기 시작하는 초기에는 피라미드 세포들의 전기적 활동들이 서로 탈동조화(desynchronize)되면서 큰 진폭을 가진 빠른 주파수의 베타 밴드로 항진된다. 공간적으로도 전두엽 쪽에는 알파파가, 후두엽에는 베타파가 주로 나타난다. 점차 약리작용이 깊어지면서 낮은 주파수 영역인 세타 밴드가 주로 나타나고 진폭도 감소한다. 약리작용이 더 심해지면 돌발파(burst)가 편평파와 함께 수초 간격으로 교대로 나타나는 돌발파억제(burst-suppression)와 파들이 소실되는 편평파까지 나타날 수 있다(그림 5-9). 돌발파억제가 마취를 하지 않은 환자에서 나타난다면 고도로 비정상적인 신호이므로 신경세포의 생명이 위험할 수 있다. 마취/진정제에 의한 돌발파억제의 출현은 약리학적 신경보호(pharmacological neuroprotection)의 전략에서 용량을 설정하기 위한 목표 마취심도의 지표로 활용된다(그림 5-10). 하지만 isoflurane, sevoflurane, desflurane 같은 흡입마취제는 외과수술에 충분한 마취심도에서 돌발파억제를 유발하는 반면, enflurane과 halothane은 돌발파억제를 유발하지 않는다. 흡입마취제가 고농도로 투여될 때 신경세포의 전기적 활동이 억제되어 나타나는 돌발파억제나 편평파는 뇌조직의 허혈성 손상과 양상이 비슷하므로 이러한 상황에서는 임상적 판단에 유의해야 한

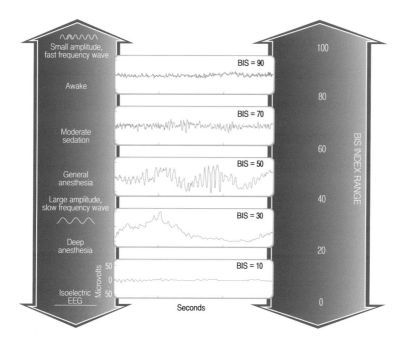

그림 5-9

마취의 단계별 깊이에 따른 뇌파의 변화를 BIS 값과의 상관관계.

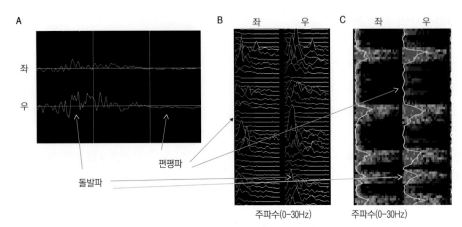

그림 5-10
가공뇌파인 디지털뇌파(A),
CSA(B), DSA(C).
Barbiturate 투여에 의해
돌발파억제가 나타남.

다. Sevoflurane과 enflurane은 발작간극파(interictal spike)를 유발시켜 경련양상의 행동을 유발할 수 있다. Propofol와 barbiturate와 같은 정맥마취제도 고농도에서 돌발파억제가 나타나지만, ketamine, dexmedetomidine, etomidate는 돌발파억제를 유발하지 않는다. 오히려 저농도의 etomidate와 methohexital은 전기활동을 항진시켜 경련(seizure) 수술 시 간질 병터를 유발시키기 위하여 사용된다. 아편유사제는 전신마취제와 달리 뇌파에 영향이 적은 것으로 알려져 있다. 흥분기를 가지지 않고 다른 마취제와 함께 사용될 때는 뇌파 활성도를 감소시킨다. 그러나 자체적으로 뇌파 억제정도는 델타밴드 범위에서 정점지속(plateau)으로 끝나기 때문에 고농도를 투여해도 돌발파억제나 전기적 무반응은 나타나지 않는다. Alfentanil은 극파를 활성화시켜 간질병터를 유발한다고 보고되기도 한다. 마취가 된 환자에서 세타밴드와 델타밴드는 약제효과에 의하거나 곧 손상이 발생할 수 있다는 지표가 될 수 있다.

(2) 뇌파에 미치는 영향: 마취와 관련된 전신적 요인

수술 중에는 시간적, 공간적으로 뇌파가 변하는데, 허혈손상뿐 아니라 마취제의 선택과 마취심도에 따라 변한다. 또한 마취에 의해 동반되는 생리적 요인들(혈압, 환기, 체온, 전해질 등)도 뇌파에 영향을 끼친다. 주파수가 느려지는 것은 대개 신경세포 기능이 저하됨을 의미한다. 예를 들어 저산소혈증, 저체온증, 저탄산혈증, 저혈당증과 허혈은 뇌파를 느리게 하고 편평하게 만든다. 고탄산혈증(>90 mmHg)은 빠른 주파수의 뇌파활성도를 유발한다. 섭씨 20도 미만의 저체온에서는 전기적 무반응을 유발한다. 뇌파양상은 연령에 따라 다른데 10-15세에 이르러야 어른의 유형을 보이게 된다. 그러므로 마취의사는 뇌파의 특성에 대하여 신경생리전문가 만큼의 지식을 갖추지는 않더라도 뇌파에 익숙해질 필요가 있다. 예를 들어 마취의사에게 익숙한 심전도의 경우 정상적인 심박동을 보이는 심전도에 전기소작에 의한 전기적인 잡음이 개재되어 심전도 모니터에 나타난다고 하여도 비정상적인 부정맥으로 판

단하지 않는다. 그러나 뇌파에 익숙하지 않으면 그릇된 판단을 할 수 있다. 마취/진정의 심도를 0-100의 숫자로 표시하는 BIS는 실시간 뇌파와 함께 근전도 활성도를 보여주는데 뇌파의 경험이 익숙하지 않은 초보자들은 BIS상 표시되는 수치의 변화가 전기적 잡음이나 근전도 개입에 의한 것은 아닌지 분별하여야 한다(그림 5-8).

(3) 임상활용

뇌파 감시를 하는 수술에서의 마취관리는 가능하다면 뇌파에 영향이 적은 마취제를 선택하고 일정한 깊이의 마취를 정상적인 생리환경내에서 제공함으로써, 뇌파에 영향을 미칠 수 있는 혼란변수들을 가급적 배제하도록 한다.

뇌허혈 손상이 발생할 수 있는 내경동맥 수술, 뇌동맥류 결찰술 시에 두피 뇌파를 적용할 수 있다. 즉, 내경동맥을 겸자로 결찰하는 동안 뇌를 보호하기 위해 폭넓게 이용되며, 어떤 환자가 결찰 시 허혈을 초래할 위험성이 높은가를 결정하는 데 매우 유용하다. 뇌파검사에서 허혈이 감지되면 그쪽 반구에 혈액 공급을 회복시키기 위해 단락(shunt)을 시행하기도 한다. 뇌파감시를 함으로써 수술 중 뇌파의 변화가 심하게 나타났던 환자들의 18%에서 수술 후 새로운 신경학적 손상이 발생한 반면 뇌파변화가 경미하거나 없었던 환자들 중에서는 2%만이 신경손상이 발생되어 뇌파감시는 수술 후 신경손상을 예상하는데 도움이 됨을 알 수 있다. 내경동맥 내막절제술 중 겉질에서 허혈이 발생할 경우는 대개 환측의 뇌파에서만 진폭이 감소하고 마취제에 의해 빠르게 나타나야 하는 파들이 느려지는 양상을 보인다. 내경동맥 결찰 시 수분 내에 동측의 뇌파가 변한다면 뇌 관류압의 감소에 기인한다고 생각하고 단락(shunt) 삽입을 하도록 한다. 뇌파감시를 함으로써 단락 삽입의 빈도를 49%에서 12%로 낮출 수 있었고 단락 삽입에 의한 색전이나 단락 수술의 작동 이상에 의한 합병증 발생빈도를 낮추고 중증신경손상이나 사망의 빈도를 낮출 수 있다.

간질 수술에는 겉질뇌파가 주로 사용된다. 간질 절제술 전에 뇌파유발 부위를 확인하는 뇌지도(brain mapping)을 작성하고, 수술 중에 수술의 방법, 전제의 범위 등을 결정하는데 이용된다. 뇌지도는 간질의 전파경로 차단술 등에 이용된다. 이외에도 뇌종양 수술에서는 운동, 언어 영역 겉질의 위치를 확인하기 위해 겉질뇌파검사(electrocorticography, ECoG)를 사용하고 있다(그림 5-4).

3. 유발전위(evoked potentials, EPs)

1) 유발전위의 정의와 종류

엄밀한 의미에서 유발전위는 외부로부터 자극을 가한 후 발생하는 전기적 활성이 전달되는 과정의 전기적, 물리적 특성을 감시한다. 따라서 신경전달로의 종류, 자극의 방법과 위치 및 기록의 위치에 따라 고유의 이름을 부여한다. 말초에서 감각중추로 전달되는 신경전달로의 감각유발전위(sensory evoked potential, SEP)와 운동중추로부터 말초의 골격근 반응에 이르는 신경전달로의 운동유발전위(motor evoked potential, MEP)로 나눈다. 감각유발전위는 통증으로 감각신경을 자극하는 몸감각 유발전위(somatosensory evoked potential, SSEP)와 빛으로 시신경을 자극하는 시각유발전위(visual evoked potential, VEP), 소리로 청신경을 자극하는 청각유발전위(auditory evoked potential, AEP)로 나눈다. 운동신경전달은 일차운동겉질(primary motor cortex)로부터 겉질척수로(corticospinal tract)를 통해 말단신경을 통해 전달된 전기신호가 골격근의 운동으로 이어지므로, 운동유발자극의 종류와 위치에 따라 두피에 전기자극을 하는 경두개 전기운동유발전위(transcranial electrical MEP, TeMEP)와 자기장으로 자극하는 경두개 자기장운동유발전위(transcranial magnetic MEP, TmMEP)로 나눈다. 또한 일차운동영역의 겉질에 전기자극을 직접 가하는 직접겉질자극 운동유발전위(direct cortical stimulation MEP, DCS-MEP) 외에도 척수나 단일 신경 수준에서도 전기자극을 함으로써 운동유발전위를 얻을 수 있다. 기록은 신경전달로의 경로내 또는 종착지에서 가능하다. 말단신경에서의 기록을 신경활동전위(nerve action potential)라고, 말단 골격근에서의 기록을 복합근육활동전위(compound muscle action potential, cMAP)라고 부른다(표 5-2).

표 5-2　유발전위의 종류와 특징

종류	감각유발전위			운동유발전위				
	몸감각 유발전위	시각 유발전위	청각 유발전위	경두개 전기유발 운동전위	경두개 자기장유발 운동전위	직접겉질 자극 운동 유발전위	유발 근전도	자발 근전도
자극종류	통증	빛	소리	전기	자기장	전기	전기	없음
자극 위치	말초신경	눈	외이	두피, 겉질	두피	겉질/겉질밑	말초신경	없음
기록 위치	정중신경: 동측 Erb point, C5, 반대측 C3/4 후경골신경 : T12, 반대측 C3/4	Oz	Cz	척수, 말초신경, 근육	척수, 말초신경, 근육	척수, 근육	말초신경, 근육	근육

2) 유발전위의 기술적 측면

주위의 모든 외적 전기신호, 소음 등의 개입이 최소화하도록 하여야 한다. 특히 전기적 소음의 근원인 50-60 Hz의 교류전원이 자극횟수에 개입되거나 기록에 개입되지 않도록 자극횟수를 60 Hz의 배수가 되지 않도록 한다. 뇌파, 심전도 근전도, 근육수축 등 내재적으로 발생하는 전기소음의 근원으로부터 유발전위 전극을 멀리 위치하도록 하고 환자를 안정시킨다.

전극부착 부위의 피부를 알코올로 닦아 피지를 제거하여 전극과 피부간 임피던스(imped-ance)가 3 ㏀ 이하로 낮도록 한다. 컵형 전극이 바늘형 전극보다 임피던스가 낮다. 신호소음비(signal to noise ratio)를 높이기 위해 고 · 저 영역제거 여과기(high and low-cut band filter)나 60 ㎐의 특정 주파수만 제거하는 패임여과기(notch filter)를 사용한다. 유발전위의 전기적 신호의 크기는 뇌파(50배), 심전도(1,000배)의 전기적 신호의 크기에 비해 크기가 매우 작아 수 ㎶에 불과하므로 수백에서 수천 번 자극을 반복하고, 전기적 신호를 평균함으로써 배경에 있는 뇌파와 같은 배경전기소음(background electric noise)들을 소멸시켜 유발전위만 얻을 수 있도록 한다.

3) 유발전위의 표시
유발전위에서 나타나는 다양한 파들은 각각의 신경발생기(Neural generator)에 의해 생기는 것으로 생각된다. 신경발생기의 위치는 신경세포들의 신경연접이라고 여겨지고 있다. 자극 후 파가 정점에 도달하는 시간을 잠복기라 하고 정점에서 다음 고랑까지의 진폭크기를 진폭이라고 한다. 정점들 간의 시간을 신경정점간 잠복기(interpeak latency, conduction time)라고 한다. 중심전도시간(central conduction time, CCT)은 뇌간에서 대뇌겉질에 이르는 시간을 의미한다. 자극 후 나타나는 양(peak) 또는 음(valley) 정점의 파의 구분은 극성(polarity)에 따라 세 가지로 표현할 수 있다(그림 5-11).

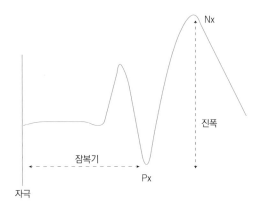

그림 5-11
유발전위의 명명 및
잠복기와 진폭의 정의.

(1) 극성과 잠복기로 표시
대부분의 유발전위의 파를 표시하는 방법으로서 양 또는 음의 정점의 정상적인 잠복기(ms)를 아라비아숫자로 표시한다. 위로 솟는 파를 음극파(N), 아래로 파인 파를 양극파(P)로 표시하지만, 통상적으로 위로 솟은 파를 P, 아래로 파인 파를 N으로 표시하기도 한다. 예를 들어, N17, P50이라 하면 자극 후 각각 17 ms, 50 ms에 나타나는 음극 및 양극정점의 파를 말한다.

(2) 양의 정점을 로마숫자로 표시

뇌간청각유발전위는 자극 후 나타나는 양의 정점들을 I–VII 로마숫자로 표기한다(그림 5-12).

그림 5-12
신호발생 장소와 잠복기에
따른 청각유발전위의
3가지 형태

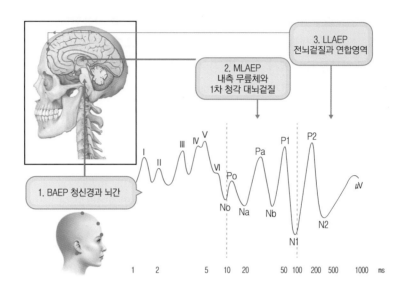

(3) 양, 음의 정점을 알파벳으로 표시

겉질청각유발전위는 양, 음의 정점을 Pa, Na, Pb, Nb, Pc 같이 알파벳 문자로 표시한다(그림 5-12).

4) 유발전위의 영향을 미치는 요소들

(1) 생리적 요소

① 체온

체온이 낮아질수록 신경세포의 대사요구량이 감소되므로 저체온은 신경손상을 예방하는 효과가 있는 것으로 알려져 있다. 경미한 저체온(섭씨 34도 내외)의 경미한 저체온에서는 오히려 과반응으로 인해 신경전달물질의 분비가 증가하여 유발전위의 진폭이 약간 증가하고 잠복기도 약간 줄어든다. 섭씨 32도 정도에서는 잠복기가 연장된다. 섭씨 20도의 심한 저체온에서도 몸감각유발전위는 반응을 보일 정도이므로 저체온 유도 심폐정지를 이용한 수술 시에도 몸감각유발전위의 잠복기가 효과적으로 사용할 수 있다.

② 혈액희석

적혈구용적율(Hct)이 16–20%인 혈액희석 상태에서는 오히려 신경활동이 증가하여 몸감각 유발전위의 진폭이 증가할 수도 있으나, 15% 이하에서는 진폭이 감소하고 잠복기는 증가하기 시작한다. 그러나 적혈구용적율을 증가시키면 진폭과 잠복기는 회복된다.

③ 그 외

저혈압, 고·저 이산화탄소증, 대사이상 등이 유발전위에 영향을 미칠 수 있다.

(2) 허혈에 취약한 해부학적 요소

감각 및 운동신경전달로 내에서 발생되는 병변은 유발전위의 잠복기와 진폭의 변화로 판단한다. 일반적으로 잠복기가 1 ms 이상 연장되거나 기준치의 10% 이상으로 연장될 때 그리고 진폭이 50% 이상 감소될 때 의미 있는 변화의 기준(criteria)으로 인식하지만 수술별, 상황별로 의미 있는 변화의 기준을 달리할 필요가 있다. 왜냐하면 허혈손상은 신경조직의 해부학적 위치에 따라 민감성이 달라지기 때문이다. 해부학적으로 허혈손상의 민감성이 차이가 나

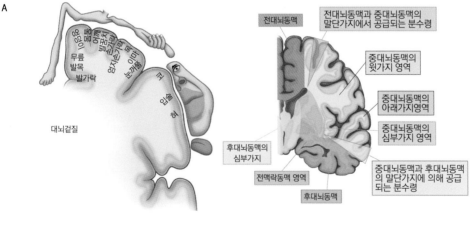

그림 5-13
뇌겉질의 감각축소인간 그림 (A, 좌상)와 대뇌동맥들이 공급하는 뇌조직의 분포(우상). (우상의 그림에서 ACA–MCA watershed [전대뇌동맥과 중대뇌동맥의 말단가지에 의해 공급되는 분수령], MCA–PCA watershed [중대뇌동맥과 후대뇌동맥이 공급하는 말단가지에 의해 공급되는 분수령], PCA deep branch [후대뇌동맥의 심부가지]로 번역)

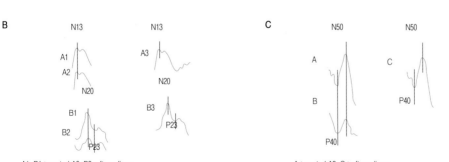

A1, B1 : control A3, B3=after relieve
A2, B2 : temporary clip at MCA

A : control A3, C : after relieve
B : temporary clip at ACA

는 이유는 회백질에는 신경접합부가 많이 존재하고 백질에는 축색들이 많이 존재하고, 해부학적 위치에 때라 공급되는 혈관의 분포도 다르기 때문이다. 예를들면, 전대뇌동맥과 중대뇌동맥의 말단동맥에 의해 공급받아 분수령(watershed)이 되는 시상과 전두엽의 정중옆(paramedian) 겉질과 경동맥과 기저동맥의 말단동맥에 의해 공급받는 분수령 부위인 두정-후엽(parieto-occipital) 경계부위가 허혈손상에 노출되기 쉽다(그림 5-13). 척수의 전면부는 하나의 척추동맥으로부터 혈류가, 후면부는 두 개의 척추동맥으로부터 혈류가 공급되고 흉-요부척수에서 허혈손상의 위험이 높다.

(3) 마취

① 흡입마취제
대부분의 흡입마취제는 친지질성(lipophilic)을 띄고 있어 신경전달 수용체뿐 아니라 신경세포막에서의 신경전달을 억제한다. 흡입마취제는 농도 의존적으로 유발전위의 진폭을 감소하고 잠복기를 연장시킨다(그림 5-14). 흡입마취제가 유발전위에 미치는 영향은 흡입마취제간의 친지질성 정도에 따라 다소 차이가 나서 몸감각유발전위 측정 시 desflurane이나 sevoflurane이 enflurane이나 isoflurane보다 영향을 덜 끼친다. 그러나, 1 MAC 이상에서 거의 모든 흡입마취제들은 뇌간이나 겉질밑에서 발생하는 파들에 비해 겉질에서 발생하는 파에게 크게 영향을 미친다. 그러나 1 MAC의 desflurane을 단독사용함으로써 척추측만증(scoliosis) 수술 시 정중신경 몸감각유발전위로 겉질파를 감시할 수도 있다.

그림 5-14
흡입마취제에 의한
근육성 운동유발전위의
변화

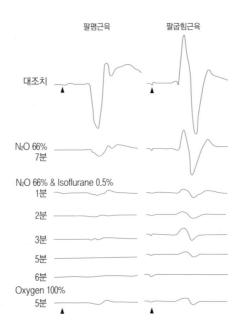

② 정맥마취제

뇌간청각유발전위는 barbiturate coma를 유도하는 barbiturate 용량에서도 거의 영향을 미치지 않는다. Thiopental(2.5-5 ㎎/㎏)은 정중신경과 후경골신경 몸감각유발전위 시 일차운동겉질의 파인 N20/P22와 P40/N45파를 10% 정도 연장시키고 진폭은 5-30% 정도 감소시키지만 척수와 겉질밑파에는 영향을 거의 미치지 않는다. Propofol(2.5 ㎎/㎏)도 정중신경과 후경골신경 몸감각유발전위 시 일차운동겉질의 파인 N20/P22와 P40/N45파의 잠복기를 10% 정도 연장시키지만 진폭에는 영향을 거의 미치지 않는다. 그러나 평가에 중요한 시기에는 흡입마취제의 농도를 갑자기 증가시키기보다는 정맥마취제를 단회용량으로 주입하여 비교적 일정한 마취심도를 유지시키도록 한다. 유발전위에 대한 diazepam과 fentanyl의 영향은 propofol보다 적으며 etomidate와 ketamine은 오히려 감각유발전위(sensory evoked potential, SEP)의 진폭을 증가시킨다. 아편유사제는 감각유발전위 파에 거의 영향을 미치지 않는다(그림 5-15). Ketamine과 etomidate를 제외한 대부분의 정맥마취제는 몸감각유발전위의 겉질파에 미치는 영향이 미미하므로 아편유사제를 함께 사용하는 전정맥마취가 우선시된다. Dexmedetomidine도 유발전위에 대한 영향이 작으므로 유발전위 감시에 안전하게 사용될 수 있다. 이에 반해 운동유발전위는 흡입마취제에 매우 민감하게 반응하므로 근육성 운동유발전위를 관찰할 때는 흡입마취제의 사용을 피한다.

③ 국소마취제를 이용한 축성 차단(axial block)

상완신경총을 차단하면 정중신경 몸감각유발전위는 나타나지 않는다. 척추마취와 경막외

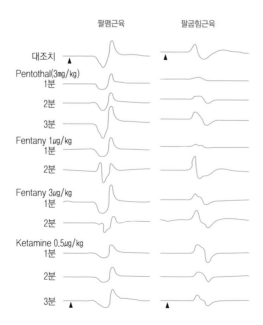

팔폄근육   팔굽힘근육

대조치

Pentothal(3mg/kg)
1분

2분

3분

Fentany 1㎍/kg
1분

2분

Fentany 3㎍/kg
1분

2분

Ketamine 0.5㎍/kg
1분

2분

3분

그림 5-15

정맥마취제에 의한 근육성 운동유발전위의 변화

마취도 신경차단이 된 분절을 통과하는 신경전도가 차단되므로 몸감각유발전위와 운동유발전위가 나타나지 않는다.

④ 신경근차단제

몸감각유발전위와 신경성 운동유발전위(neurogenic MEP, nMEP)는 영향을 받지 않으나 근육성 운동유발전위(myogenic MEP, mMEP)를 측정하는 것은 어려움이 있다. 그러나 신경근 감시장치를 사용하여 단일수축이 기준치의 10-20%의 수준으로 유지되거나 4연속연축 반응(train of four, TOF)상 하나-두개 근육수축이 있는 정도에서는 운동유발전위를 기록할 수 있다.

4. 감각유발전위

1) 몸감각유발전위(somatosensory evoked potential, SSEP)

몸감각유발전위는 1970년대에 수술실에서 사용되기 시작하여 지금은 척추수술에 가장 널리 사용되는 수술 중 신경생리검사 중의 하나다.

(1) 몸감각신경전달로

신체의 말초신경의 자극으로 발생된 몸감각유발전위는 말단과 중추 양방향으로 전달되어, 말단에서는 근수축을 유발시키고 중추로는 척수후근을 통하여 척수로 들어간다. 후주-안쪽섬유띠(posterior column-medial lemniscus)를 따라 3단계의 신경연접을 하여 대뇌겉질의 중심뒤이랑(postcentral gyrus)까지 연결된다. 상지의 감각신경은 후근신경절(dorsal root ganglia)이 있는 일차신경세포와 연접하고 하부연수의 널판다발(gracilis fasciculus)에서 이차신경세포와 연접을 한다. 하지의 감각신경은 후근신경절(dorsal root ganglia)이 있는 일차신경세포와 연접하고 하부연수의 쐐기다발(cuneate fasciculate)에 있는 이차신경세포와 연접한다. 이차신경의 축색들은 연수에서 안쪽 활섬유(internal arcuate fiber)를 형성하여 반대편 척수로 가로질러 건너가서 뇌간에서 안쪽섬유띠(medial lemniscus)를 형성한다. 시상에서 3차 신경세포와 연접한 후 대뇌겉질로 이어진다. 척수의 후주는 내측에 판다발(gracilis fasciculus)이 위치하고 외측에 쐐기다발(cuneate fasciculate)이 위치한다. 이외에도 일부 신경전달은 척수소뇌로(spinocerebellar tract)를 따라 소뇌로 전달된다(그림 5-16).

(2) 몸감각유발전위의 신경발생기와 파

축소인간 뇌지도를 통하여 운동과 감각을 담당하는 겉질의 해부학적 위치를 이해하고 이런 해부학적 부위에 공급하는 뇌혈관 분포는 신경외과 수술 종류와 수술영역에 따라 적용하는 유발전위를 이해하는 데 많은 도움이 될 것이다(그림 5-13). 적절하게 선택된 자극과 기록 전

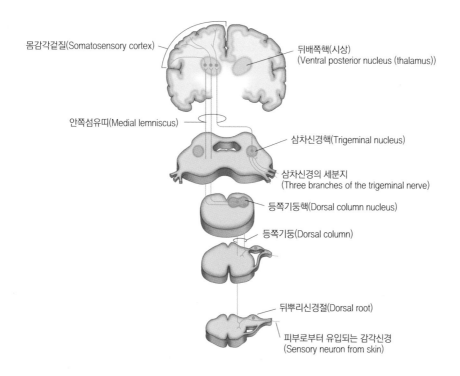

그림 5-16
감각신경계의 신경전달로.

몸감각겉질(Somatosensory cortex)

뒤배쪽핵(시상)
(Ventral posterior nucleus (thalamus))

안쪽섬유띠(Medial lemniscus)

삼차신경핵(Trigeminal nucleus)

삼차신경의 세분지
(Three branches of the trigeminal nerve)

등쪽기둥핵(Dorsal column nucleus)

등쪽기둥(Dorsal column)

뒤뿌리신경절(Dorsal root)

피부로부터 유입되는 감각신경
(Sensory neuron from skin)

극의 위치 또한 유발전위의 평가에 도움이 된다. 손목의 정중신경 몸감각유발전위 시 쇄골
위 Erb point에서 기록하면 팔신경얼기(brachial plexus)에 해당하는 N9를, 제2 또는 5 경추
극상돌기에서 기록하면 시상에 해당하는 N14를, C3과 C4 두피에서 기록하면 몸감각겉질에
해당하는 N20를 각각 잘 관찰할 수 있다. 발목의 내측의 후경골신경 몸감각유발전위를 사
용하여 몸감각겉질의 파를 기록할 때 정중신경 몸감각유발전위를 사용할 때의 몸감각겉질
파인 N20파보다 긴 주행경로거리로 인해 N40로 20 ms 정도 늦게 나타난다. 중심전도시간
(CCT)은 시상에서 몸감각겉질에 이르는 신경전도시간으로 N20과 N14 간의 잠복기 차이로
서 정상상태에서는 6 ms 정도가 정상이며 제2 경추로부터 몸감각겉질 사이의 겉질밑 조직의
신경손상을 평가하기 위하여 측정된다. 이외에도 손목과 팔꿈치의 팔꿈치굴(cubital tunnel)
에서 자신경(ulnar nerve) 몸감각유발전위를 측정할 수 있다.

(3) 몸감각유발전위의 임상적용

말초신경의 손상을 인지하기 위해서는 말초신경이 주행하는 신경경로의 근위부와 원위부를
각각 자극해서 반응을 비교하여야 하며, 중추신경계의 손상을 감시하기 위해서는 마취심도
를 일정하게 유지하면서 외과적 조작전의 잠복기, 진폭 그리고 중심전도시간을 대조치와 비
교하거나 조작과 무관한 사지의 결과와 비교한다.

① 척추만곡증(scoliosis)이나 척추종양 수술

정중신경이나 후경골신경 몸감각유발전위는 척수 후주로부터 안쪽섬유띠로(medial lemniscus pathway)에서의 신경손상을 감지하는데 사용된다. 척추수술에는 사지에서의 몸감각유발전위들이 모두 사용될 수 있는데 상하, 좌우 중 한곳에서만 몸감각유발전위가 변하는 경우 외과적인 원인을 우선 고려할 수 있고, 사지 모두에서 변화가 생긴다면 국소적인 원인보다는 전신적인 원인을 먼저 생각한다. 그러나 몸감각유발전위는 척수의 운동을 담당하는 척수전각과 척수겉질로(spinocortical tract)의 손상을 감지하지 못한다는 문제가 있다.

② 내경동맥 내막절제술(carotid endarterectomy)과 뇌동맥류절제술

편측대뇌 또는 국소적인 대뇌겉질의 허혈손상 위험이 따를 수 있는 내경동맥 수술이나 뇌동맥류절제술의 경우, 사지의 몸감각유발전위를 감시하여 상, 하, 좌, 우의 유발전위를 비교하는 것이 좋다. 후경골신경 몸감각유발전위는 잠복기가 30-70 ms 이내인 P27나 P45를 측정하고 좌, 우측의 정중동맥 몸감각유발전위는 잠복기가 13-30 ms인 N20을 기준으로 유발전위의 임상적으로 의미있는 변화로 판단한다. 전대뇌동맥류 수술 시에는 후경골 몸감각유발전위를 시행하여 P40와 N50 사이의 진폭을, 내경동맥이나 중대뇌 동맥류 수술 시는 정중동맥 몸감각유발전위를 시행하여 N20과 P23 사이의 진폭이나 중심전도시간을 관찰하는 것이 좋다. 뇌동맥류 수술 후 뇌졸중의 발생을 예상하는 데 84%의 특이도(specificity)를 보이고 몸감각유발전위 시 의미 있는 변화가 있었던 환자는 변화가 없었던 환자에 비해 수술 후 뇌졸중 발생이 7배 높았다.

③ 하행대동맥 수술

후경골신경 감각유발전위 검사는 하행대동맥 수술로 인한 하반신불수 등 운동기능의 손실에 대한 위양성, 위음성이 높아지므로 단독으로 검사하는 것은 문제가 있다. 척수 전면부의 손상은 운동유발전위로 검사해야 한다.

④ 몸감각유발전위의 민감도

대뇌수술, 뇌간 수술, 척추수술 시 몸감각유발전위의 민감도와 감시장치로서의 문제점을 발표한 보고에 의하면 위음성(false negative)은 4.1%, 민감도는 79%, 음성예측치(negative predictive value)는 96%였지만, 뇌간을 압박하는 천막하 종양, 운동겉질의 작은 병변, 뇌동맥류 수술시 작은 혈관손상에 의한 신경손상을 예측하는 데 어려움이 있다. 그럼에도 불구하고 몸감각유발전위는 운동유발전위에 비해 측정간 변이(variability)가 낮고 수술 중 환자가 움직일 위험이 적고 척추수술 시 손상은 후주에 국한되지 않고 넓은 척추영역에서 발생할 수 있으므로 척수수술에서 유용하게 사용된다. 최근에는 척추수술 시 임상적 신뢰도를 높이고자 몸감각유발전위와 운동유발전위 모두 동시에 적용하는 추세다.

2) 청각유발전위

(1) 청각신경전달로

이어폰을 통한 '딸깍' 소리 자극에 의하여 발생한 신경흥분은 와우에서 청각신경을 따라 뇌간으로 가고, 뇌간에서 반대쪽으로 건너 올리브핵(olivary complex)에서 가쪽섬유띠(lateral lemniscus)를 따라 하부둔덕(inferior colliculus)을 거쳐 내측무릎(medial geniculate)을 지나 청각겉질로 이른다. 몽타주는 A1/A2(귓불 또는 꼭지돌기(mastoid process) 뒤)에 기준 전극을, 기록 전극을 Cz에, 접지전극으로 Fpz에 각각 부착하여 얻는다. 진폭의 크기가 1 μV 정도로 작으므로 70 ㏈ 세기의 희박성 극성(rarefaction polarity) 자극을 분당 10회 내외의 속도로 100–3,000회 정도의 반복 자극한다. 순수한 유발전위를 얻기 위해 증폭기와, 여과기를 거치고 자극 때마다 평균가산을 하여 잡음을 진폭을 감소시킨다. 한쪽 귀에만 자극을 가하여 청각유발전위를 기록할 수도 있으나 반대쪽 귀로도 뼈전도(bone conduction)를 통하여 소리자극이 전달될 수 있으므로 반대쪽 귀에 낮은 40–70 ㏈ 세기의 자극을 주어 뼈전달을 상쇄시키기도 한다.

(2) 청각유발전위의 신경발생기와 최고점 파

청각유발전위의 파 이름은 앞에서 설명한 바 있지만 다시 좀 더 자세하게 설명하자면, 청각 자극 후 나타나는 파들의 신경발생기(neural generator)에서 생성되는 것으로 생각된다(표 5-3). 잠복기가 10 ms 이내인 파들을 뇌간청각유발전위(brainstem auditory evoked potential, BAEP)라고 한다. 잠복기가 10–100 ms 전후까지를 파들을 중간잠복기청각유발전위(middle latency auditory evoked potential, MLAEP), 잠복기가 100 ms 이후에 나타나는 파들을 후기잠복기청각유발전위(late latency auditory evoked potential, LLAEP)라고 한다(그림 5-12). 뇌간청각유발전위는 잠복기가 1.5–10 ms 범위에서 7개의 양극파가 순차적으로 나오는데, 각각 로마숫자 I–VII로 표시한다. I–III파는 청각신경의 말초전도 상태를, III–V파는 청각신경의 중추성 전도를 반영한다. 이 중 I, III, V파가 가장 뚜렷하게 나타나며 마취제에 영향을 적게 받는다.

표 5-3 뇌간청각유발전위 파의 발생기 해부학적 위치

파형	신호발생 위치
I	와우(cochlear)의 활성전위
II	청신경
III	올리브체(olivary complex)
IV	뇌간
V	가쪽섬유띠(lateral lemniscus)
VI	내측무릎체(medial geniculate)
VII	청각 방사(auditory radiation)

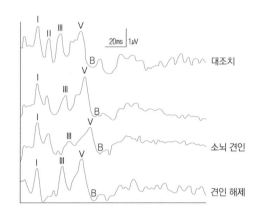

그림 5-17
미세혈관감압술(MVD) 동안
발생한 뇌간청각유발전위의
변화.
소뇌를 견인했을 때 V파의
잠복기가 연장되었으며
견인을 풀었을 때 다시
잠복기가 회복되었다.

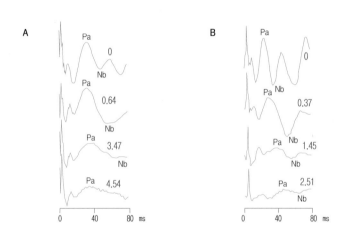

그림 5-18
중간잠복기청각유발전위에
미치는 마취제의 영향.
propofol (μg/ml)(A)과
enflurane (ET%)(B)의
농도에 비례하여 진폭이
감소하고 잠복기가 연장함.

(3) 청각유발전위의 임상적용

① 뇌간청각유발전위

뇌간청각유발전위는 안뜰신경집종(acoustic neuroma) 수술 시 청각신경손상 유무를 판단하는데 도움이 되며, 미세혈관감압술(microvascular decompression)이나 소뇌다리뇌각(cerebropontine angle), 중간뇌(midbrain), 교각(pons) 등의 수술 동안에도 뇌조직의 견인에 의한 감각신경난청의 위험이 따를 때 사용된다. 한 보고에 의하면, I, V파가 모두 유지되면 98%의 환자가, I파만 유지 되면 52%의 환자가, 모든 파들이 소실되면 7%의 환자에서 청각이 보존되었다. 뇌간청각유발전위의 V파는 마취 중에도 가장 영향을 거의 받지 않기 때문에, 파의 진폭이 50% 이상 감소하거나 잠복기가 1 ms 이상 연장을 수술 후 감각신경난청(sensorineural hearing loss) 발생의 기준으로 한다(그림 5-17). 이런 경우 외과의에게 고지하여 견인을 중단하거나 다른 조치를 취하도록 한다.

② 중간잠복기청각유발전위

중간잠복기청각유발전위의 파들은 Na, Pa, Nb, Pb 등으로 음, 양의 파들을 순차적으로 명명한다. Pa, Nb파의 잠복기는 마취깊이에 따라 민감하게 변하며 수술 중 의식과 무의식의 전환상태를 잘 반영하는 것으로 알려져 있다(그림 5-18). 이를 토대로 개발된 audi-tory evoked index (AAITM, Danmeter, Denmark)는 마취 중 각성 여부를 감시하는 장비이다. 1,000회의 반복측정의 반응을 평균하므로 약 2분 후에 결과를 나타냈으나, 진정상태의 변화에 따른 뇌파변화를 병용하여 마취의 깊이를 보다 빠르고 정확하게 알려주는 AEP monitor/2가 임상에 사용 중이다.

③ 후기잠복기청각유발전위

겉질의 신경발생기에서 나오는 후기잠복기총각유발전위의 파들을 P1, N1, P2, N2 등으로 명명하는데 마취하에서는 소실되는 경우가 많다.

3) 시각유발전위(VEP)

시각유발전위는 눈에 가해진 광자극이 시신경을 통하여 시각겉질인 후두엽으로 전달된다. 대개 N70, P100파의 변화를 이용하여 뇌하수체, 시각교차(optic chiasm)의 수술 및 후대뇌동맥류 수술에 사용할 수 있으나, 시각유발전위는 마취제에 매우 민감하여 외과적 마취심도에서는 거의 소실되며, 수술 중 광자극을 발생시키는 안경이 수술에 방해를 줄 수도 있으므로 수술 중 적용에는 어려움이 있다.

4. 운동신경유발전위(motor evoked potential, MEP)

과거에 운동유발전위는 수술중신경감시장치로서 관심을 받지 못했다. 그 이유는 운동유발전위의 반응이 측정간 변이가 매우 클 뿐 아니라 측정환경과 마취 깊이에 매우 민감하게 반응하기 때문이었다. 그러나 최근에는 새로운 장비들이 개발되고 다양한 측정방법과 기술이 향상되면서 보다 믿을만한 운동유발전위 파를 얻을 수 있게 되었다.

1) 운동신경계의 신경전달로와 동맥공급

운동신경계를 해부학적 관점에서 살펴보면, 중앙대뇌이랑 앞(pre-central gyrus)에 위치하는 일차운동겉질(primary motor cortex)은 신체부위에 따라 상응하는 신경세포의 존재부위가 다르다(그림 5-13). 주로 혀와 안면근육으로 전달되는 신경세포는 실비우스 구(sylvian fissure) 근처에 위치하고, 상지운동근육으로 전달되는 신경세포들은 중앙 마루점(vertex) 부분에 위치한다. 하지운동으로 전달되는 신경세포들은 내측 시상옆면(parasagittal) 부위에 위치한다.

전운동겉질(premotor cortex), 보조운동겉질(supplemental motor cortex), 전전두엽겉질(pre-frontal cortex)에 있는 신경세포들은 근수축보다는 운동의 시작에 관여한다.

얼굴과 사지몸통의 운동에 관여하는 신경전달로는 서로 다르다. 일차운동겉질과 전두-두정 겉질(frontoparietal cortex) 등 넓은 부위에서 나온 운동신경세포의 축색들은 대뇌부챗살(corona radiata)을 형성하고, 속섬유막에서 겉질척수로(corticospinal tract)가 되어 대뇌각(cerebral pedicle), 교뇌(pons), 연수(medulla)를 거쳐 척수로 들어간다. 연수에서 겉질척수로의 75-90%는 반대 측으로 넘어간다. 동측과 반대 측의 척수에서는 가쪽(lateral)과 배쪽(ventral) 겉질척수로를 통해 아래로 내려간다. 겉질척수로의 대부분 축색들은 척수에서 사이신경세포와 연접하고 사이신경세포는 척수전각에서 골격근을 지배하는 아래운동신경세포(lower motor neuron, LMN)와 연접한다. 겉질척수로의 2% 정도에 해당하는 굵은 유수축색(myelinated axon)은 사이세포와 연접하지 않고 아래운동신경세포와 직접 연접한다. 아래운동신경세포로부터 나온 척수신경근은 척추의 추간공(intervertebral foramen)을 통하여 나온다. 한편 일부 대뇌겉질의 신경세포는 겉질연수로(corticobulbar tract)를 통하여 뇌간(brainstem)을 거쳐서 척수로 가는데, 뇌신경들은 뇌간에서 두개바닥(skull base)의 여러 구멍들을 통해 나온다. 겉질연수로의 대부분 축색들은 뇌간에서 사이신경세포(interneuron)와 연접을 한 다음 대부분 양측의 운동신경세포로 신경전달을 한다. 따라서 이 경로를 통해 겉질자극이 이루어지면 얼굴의 양측에서 운동이 일어난다. 하지만 뇌간에서 아래운동신경세포와 직접 연접하는 소수의 축색들은 반대 측 얼굴아래부분과 혀의 운동을 담당한다(그림 5-19). 이외에도 뇌간에서 연접하여 척수에 이르는 겉질의 신경세포들의 신경전달로들이 있는데, 겉질적핵척수로(cortico-rubro-spinal tract), 겉질연수척수로(cortico-bulbo-spinal tract), 망상척수로(reticulo-spinal tract), 피개척수로(tecto-spinal tract)들이다. 이들 신경로는 평형감각, 미세한 운동조절 등 골격근의 조정에 관여하고 운동유발전위에도 간접적으로 영향을 미친다.

안면, 사지, 몸통의 골격근육을 지배하는 뇌간의 운동성 뇌신경(7번 안면신경 이하의 뇌신경들이다)과 척수전각의 운동신경을 아래운동신경세포(LMN)라 하고, 아래운동신경세포와 연접하는 상위 신경세포들을 위운동신경세포(upper motor neuron, UMN)이라고 한다. 위운동신경세포에 병변이 생기면 쇠약, 강직, 신경반사항진이 나타나고, 아래운동신경세포에 병변이 생기면 쇠약, 근위축, 신경반사저하가 생긴다. 척수전각의 아래운동신경세포 축색들은 여러 개의 분지로 나뉘어져 각각 하나의 근육섬유와 단일연접을 한다. 하지만 하나의 근육덩이에는 여러 개의 신경-근 연접들이 중첩되어 존재한다.

윌리스씨 고리(circle of Willis)로부터 이행되는 뇌의 말단 동맥들이 공급하는 해부학적 분포를 살펴보면, 감각신경영역에서 언급한 것과 마찬가지로 각각 다른 말단동맥들에 의해 공급받는 분수령(watershed)인 경계부위가 허혈손상에 노출되기 쉽다. 중대뇌동맥(middle cerebral artery, MCA)은 안면과 상지를 담당하는 바깥쪽 운동겉질과 측면대뇌부챗살(lateral

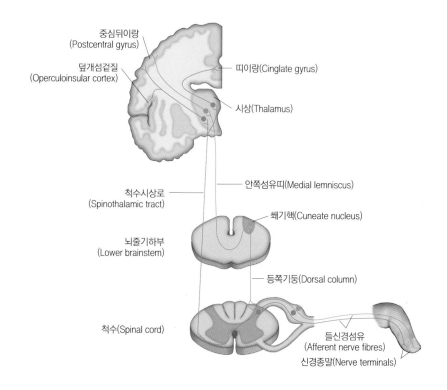

그림 5-19
운동신경계의 신경전달로

corona radiata)에 이르는 부위에 공급한다. 중대뇌동맥에서 분지되어 나오는 렌즈핵선조체동맥(lenticulastriate perforator)은 추체외로운동에 관여하는 기저핵(basal ganglia)으로 공급한다. 내경동맥에서 처음 분지된 전맥락막동맥(anterior choroidal artery)도 속섬유막(internal capsule), 시상으로 공급한다. 렌즈핵선조체동맥과 전맥락막동맥은 반대측 상하지의 운동기능을 담당한다. 전대뇌동맥(anterior cerebral artery, ACA)은 하지의 운동을 담당하는 시상옆면 부위겉질에 공급하고, 척추동맥(vertebral artery)과 기저동맥(basilar artery)은 안면과 혀의 운동에 관여하는 뇌간에 각각 혈류를 공급한다.

2) 운동유발전위의 기술적 측면과 여러 가지 파

(1) 자극과 기록 전극
자극으로는 전기(전기자극 운동유발전위, eMEP) 또는 자기장(자기장자극 운동유발전위, mMEP)이 사용될 수 있다. 전기자극은 통증을 유발하므로 마취 중에 사용이 가능하며, 자기장에 의한 자극은 통증을 유발하지 않으므로 각성하의 환자에게 적합하다. 자극의 위치는 뇌겉질−척수−말초신경 모두 가능하다. 뇌겉질 자극은 두피를 통하거나 겉질에 직접 자극을 가할 수 있다. 뇌겉질의 전기자극은 양극(anode)으로 기록은 음극(cathode)으로 하고, 겉질밑 전기자극은 음극으로 자극을, 양극으로 기록한다. 상지의 짧은엄지벌림근(abductor pollicis brevis muscle)과 얼굴의 입둘레근(orbicularis oris), 성대, 윤상갑상근(cricothyroid muscle)에서 운동유발전위를 측정할 때는 반대편의 두피(대개 C3-Cz 또는 C4-Cz 몽타주)에서 자극을 한다. 하지의 전경골근(anterior tibial muscle)이나 발의 무지외전근(abductor hallucis muscle)이나 항문 괄약근의 운동유발전위를 측정할 때는 대뇌반구간 몽타주(C1-C2와 C2-C1 또는 C3-C4와 C4-C3)를 사용한다.

(2) 신경발생기와 여러 가지 파들

① D파와 I파

겉질을 전기자극하여 경막외에서 측정 시 나타나는 첫 번째 파를 D (direct에서 유래)파라고 하고 이어 1.3-2 ms 후에 나오는 파들을 I (indirect에서 유래)파라고 한다. D파는 겉질 자극으로 아래운동신경세포와 직접 연접하는 겉질척수로의 축색에서의 복합활성전위(compound action potential)이므로 마취에 대한 영향이 적고 측정간 변이가 8% 내외로 비교적 안정적인 파다. 겉질밑의 백질에 큰 강도의 자극을 하여도 D파가 발생할 수 있다. 하지만 측정전극의 위치가 멀어질수록 진폭이 작아지므로 요추와 천추 수준에서 측정하면 D파는 거의 나타나지 않는다. I파들은 전두-두정부의 진동소파성 겉질간 회로(frontoparietal oscillatory intercortical circuit)를 통하여 사이신경세포에서 발생하는 파들이므로 D파보다 마취에 민감하다.

척수에서 직접 전기 자극을 하여 아래운동신경세포를 통한 활동전위는 근육에서 운동유발전위를 관찰할 수 있다. 그러나 척수에서의 자극은 감각신경의 역방향으로도 자극이 되므로 순수한 운동신경계의 결과를 얻기 어려울 수 있다. 척수에서 직접 자극은 흉추수술에서 pedicle screw 삽입 시 신경근(nerve root)이 침범되는 것을 확인하거나 마미총(cauda equina)에서 사용된다.

D파는 마취 중에도 단회 자극으로도 잘 나타나지만 그 외의 운동유발전위는 수차례 연속적인 전기자극을 가함으로써 보다 수월하게 운동유발전위가 가능하다. 2 Hz의 연속성(pulse-train) 전기자극은 수술 중 근육성 운동유발전위를 크게 증폭시키는 방법으로 소개되었다.

② 근육성 운동유발전위 파

사이신경세포와 연접을 거쳐 발생하는 아래운동신경세포의 활동전위는 마취제에 민감하므로 흥분성 연접후활동전위의 크기가 충분하지 않으면 운동유발전위가 나타나지 않는다. 따라서 충분한 크기의 연접후활동전위가 발생할 수 있도록 단회자극보다 3회 이상의 다회 자극을 이용한 여러 자극방법들이 제시되었다. 하지만 사이신경세포와의 연접을 거친 다양한 다른 운동경로들이 개입되어 근육성 운동유발전위가 측정 간 진폭의 변이가 크고, 운동유발전위 반응의 크기가 측정할 때마다 점차 작아지는 경우(fade), 자극 역치(threshold)를 증가하기도 한다. 이런 경우 근육성운동유발전위 파가 나타나는 자극 역치를 임상적 지표로 삼기도 한다. 따라서 진폭의 크기변화보다 파의 유무가 오히려 임상적 의미가 더 크게 여겨지기도 한다. 이외에도 근육성운동유발전위는 신경근이음(neuromuscular junction)을 통하여 나타나므로 신경근차단제와 마취제의 사용에 매우 민감하다. 말초신경에서 기록하는 경우를 신경성 운동유발전위라 하고, 말단근육에서 기록하는 경우를 근육성 운동유발전위라고 한다. 근육성운동유발전위는 흡입마취제와 신경근차단제에 민감한 편이어서 쉽게 파를 얻기가 용이하지 않다. 운동유발전위는 감각유발전위와는 달리 반복측정을 통한 평균화가 필요 없으므로 수백 수천의 반복 자극은 필요하지 않다.

3) 마취제와 운동유발전위

운동유발전위는 마취제에 대해 민감하므로(표 5-4) 아산화질소의 사용을 피하고 흡입마취제를 사용하는 경우 0.5 MAC 이하의 농도를 권장한다(그림 5-14). 정맥마취제도 진폭은 감소시키지만 잠복기에 대한 영향은 비교적 작아서 propofol과 remifentanil을 이용한 전정맥마취가 가장 선호된다. Ketamine, diazepam, fentanyl 등을 적절히 조합하면 운동유발전위 반응을 얻을 수 있다(그림 5-15). 신경근차단제의 사용은 피하는 것이 좋지만, 수술상황에 따라 신경-근 감시장치의 사용 하에 단일수축이 기준치의 10-20%의 수준으로 유지되거나 4연속연축 반응(train of four, TOF)상 1-2개 근육수축이 있는 정도로 신경근차단제를 지속점적주입하면서 운동유발전위를 기록할 수 있다. 대뇌겉질에 직접 자극을 가하는 경우 경련

표 5-4 유발전위에 미치는 마취제의 영향

	감각유발전위		뇌간청각유발전위		시각유발전위		운동유발전위	
	잠복기	진폭	잠복기	진폭	잠복기	진폭	잠복기	진폭
Desflurane	↑	↓	→	→	↑↑	↓↓	↑	↓
Sevoflurane	↑	↓	→	→	↑↑	↓↓	↑	↓
Isoflurane	↑	↓	→	→	↑↑	↓↓	↑	↓
Enflurane	↑	↓	→	→	↑↑	↓↓	↑	↓
Halothane	↑	↓	→	→	↑↑	↓↓	↑	↓
N$_2$O	↑	↓	→	→	↑↑	↓↓	↑	↓
Barbiturate	↑	↓	→	→	↑↑	↓↓	↑?	↓?
Etomidate	→	→	→	→	↑↑	↓↓	→	→
Propofol	↑	↓	→	→	↑↑	↓↓	↑	↓
Benzodiazepine	→	→	→	→	↑↑	↓↓	↑?	↓?
Ketamine	→	→	→	→	↑↑	↓↓	→	→
아편유사제	→	→	→	→	→	→	→	→
신경근차단제	→	→	→	→	→	→	→	↓↓↓↓

을 유발한 예가 보고된 적이 있었으나 경련유발이 겉질자극과 직접연관이 있는지는 확실하지 않다. 전기자극을 세게 가하는 경우 온도손상을 초래할 가능이 있으므로 1 kΩ 저항에 50 mjoule을 초과하지 않도록 한다. 다회자극보다는 단회자극이 환자의 움직임에 미치는 영향이 작다. 운동유발전위를 측정할 때는 약 0.2%의 빈도로 혀를 깨물거나 입술에 열상이 나타날 수 있는데 자극의 강도가 큰 경우 더 잘 발생하므로 주의를 요한다. 경련이 발생하면 겉질을 찬물로 세척하거나 항경련제를 준비한다. 드물게 부정맥이나 혈압변화가 겉질전기자극으로 발생할 수 있는데, 이런 현상들은 전기자극이 시상하부나 뇌간으로 전달되어 나타나는 것으로 생각한다.

4) 운동유발전위의 임상적용

운동유발전위의 변화가 보이면 우선 마취제의 급격한 농도의 변화, 근육성 운동유발전위 fade, 자극오류, 저혈압, 체위에 의한 말초신경손상 등 여러 가지 혼란요인들을 먼저 고려한다. D파는 주로 진폭의 변화 정도로 임상적인 판단을 하는데 수술의 종류에 따라 다소 다르게 보고하고 있다.

척수속질종양(intramedullary spinal cord tumor) 수술 시는 50% 이상 감소를, peri-Rolandic 수술 시는 30-40% 이상 감소를, 척추측만증 수술 시는 20-30% 이상 감소를 기준으로 삼는다.

근육성운동유발전위는 측정간 변이가 크므로 상황별, 수술별로 평가기준을 다르게 하지만 파가 소실되면 수술 후 근육기능이 소실될 것임을 시사한다. 파가 소실되는 경우 파가 나타나기 시작하는 자극 역치를 확인하는데 100 V 이상 자극역치를 증가시켰을 때 파가 나타나면, 수술 후 경미하게 운동기능이 약화할 가능성이 있다. 그러나 위음성의 가능성도 있다.

하행대동맥 수술 후 하반신마비는 운동유발전위를 사용하지 않은 경우 5-16%의 빈도로 발생하지만, 운동유발전위의 수술 중 감시하에서는 2.4-3.5%로 감소하였다. 척추만곡증 수술시 감각유발전위는 위음성, 위양성 반응이 흔히 나타날 수 있다. 특히 척수 전면부의 손상은 근육성 운동유발전위를 사용함으로써 보다 좋은 결과를 예상할 수 있다.

수술의 종류에 따라 도움이 되는 감시방법들을 정리해보면, 척수수질내 종양 수술은 D파의 50% 이상 진폭감소, 근육성운동유발전위는 파 소실 여부 및 진폭의 감소정도, 자극세기의 증가 등으로 평가하고, 정형외과 척추수술 시는 근육성운동유발전위 파 소실과 진폭의 감소 정도로 평가하고, 뇌와 뇌간수술에는 겉질에 직접자극을 한 후 경추에서 D파가 30-40% 이상 진폭 감소하거나 근육성운동유발전위가 소실되거나 진폭이 50% 이상 감소하면 손상의 가능성을 의심한다. 안면신경의 손상위험이 있는 수술에는 안면근육 근육성운동유발전위의 소실여부 또는 진폭의 50% 이상 감소하는 것을 손상의 기준으로 한다.

5) 근전도

근전도는 외부자극에 의해 나타나는 반응을 유발근전도(triggered EMG, tEMG)와 자발적으로 나타나는 반응을 자발근전도(free running EMG, fEMG)로 나눌 수 있다. 자발근전도는 엄밀한 의미에서 유발전위의 범주에 속하지 않으나 여기에서 함께 언급한다. 척추수술 시 삽입되는 척추의 pedicle screw는 해당 분절의 척추신경근(spinal nerve root)에 손상을 입힐 수 있다. 따라서 해당 분절의 척추신경이 지배하는 근육의 근전도를 감시하여 척추의 손상을 감시할 수 있다. 그러나 자발근전도는 유발근전도에 비해 반응의 크기가 매우 작으므로 차단되지 않은 상태에서 감시하여야 한다. 편측얼굴연축(hemifacial spasm) 수술 시 미세혈관감압술이 성공적으로 시행되면 안면근육의 자발근전도에서 나타나던 비정상적인 lateral spread pattern이 소실되는 것을 관찰할 수 있다. 임상에서는 한 가지 감시장치만 선택해서 사용하기보다는 여러 감시장치들을 함께 사용(multimodal monitors)하는 추세다.

참고문헌

• Calancie B: Intraoperative Neuromonitoring and Alarm Criteria for Judging MEP Responses to Transcranial Electric Stimulation: The Threshold-Level Method. J Clin Neurophysiol 2017;34:12-21.

• Gaspard N: Current Clinical Evidence Supporting the Use of Continuous EEG Monitoring for Delayed Cerebral Ischemia Detection. J Clin Neurophysiol 2016; 3:211-6.

• Gunter A, Ruskin KJ: Intraoperative neurophysiologic monitoring: utility and anesthetic implications. Curr Opin Anaesthesiol 2016;29:539-43.

• Journee HL, Berends HI, Kruyt MC: The Percentage of Amplitude Decrease Warning Criteria for Transcranial MEP Monitoring. J Clin Neurophysiol 2017;34:22-31.

• Kelley SD. Monitoring Consciousness, USING THE BISPECTRAL INDEX™ (BIS™) DURING ANESTHESIA, A Pocket Guide for Clinicians,The BIS™ Index—A Continuum. Boulder, USA. COVIDIEN 2012.

• Koht A, Sloan TB: Intraoperative Monitoring: Recent Advances in Motor Evoked Potentials. Anesthesiol Clin 2016; 34:525-35.

• Kombos T, Suss O: Neurophysiological basis of direct cortical stimulation and applied neuroanatomy of the motor cortex: a review. Neurosurg Focus 2009;27:E3.

• Kothbauer KF: The Interpretation of Muscle Motor Evoked Potentials for Spinal Cord Monitoring. J Clin Neurophysiol 2017; 34:32-7.

• Lall RR, Lall RR, Hauptman JS, Munoz C, Cybulski GR, Koski T, et al: Intraoperative neurophysiological monitoring in spine surgery: indications, efficacy, and role of the preoperative checklist. Neurosurg Focus 2012;33:E10.

• Macdonald DB, Skinner S, Shils J, Yingling C: Intraoperative motor evoked potential monitoring-a position statement by the American Society of Neurophysiological Monitoring. Clin Neurophysiol 2013;124:2291-316.

• Marchant N, Sanders R, Sleigh J, Vanhaudenhuyse A, Bruno MA, Brichant JF, Laureys S, Bonhomme V: How electroencephalography serves the anesthesiologist. Clin EEG Neurosci 2014; 45:22-32.

• Sakaki K, Kawabata S, Ukegawa D, Hirai T, Ishii S, Tomori M, Inose H, Yoshii T, Tomizawa S, Kato T, Shinomiya K, Okawa A: Warning thresholds on the basis of origin of amplitude changes in transcranial electrical motor-evoked potential monitoring for cervical compression myelopathy. Spine (Phila Pa 1976) 2012;37:E913-21.

• Tamkus AA, Rice KS, McCaffrey MT: Perils of intraoperative neurophysiological monitoring: analysis of "false-negative" results in spine surgeries. Spine J 2018;18:276-84.

- Thirumala PD, Huang J, Thiagarajan K, Cheng H, Balzer J, Crammond DJ: Diagnostic Accuracy of Combined Multimodality Somatosensory Evoked Potential and Transcranial Motor Evoked Potential Intraoperative Monitoring in Patients With Idiopathic Scoliosis. Spine (Phila Pa 1976) 2016; 41:E1177-84.
- Verla T, Fridley JS, Khan AB, Mayer RR, Omeis I: Neuromonitoring for Intramedullary Spinal Cord Tumor Surgery. World Neurosurg 2016;95:108-16.

뇌신경마취에서 자주 거론되는 논점들

Recurrent Issues in Clinical Neuroanesthesia

06

학습목표

1. 머릿속압력 상승의 병태생리를 이해할 수 있다.
2. 머릿속압력 상승 시 점검목록을 열거하고 이에 대한 처치를 할 수 있다.
3. 정맥공기색전증의 진단과 치료 방법을 열거할 수 있다.
4. 뇌신경마취 시 사용되는 삼투요법 및 이뇨제에 대해 열거할 수 있다.
5. 뇌신경수술 전 후로 사용되는 항경련제에 대해 열거할 수 있다.
6. 뇌신경수술 시 사용되는 체위의 종류와 체위에 따른 문제점을 열거할 수 있다.
7. 뇌신경환자의 주술기 저체온의 장점과 단점을 이해하고 분별하여 적용할 수 있다.
8. 마취로부터의 부드러운 각성은 무엇으로보다 어떻게 성취하는가가 더 중요함을 이해한다.

뇌신경마취에서 자주 거론되는 논점들

Recurrent Issues in Clinical Neuroanesthesia

06

김희주, 박희평,
이윤석, 최승호

뇌신경마취에 있어서 몇 가지 기본적이며 공통적인 요소들은 다양한 뇌질환들의 마취관리에서 반복되는 경향이 있다. 이를 피하기 위해 여기에는 뇌압상승의 조절, 동맥혈 이산화탄소 분압 관리, 혈압 관리, 스테로이드와 삼투성 약제(osmotic agent)의 사용, 환자 수술 자세, 수액 관리, 감시장치, 혈당 조절 등과 같은 뇌신경마취와 관련된 전반적인 사항을 다루고자 한다.

1. 뇌압조절 및 유순도

한정된 두개내 공간으로 인해 뇌압의 증가는 두개내 다양한 장소에서 뇌실질의 이탈(herniation)을 일으킬 수 있다(그림 6-1).

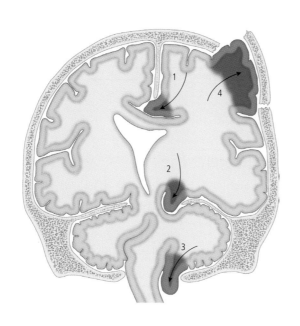

그림 6-1
뇌이탈 경로 모식도
(1) subfalcine,
(2) uncal (transtentorial),
(3) cerebellar, and
(4) transcalvarial.
(From Fishman RA:
Brain edema, N Engl J Med
293:706-711, 1975.)

따라서 머릿속압력 상승을 가진 환자에서 뇌신경마취의 주요 목적은 뇌 이탈을 예방하고 적절한 뇌관류압을 유지하며 수술적 접근을 용이하게 하는 것이다.

1) 머릿속압력 상승의 증상 및 증후

심한 두통, 오심 및 구토, 흐린 시력(blurred vision), 졸음증(somnolence), 시신경유두부종(papilledema)과 같은 임상 증상을 보일 수 있다. 뇌 컴퓨터단층촬영상 중간선 이동(midline shift), 뇌바닥수조의 소실(obliteration of the basal cisterns), 대뇌고랑 소실(loss of sulci), 뇌실크기 감소(ventricular effacement) 또는 수두증의 경우는 확장된 뇌실, 뇌부종 등의 소견이 보일 수 있다.

2) 두개내 압력-부피 관계 곡선

두개내 압력-부피 변화는 선형 관계를 가지고 있지 않다. 일정 정도 두개내 부피의 증가는 뇌척수액의 척주로의 이동과 정맥혈의 두개외 정맥들로의 이동에 의해 어느 정도 압력 상승을 보상한다. 그러나 이러한 보상기전을 넘어서는 두개내 부피의 증가는 급격한 머릿속압력 상승을 초래할 수 있다(그림 6-2).

그림 6-2
두개내 압력-부피 관계. 두개내 용적 증가시 압력은 처음에는 뇌척수액(CSF)과 정맥혈의 두개외 공간으로의 이동으로 인해 상승하지 않으나 이러한 보상기전이 소진되면 조금의 용적 증가에도 압력은 급격한 상승을 보여 뇌이탈이나 뇌관류압 감소로 인한 허혈을 초래할 수 있다.

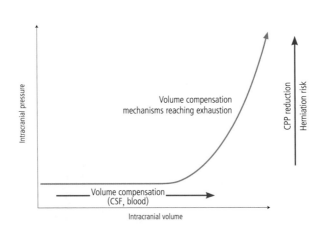

3) 머릿속압력 상승의 병태 생리

두개내에는 크게 4가지의 요소(혈액, 뇌척수액, 다양한 뇌세포, 세포 안과 밖에 있는 물)가 존재한다. 다양한 인자들이 이 요소들과 상호작용하여 뇌압의 상승을 초래하거나 악화시킬 수 있다(그림 6-3).

특히 두개내 혈액량은 쉽고 빠르게 조절 가능하여 머릿속압력 조절에 있어 뇌신경마취의사의 주된 관심사이다. 두개내 정맥혈 울혈을 피하기 위해 두부거상자세를 유지하고, 대뇌 정맥혈 배출(cerebral venous drainage)을 방해할 수 있는 인자들(극도의 경부 회전 및 굴곡, 과도

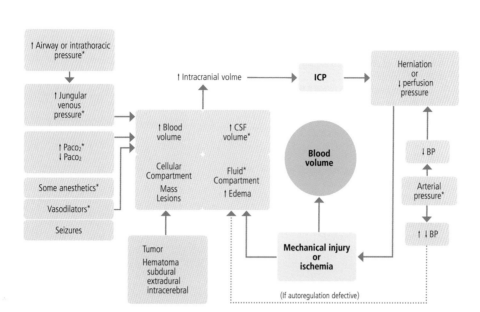

그림 6-3
머릿속압력 상승의 병태 생리

다양한 요인들이 두개내 요소에 영향을 줄 수 있다. 4가지 두개내 요소들의 증가는 즉 혈액량 증가, 뇌척수액(CSF) 증가, 종괴, 부종은 머릿속압력 상승을 일으켜 궁극적으로 뇌손상을 일으킬 수 있다. 또한 혈압(BP) 감소로 인한 뇌관류압의 감소도 뇌손상을 초래할 수 있다. * 표시는 마취과의사들이 통제할 수 있는 변수를 나타내고 있다.

한 압력의 경추부 고정기(cervical collar), 기침, 긴장성 기흉, 기관튜브의 부분적 폐쇄)을 피해야 한다. 또한 두개내 동맥혈 혈액량 증가 예방을 위해 저산소혈증, 과이산화탄소혈증, 체온 증가를 피하고 적절한 혈압과 혈액 점도를 유지시키는 것이 중요하다.

2. 마취제의 선택

1) 정맥마취제
Ketamine을 제외한 대부분의 정맥마취제들은 뇌대사율(cerebral metabolic rate) 감소에 따른 뇌혈류(cerebral blood flow)의 감소를 초래한다. 또한 뇌혈관자동조절(cerebral autoregulation) 과 이산화탄소 반응성도 대체적으로 유지된다.

2) 흡입마취제
반대로 대부분의 흡입마취제들은 용량의존적으로 대뇌혈관 확장을 일으켜 뇌혈류의 증가를 초래할 수 있다. 가장 많이 혈관 확장을 일으키는 흡입마취제는 halothane이며 enflurane, desflurane, isoflurane, sevoflurane의 순으로 혈관 확장을 일으키나 뒤의 세 흡입마취제 들의 뇌혈류 증가에 대한 차이는 임상적으로 큰 의미를 가지고 있지 않다. 흡입마취제의 실

표 6-1	머릿속압력 상승 시 점검 목록

1. Are the relevant pressures controlled?
   a. Jugular venous pressure
      i. Extreme head rotation or neck flexion?
      ii. Direct jugular compression?
      iii. Head-up posture?
   b. Airway pressure
      i. Airway obstruction?
      ii. Bronchospasm?
      iii. Straining, coughing; adequately relaxed?
      iv. Pneumothorax?
      v. Excessive PEEP or APR ventilation?
   c. Partial pressure of CO_2 and O_2 ($PaCO_2$, PaO_2)
   d. Arterial pressure
2. Is the metabolic rate controlled?
   a. Pain/arousal?
   b. Seizures?
   c. Febrile?
3. Are any potential vasodilators in use?
   a. N_2O, volatile agents, nitroprusside, calcium channel blockers?
4. Are there any unrecognized mass lesions?
   a. Hematoma
   b. Air $\pm$ N_2O
   c. CSF (clamped ventricular drain)

APR, Airway pressure release; CSF, cerebrospinal fluid; PEEP, positive end · expiratory pressure.

표 6-2	머릿속압력 상승 시 감압을 위해 사용되는 방법

- Further reduction of $PaCO_2$ (to not $< 23-25$ mmHg)
- CSF drainage (ventriculostomy, brain needle)
- Diuresis (usually mannitol)
- CMR suppression (barbiturates, propofol)
- MAP reduction (if dysautoregulation)
- Surgical control (i.e., lobectomy or removal of bone flap)

제 뇌혈류에 대한 영향은 흡입마취제의 사용 농도, 이전 뇌대사율 감소 정도, 혈압과 이산화탄소 분압의 변화 정도와 같은 다양한 요인들에 의해 영향을 받을 수 있다.

3) 아산화질소

아산화질소는 대뇌혈관 확장제이며 마취제로 단독으로 사용 시 혈관확장의 효과는 가장 크고 흡입마취제와 병합 사용 시 중간 정도의 혈관확장을 보인다. 정맥마취제나 아편유사제와 병합사용 시 혈관확장의 효과는 가장 적다. 일반적으로 아산화질소 또는 흡입마취제가 1 최소폐포농도(minimal alveolar concentration) 이하로 사용되고 아편유사제와 병합사용 시 대부분의 정규 및 응급 신경외과수술에서 사용될 수 있다. 그러나 머릿속압력의 증가가 뚜렷하

고 머릿속압력 상승의 보상기전이 소진된 상태에서는 아산화질소 또는 흡입마취제의 사용
은 피하는 것이 바람직하고 정맥마취제의 사용이 권장된다.

4) 신경근차단제

Mivacurium, atracurium과 같은 히스타민 분비를 일으키는 신경근차단제는 대뇌혈관 확
장을 일으킬 수 있어 소량으로 분할해서 사용되어야 한다. Succinylcholine은 머릿속압력
증가를 초래할 수 있으나 그 상승 정도가 작고 일시적이며 다른 비탈분극성 근이완제의 전
처치 사용 시 머릿속압력 증가를 막을 수 있다. Succinylcholine은 적절한 기도 관리 및 기
관내삽관으로 인한 과도한 혈압 상승 방지와 함께 빠른연속기관삽관(rapid sequence intuba-
tion)을 위해 사용될 수 있다.

5) 부풀어오른 뇌(Tight brain)가 보일 시 점검표

머릿속압력의 급격한 증가 또는 수술 환경의 급격한 악화 시 경정맥압(jugular venous pres-
sure), 기도압, 뇌대사율, 혈관확장제의 사용과 같은 체계적인 점검이 우선적으로 필요하다
(표 6-1).

이와 같은 노력에도 머릿속압력의 증가가 해결되지 않을 시 일시적인 이산화탄소분압 저
하, 뇌척수액 배액, 이뇨제의 사용, 뇌대사율 감소, 감압 수술 등 다양한 방법들이 사용될 수
있다(표 6-2).

3. 동맥혈이산화탄소분압 관리

저탄산혈증의 유도는 대뇌 혈류량과 혈관용적의 감소를 통해 머릿속압력 감소를 초래할 수
있다는 장점이 있으나, 그 효과가 지속적이지 않고 또한 저탄산혈증에 의한 뇌혈관수축은
두개내 국소영역의 허혈을 유발할 수 있는 단점이 있어 신경외과수술 시 이익과 손실을 고
려하여 신중히 사용하여야 한다.

1) 저탄산혈증 유도성 대뇌 허혈

정상 뇌를 가진 사람에서는 이산화탄소분압 20 mmHg까지의 저탄산혈증에서도 대뇌허혈은
발생하지 않는다. 그러나 그 이하의 저탄산혈증에서는 허혈을 시사하는 증상 및 증후를 일
으킬 수도 있다는 보고가 있기에 정상 뇌를 가진 사람에서는 머릿속압력 개선을 위해 이산
화탄소분압을 22-25 mmHg 정도로 낮추어 사용할 수 있다.

뇌 손상을 받은 환자에서 특히 손상 후 24시간 이내에서는 기초 뇌혈류량의 감소가 흔하
게 관찰되며 이 시기에 과도한 환기로 인한 저탄산혈증은 대뇌 허혈을 유발할 수 있다. 뇌

손상을 받은 환자에서 급격한 과환기로 인한 감소된 뇌혈류량을 가진 뇌 영역의 빈도 증가가 관찰되었고 과환기의 감소는 경정맥 산소포화도(jugular venous saturation)의 증가와 젖산 감소를 초래하였다. 일반적으로 과환기는 수술환경의 개선과 증가된 머릿속압력 조절을 위해 사용되므로 이런 문제들이 해결된 후에는 과환기는 잠재적인 위험성을 피하기 위해 더 이상의 사용이 추천되지 않는다. 특히 뇌혈류량의 감소가 명확한 것으로 알려진 거미막밑출혈 환자에서는 과환기가 사용되고 있지 않다. 뇌수술 시 수술적 접근을 용이하게 하는 견인기를 쓰는 경우 견인기 밑의 뇌 조직의 뇌혈류량의 감소가 관찰되므로 수술적 접근이 매우 곤란한 경우 과환기는 구조치료(rescue therapy)로서 사용할 수 있지만 가급적 짧게 사용해야 한다.

2) 저탄산혈증 유도성 대뇌혈류량 감소의 기간

저탄산혈증의 대뇌혈류량 감소의 기간은 지속적이지 못하다. 일반적으로 과환기 시작 후 뇌척수액과 뇌의 세포외액에서 pH가 증가하고 뇌혈류는 감소한다. 그러나 저탄산혈증 후 8-12시간에 탄산탈수효소(carbonic anhydrase)의 기능 변화로 인해 뇌척수액과 뇌의 세포외액의 중탄산염 농도는 감소하여 pH는 정상화되며 뇌혈류도 정상으로 돌아온다. 저탄산혈증이 수술동안 뇌 이완을 위해 보조로 사용되었다면 견인기가 제거된 상황에서는 이산화탄소 분압은 증가하여야 한다.

4. 부신겉질호르몬(corticosteroids, Steroid)

신경외과수술 시 부종의 감소를 위해 스테로이드를 사용할 수 있다. 뇌종양수술에서 부종의 감소 효과와 뇌혈관장벽 투과성 증가의 감소에 대한 스테로이드의 효율성은 이미 입증되어 있다. 그러나 이 효과가 아무리 빠르다 하여도 급성 술중 뇌부종의 치료 전략으로서 사용하기에는 다소 늦은 감이 있다. 따라서 일반적으로 정규수술 48시간 전에 스테로이드 사용이 추천된다. 뇌외상환자에서는 스테로이드의 사용이 이득이 없거나 또는 해로운 효과를 보인다는 연구들이 있어 뇌외상 환자에서는 스테로이드의 사용이 금지된다.

5. 삼투요법 및 이뇨제

1) 삼투요법

(1) Mannitol

Mannitol은 혈장 내 삼투압을 올려 뇌-혈관 장벽으로부터 삼투압 농도 차이를 만들며, 이

차이가 뇌내 수분을 혈장으로 이동시켜 머릿속압력을 떨어뜨린다. 이동되는 수분의 양은 삼투압의 농도경사 크기, 삼투압 농도경사가 유지되는 시간 그리고 정상적인 뇌-혈관 장벽의 유무에 따라 달라진다. 뇌-혈관 장벽이 심하게 손상된 경우에는 수분 이동 효과가 제한적이며 손상된 부위를 통해 mannitol이 뇌실질로 흡수되어 반동성 뇌부종을 일으킬 수 있으므로 사용에 주의를 요한다. 사용 용량은 0.25-2 g/kg로 다양하며 가장 흔하게 사용되는 용량은 1g/kg이다. 고삼투압에 급격히 노출되는 경우 일시적으로 저혈압이 발생되거나, 뇌혈류량의 급격한 증가로 뇌충혈이 일어나며 이로 인해 두개내압이 상승될 수 있으므로 10-15분에 걸쳐 투여하여야 한다. Mannitol은 혈액의 점성도와 적혈구세포의 경축(rigidity)을 감소시켜 뇌 미세순환의 관류를 향상시킨다. 작용은 5-10분에 시작되며 30분 전후로 최대 효과를 보이고 2-4시간 지속된다. 과도한 사용으로 이뇨, 저혈량증, 신부전 등의 부작용을 피하기 위해 혈장 삼투압이 320 mOsm/L를 넘지 않도록 감시하여야 한다.

(2) 고장성 식염수

고장성 식염수는 비교적 적은 양으로 빠른 소생이 가능하고 심박출량의 개선 및 말초혈관 저항을 적절히 감소시키므로 출혈성 저혈량증 환자의 소생술의 초기에 효과적인 것으로 알려져 있다. 또한 뇌 간질내 혹은 세포내의 수분을 삼투압에 의해 혈장으로 이동시킴으로써 뇌부종과 머릿속압력을 낮추며 뇌척수액 생성 자체를 억제하는 효과를 가진다. 같은 몰의 삼투압농도에서 고장성 식염수와 mannitol은 비슷하게 뇌수축을 일으키고 머릿속압력을 떨어뜨리는 반면, mannitol과는 다르게 고장성 식염수는 과도한 이뇨나 음성 수액 평형이 일어나지 않기 때문에 혈역학적으로 불안정하거나 저혈량증 혹은 심장 질환을 가진 환자에게 좀 더 유리하다. 이런 이유로 뇌신경 중환자 관리에서 고장성 식염수가 mannitol을 대체하는 경우가 증가하고 있다. 3%의 고장성 식염수 5 ㎖/kg는 20% mannitol 1 g/kg와 유사한 삼투압효과를 나타낸다. 고장성 식염수가 머릿속압력을 경감시키는 초기효과는 mannitol과 유사하며 특히 mannitol에 대한 내성이 있거나 반복적인 투여로 인한 부작용이 있는 중환자의 경우 임상적인 장점이 있다는 보고도 있다. 하지만, 이런 낙관적인 견해에도 불구하고 연구 데이터는 아직 제한적이며 고장성 식염수의 농도가 다양하기(3, 7.5, 15, 23.4%) 때문에 여러 가지 연구를 통해 일관된 권고 사항을 제시하기 어려운 문제가 있다. 그리고 초기와는 달리 좀 더 장기간(24-48시간)의 효과에 대한 결과는 아직 밝혀지지 않았다. 또한 고장성 식염수(3, 7.5%)의 경우 외상성 두부 손상으로 뇌부종이 심한 경우 도움이 될 수 있지만 다량 투여 시 치명적인 고나트륨혈증을 유발할 수 있으므로 15-20분에 걸쳐 천천히 투여하여야 하며 매 4-6시간마다 혈중 나트륨 수치를 측정하여 감시하는 것을 권고하고 있다. 오랫동안 저나트륨혈증을 앓는 환자에게 투여하면 중심성교뇌말이집탈락(central pontine my-elinolysis)을 일으키므로 사용해서는 안된다.

2) 이뇨제

Furosemide가 머릿속압력을 떨어뜨리는 정확한 기전은 알려져 있지 않으나 단순한 이뇨작용에 의한 것은 아니며 뇌척수액 생성을 감소시키고 뇌-혈관 장벽의 수분과 이온의 투과성을 변화시키는 원리로 추측된다. Mannitol의 경우 일시적인 혈량의 증가로 왼심실 기능이 저하된 환자에서는 심부전을 일으킬 수 있다. 따라서 심실기능이 저하된 환자에게는 furosemide가 유리할 수 있다. 하지만, furosemide은 mannitol에 비해 머릿속압력 감소 효과가 작고 발현 시간이 느리며, 단독 사용 시 1 mg/kg 이상의 많은 용량을 사용해야 머릿속압력을 감소시킬 수 있다. Furosemide를 mannitol과 병용 투여한 경우 furosemide의 투여량을 줄일 수 있고 머릿속압력이 감소되는 정도와 시간을 증대시킬 수 있다. 반면, 병용 투여 시, 소변을 통해 전해질과 수분이 과량(2-3 L 이상/2시간)으로 배출되어 전해질이상과 고삼투압 상태를 일으킬 수 있으므로 주의를 요한다. 뇌용적을 감소 시키는데 가장 효과적인 병용 요법은 저용량의 furosemide (5-20 mg)와 mannitol (0.25-1 g/kg)이며 오랫동안 이뇨제를 사용해 왔던 환자라면 용량을 늘릴 필요가 있다. Mannitol을 투여할 때 혈액량과 머릿속압력의 증가를 보이는 경우 mannitol 투여 전에 furosemide를 투여하면 그 현상을 줄일 수 있다.

6. 항경련제

외상성 뇌손상이나 급성 뇌신경 병변이 있는 경우와 같이 대뇌겉질에 급성 자극이 가해지면 발작을 일으킬 수 있다. 또한 뇌 수술 중 겉질 절개 혹은 지나친 견인 등은 비슷한 잠재적인 발작의 원인이 될 수 있다. 이러한 환자들에게 예방적으로 일시적인 항경련제를 관례적으로 투여하는 것은 특별한 금기증이 없다면 적절하다고 받아들여져 왔다. 손상 7일 이내에 발생하는 외상 후 조기 발작의 빈도를 줄이기 위해 항경련제를 사용할 수는 있으나, 예후에는 별다른 영향을 주지 못하며 외상 후 지연 발작에는 예방적 사용이 권유되지 않는다. 2000년에 발표된 consensus statement from the Quality standards Subcommittee of the American Academy of Neurology에 따르면 대뇌 종양 수술 후 phenytoin, levetiracetam과 같은 항경련제의 예방적 사용은 발작 예방 효과가 불분명하고 여러 부작용이 있어, 아직 논란 중이다. 이 권고에 의하면 뇌종양 수술 후 관례적으로 사용하던 예방적 항경련제의 사용을 자제를 하며 사용하더라도 환자가 전혀 발작을 보이지 않았다면 수술 후 첫 주에 끊도록 권유하였다. 2018년에 코크란에 보고된 체계적 고찰에서도 개두술 후 예방적 항경련제의 투여가 수술 후 조기 혹은 지연된 발작 발생의 예방 효과를 결론 짓지 못했다. 다만, 수술 전에 이미 항경련제 치료를 받고 있는 경우는 주술기 동안 약제가 중단되지 않도록 유지시켜 주어야 돌발발작(breakthrough seizure)을 피할 수 있다.

7. 체위

신경외과 수술 시 사용되는 체위는 수술에 따라 다양하며 체위에 따른 영향과 문제점을 숙지하고 있어야 한다. 특히 뇌신경 수술의 경우 수술 시간이 길기 때문에 압박받는 부분에 대한 적절한 보호가 어떠한 체위라도 필요하며 자세로 인한 신경손상을 예방해야 한다.

1) 앉은 자세

앉은 자세는 주로 후두개와 개두술 시 이용된다. 머리 위치가 우심방보다 높으므로 경막동(dural sinus)의 압력이 낮아져 정맥 출혈이 줄어 들어 수술 시야가 좋고 뇌척수액의 배출이 용이한 반면 정맥 공기 색전증의 위험성이 증가한다. 심장 높이에서 머리 위치가 1.25 ㎝씩 높아질 때마다 국소 동맥혈압은 약 1 mmHg씩 낮아지며, 90도의 앉은 자세는 대략 경막동 압력은 10 mmHg 정도 낮아진다. 바로 누운 자세에서 앉은 자세로 변화를 시킬 때 머리의 위치가 높아지면 심장의 전부하와 심박출량이 감소하고 저혈압으로 뇌관류에 영향을 줄 수 있다. 또한 뇌혈관의 정맥압이 대기압보다 낮아질 수 있어 공기가 혈관 내로 빨려 들어갈 수 있으므로 색전증과 머리공기증이 발생 할 수 있다. 때문에 앉은 자세에서 수술 시 아산화질소를 사용하게 되면 공기 색전증이 있는 경우 그 크기를 증가시킬 수 있기 때문에 사용에 논란이 많다.

앉은 자세는 엎드린 자세에 비해 안면 부종이 적고 기도압이 상대적으로 낮고 횡격막의 운동이 용이하며, 마취과의사가 기도 및 가슴, 사지에 접근이 쉬워 관련된 처치를 하는데 수월하다. 반면에, 위에서 기술한 바와 같이 앉은 자세는 혈역학적으로 변동이 심할 수 있고 공기 색전증의 위험에 노출되기 때문에, 후두개와 수술 시 가능하다면 옆누운 자세와 같은 대체 체위를 시행하는 것을 권고하기도 한다. 또한, 앉은 자세에서 과도하게 무릎을 흉부 쪽으로 굽히게 되면 복부가 압박되고 하지 허혈 및 좌골 신경 손상을 일으킬 수 있다. 환자의 경추를 과도하게 앞으로 굽히는 경우 정맥 환류의 장애로 상기도 부종 혹은 허혈이 생길 수 있고 경추 협착증 등 경추 신경 관련 질환이 있는 환자는 척수의 압박으로 수술 후 신경학적 이상이 생길 수 있다. 따라서 환자의 아래 턱과 쇄골 사이의 간격이 손가락 2개 정도(4 ㎝)가 들어갈 수 있도록 여유를 두어야 하며 머리 위치가 바뀔 때마다 기관내튜브 등의 위치도 변할 수 있으므로 확인하여야 한다. 앉은 자세로 수술받는 환자에서의 혈압은 심장 높이가 아닌 외이도의 높이에 혈압 측정 변환기를 배치해야 혈압이 정확한 뇌관류 상태를 반영할 수 있으며 수동 혈압 커프가 사용되는 경우 팔과 수술 부위 사이의 수압 차이를 고려한 보정이 적용되어야 한다.

2) 엎드린 자세

척추 수술 및 후두엽, 두개골 유착증, 후두개와 수술 시에 사용되며 Concord 자세라고 불린다. 환자의 머리는 대개 심장 높이보다 위로 올라와 있기 때문에 정맥 공기 색전증의 위험성을 완전히 배제할 수는 없다. 엎드린 자세에서 양팔을 펼쳐야 할 때는 팔을 90도 이상 외전시키지 않으며 팔꿈치를 90도 이상으로 곧게 펴지 않게 조정하는 90-90 체위를 지키는 것이 중요하다. 가슴, 골반, 복부 쪽도 눌리지 않도록 보호구를 대어 주어야 한다. 복압이 증가하면 환기가 방해되고, 하대정맥이 눌려 정맥환류가 저하되면 경막외총으로 혈류가 몰리게 되어 수술 시야에서 출혈이 증가된다. 또한 안구에 대한 압박으로 인한 망막 허혈과 실명이 초래 될 수 있어 눈 주위로 압박이 되지 않도록 머리를 고정하고 안구 상태를 자주 점검해야 한다. 수술후 시야결손(postoperative vision loss, POVL)의 모든 경우에 안구 압박이 선행되는 것은 아니며 저혈압, 빈혈, 수액의 과다 투여와 연관되어 있을 것으로 생각되는 주술기 허혈성 안신경증(perioperative ischemic optic neuropathy, POION) 역시 POVL을 일으킬 수 있다. 혀의 손상에도 유의해야 하는데 경추 혹은 후두개와 수술 시 수술 시야 확보를 위해 종종 목을 지나치게 굽히게 되면 입인두의 전후 거리가 좁아져 혀의 기저부가 압박성 허혈을 일으킬 수 있다. 이는 종종 거대설로 진행되며 기도 주위 조직의 부종을 일으킬 수 있어 수술 후 기도관리에 문제가 될 수도 있다. 엎드린 자세에서는 구강 기도 유지기를 반드시 설치해야 하는데 혀의 부종으로 거대설이 튀어나와 치아 사이에 혀가 끼는 경우 허혈성 변화를 일으킬 수 있고 기관내 튜브의 우발적인 발관을 유발할 수 있기 때문이다.

3) 옆누운자세/반옆누운자세

옆누운자세는 편측 상 후두개와 수술 후두엽 후부 두정엽의 개두술 시 사용되는 체위로 자세에 따라 압박받는 부위에 대한 보호가 필요하다. 아래쪽으로 향하게 되는 팔의 상완신경총, 아래 쪽 다리에 대한 외측슬와 신경의 압박이 발생할 수 있다.

반측와위는 Jannetta 체위라고도 하며 후유양돌기로 접근하여 제5번 뇌신경의 미세혈관 감압술 시 사용되는 체위로 측와위에서 수술대를 10-20도 기울인다. 이외에, 3/4 엎드린자세, park-bench 자세에서는 수술 시야 활보를 위해 머리를 더 돌리게 되므로 과도한 굽힘이 되지 않도록 유의해야 한다.

8. 공기머리증(pneumocephalus)

공기머리증은 두개내수술 시 앉은 자세에서 100%, park-bench 자세에서 72%, 엎드린 자세에서 57%가 보고될 정도로 흔히 발생하지만, 양이 적고 환자에게 특별한 증상을 유발하지 않으며 시간이 지나면 흡수되므로 대부분의 경우 큰 문제가 되지 않는다. 그러나 긴장성 공기머리증이 발생하는 경우 수술 후 극심한 두통, 각성 지연, 의식 회복 저하와 폐쇄된 공간 내의 공기가 종괴효과를 일으켜 신경학적 이상이 나타날 수 있다. 공기머리증은 모든 수술

자세에서 발생 할 수 있지만 특히 머리를 높게 하여 후두개와 개두술을 시행할 때 많이 발생한다. 전신 마취 시 사용되는 아산화질소는 밀폐된 공간의 용적을 증가시키는 성질 때문에 실제로는 드물지만 긴장성 공기머리증을 발생, 악화시킬 수 있다. 따라서, 경막을 닫기 전에 아산화질소의 투여를 중단하도록 권고하지만 일부 연구에서는, 사용을 중단한다고 해서 공기머리증을 예방하는데 큰 효과는 없다고 보고하였다. 한편, 경막을 닫기 전까지는 뇌내 공기가 특정 장소에 가둬지지 않으므로 아산화질소의 사용이 문제를 일으키지 않으나, 후두개와 개두술 시 부풀어오른 뇌를 증가시킬 수 있으므로 주의해서 사용하여야 한다. 긴장성 공기머리증은 아산화질소를 전혀 사용하지 않는 뇌수술에도 나타날 수 있는데 수술 중 저탄소증, 정맥 배출, 삼투성 이뇨 및 수술 중 뇌척수액의 손실 등의 조합으로 인해 두개내 내용물의 용적이 감소 되었을 때 뇌 안으로 공기가 들어갈 수 있다. 공기머리증은 체성감각 유발전위를 감시하고 있다면 수술 중에도 진단이 가능하며 수술 후에는 뇌CT로 진단할 수 있다. 100% 산소를 투여하면서 지지 요법으로 치료하고 심한 경우에 바늘로 경막을 천공하여 감압해주기도 한다. 개두술 후 7일까지도 뇌내 공기가 잔류할 수 있으므로 전신마취를 반복적으로 받는 경우 이 점을 염두해 두어야 한다. 또한 남아 있는 경막 결손이 있거나 부비동과 두개내 연결이 형성된 환자에서는 이전에 없던 공기머리증이 수술 후에 새롭게 발생할 수 있다.

9. 정맥공기색전증(Venous Air Embolism)

뇌신경마취 영역에서 정맥공기색전증의 발생 빈도는 수술의 종류, 수술 중 자세, 그리고 사용된 감시 장비에 따라 매우 다양하다. 정맥공기색전증은 주로 좌위(sitting position)로 수술하는 후두개와수술과 상부경추수술에서 위험이 크지만 천막상부수술에서도 발생할 수 있다. 특히, 시상굴(sagittal sinus) 뒤쪽에 걸쳐 있는 시상굴주변 수막종(parasagittal meningioma)과 대뇌낫수막종(falx meningioma)에서 발생 빈도가 높다. 치명적인 정맥공기색전증은 주요 뇌정맥굴(특히, 횡정맥굴(transverse sinus), 구불정맥굴(sigmoid sinus), 시상굴 뒤쪽)이 열린 경우 발생할 수 있는데, 이는 이 정맥굴들이 경막과 붙어 있어 허탈(collapse)되지 않기 때문이다.

정맥공기색전증을 진단하기 위한 감시장비는 높은 민감도(sensitivity)와 특이도(specificity), 신속한 반응, 정량적 측정이 가능해야 되고, 정맥공기색전증으로부터의 회복 과정이 잘 나타나야 한다(표 9-2 참고). 현재까지는 전흉부도플러(precordial Doppler)와 호기말이산화탄소 농도를 함께 감시하는 방법이 표준 감시법으로 되어 있다. 경식도심초음파검사(transesophageal echocardiography)는 정맥공기색전증의 진단에 있어 전흉부도플러보다 더 민감하고 공기의 우좌 단락(right-to-left shunt)을 확인할 수 있는 장점이 있지만, 장시간의 사용(특히, 목을 많이 구부린 자세) 시 안정성에 대해서는 정립되어 있지는 않다.

신경외과수술을 받는 환자에서 정맥공기색전증 치료를 위한 중심정맥카테터의 거치에 대해서는 논란이 있지만, 좌위로 후두개와수술을 받는 환자에서는 필수적으로 중심정맥카테터를 삽입하는 것이 좋다. 이는 치명적인 정맥공기색전증이 상대적으로 드물지라도 공기로 차 있는 심장에서 즉시 공기를 제거하는 것이 간혹 심폐소생술에서 필수적이기 때문이다. 좌위로 시행하지 않는 수술에 대해서는 집도의와 예정된 수술 방법, 환자의 전신 상태에 따른 정맥공기색전증의 위험을 상의하여 중심정맥카테터 거치 여부를 결정해야 한다. 카테터의 위치는 다구멍(multi-orifice)카테터인 경우에는 상대정맥과 심방의 접합부에서 2 ㎝ 하방, 단일구멍 카테터는 이 접합부 3 ㎝ 상방에 카테터 끝 부분이 정확하게 위치하는 것이 좋다는 연구 결과가 있지만, 대량의 공기가 심장에 들어간 경우에는 카테터 끝이 우심방에 위치하는 것만으로도 충분하다.

우심방에 들어온 공기가 심방중격의 열린타원구멍(patent foramen ovale, PFO)을 통해 좌심방으로 이동하여 발생하는 기이공기색전증(paradoxical air embolism)은 임상적으로 중요한 관심사인데, 정상 성인의 약 25%에서 PFO가 존재하는 것으로 알려져 있으며 이것이 심장이나 뇌 관련 주요 합병증의 위험을 증가시킬 수 있기 때문이다. 그러나, 실제로 기이공기색전증에 의해 이러한 합병증이 증가했다는 명확한 증거는 없다. PFO를 개방하기 위해 필요한 최소 압력은 명확히 알려져 있지는 않지만 여러 임상 관찰연구에서 대량의 공기색전증이 생긴 경우에만 기이공기색전증이 발생한 것으로 보아 우심방 압력의 급격한 상승이 주요 유발인자라는 점을 시사한다. 또한, 이전의 연구에서 호기말양압(positive end-expiratory pressure, PEEP)의 사용은 우심방 압력과 폐동맥쐐기압의 압력차를 증가시키고, 충분한 수액을 공급하면 이를 감소시키는 것으로 알려져 있으므로 공기색전증의 위험이 있는 환자에서 PEEP의 사용은 더 이상 권장되지 않는다. 심지어 평균좌심방압이 평균우심방압보다 높은 경우에도 심장박동주기에 따라 일시적으로 압력차가 역전되어 기이공기색전증이 발생할 수 있음을 염두에 두어야 한다.

일단 정맥공기색전증이 발생하게 되면 다음처럼 즉각적으로 대처한다. 즉, 집도의에게 알려 수술 시야에 물을 뿌리거나 막도록 하고, 경정맥을 압박하고, 환자의 머리를 낮춰 추가적인 공기 유입을 막아야 한다. 이미 혈관내로 들어온 공기에 대한 처치로, 아산화질소를 사용했던 경우에는 즉시 투여를 중단하고, 100% 산소를 투여하면서 필요한 경우 승압제나 심근수축제를 투여한다. 중심정맥카테터가 거치되었다면 이를 통해 공기를 흡인한다. 심한 경우에는 흉부압박이 필요할 수 있다.

10. 감시장비(Monitoring)

뇌신경마취에는 침습적인 감시장비가 종종 필요하다. 동맥카테터를 통한 직접적 혈압 감시가 필요한 경우는 표 6-3에 정리하였다. 예를 들어 두개강내압력이 상승된 환자들은 얕은 마취로 인해 유발될 수 있는 갑작스런 혈압 상승에 매우 취약하다. 또한, 수술 후 뇌간압박이 해결되면서 갑작스런 저혈압에 빠질 수 있다. 그러므로, 실시간으로 혈압을 관찰하는 것은 마취깊이와 더불어 신경학적 손상을 초기에 알려주는 중요한 감시장비이다. 대부분의 뇌조직은 감각(특히 통증)을 느끼지 못하므로, 뇌수술 동안 두개내 조작 시 순환계의 안정을 위해 상대적으로 얕은 마취를 하게 된다. 그러므로 수술 중(특히 뇌신경을 견인하거나 자극이 가해지는 경우) 환자가 갑자기 움직이거나 깨어날 가능성에 대해 지속적으로 주의를 기울여야 한다. 이는 특히 수술 중 신경학적 검사(운동유발전위, 근전도 등)을 위해 신경근차단제를 사용하지 않는 경우에 더욱 중요하다. 이 때 혈압 변화는 환자가 곧 깰 수 있다는 것을 알려주는 것일 수도 있고 집도의에게 뇌조직에 대한 과도한 자극, 견인 등을 알려주는 경고가 될 수도

표 6-3　동맥카테터를 통한 혈압감시의 상대적 적응증

두개강내압력이 상승된 환자
신경조직의 허혈이 예상되는 경우
　　최근의 지주막하출혈
　　최근의 두부손상
　　최근의 척수손상
　　일시적인 혈관결찰
순환계가 불안정한 경우
　　외상
　　척수손상
　　좌위(sitting position)
　　Barbiturate coma
유도저혈압이 필요한 경우
유도고혈압이 필요한 경우
대량출혈이 예상되는 경우
　　동맥류결찰
　　동정맥기형
　　혈관성종양
　　주요 정맥동(sinus)을 침범하거나 근처에 있는 종양
　　두개안면재건술
　　광범위한 두개골조기융합증(craniosynostosis) 수술
신경근차단제를 사용하지 않는 얕은 마취가 예정된 경우
뇌간(brain stem) 조작, 압박, 박리가 필요한 경우
뇌신경조작(특히 제5 뇌신경)이 예상되는 경우
수술 후 중환자실 관리가 필요한 경우
　　과혈량요법(hypervolemic therapy)
　　두부손상
　　요붕증(diabetes insipidus)
심장질환이 동반된 경우

있다. 이런 반응은 주로 뇌간이나 뇌신경을 포함하는 후두개와수술 중에 주로 나타나며, 나타나는 즉시 집도의에게 알려야 한다.

11. 수액요법(Fluid Management)

뇌신경마취의 수액요법에서 기본적인 원칙은 정상혈액량(normovolemia)을 유지하여 정상혈압을 유지하고 혈청 오스몰농도(osmolarity)의 감소를 막아 정상 및 손상된 뇌조직의 부종을 피하는 것이다. 일반적으로는, 수술 중 손실되는 자유수보다 많은 양의 자유수를 공급하는 경우 혈청 오스몰농도가 감소한다. 고혈당은 신경 손상을 악화시킬 수 있으므로 포도당을 함유하는 수액은 피하는 것이 좋다. 수술 중 흔히 사용되는 생리식염수는 과량을 투여하게 되면 과염소성 대사성산증(hyperchloremic metabolic acidosis)을 유발할 수 있으며, lactate Ringer 용액은 저삼투성 수액으로 과량 투여 시 혈청 오스몰농도 감소로 인한 뇌부종을 유발할 수 있음을 유의해야 한다.

정질액(crystalloid solution)과 교질액(colloid solution)의 비교는 뇌신경마취 영역에서 반복되는 논점 중 하나이다. 교질삼투압(colloid oncotic pressure) 감소에 의해 유발되는 모세혈관에서의 세포막간 압력 차이는 혈청 오스몰농도 차이에 의해 발생하는 압력차에 비해 매우 미미하지만 혈액-뇌 장벽의 손상이 있는 경우에는 뇌부종이 더 심해질 수 있다. 수액요법을 통해 혈청 오스몰농도를 정상으로 유지하고 교질삼투압이 감소되지 않도록 해야 하지만, 많은 양의 수액 공급이 필요치 않은 대부분의 신경외과 수술에서는 일상적인 교질액 투여가 요구되지는 않는다.

교질액으로는 알부민과 전분을 포함한 용액(starch-containing solution)이 주로 사용된다. 알부민은 그 동안 경험적 근거에 의해 많이 사용되어 왔으나, 외상성 뇌손상 환자를 대상으로 한 대규모 연구인 SAFE (Saline versus Albumin Fluid Evaluation) 연구에서 알부민 투여가 생리식염수에 비해 사망률을 높인다고 보고하였다. 그러나, 이 연구의 무작위배정에 문제가 있고, 알부민 자체보다는 이 연구에 사용된 4% 알부민 용액의 낮은 오스몰농도(274 mOsm/L)가 뇌부종을 악화시킨 원인이므로 이 연구의 결과를 전적으로 신뢰하기는 어렵다는 주장도 있다. 전분을 포함한 용액은 혈액응고인자를 희석시키고 직접적으로 혈소판과 제8 응고인자복합체(factor VIII complex)의 기능에 영향을 미치므로 다량 투여 시 주의해야 한다.

다발성외상환자(특히 외상성 뇌손상)의 소생술에 고장성 식염수 사용은 머릿속압력을 낮추고 저혈량증을 효과적으로 교정할 수 있다는 이론적인 장점이 있지만 아직까지는 예후를 향상시킴에 있어 과학적으로 입증할 만한 연구는 부족하다.

12. 혈당관리(Glucose Management)

일반적으로 고혈당은 뇌허혈 상태에서 증상을 더욱 악화시키는 것으로 알려져 있지만 뇌수술을 받는 모든 환자에서 혈당을 엄격히 조절해야 한다는 의미는 아니다. 예를 들어 급성 뇌손상을 받은 환자에서 심한 고혈당은 감염의 위험을 높이기 때문에 반드시 치료되어야 하지만, 실제로는 엄격한 혈당 조절이 급성 뇌손상 환자의 사망률과 신경학적 예후에 큰 영향을 주지 못하였다는 연구 결과가 있다. 오히려 엄격한 혈당 조절이 저혈당의 위험을 증가시키고, 뇌의 대사 상태(metabolic state)를 더욱 악화시켜 뇌손상 환자에게 부정적인 영향을 미칠 수 있다.

신경외과 수술을 받는 환자에서 아직까지 적절한 혈당 범위에 대한 일치된 의견은 없지만, 심한 고혈당은 피하고, 과도한 혈당 조절로 인한 저혈당이 발생하지 않도록 해야 한다. 뇌손상 환자에서는 혈당을 180 mg/dℓ 이하로 유지하도록 권고되지만 혈당이 100 mg/dℓ 이하로는 떨어지지 않도록 주의를 기울여야 한다. 저혈당의 위험성을 피하기 위해서 인슐린 투여 때의 목표혈당 범위는 140-180 mg/dℓ로 하는 것이 적절해 보이며 혈당 조절은 환자가 저혈당에 빠지지 않도록 적절한 예방책이 있는 상황에서만 행해져야 한다.

13. 저체온

임상 뇌신경 분야에서 치료적 저체온은 일관된 성과를 내지 못했다. 유도 저체온이 정상체온에 대해서 가지는 치료(예방) 효과, 저체온의 목표온도 및 지속시간 등에 따라 상이한 결과들이 보고되어 있다.

저체온 그 자체는 분명 뇌대사율과 머릿속압력을 줄이고 뇌허혈에 대한 보호 효과를 나타낸다. 미국심장학회의 성인의 심정지 후 소생 지침에서도 치료적 저체온의 중요성을 강조한다. 이와 반면, 비록 외상성뇌손상에 국한된 지침으로서, 저체온의 성과를 비교적 잘 집대성했던 Trauma Foundation의 2016년 지침에서는, 수준 I, IIA의 권고안을 비운 채, 미만성 뇌손상 환자의 외상 후 조기에(2시간 반 이내), 단기간(외상 후 48시간)의 예방적 저체온요법은 권고하지 않는다는 IIB 권고만으로 제한하면서 2008년과 다른 태도를 보이고 있다. 권고안은 논리명제가 아니기 때문에 파생명제를 만들어낼 수 없다("외상 후 조기를 넘기거나 장기간 적용하는" 예방적 저체온요법의 효과에 대해서는 말할 수 없다).

위의 지침과 무관하게 나타나는 사실은 저체온이 초래하는 해로운 결과들이다. 즉, 응고장애로 인한 출혈 증가, 면역억제로 인한 감염 증가, 심부정맥 증가, 혈역학계 허탈 등은 분명히 언제나 주의해야 한다는 점이다. 특히 수술 중에 발생한(유도하였든 유도하지 않았든) 저체온을 마취회복기까지 정상체온으로 돌리지 못했다면, 회복 중에 몸떨림, 고혈압, 뇌산소소모 증가로 인해서 역설적으로 뇌허혈 상태의 악화를 초래할 수 있음을 자각하여야 한다.

14. 마취로부터의 각성

뇌신경 수술 후의 각성은 "부드러운" 각성을 준수한다. "부드러운" 각성의 정의는 분명치 않지만 아마도 혈압상승, 맥박상승, 기침, 힘줌, 흥분이 없는 상태를 목표로 한다는 점에 대해서는 대부분의 임상가들이 동의할 것이다. 체계적 고찰이 나와 있지 않지만, 경험이 있는 마취과의사라면 마땅히 자신만의 부드러운 각성기법을 가지고 있을 것이다. 주 마취제를 천천히 감량하는 법, 수술 종료기에 가까워서 흡입마취제를 정맥마취제로 전환하는 법, 안정을 도모할 수 있는 추가 마취제(more opioids, dexmedetomidine)를 더하는 법 등을 고려할 수 있다. 단지 고혈압을 방지하는 것을 목표로 한다면 리도카인과 교감신경차단제(labetalol, es-molol)를 쓸 수 있고 칼슘길항제와 혈관확장제도 고려할 수 있다. Dexmedetomidine은 교감신경차단제이지만 마취제로 간주하는 것이 좋다.

어떠한 경우라도 신경근차단제와 마취제로부터의 적절한 회복이 완전히 이루어졌음을 가리키는 지표를 확인하고 기관내튜브를 발관하여야 한다. 지표가 불완전하더라도 미리 발관하고 관찰할 수 있겠지만 아주 특별한 경우로만 제한하여야 하며 두개내 수술의 특성, 두개내 수술을 받은 환자들이 가진 기본 특성으로 인해서 이후로 회복에 걸리는 시간이 길어져 있음도 고려하여야 한다. 또한 현재까지는 "빠르면서 부드러운" 각성을 구현할 수는 없어서, "부드러운 각성"이 곧 "서서한 각성"과 동의어임을 잊지 말아야 한다.

두부외상 환자의 마취관리

Anesthetic Management for Head Trauma

07

학습목표

1. Glasgow coma scale을 사용하여 두부 외상(head trauma) 환자의 신경학적 상태를 평가한다.
2. 두부손상(head injury)에서 일차 손상(primary injury)과 이차 손상(secondary injury)을 정의한다.
3. 두부손상에서 이차 손상의 유발 요인을 설명한다.
4. 두부손상 환자에서 적절한 기도 관리 방법 및 기도 관리 시 주의사항을 기술한다.
5. 중증 두부손상 환자의 관리에서 권장되는 목표 뇌관류압 범위를 기술한다.
6. 두부손상 환자에서 적절한 수액요법을 기술한다.
7. 머릿속압력 상승의 치료법을 열거한다.
8. 뇌성 염소모 증후군(cerebral salt wasting syndrome)과 항이뇨호르몬 부적절 분비 증후군(syndrome of inappropriate secretion of antidiuretic hormone, SIADH)을 감별하고, 각각의 치료법을 설명한다.

두부외상 환자의 마취관리

Anesthetic Management for Head Trauma

07

김계민
인제대학교 의과대학

두부손상(head injury)은 외상 환자에서 흔히 동반되며, 손상 정도에 따라 환자의 예후에 확연한 차이가 있다. 두부손상 또는 외상성 뇌손상은 그 자체로 매우 위험할 수 있으며, 저혈압, 저산소증, 머릿속압력(intracranial pressure, ICP) 상승 등으로 인한 이차 뇌손상(secondary brain injury)이 초래되면 환자의 예후는 더 악화된다. 두부손상 환자의 관리 및 치료에 참여하는 마취통증의학과 의사는 즉각적이고 적절한 치료를 통해서 이차 뇌손상을 최소화하도록 애써야 한다.

1. 두부손상의 분류

두부손상은 손상 형태, 손상 정도 및 손상 부위에 따라 분류할 수 있다.

1) 손상 형태에 따른 분류

(1) 폐쇄 손상(closed injury)
대개 교통 사고나 낙상에 의하여 발생한다. 우리나라에는 총기 손상이 드물기 때문에 폐쇄 손상이 대부분을 차지한다.

(2) 관통상(penetrating injury)
총기 손상과 관련이 있는 경우가 대부분이다.

2) 손상 정도에 따른 분류
두부손상 환자의 신경학적 상태를 평가하기 위해 글래스고 혼수 척도(Glasgow coma scale, GCS)를 널리 사용한다. 표 7-1에서와 같이, 세 가지 항목에 대해 점수를 매기며, GCS의 최고 점수는 15점이고 최저 점수는 3점이다. GCS는 단순하고 평가자 간 변이가 적기 때문에 환자의 예후를 예측하는데 유용하며, 환자의 사망률과 깊은 관련이 있다. GCS를 사용하여 환자의 예후를 예측할 때 알코올 등의 약물에 의한 영향을 배제하기 위하여 손상 후 6시간이 경과한 후에 측정한 GCS 점수를 사용하는 것이 권장되며, 저혈압이나 저산소증과 같은 문제를 해결한 후(즉, 소생술을 실시한 후)에 측정한 GCS 점수를 사용하여 평가해야 한다.

GCS 점수에 따라 두부손상 정도를 분류하는데, GCS 점수가 13–15점이면 경한(mild) 두부손상, 9–12점은 중등도의(moderate) 두부손상이고, 8점 이하는 중증(severe) 두부손상에 해당한다.

표 7-1 글래스고 혼수 척도(Glasgow Coma Scale)

항목	점수
Eye opening	
Spontaneous	4
To speech	3
To pain	2
None	1
Best Motor Response	
Obeys	6
Localizes	5
Withdraws	4
Abnormal flexion	3
Extensor response	2
None	1
Verbal Response	
Oriented	5
Confused conversation	4
Inappropriate words	3
Incomprehensible sounds	2
None	1

3) 손상 부위에 따른 분류

(1) 두개골절

두개골절은 단순선형골절(simple linear fracture), 경막열상(laceration)을 동반하지 않는 복잡함몰골절(compound depressed fracture), 경막열상을 동반한 관통함몰 골절(penetrating depressed fracture)로 나뉜다. 대부분의 함몰골절과 경막열상이 있는 모든 개방골절(open fracture) 또는 복잡골절은 조기 수술적 치료를 요한다.

두개골절은 두개내혈종, 뇌척수액루(cerebrospinal fluid fistula, CSF fistula), 감염 발생과 연관이 있으며, 뇌척수액 콧물(CSF rhinorrhea)과 뇌척수액 귓물(CSF otorrhea)은 경막이 찢어졌음을 알리는 징후로, 외상후수막염(posttraumatic meningitis)의 위험성이 크다.

(2) 두개내 병변

두개내 병변은 가속-감속 스트레스(acceleration-deceleration stress) 등에 의한 광범위 뇌손상(diffuse brain injury)과 물리적인 힘과 접촉에 의해 발생하는 국소성 뇌손상(focal brain injury)으로 나뉘지만, 두 가지가 공존하기도 한다. 일반적으로, 사망률은 국소성 병변에서 더 높다. 두개내혈종(intracranial hematoma)이 있는 경우 수술적 치료가 필요하다.

① 광범위 뇌손상

i. 뇌진탕(cerebral concussion)

의식 소실 기간이 6시간 이내인 경우를 말한다.

ii. 광범위축삭손상(diffuse axonal injury)

외상으로 인한 혼수 상태가 6시간 이상 지속되는 경우를 말하며, 혼수 상태가 6-24시간 지속되면 경한 광범위축삭손상, 24시간 이상 지속되면서 대뇌제거 체위(decerebrate posturing)가 없으면 중등도의 광범위축삭손상이라 한다. 혼수상태가 24시간 이상 지속되면서 대뇌제거 체위나, flaccidity가 나타나면 중증의 광범위축삭손상이다.

② 국소성 뇌손상

i. 경막외혈종(epidural hematoma)

거의 대부분 두개골절과 관련 있으며, 중뇌막동맥(middle meningeal artery)의 찢김(laceration)에 의한 경우가 많다. CT상 양쪽으로 볼록한(biconvex), 고밀도 병변(hyperdense lesion)으로 관찰된다.

ii. 경막하혈종(subdural hematoma)

가장 흔한 국소성 두개내 병변이다. 대뇌겉질과 배출굴(draining sinus) 사이의 연결정맥이 찢어져 생기며, 급성 경막하 혈종의 경우 사망률이 높다. 증상이 72시간 이내, 3-15일 이내, 혹은 2주 이후에 나타나는 것을 각각 급성 , 아급성, 만성 경막하혈종으로 본다.

iii. 뇌내혈종(intracerebral hematoma) 및 뇌타박상(brain contusion)

가끔 외상성 뇌내 혈종과 자발성 출혈을 분간하기 어려울 수도 있지만, 뇌 타박상, 골절, sinus에 공기-액체층(air-fluid level)이 관찰되는 경우 외상성으로 간주할 수 있다. 뇌내혈종은 대개 전두엽과 측두엽에 있고, CT상 고밀도 병변으로 관찰된다.

2. 두부손상의 병태생리

두부손상의 물리적인 충격은 조직을 손상시키고 뇌혈류 및 뇌대사의 조절 과정에 장애를 초래한다. 세포막의 파괴와 저산소성, 허혈성 변화는 세포 부종과 에너지원인 ATP 고갈 및 이온 펌프의 장애를 초래한다. 글루탐산염(glutamate)과 같은 흥분성 신경전달 물질의 분비가 증가되고, 세포내 칼슘 유입 및 축적, 산소자유기(oxygen free radical) 생성 증가, 지질과산화 (lipid peroxidation), 미토콘드리아 기능 이상을 초래하고, 종국에는 신경세포의 사망(neuronal cell death)으로 이어진다.

1) 일차 손상과 이차 손상

두부손상은 병태 생리에 따라 일차 손상(primary injury)과 이차 손상으로 나눌 수 있다. 일차 손상이란 외상 당시에 가해지는 물리적인 힘 또는 가속-감속 스트레스 등에 의해서 두개골이나 뇌 조직, 혈관 조직에 발생하는 손상을 말한다. 두개골절, 뇌진탕, 뇌 타박상, 두개내 출혈 등이 이에 해당된다.

이차 손상은 외상 그 자체에 의한 것이 아니라, 그 이후에 발생하는 저산소증과 허혈 및 재관류 등에 의해 이차적으로 발생하여 진행되는 손상을 말한다. 이차 손상은 일차 손상을 악화시켜 환자의 예후를 더욱 나쁘게 하므로 이차 손상을 일으키는 요인을 예방하는 것이 중요하다.

2) 이차 손상에 기여하는 요인

이차 손상을 초래하는 전신 요인으로 저혈압, 저산소혈증, 빈혈, 저탄산혈증, 고탄산혈증, 고혈당과 저혈당, 고체온 등이 있다.

저혈압은 이차 손상에 기여하는 가장 중요한 요인으로, 두부손상 환자에게 매우 나쁜 영향을 미치며 환자의 이환율과 사망률을 증가시킨다. 자동조절능(autoregulation)이 정상인 경우에 발생하는 저혈압은 보상성 혈관확장을 일으켜 뇌혈액 용적(cerebral blood volume, CBV)과 머릿속압력을 증가시키고, 그 결과 뇌관류압(cerebral perfusion pressure, CPP)을 감소시키는데, 이것은 혈관확장이 심해지는 악순환을 초래한다. 자동조절능에 이상이 있는 경우에도 저혈압은 악영향을 미치는데, 혈압 저하에 비례하여 뇌관류가 감소하므로 뇌허혈의 위험이 높아진다. 저산소혈증 또한 이차손상의 주요인이며, 저혈압과 동반될 때 환자의 예후는 더욱 나빠진다. 또한, 빈혈, 저탄산혈증, 고탄산혈증 역시 뇌허혈을 악화시키는 요인이다. 고혈당은 중추신경계의 허혈 손상을 악화시키고, 저혈당은 뇌로의 에너지 공급에 이상을 초래하므로 해롭다. 그 밖에도 발작(seizure), 고체온 등은 뇌대사율을 증가시키므로 허혈성 손상을 심화시킬 위험이 있다.

3. 중증 두부손상의 응급 치료 및 집중 치료

두부손상은 때로는 생명을 위협할 수 있으므로, 시의적절한 응급 치료 및 집중 치료가 매우 중요하다. 이 치료 과정에 참여하는 의료진은 환자의 상태를 안정시키고 저혈압이나 저산소 혈증과 같이 이차성 뇌손상을 유발하는 여러 요인들을 예방하는데 총력을 기울여야 한다.

1) Brain Trauma Foundation 중증 외상성 뇌손상 진료지침

지역이나 의료 센터에 따라 두부손상 환자의 치료 방식에 있어 차이를 보이는데, 임상 결과를 개선하기 위해서는 환자관리 및 치료 방법을 표준화할 필요성이 대두되었다. 이러한 문제를 해결하고자 Brain Trauma Foundation에서는 중증 외상성 뇌손상 환자의 치료에 대한 진료지침을 마련하여 제시하고 있다. Brain Trauma Foundation에서 제공하는 중증 외상성 뇌손상 진료지침은 그 동안의 연구 결과, 즉 증거 자료에 기반하고 있으며, 1995년에 처음 만들어진 후 2000년, 2007년에 업데이트되었다. 이 진료지침에 따라 임상 진료 방식이 변화함에 따라 외상성 뇌손상 환자의 사망률이 감소되었다고 보고된 바 있다. 중증 외상성 뇌손상 진료지침은 새로운 연구 결과가 추가되는 것을 반영하여 계속 갱신되고 있는데, 가장 최근 개정판(4판)은 2016년에 발표되었다. 4판 개정판에서 권고되는 지침 중 신경외과적 수술이나 시술에 관한 몇몇 항목을 제외한 내용을 표 7-2에 요약해 두었다.

이 진료지침에서 다루는 내용은 주로 중증 외상성 뇌손상 환자의 응급 치료나 집중 치료에 관한 내용이지만, 마취를 시행하는 동안에도 적용되므로 이를 살펴보는 것이 도움이 될 것이다. 또, 마취통증의학과 의사는 수술장뿐 아니라 응급실이나 중환자실에서 두부손상 환자의 관리 및 치료과정에 관여하게 되는 경우가 흔히 있으므로, 중증 외상성 뇌손상 환자의 관리 및 치료에 관한 진료지침을 숙지할 필요가 있다.

2) 응급 치료 및 집중 치료 중 고려사항

(1) 환자 상태에 대한 평가

두부손상 환자의 치료에 앞서 GCS, 동공 반응(크기, 대광 반사)과 사지의 운동 기능 평가 및 영상의학적 평가를 통해서 신경학적 상태를 평가하고, 외상으로 인해 초래된 다른 장기의 손상 여부 및 그 정도 또한 평가해야 한다. 예를 들어 흉곽내, 복강내 출혈 여부를 확인해야 하고, 출혈쇼크(hemorrhagic shock)가 있는 경우, 이에 대한 치료가 선행되어야 한다.

(2) 기도 관리 및 환기

① 기도 관리

두부손상 환자가 기관내삽관이 된 상태로 응급실에 도착하였을 경우, 기관내튜브가 기관 내에 제대로 위치하고 있는지, 삽입 깊이가 적절한지 확인해야 한다. 기관내삽관이 되어 있지 않다면, 기도 상태에 대한 평가를 즉시 시행하고, 적절한 기도 관리 및 환기가 이루어 지도록 한다. 무호흡, 호흡 패턴의 변화, 호흡 부전 등이 나타날 수 있으므로 주의해야 하 며, 의식 수준의 저하, 흡인의 위험, 저산소혈증, 고탄산혈증이 있다면 기관내삽관을 고려 한다. 대개 GCS 점수 8점 이하의 중증 뇌손상 환자의 경우 폐흡인 위험, 호흡 기능의 이 상, 머릿속압력 상승 등으로 인해 기도 확보 및 조절 환기가 필요한 경우가 많다. 뇌 손상 정도가 심하지 않더라도 다른 부위의 외상으로 인해 심폐 기능의 이상이 동반되어 있는 경 우, 또는 환자가 공격적이고 협조가 되지 않아서 진단을 위한 검사를 진행하지 못하는 경 우에도 기관내삽관이 필요할 수 있다.

두부손상 환자에서 기관내삽관을 시행할 때에는 머릿속압력 상승과 위 충만(full stom- ach)으로 인한 흡인 위험을 고려해야 하며, 외상으로 인해 경추 손상 및 기도 손상이 동반 되어 있을 가능성을 염두에 두어야 한다. 또한 기저두개골절(basal skull fracture), 심한 안

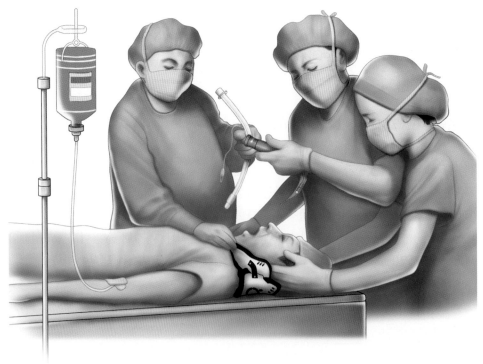

그림 7-1
경추 손상 가능성이 있는 환자에서의 기관내삽관. 보조자 한 명은 후두부를 바닥에 단단히 고정시킨 상태에서 in-line stabilization을 유지하고 있고, 다른 보조자는 반지연골 누르기를 하고 있는 상태에서 기관내삽관을 시도하고 있다.

면골절, 출혈성 경향이 있는 환자에서는 코를 통해 기도삽관(nasal intubation)을 해서는 안 된다.

두부손상 환자에서 경추 손상이 동반되는 경우가 종종 있으므로, 경추 손상에 대한 평가가 이루어지지 않은 두부손상 환자에게 응급 기관내삽관을 해야 할 때에는 in-line stabilization 상태에서 시도한다(그림 7-1). In-line stabilization 상태에서는 후두부가 바닥에 고정되어 있어서 기관내삽관에 유리한 sniff position을 취하기 어려우므로 직접후두경을 이용한 삽관은 더욱 어려워진다. 이 경우, 비디오후두경(videolaryngoscope), 광봉(lighted stylet)이나 후두마스크(laryngeal mask airway) 등을 미리 준비해 두고 필요 시 사용하는 것이 도움이 된다. 때로는, 굴곡성기관지경(fiberoptic bronchoscope)을 사용한 각성하기관내삽관이 유용할 수 있으며, 기관내삽관 실패로 인해 응급 상황이 발생할 경우 반지방패막절개술(cricothyrotomy)을 시행해야 할 수도 있다. 두부손상 환자에서 기관내삽관을 시도할 때는 위 충만 상태로 가정하고 진행하는 것이 좋으며, 반지연골 누르기(cricoid pressure)를 한 상태에서 신속 기관내삽관을 시도할 수 있다.

삽관 시 투여할 수 있는 약물로는 thiopental, propofol, etomidate 등이 있으며, thiopental과 propofol의 경우 저혈압이 초래될 수 있으므로 주의해야 한다. Etomidate의 경우 부신 억제(adrenal suppression)를 초래하는 단점은 있으나, 혈역학적 안정성을 유지할 수 있다는 장점이 있다. 기관내삽관을 위해 신경근차단제를 투여해야 한다면, succinylcholine과 rocuronium을 고려할 수 있다. 머릿속압력 상승의 위험성 때문에 succinylcholine의 사용에 있어서 이견이 있기는 하지만, 기도 유지 및 적절한 환기가 더욱 중요하므로 필요하다고 판단했다면 succinylcholine을 주저하지 않는다. 또한, 위 충만으로 인해 신속기도삽관이 필요한 경우에도 succinylcholine이 유용하다. 기도 관리나 삽관에 어려움이 예상되는 경우가 아니라면, rocuronium을 투여할 수 있다.

② 환기

저산소혈증이나 고탄산혈증은 머릿속압력을 현저하게 증가시키고, 저탄산혈증은 뇌 허혈의 위험을 초래하므로, 기계 환기 시 적절한 산소화와 환기가 이루어지도록 해야 한다.

정상적인 조건에서 Pa_{CO_2}는 뇌혈류에 큰 영향을 미치는데, Pa_{CO_2} 20-80 mmHg 범위에서 뇌혈류는 Pa_{CO_2}에 비례하여 증가한다. 중증 외상성 뇌손상 후에는 뇌 허혈이 초래되는 경우가 많으므로, 중증 외상성 뇌손상에서 뇌이탈(cerebral herniation)이 없다면 Pa_{CO_2} 35-45 mmHg 범위 내의 정상탄산상태(normocapnia)가 유지되도록 환기를 시행하는 것이 바람직하다. Brain Trauma Foundation의 최근 지침은 Pa_{CO_2} 25 mmHg 이하의 지속적인 예방적 과환기를 권고하지 않는다. 근거의 부족으로 인해 최근 지침에는 채택되지 않았지만, 머릿속압력을 감소시키기 위한 임시방편으로 과환기가 필요할 수 있으며, 이에 관해서는 3판에 실렸던 지침을 참고할 수 있다(표 7-2).

표 7-2   Brain Trauma Foundation 중증 외상성 뇌손상 관리지침 [제 4판]

항목	권고 수준	권고지침
예방적 저체온	IIB	• 조기(2.5시간 이내), 단기간(외상 후 48시간)의 예방적 저체온을 미만성(diffuse) 손상 환자의 결과를 개선하기 위해서 시도하는 것은 권고되지 않는다.
고삼투압 요법		• 고삼투압요법이 머릿속압력을 감소시킬 수 있지만, 중증 외상성 뇌손상 환자에서 특정 고삼투압제의 사용이나 특정 권고사항을 지지할 만큼 임상 결과에 대한 효과를 보여주는 증거는 충분하지 않다. 이전 3판에서의 아래 권고지침이 4판의 기준에 부합하는 증거 부족으로 인해 채택되지는 않았지만, 머릿속압력 감소를 위해 고삼투압요법이 필요할 수 있으므로 3판의 권고지침을 다시 기술한다. [3판 권고지침] • Mannitol은 0.25~1 g/kg의 용량에서 증가된 머릿속압력을 조절하는데 효과적이다. 수축기 혈압 90 mmHg 미만의 동맥 저혈압은 피해야 한다. • Transtentorial herniation의 징후가 있거나 두개외 원인(extracranial causes)에 의한 것이 아닌 progressive neurological deterioration의 징후가 있는 환자에서 머릿속압력 감시 전에 mannitol을 사용하는 것을 제한한다.
환기 치료	IIB	• $PaCO_2 \leq 25$ mmHg으로 장시간 예방적 과환기를 시행하는 것은 권장되지 않는다. 이전 3판에서의 아래 권고지침이 4판의 기준에 부합하는 증거 부족으로 인해 채택되지는 않았지만, 임시 방편으로 과환기를 사용해야 할 잠재적 필요성을 감안하여 3판의 권고지침을 다시 기술한다. [3판 권고지침] • 증가된 머릿속압력을 감소시키기 위한 임시방편(temporizing measure)으로 과환기가 권장된다. • 외상 후 첫 24시간 동안은 뇌혈류가 위험한 수준까지 감소하는 경우가 자주 발생할 수 있으므로 과환기를 피해야 한다. • 과환기를 해야 한다면, 산소 공급을 감시하기 위해 경정맥 산소포화도, 뇌조직 산소 분압을 측정하는 것을 권장한다.
마취제, 진통제 및 진정제	IIB	• 머릿속압력 상승의 예방책으로 뇌파에서 돌발파억제(burst suppression)가 유도되도록 barbiturates를 투여하는 것은 권장되지 않는다. • 최대한의 표준적인 내과 및 외과 치료에도 반응하지 않는 ICP 상승을 조절하기 위해 고용량 barbiturate를 투여하는 것은 권장된다. • ICP를 조절하기 위해 propofol을 투여하는 것은 권장되지만, 사망률이나 6개월 결과를 향상시키기 위한 목적으로 투여하는 것은 권장되지 않는다. 고용량의 propofol은 중대한 합병증을 초래할 수 있으므로 주의를 요한다.
혈압 역치	III	• 50~69세의 환자군에서는 수축기 혈압 ≥100 mmHg이 되도록 유지하고, 15~49세의 환자군과 70세를 초과하는 환자군에서는 수축기 혈압 ≥110 mmHg이 되도록 유지하는 것은 사망률을 감소시키고 결과를 향상시킨다.
ICP 감시	IIB	• 재원사망율이나 손상 2주 내 사망률을 감소시키기 위해 ICP 감시로부터 얻은 정보를 사용하여 중증 외상성 뇌손상 환자를 관리하는 것은 권장된다. 이전 3판에서의 아래 권고지침이 4판의 기준에 부합하는 증거 부족으로 인해 채택되지는 않았지만, 머릿속압력 상승 위험과 관련있는 환자 특성에 대해 충분히 인지할 수 있도록 3판의 권고지침을 기술한다. [3판 권고지침] • CT 스캔의 이상소견을 동반한 중증 외상성 뇌손상(소생 후 GCS 3-8)에서 모든 소생 가능한 환자에게 ICP 감시를 시행해야 한다. CT 스캔의 이상 소견으로는 혈종, contusions, swelling, herniation, compressed basal cisterns가 포함된다. • CT 스캔이 정상인 중증 외상성 뇌손상의 경우, 입원 시 다음 중 2개 이상의 항목이 있을 경우 ICP 감시의 적응증이 된다: 40세보다 많은 나이, 일측성이나 양측성의 motor posturing, 수축기혈압 < 90 mmHg
ICP 역치	IIB	• ICP > 22 mmHg은 사망률을 증가시키는 것과 관련이 있으므로, ICP > 22 mmHg일 경우 치료를 하는 것이 권장된다.
	III	• ICP 값과 임상소견, 뇌 CT 소견을 모두 참고하는 것이 환자 관리방법을 결정하는데 사용될 수 있다.

항목	권고 수준	권고지침
CPP	IIB	• 중증 외상성 뇌손상에서 2주 사망률을 감소시키기 위해 진료지침에서 권고하는 CPP 감시지침에 따라 환자를 관리하는 것이 권장된다.
CPP 역치	IIB	• 환자의 생존과 양호한 결과를 위해서 권장되는 목표 CPP 값은 60–70 mmHg이다. 최소한의 적정 CPP 역치가 60 mmHg인지 70 mmHg인지는 명확하지 않으며, 환자의 자동조절능 상태에 달려 있는 것 같다.
	III	• CPP > 70 mmHg로 유지하기 위하여 수액이나 승압제로 적극적인 치료를 하는 것은 호흡부전의 위험이 따르므로 피하는 것이 좋다.
심화된 뇌감시	III	• 손상 후 3개월, 6개월의 결과를 향상시키고 사망률을 감소시키기 위하여, 경정맥구(jugular bulb)에서 얻은 $AVDO_2$ 값을 치료적 판단의 참고자료로 활용하는 것을 고려해 볼 수 있다.
심화뇌감시 역치	III	• 사망률 감소와 결과 개선을 위하여 피해야 하는 역치로 경정맥 산소포화도 < 50%가 사용될 수 있다.
발작 (Seizure) 예방	IIA	• 후기 외상후 발작(late PTS)의 예방 목적으로 phenytoin이나 valproate를 예방적으로 투여하는 것은 권장되지 않는다. • 전반적인 이득이 관련 합병증의 위험을 상회한다고 생각될 때 조기 외상후 발작(early PTS: 손상 7일 이내)의 빈도를 줄이기 위해 phenytoin이 권장된다. 그러나 조기 외상후 발작이 worse outcome과 관련이 있는 것은 아니다. • 조기 외상후 발작의 예방 효능이나 독성에 있어서 phenytoin에 비해 levetiracetam을 권고할 만한 증거는 현재로서는 충분하지 않다.
스테로이드	I	• 결과를 향상시키거나 ICP를 감소시키기 위해 스테로이드를 투여하는 것은 권장되지 않는다. 중증 외상성 뇌손상 환자에서 고용량의 methylprednisolone은 사망률 증가와 관련이 있으므로 투여해서는 안된다.
영양	IIA	• 사망률을 감소시키기 위해서 손상 후 적어도 5일째 또는 늦어도 7일째에는 급식(feeding)을 함으로써 기저 열량을 대치(basal caloric replacement)하는 것이 권장된다.
	IIB	• 인공호흡기와 관련된 폐렴의 빈도를 감소시키기 위해 transgastric jejunal feeding이 권장된다.
감염 예방	IIA	• 전반적인 이득이 기관조루술(tracheostomy) 관련 합병증의 위험을 상회한다면 기계환기 기간을 줄이기 위해 조기 기관조루술이 권장된다. 그러나 조기 기관조루술이 사망률이나 원내 폐렴(nosocomial pneumonia) 발생률을 감소시킨다는 증거는 없다. • 인공호흡기와 관련된 폐렴을 감소시키기 위해 povidone–iodine (PI) oral care를 하는 것은 권장되지 않으며, 급성 호흡곤란증후군의 위험을 증가시킬 수도 있다.
	III	• 뇌실외배액술 동안 카테터 관련 감염을 예방하기 위해 항균제가 스며들어 있는 카테터를 고려할 수 있다.
심부정맥 혈전예방	III	• LMWH 이나 저용량의 unfractionated heparin을 기계적 예방책과 병용하여 사용할 수 있다. 그러나 두개내 출혈이 커질 위험이 증가한다. • 뇌손상이 안정적이고 이득이 두개내 출혈 증가의 위험을 상회한다면, 압박 스토킹에 추가하여 약물요법에 의한 예방책이 고려될 수 있다. 심부 정맥 혈전의 예방을 위해 선호되는 약물, 용량, 약물 투여 시기에 대해 권고하기에는 증거가 불충분하다.

권고수준은 증거자료의 질적 평가를 통해서 결정되었으며, 증거자료의 질이 높으면 권고 수준 I, 중등도이면 권고수준 IIA, 증거자료의 질이 낮으면 권고수준 IIB나 III에 해당한다. Brain Trauma Foundation 중증 외상성 뇌손상 진료지침 4판에서는 감압성 개두술(decompressive craniectomy), 뇌척수액 배액에 대한 내용도 다루고 있으나 이 표에는 포함시키지 않았다. 자세한 내용은 Brain Trauma Foundation 중증 외상성 뇌손상 진료지침 4판을 참고하기 바란다.
(https://braintrauma.org/uploads/03/12/Guidelines_for_Management_of_Severe_TBI_4th_Edition.pdf)
$AVDO_2$: arteriovenous oxygen content difference
ICP: intracranial pressure
CPP: cerebral perfusion pressure
PTS: posttraumatic seizure
LMWH: low molecular weight heparin

(3) 순환계 관리

두부손상 환자에서 기도 확보 후 적절한 산소화와 환기가 이루어지면, 저혈압 유무를 비롯한 심혈관계 기능에 대한 평가 및 교정을 시행해야 한다. 저혈압은 뇌혈관의 자동조절능 유지 여부에 상관없이 결과적으로 뇌 관류의 이상을 초래하여 뇌 손상 환자의 예후에 악영향을 미치므로, 심혈관계 기능 유지는 뇌 소생 측면에서도 매우 중요하다. 여러 장기 손상이 동반된 경우 심혈관계 이상이 동반될 가능성이 더 크므로 유의해야 한다. 외상성 뇌손상 환자에서 저혈압이 지속될 경우에는 다른 장기 손상으로 인한 출혈 여부도 확인해야 한다.

① 혈압 및 뇌관류압 목표값

예전에는 두부손상 환자에서, 수축기 혈압을 90 mmHg 이상으로 유지하도록 권고하였으나 최근에는 혈압을 그보다 더 높게 유지하도록 권고하고 있다. Brain Trauma Foundation의 최근 진료지침에서는 적정 수축기 혈압 범위를 연령 군에 따라 다르게 제시하고 있다. 사망률을 감소시키고 임상 결과를 향상시키기 위해서 50-69세의 환자 군에서는 수축기 혈압≥100 mmHg, 15-49세의 환자 군과 70세를 초과하는 환자 군의 경우에는 수축기 혈압≥110 mmHg으로 유지하도록 권고하고 있다.

또한 수축기혈압뿐 아니라, 평균동맥압을 관찰하면서 뇌관류압이 유지되도록 애써야 하는데, 중증 외상성 뇌손상 환자의 생존율을 높이고, 좋은 임상 결과를 얻기 위해서 권장되는 목표 뇌관류압은 60-70 mmHg이다. 적정 뇌관류압 역치가 60 mmHg인지 70 mmHg인지는 명확하지 않으며, 환자의 자동조절능 상태에 달려 있는 것 같다(표 7-2). CPP>70 mmHg로 유지하기 위하여 수액이나 승압제로 적극적인 치료를 하는 것은 급성 호흡곤란증후군(acute respiratory distress syndrome)과 같은 호흡기계 합병증의 위험을 높이므로 피하는 것이 좋다.

② 수액 요법

뇌 손상 환자의 수액요법에서 주안점은 혈청 오스몰 농도(osmolarity)를 유지하고, 저혈량증을 치료하여 정상 혈량 상태(normovolemia)를 유지하는 것이다. 이를 위해서 등장성 용액, 고장성 용액, 교질 용액을 사용할 수 있다. 고혈당은 신경 손상을 악화시키므로, 포도당을 함유하는 용액은 피한다.

혈액-뇌 장벽은 구멍의 직경이 약 7-9Å 정도로 작은 치밀이음부(tight junction)로 되어 있어서 혈장 단백뿐 아니라 나트륨이나 칼륨 이온도 혈액-뇌 장벽을 가로질러 이동할 수 없다. 따라서, 말초혈관에서 교질삼투압 경사(colloid oncotic pressure gradient)에 따라 물이 이동하는 것과는 달리 혈액-뇌 장벽을 통해서는 삼투압 경사(osmolar gradient)에 따라 물이 이동한다. 혈청 오스몰 농도의 감소는 뇌부종을 초래하므로, 뇌손상 환자에서 lactated Ringer's solution이나 0.45% 식염수와 같은 저장성 수액(hypotonic solution)은 피해야 하며, 생리식염수와 같은 등장성 용액을 투여해야 한다. 혈장 단백에 의한 교질삼투압은 혈장 삼투압의 0.5% 미만을 차지할 정도로 작아서 교질 삼투압이 감소하여도 정상적인 뇌에서는 부종이 생기지 않는다. 하지만, 손상된 뇌조직의 경우 혈액-뇌 장벽의 이상이 존재할 가능성이 높으며, 교질삼투압의 심한 감소는 때로는 뇌부종을 악화시킬 수도 있다. 따라서, 교질삼투압의 현저한 감소도 예방하는 것이 바람직해 보인다.

3% 식염수나 7.5% 식염수와 같은 고장성 식염수는 머릿속압력을 떨어뜨리고 작은 용적으로 저혈량증을 효과적으로 교정할 수 있다는 장점이 있다. 그러나, 다량 투여 시 치명적인 고나트륨혈증을 초래할 수 있다. 또한, 만성적인 저나트륨혈증이 있는 환자에게 투여 시 central pontine myelinolysis를 초래할 수 있으므로 사용해서는 안된다.

교질 용액으로 hydroxyethyl starch와 같은 혈장 증량제를 투여할 수 있으나, 다량 투여 시 혈액응고 장애를 일으킬 수 있으므로 주의한다. 알부민의 경우, 외상성 뇌손상 환자를 대상으로 한 다기관 대규모 연구(Saline versus Albumin Fluid Evaluation study)에서 4%의 알부민이 0.9% 식염수에 비해 중증 외상성뇌손상 환자의 머릿속압력을 증가시키고 사망률을 높인다고 보고되었다. 이로 인해 임상 의사들은 뇌손상 환자에서 알부민 투여를 기피하게 되었는데, 알부민 자체 보다는 해당 연구에 사용된 4% 알부민 용액의 몰랄삼투압(osmolality)이 낮은 것이 임상 결과를 악화시킨 원인이라는 주장에 따라 저장성 수액(hypoosmolar fluid)을 사용하는 것을 피하는 데 초점을 맞추는 것도 바람직하다.

③ 심혈관계 작용 약물

수액 요법으로 뇌관류압(평균동맥압 - 머릿속압력)이 적절히(60-70 mmHg) 유지되지 않는 경우 phenylephrine, norepinephrine, dopamine 등의 승압제가 필요할 수 있다.

④ 수혈 요법

뇌 손상 환자에서 뇌로의 산소 공급 부족은 이차성 뇌손상을 심화시키므로, 뇌조직으로의 산소 공급이 원활하도록, 적혈구용적율(hematocrit)을 30% 이상 유지하는 것이 좋다.

(4) 머릿속압력 감시 및 머릿속압력 상승의 치료

머릿속압력의 정상치는 0-10 mmHg이며, 종양이나 출혈성 병변, 부종에 의한 뇌용적 증가나 뇌혈액 용적의 증가, 뇌척수액 생성 증가 또는 뇌척수액 배출 감소는 머릿속압력을 증가시킨다. 중증 외상성 뇌손상 환자에서 머릿속압력 상승(intracranial hypertension)은 이차성 손상을 초래하므로 머릿속압력 상승을 치료하는 것은 매우 중요하다.

① 머릿속압력 감시

Brain Trauma Foundation 최근 진료지침에 따르면, 재원사망률이나 손상 2주내 사망률을 감소시키기 위해서 머릿속압력 감시로부터 얻은 정보를 바탕으로 중증 외상성 뇌손상 환자를 관리하도록 권고하고 있다. 또한, 머릿속압력이 22 ㎜Hg보다 높은 경우 사망률 증가와 관련이 있으므로 치료를 하는 것이 권장된다. 그러나, 머릿속압력이 20–25 ㎜Hg보다 작을 때에도 뇌 이탈이 발생할 수 있으므로, ICP 수치에 추가하여 임상소견과 뇌 CT 소견을 모두 참고하여 치료적 판단을 내리도록 권고하고 있다.

② 머릿속압력 상승의 치료

  i. 체위

  두부 거상(head elevation)은 뇌 정맥 환류와 뇌척수액 배액을 촉진한다. 환자가 저혈량 상태가 아니고, 두부 거상으로 저혈압이 유발되지 않으면 15도 정도 머리 부분을 올려주는 것이 머릿속압력 감소에 도움이 된다. 또, 머리가 심하게 굽어지거나 한쪽으로 돌아가지 않도록 중립 자세를 취하는 것이 좋다.

  ii. 고삼투성 제제

  머릿속압력을 감소시키기 위해 고삼투성 제제가 널리 이용되고 있다. Mannitol과 고장성 식염수(hypertonic saline)는 삼투압 경사에 의해 뇌 수분함량을 줄임으로써 머릿속압력을 감소시키는 것이 주된 효과이지만, 혈장량 증량에 의한 혈액 점도 감소, 미세 혈류 개선 및 뇌혈관 수축, 그로 인한 뇌혈액 용적 감소에 의해서도 머릿속압력을 감소시킨다.

    Mannitol 투여 후의 이뇨 작용은 저혈압 환자에게 바람직하지 않으며 이런 경우, 혈액용적의 감소를 채워주도록 주의를 기울여야 한다. 고장성 식염수는 저나트륨혈증 환자에게 해로운 결과를 초래할 수 있으므로 주의해야 한다.

    Brain Trauma Foundation은 고삼투성 제제 투여가 머릿속압력을 감소시킬 수 있지만, 중증 외상성 뇌손상 환자에서 특정 고삼투성 제제의 사용이나 특정 권고사항을 지지할 만큼 임상 결과에 있어서 효과를 보여주는 증거는 충분하지 않다고 결론 내렸다. 하지만, 머릿속압력 감소에 고삼투성 제제의 사용이 필요한 것은 사실이므로 이전 3판의 권고 지침을 참고로 할 필요는 있다(표 7-2).

    Mannitol은 0.25–1.0 g/kg의 용량을 10–20분에 걸쳐 정주한다(3–6시간마다 반복). 단, 경천막헤르니아와 같은 응급 상황 시 mannitol 1.0 g/kg을 10분 동안 정주한다. 효과는 3–4시간 정도 지속되며, 저혈량증, hyperosmolarity, 신부전 등의 부작용을 피하기 위해서 혈청 오스몰농도(serum osmolarity)가 320 mOsm/L를 초과하지 않도록 주의한다. Furosemide와 같은 고리이뇨제는 뇌척수액 생성을 감소시키고, 신장을 통한 자유수 청소를 증가시킴으로써 혈청 오스몰농도를 증가시키며, mannitol과 furosemide

의 병용은 각각을 단독 사용하였을 때보다 뇌 수분 감소 및 머릿속압력 감소에 더 효과적이다.

iii. 과환기

과환기는 관류를 감소시킴으로써 신속하고 효과적으로 머릿속압력을 떨어뜨리지만, 뇌혈관의 과다한 수축에 의해 허혈 상태를 악화시킬 수 있다. 머릿속압력을 감소시키기 위한 임시 방편으로 과환기를 적용할 때에는 머릿속압력을 감소시키는 다른 조치를 함께 취해야 하고 가급적 일찍 Pa_{CO_2}를 정상 범위로 회복시키는 것이 바람직하다. $Pa_{CO_2} \le$ 25 mmHg으로 지속적으로 예방적 과환기를 시행하는 것은 권장되지 않는다.

iv. 뇌실외배액술(external ventricular drainage, EVD)에 의한 뇌척수액 배액

머릿속압력 감소를 위해 뇌척수액 배액을 하는 것은 도움이 된다. 이를 위해서 EVD를 시행하게 되는데, EVD 삽입을 결정하고 시행하는 것은 신경외과 의사가 담당하는 부분이다. Brain Trauma Foundation 진료지침에 따르면, EVD system은 중간뇌(midbrain) 위치에서 영점 조정하고, 뇌척수액을 지속적으로 배액하는 것이 간헐적으로 배액하는 것보다 머릿속압력 감소에 더 효과적일 수 있으며, 손상 후 12시간 동안 초기 GCS 점수가 6점 미만인 환자에서 뇌척수액 배액을 고려할 수 있다(권고 수준 III). EVD를 이용한 뇌척수액 배액이 사망률을 감소시키는지는 명확하지 않다. Brain Trauma Foundation에서 제시한 이 지침의 근거가 된 연구에서는 GCS 점수가 6점 이상인 환자에서는 EVD를 사용한 뇌척수액 배액이 사망률을 증가시키는 위험이 높은 것으로 관찰되었으며 이에 대해서는 추가 연구가 필요해 보인다.

v. Barbiturate 또는 propofol 투여

Barbiturate의 경우 머릿속압력 조절 목적으로 아주 오래 전부터 사용되어 왔고, 뇌 대사율 감소와 oxygen free radical mediated lipid peroxidation 억제 등 다양한 기전에 의해 국소 허혈에 대하여 뇌보호 효과가 있는 것으로 알려졌다. 하지만, barbiturate나 propofol과 같은 정맥 마취제는 혈압을 떨어뜨리는 단점이 있고, propofol은 중환자에게 고용량(>5 mg/kg/h)으로, 장시간 (>48hr) 투여 시 propofol infusion syndrome을 일으킬 수 있다.

중증 외상성 뇌손상 환자에서 최대한의 표준적인 내과 및 외과 치료에도 반응하지 않는 머릿속압력 상승을 조절하기 위해 고용량 barbiturate를 투여하는 것은 권장되지만, 머릿속압력 상승의 예방책으로 뇌파에서 돌발파 억제(burst suppression)가 유도되도록 barbiturates를 투여하는 것은 권장되지 않는다. 또한 머릿속압력을 조절하기 위해 propofol을 투여하는 것은 권장되지만, 사망률이나 6개월 결과를 향상시키기 위한 목적으로 투여하는 것은 권장되지 않는다. 고용량의 propofol은 중대한 합병증을 초래할 수 있으므로 주의를 요한다.

vi. 머릿속압력이 심히 높은 상태에서의 고혈압 치료 시 주의점

머릿속압력이 매우 심하게 상승할 때에는 Cushing's triad (고혈압, 서맥, 불규칙한 호흡)가 나타날 수 있으며, 이때 혈압을 떨어뜨리는 것은 뇌관류압을 감소시켜서 뇌허혈을 심화시킬 수 있다. 따라서, 머릿속압력이 높은 환자에서 혈압을 떨어뜨릴 때에는 매우 조심스럽게 해야 하고, 혈관확장제나 칼슘 통로 차단제는 머릿속압력을 올릴 수 있어서 사용하지 않는 것이 좋다.

(5) 뇌혈류 및 뇌 산소화 감시

두부 외상 환자에서 뇌혈류 또는 뇌 산소화를 평가하는 방법으로 경두개 도플러(transcranial Doppler), 동맥혈과 경정맥구혈 간의 산소함량 차이(arterio-jugular venous oxygen content difference, $AVDO_2$) 측정, 뇌조직 산소분압 측정이 있다. 중증 외상성 뇌손상에 대한 최근 진료지침에서는 그 중 $AVDO_2$의 유용성에 대해 언급하고 있으며, 손상 후 3개월, 6개월의 결과를 향상시키고 사망률을 감소시키기 위하여 경정맥구(jugular bulb)에서 얻은 $AVDO_2$ 값을 치료적 판단의 참고자료로 활용하는 것을 고려해 볼 수 있다고 권고하고 있다.

각 감시장치에 대해서 간단히 살펴보자면, 경두개 도플러 유속(flow velocity)은 임상에서 뇌순환 상태를 평가하는데 도움이 되지만 뇌혈류의 절대값을 제공하지는 않는다. 정상보다 높은 유속은 충혈(hyperemia)이나 혈관연축(vasospasm)이 있음을 암시한다.

뇌조직 산소 분압(brain tissue oxygen tension monitoring, $P_{br}O_2$) 감시는 뇌조직에 탐침(probe)을 삽입하여 조직의 산소분압을 측정하는 감시 방법으로, 정상치는 20–25 mmHg 이상이다. $P_{br}O_2$가 10–15 mmHg 이하이면 저산소성 뇌손상의 위험이 따르는 것으로 간주되며, $P_{br}O_2$가 10 mmHg 미만인 상태가 30분 이상 지속될 경우 사망률 증가와 관련이 있다. 그러나, $P_{br}O_2$ 감시에 근거한 치료가 환자의 결과를 향상시키는지에 대해서는 일치하지 않는 결과가 보고되었으며, 최근에 제시된 진료지침에서는 $P_{br}O_2$ 감시가 권고되지 않고 있다. 뇌조직 산소 분압은 국소 부위의 산소 분압만 감시할 수 있고, 병변에서 떨어진 곳에 탐침이 위치할 경우 이상 소견을 감지할 수 없다는 단점이 있으며, 실제 임상에서 널리 사용되고 있지는 않다.

$AVDO_2$는 동맥혈과 경정맥구 혈액의 산소함량 차이를 말한다. 경정맥구 산소함량은 경정맥구 혈액의 산소포화도와 산소분압을 측정함으로써 얻을 수 있다. $AVDO_2$의 정상 값은 대략 4.5–8.5 vol% 정도인데, 뇌 손상 환자에서 $AVDO_2$ 평균 값이 높은 것이 사망률 감소 및 양호한 결과와 관련이 있다고 알려져 있다. 경정맥구에서 측정하는 경정맥 산소포화도(jugular venous oxygen saturation: SjO_2) 자체로도 뇌의 산소화 정도를 보여주는데, 이는 뇌로의 전반적인 산소 요구량 및 산소 공급 간의 균형 상태를 반영한다. 정상인에서 SjO_2 값의 범위는 60–75%이다. SjO_2가 50% 미만으로 5분간 지속되는 경우 jugular desaturation이 있는 것으로 간주되며 jugular desaturation의 빈도 증가는 사망률과 관련이 있다. Brain Trauma Foundation의 최근 진료지침에 따르면 중증 외상성 뇌손상에서 사망률 감소와 결

과 개선을 위해서 피해야 하는 SjO_2 역치로 $SjO_2 < 50\%$가 사용될 수 있다. SjO_2가 50% 미만으로 감소하는 원인으로 과다한 과환기, 뇌관류압의 감소, 저혈량증, 뇌혈관 연축(cerebral vasospasm) 등이 있으며, 이러한 원인에 대한 치료가 필요하다. SjO_2는 뇌의 전반적인 산소 추출 정도를 반영하므로 국소적인 혈류 감소는 감지하기 어렵다. 또한 SjO_2 측정을 위한 카테터가 한쪽 경정맥에 거치되는데, 좌우측 모두에서 측정했을 경우 산소포화도가 크게는 15%까지도 차이가 날 수 있다는 점도 단점이다.

(6) 저체온(hypothermia)

저체온은 응고장애, 면역억제, 심부정맥 등의 부작용을 초래할 수도 있지만, 뇌대사율과 머릿속압력을 감소시키고, 전반적인 뇌 허혈(global ischemia)에 대해 뇌 보호 효과를 나타낸다. 성인에서 심폐소생술 후의 경도(최저 온도 33도 이상)의 치료적 저체온(therapeutic hypothermia)은 신경학적 결과를 개선시키므로 심정지 환자에서 저체온 치료는 임상에서 널리 적용되고 있다. 따라서 외상성 뇌 손상 환자에서도 저체온 치료가 신경학적 결과를 개선시킬 것이라는 기대감 속에 연구가 진행되어 왔으며, 많은 임상 의사들이 관심을 가져왔다.

외상성 뇌손상에서 저체온 치료 방법은 크게 두 가지로 나눌 수 있는데, 초기에 머릿속압력이 증가하기 전에 저체온을 유도하는 것을 예방적 저체온이라 하고, 여러 치료에 반응하지 않는 머릿속압력 상승을 치료하기 위해 저체온 요법을 시행할 때 이를 치료적 저체온이라고 한다.

예방적 저체온이 사망률과 신경학적 결과에 미치는 효과에 대해서는 일치하지 않는 결과가 보고되었다. 무작위, 다기관 임상시험에서도 저체온의 이로운 효과는 입증되지 않았고, 오히려 저체온 군에서 내과적 합병증의 발생률이 높게 나타났다. Brain Trauma Foundation의 중증 외상성 뇌손상 환자 관리 진료지침(제4판)에 따르면, 조기(2.5시간 이내), 단기간(외상 후 48시간)의 예방적 저체온을 미만성(diffuse) 손상 환자의 결과를 개선하기 위해서 시도하는 것은 권고되지 않는다. 조기(2.5시간 이내), 단기간(외상 후 48시간)의 예방적 저체온을 제외한 다른 조건에서의 저체온 요법에 대해서는 언급되어 있지 않은데, 이는 결론을 내리기에 충분한 근거가 확보되지 않았기 때문이다. 치료적 저체온에 대해서도 최근의 메타분석 또는 체계적 고찰에서 일치하지 않는 결과들이 제시되고 있다. 외상성 뇌손상에서 저체온의 효과에 대해서는 추가적 연구를 통해서 재평가를 해야 할 필요가 있다.

(7) 혈당 조절

고혈당은 중증 외상성 뇌손상 환자에서 흔히 관찰되며, 혈당이 200 mg/dℓ 이상일 때 뇌손상 환자에서 결과가 더 나쁘다고 알려져 있다. 따라서 엄격한 혈당 조절이 결과 및 예후를 향상시킬 것으로 보이지만, 실제로는 엄격한 혈당 조절을 하더라도 뇌손상 환자의 사망률은 감소되지 않고, 신경학적 결과에 대해서도 일치하지 않는 소견이 관찰되었다. 뿐만 아니라 엄격한 혈당 조절은 저혈당의 발생률을 증가시키고, 뇌의 대사 곤란(metabolic distress)을 심화시켜 뇌손상 환자에게 해로운 영향을 미칠 수 있다.

아직까지 외상성 뇌손상 환자에서 혈당 조절에 대한 권고 지침이나 적절한 목표혈당 범위에 대한 일치된 의견은 없지만, 고혈당이나 저혈당을 피하고, 혈당을 너무 엄격히 조절하지 않는 것이 좋다. 뇌손상 환자에서 혈당 범위를 110-180 ㎎/㎗ 정도로 유지하는 것이 바람직해 보이지만, 저혈당의 위험성을 피하기 위해서 인슐린 투여 때의 목표혈당 범위는 140-180 ㎎/㎗로 하는 것이 적절해 보인다.

(8) 발열의 치료

발열은 이차 손상을 일으키는 데 기여하는 요인으로, 뇌 손상을 악화시키고, 신경학적으로 나쁜 결과를 초래한다. 그 기전으로는 온도 상승에 의한 뇌산소 소모의 증가, glutamate excitotoxicity, 혈액-뇌 장벽 기능의 변화 등이 작용하는 것으로 보인다. 외상성 뇌손상 환자에서 발열의 치료 및 예방은 중요하며, 정상 체온을 유지시키는 것이 바람직하다.

(9) 두부손상 환자에서의 전해질 불균형

두부손상 환자에서 가장 중요한 전해질 이상은 혈중 나트륨 농도의 이상이다.

① 저나트륨혈증: Serum $[Na^+] < 135$ mEq/L

저나트륨혈증의 원인으로 SIADH (syndrome of inappropriate antidiuretic hormone secretion), 대뇌의 염소모증후군이 있으며, 감별진단을 위하여 혈량 상태(volume status)를 주의 깊게 평가해야 한다.

ⅰ. SIADH

SIADH는 정상 혈량(euvolemic) 또는 과혈량(hypervolemic) 상태의 저나트륨혈증을 보이는데, 다른 원인에 의해서도 발생할 수 있지만, 머릿속압력 상승에 의해 ADH 분비가 증가되어 발생할 수 있다. 손상 후 3-15일경에 나타날 수 있다. 병력, 임상소견 및 검사 결과를 확인하고, 저나트륨혈증을 일으키는 다른 원인들을 배제한 후 진단을 내려야 한다.

임상 소견으로 체액량은 정상으로, 체액량이 부족한 징후는 관찰되지 않는다. 식욕부진, 구역, 구토, 흥분성(irritability), 신경학적 이상과 같은 수분 중독(water intoxication)의 증상을 보인다. 검사 소견으로 serum $[Na^+] < 135$ mEq/L, serum osmolality < 270 mOsm/kg, urine osmolality > 100 mOsm/kg, urine $[Na^+] > 40$ mEq/L가 관찰된다.

치료로는 수액을 제한해야 하는데, 경하거나 중등도인 경우 등장성 용액의 투여가 1,000 ㎖/24h를 넘지 않도록 한다. Serum $[Na^+] < 110-115$ mEq/L인 경우 3% 또는 5%

식염수와 furosemide로 저나트륨혈증을 교정한다.

ii. 대뇌의 염소모증후군(Cerebral salt wasting syndrome, CSWS)

대뇌의 염소모증후군은 diuresis와 natriuresis에 의한 저혈량성 저나트륨혈증을 보이는데, 뇌 병변으로 인해 다량의 Na^+, Cl^-가 소변으로 배설되어 체액량이 부족해진다.

CSWS이 있으면 체액량 부족 때문에 탈수증의 임상소견이 나타난다. 검사소견으로는, 저나트륨혈증, urine $[Na^+]$ > 40 mEq/L으로 소변 내 나트륨 농도가 높고 소변의 osmolality도 높다(urine osmolality > 100 mOsm/kg).

치료로는 생리식염수로 체액량과 나트륨을 보충한다. 심한 저나트륨혈증(< 125 mEq/L)이거나 체액량을 보충하기 위해 다량의 수액 투여가 필요한 경우에는 1.5% 식염수를 50-150 ㎖/h로 투여해볼 수 있다. Na^+ < 120 mEq/L이면서 증상이 있는 경우에는 3% 식염수를 25-50 ㎖/h로 조심스럽게 투여해 볼 수 있다. 그러나 저나트륨혈증을 빠른 속도로 교정해서는 안되며, 일반적으로 혈청 Na^+ 농도의 교정 속도가 0.5 mEq/L/h를 초과하지 않도록 한다. 저나트륨혈증의 교정 목표는 130 mEq/L 정도로 한다.

② 고나트륨혈증: serum $[Na^+]$ > 145 mEq/L

두개안면부 외상이나 기저 두개 골절과 같은 두부손상 후 중추성 요붕증(central diabetes insipidus)에 의한 고나트륨혈증이 관찰될 수 있다. 다뇨(polyuria), 다음(polydipsia), 고나트륨혈증, 혈청의 high osmolality, 소변의 low osmolality가 나타난다. 대개 외상 후 발생하는 요붕증은 일시적이다. 치료를 위해 0.45% 식염수 또는 free water로 적절한 수액을 보충한다. 소변량이 2시간 동안 300 ㎖/h보다 많을 경우에는 6시간마다 aqueous vasopressin 5-10 IU를 근육주사 또는 피하주사 하거나 또는, 8시간마다 desmopressin acetate 0.5-2 ㎍ 정주(nasal inhalation 시에는 10-20 ㎍) 할 수 있다.

(10) 혈액응고 장애 치료

혈액응고 장애는 두개 내 또는 두개 밖 출혈의 위험을 증가시킴으로 인해 나쁜 결과를 초래한다. 혈액 응고 장애는 brain thromboplastin이 전신 순환으로 분비되는 것과 systemic lactic acidosis 등에 의하는 것으로 생각된다. PT, aPTT, platelet count 등의 검사 외에 thromboelastography나 rotational thromboelastometry 결과를 바탕으로 혈액응고 장애를 치료할 수 있다.

(11) 발작(seizure) 예방

중증 외상성 뇌 손상 후 발작이 발생할 수 있는데, 외상성 뇌손상 후 7일 이내에 발생할 때 이를 조기 외상후 발작(early posttrumatic seizure, PTS), 뇌손상 7일 이후에 발생할 때 후기 외상후 발작(late posttraumatic seizure)이라고 하며, 손상 7일 이후에 재발하는 발작(recurrent seizures)을 외상후 간질(posttraumatic epilepsy, PTE)이라고 한다.

중증 외상성 뇌손상 환자에서 항경련제 투여로 경련을 예방하게 되면 경련으로 인한 해악(뇌대사의 이상, 머릿속압력 증가, 이차성 뇌손상)을 줄이고 만성적인 간질의 발생을 예방할 수도 있을 것이다. 하지만, 최근 진료지침에 따르면 중증 외상성 뇌손상 환자에서 외상후 후기 발작의 예방 목적으로 phenytoin이나 valproate를 예방적으로 투여하는 것은 권장되지 않는다. 전반적인 이득이 관련 합병증의 위험을 상회한다고 생각될 때 조기 외상후 발작의 빈도를 줄이기 위해 phenytoin이 권장된다. 그러나 조기 PTS가 나쁜 임상 결과(worse outcome)와 관련이 있는 것은 아니다.

최근에는 임상에서 경련 예방이나 치료 목적으로 levetiracetam이 널리 이용되고 있으나, 외상후 조기 발작의 예방 효능이나 독성에 있어서 phenytoin에 비해 levetiracetam을 권고할 만한 증거는 현재로서는 충분하지 않다.

이 밖에도 중증 외상성 뇌손상 환자의 관리 시 심폐 합병증을 비롯한 다양한 합병증이 발생할 수 있으므로 이에 대한 적절한 치료가 필요하다. 중증 외상성 뇌손상 환자의 관리 시 스테로이드 투여는 피해야 한다. 스테로이드 투여 외에 영양, 감염관리, 심부정맥 혈전 예방 등 외상성 뇌손상 환자의 집중 관리와 관련된 Brain Trauma Foundation 진료지침에 대해서는 표 7-2를 참고하기 바란다.

5. 두부손상의 마취관리

마취관리의 목표는 뇌관류와 산소화를 유지시킴으로써 이차성 뇌손상이 발생하는 것을 예방하고, 뇌 수술에 적절한 상태를 제공하는 것이다.

앞에서 살펴보았던 '응급 치료 및 집중 치료'에서의 고려 사항은 마취관리에도 동일하게 적용된다. 특히, 뇌관류압을 60-70 mmHg 내로 유지시키는데 중점을 두어야 한다. 그러기 위해서는 혈압의 감소나 머릿속압력의 증가를 피해야 하며, 필요에 따라 적절한 처치가 이루어져야 한다. 마취, 수술 중에는 마취제나 출혈에 의한 저혈압이 발생할 수 있으므로 이에 대한 대처가 필요하다.

1) 마취 전 평가 시 확인사항

우선 A (airway, 기도), B (breathing, 호흡), C (circulation, 순환) 상태에 대한 평가를 시행한다. 기도 평가에는 경추 손상 여부, 충만 위(full stomach) 여부가 포함되어야 한다. 금식 시간이 불분명할 때에는 충만 위로 가정하고 진행한다. 뇌 손상 정도 및 신경학적 상태(GCS), 손상 및 외상 관련 정보(손상 시기, 무의식 발생 여부 및 지속시간, 알코올을 포함한 약물 복용 여부), 동반된 손상에 대한 평가가 이루어져 한다. 또, 기존 질환, 알레르기, 투약 상태, 과거 병력, 수술력, 마취력 등 마취 전 평가에 포함되는 항목들을 확인한다.

2) 마취제의 선택

두부손상 환자의 경우 경막하 출혈, 경막외 출혈이나 뇌내 출혈 등으로 인하여 개두술을 시행해야 하는 경우가 많다. 환자의 상태와 마취제가 뇌혈류, 머릿속압력에 미치는 영향을 참고하여 마취제를 선택한다.

흔히 사용하는 정맥마취제인 barbiturates, propofol, etomidate는 뇌대사율을 떨어뜨리고, 뇌혈류와 머릿속압력을 감소시킨다. Barbiturate나 propofol의 경우 혈압 감소가 심하므로 혈압을 주의 깊게 관찰하도록 해야 한다. Etomidate의 경우 thiopental이나 pro-pofol에 비하여 심혈관계 억제가 덜하므로 혈역학적 안정을 도모할 수 있지만, 부신 기능을 억제한다는 단점이 있다. Benzodiazepine은 뇌혈류, 뇌대사 및 머릿속압력을 약간 감소시키고, 아편유사제의 경우 뇌대사나 뇌혈류에 미치는 영향은 크지 않다. 정맥마취제 중 ketamine은 예외적으로 뇌대사율과 뇌혈류, 머릿속압력을 증가시킨다. 신경외과 수술 중 propofol-fentanyl, 또는 propofol-remifentanil을 이용한 정맥마취를 시행할 수 있으며, 최근에는 장시간 투여 후에도 각성이 빠른 propofol과 remifentanil의 조합이 널리 사용된다. 주의할 점은 propofol은 뇌혈관 수축 작용이 있으므로 마취 중 과환기 상태가 동반되면 뇌허혈의 위험이 따를 수 있으므로, 불가피하게 머릿속압력을 감소시켜야 하는 응급상황이 아니라면, propofol을 이용한 마취 중 과환기는 피하는 것이 좋다.

N_2O를 비롯한 흡입마취제는 뇌혈관을 확장시킴으로써 뇌혈류를 증가시키는 특성이 있다. 신경외과 마취 시 isoflurane, sevoflurane, desflurane을 사용할 수 있으며, 이들은 약 1 MAC (minimal alveolar concentration) 이하의 농도에서는 뇌대사율 감소에 따른 뇌혈류 감소 효과와 직접적인 뇌혈관 확장 효과(direct cerebral vasodilation)가 상쇄되어 뇌혈류에 큰 변화가 초래되지 않지만, 1 MAC 이상에서는 혈관확장 효과가 현저해진다. 따라서 신경외과 마취에서 일반적으로 권고되는 것처럼 두부손상 환자에서도 isoflurane, sevoflurane 또는 desflurane을 투여할 때에는 1 MAC 이하의 농도로 사용하고 아편유사제, 신경근차단제를 병용하는 것이 좋다. N_2O를 사용할 때에는 두개 내 공기가 존재할 가능성을 확인하고 공기 뇌증(pneumocephalus)이 있는 경우 N_2O를 사용해서는 안된다.

머릿속압력이 높은 환자에서는 흡입마취제 보다는 정맥마취제를 사용하여 마취를 하는 것이 바람직하다. 흡입마취를 하고 있는 중이라 하더라도 수술 중 머릿속압력 상승이나 tight brain 등의 문제가 생기면 N_2O를 비롯한 흡입마취제의 투여를 중단하고 정맥마취제로 즉시 전환하는 것이 좋다.

3) 마취관리

지속적인 실시간 혈압 감시를 위해 마취 유도 전 혹은 마취 유도 직후에 동맥로를 확보하며, 수액 주입을 위해 적어도 두 개의 굵은 정맥로를 확보하는 것이 좋다. 뇌이탈과 같이 개두술이 매우 급박한 경우에는, 굵은 정맥로가 확보되어 있다면 중심정맥관 거치 등으로 수술 시작을 지연시키지 않도록 신경을 써야 한다. 때로는 머리 부분에 수술 준비를 하는 동안 대퇴정맥에 정맥로를 확보하는 것이 시간 절약에 도움이 된다.

마취 유도제로 thiopental 또는 propofol을 사용할 수 있으며, 혈역학적으로 불안정한 경우 etomidate를 선택할 수 있다. 신경근차단제로 rocuronium, vecuronium 등을 사용할 수 있다. 위 충만 상태로 인하여 신속기관내삽관을 시행해야 할 경우에는 succinylcholine 1.5 mg/kg(succinylcholine 투여 전에 소량의 비탈분극성 신경근차단제를 투여할 수 있음) 또는 rocuronium 0.9–1 mg/kg을 정주하여 신속히 근이완 효과가 나타나도록 할 수 있다. 경추 손상이 의심된다면 in-line stabilization 하에서 삽관을 시도한다. 삽관 시 혈역학적 안정을 도모하기 위하여 remifentanil이나 fentanyl 또는 lidocaine을 정주하는 것이 도움이 된다.

환자의 상태를 참고로 하여 앞서 기술된 바에 따라 마취제를 선택한다. 두부손상 환자에서 개두술을 위한 마취 동안 충분한 근이완 상태를 유지하는 것이 좋으며, Pa_{O_2}는 100 mm Hg 이상으로 유지시킨다. 필요한 경우 호기말 양압을 걸 수 있으나, 과도한 호기말양압은 흉곽내압을 증가시켜 뇌로부터의 정맥 환류를 방해하여 머릿속압력을 상승시킬 수 있음을 숙지해야 한다. Pa_{CO_2}는 35 mmHg 정도를 유지하는 것이 좋지만, 머릿속압력 상승으로 인해 뇌 이탈의 위험이 있거나, 수술 중 tight brain으로 수술적 접근이 어려운 경우 등에서 다른 방법으로 이 문제가 해결되지 않는다면 과환기를 적용할 수 있다. 그러나, 과환기는 뇌혈관 수축에 의해 뇌허혈을 초래할 수 있으므로 문제 상황이 해결되는 대로 중단하는 것이 좋다.

뇌 순환의 정도를 평가하기 위해서는 A-line의 변환기(transducer)를 외이도 높이에 맞춘다. 외상성 뇌손상 환자에서 혈압과 뇌 관류압 감소는 나쁜 결과를 초래하므로, 적절한 혈압과 뇌관류압을 유지하는 것은 매우 중요하다. 수축기 혈압은 100–110 mmHg으로 유지해야 하고, 뇌관류압을 60–70 mmHg로 유지하기 위해서 정상 혈량 상태를 유지하고 필요하다면 phenylephrine, norepinephrine, dopamine을 사용할 수 있다. 고혈압 치료는 신중히 해야 하는데, 머릿속압력의 증가를 보상하고자 혈압이 증가했을 수 있기 때문이다. 고혈압을 치료한 후에도 뇌혈류압이 유지되어야 하는데, 고혈압의 치료가 필요한 경우, 뇌혈관 확장을 일으키지 않는 labetalol 또는 esmolol을 투여할 수 있다.

수술 중 머릿속압력 상승 또는 tight brain으로 수술적 접근이 어려운 경우에는 표 7-3의 항목들을 확인하고 필요한 처치를 해야 한다.

수술 중 수액 요법 역시 두부손상 환자의 응급 치료 및 집중 치료에서 언급되었던 것과 같은 맥락으로 시행한다. 혈청 오스몰농도가 감소하지 않도록 하고, 정상 혈량 상태를 유지하는 것이 중요하다. 혈압과 뇌관류압 유지를 위해서도 정상 혈량 상태를 유지하는 것은 매

표 7-3 수술 중 머릿속압력 상승 및 tight brain에서 확인 사항 및 처치

확인사항	처치

• 뇌정맥 환류를 방해하는 요인 유무
  − 목의 과도한 굴곡(flexion) 및 회전(rotation)은 없는가?
  − 경정맥의 압박이 존재하는가?
  − 두부 거상 상태인가?
  − 흉곽 압력이 높지 않은가?(불충분한 신경근 차단, 기흉, 과도한 호기말양압)
• 산소화 및 환기 상태 확인
  − 저산소혈증이나 고탄산혈증은 없는가?(동맥혈가스분석 시행)
  − 기도 압력이 높지 않은가?
  − 기관내 튜브의 꺽임이나 폐쇄는 없는가?
• 뇌 대사율이 증가된 상태는 아닌가?
  − 마취 중 각성, 통증 존재 여부
  − 발열이나 발작(seizure) 여부
• 뇌혈관 확장 작용이 있는 약물 투여 여부
  − 아산화질소를 비롯한 흡입마취제, 혈관확장제
• 예상하지 못했던 뇌내출혈 및 혈종 등의 존재 여부 확인
	• 뇌로부터의 정맥 환류 촉진
	  − 두부 거상, 목이 중립 위치에 있도록 한다.
	• 저산소혈증 및 고탄산혈증 교정
	• 적절한 마취, 진통 및 신경근 차단 상태 유지
	• 흡입마취제를 사용하고 있다면 중단하고 정맥마취제로 전환
	• 경도 또는 중등도의 과환기
	• 고삼투성 제제 투여
	  − Mannitol 0.25–1.0 g/kg 투여(필요 시 furosemide 추가)
	  − Hypertonic saline
	• 뇌척수액 배액
	  − 허리배액술(lumbar drain), 뇌실외배액술

우 중요하다. 빈혈은 피하는 것이 좋으며, 10 g/dℓ 정도의 혈색소 수치를 유지하는 것이 바람직해 보인다. 중증 외상성 뇌손상 환자를 대상으로 한 연구에서 혈색소 수치가 9 g/dℓ 이하에서는 뇌조직 산소분압의 저하가 관찰되었다고 보고된 바 있다.

마취 중 혈당은 110–180 ㎎/dℓ 정도로 유지하는 것이 바람직해 보이지만, 저혈당의 위험성을 피하기 위해서 인슐린 투여 때의 목표혈당 범위는 140–180 ㎎/dℓ로 하는 것이 적절해 보인다. 고혈당뿐 아니라 저혈당 역시 뇌 손상 환자에게 위험하므로 주의를 요한다.

마취 중 SjO_2 등의 뇌 감시를 적용할 수 있겠으나 보편적으로 사용되고 있지 않는 실정이다.

수술 후 회복 도중 고혈압, 기침 등은 두개내 출혈을 일으킬 수 있으므로 피해야 한다. 수술 전 의식 수준이 떨어져 있던 환자나, 뇌부종이 심한 경우 등 중증 뇌손상 환자나, 다발성 외상을 동반하거나, 저체온증이 있는 경우는 기관내튜브를 유지하고 중환자실에서 기계 환기를 비롯한 적절한 치료를 해야 한다.

요컨대, 두부손상 환자의 마취관리 및 회복기 관리는 앞서 기술된 응급 치료 및 집중 치료의 연장선에서 이루어져야 한다. 뇌관류와 산소화를 유지시킴으로써 이차성 뇌손상을 예방하는데 초점을 맞추어야 하며, 동반된 손상을 간과하지 않도록 환자 평가에서부터 주의를 기울여야 한다. 신경외과 의사와의 원활하고 긴밀한 의사소통과 협조를 통해서 위중한 상태에 놓인 환자를 효율적으로 관리하고 치료하는데 최선을 다해야 하겠다.

■■■■ **참고문헌**

- Allen BB, Chiu YL, Gerber LM, Ghajar J, Greenfield JP. Age-specific cerebral perfusion pressure thresholds and survival in children and adolescents with severe traumatic brain injury. Pediatr Crit Care Med. 2014;15:62-70.
- Andrews PJ, Sinclair HL, Rodriguez A, Harris BA, Battison CG, Rhodes JK, et al. Hypothermia for intracranial hypertension after traumatic brain injury. N Engl J Med. 2015;373:2403-12.
- Bardt TF, Unterberg AW, Härtl R, Kiening KL, Schneider GH, Lanksch WR. Monitoring of brain tissue PO2 in traumatic brain injury: effect of cerebral hypoxia on outcome. Acta Neurochir Suppl. 1998;71:153-6.
- Berry C, Ley EJ, Bukur M, Malinoski D, Margulies DR, Mirocha J, et al. Redefining hypotension in traumatic brain injury. Injury. 2012;43:1833-7.
- Bilotta F, Rosa G. Glucose management in the neurosurgical patient: are we yet any closer? Curr Opin Anaesthesiol. 2010;23:539-43.
- Brain Trauma Foundation. Guidelines for the Management of Severe TBI, Fourth Edition.
- https://braintrauma.org/uploads/03/12/Guidelines_for_Management_of_Severe_TBI_4th_Edition.pdf.
- Crompton EM, Lubomirova I, Cotlarciuc I, Han TS, Sharma SD, Sharma P. Meta-Analysis of therapeutic hypothermia for traumatic brain injury in adult and pediatric patients. Crit Care Med. 2017;45:575-83.
- Drummond JC, Patel PM, Lemkuil BP. Anesthesia for neurologic surgery. In: Miller's Anesthesia. 8th ed. Edited by Miller RD, Cohen NH, Eriksson LI, Fleisher LA, Wiener-Kronish JP, Young WL: Philadelphia, Elsevier Inc. 2015;2158-99.
- Ertmer C, Van Aken H. Fluid therapy in patients with brain injury: what does physiology tell us? Crit Care. 2014;18:119.
- Gerber LM, Chiu YL, Carney N, Härtl R, Ghajar J. Marked reduction in mortality in patients with severe traumatic brain injury. J Neurosurg. 2013;119:1583-90.
- Kang TM. Propofol infusion syndrome in critically ill patients. Ann Pharmacother. 2002;36:1453-6.
- Kramer AH, Roberts DJ, Zygun DA. Optimal glycemic control in neurocritical care patients: a systematic review and meta-analysis. Crit Care. 2012;16:R203.
- Madden LK, Hill M, May TL, Human T, Guanci MM, Jacobi J, et al. The implementation of targeted temperature management: An evidence-based guideline from the neurocritical care society. Neurocrit Care. 2017;27:468-87.
- Marshall LF, Smith RW, Shapiro HM. The outcome with aggressive treatment in severe head injuries. Part II: acute and chronic barbiturate administration in the management of head injury. Neurosurg. 1979;50:26-30.
- Myburgh J, Cooper DJ, Finfer S, Bellomo R, Norton R, Bishop N, et al. Saline or albumin for fluid resuscitation in patients with traumatic brain injury. N Engl J Med. 2007;357:874-84.
- Oddo M, Levine JM, Kumar M, Iglesias K, Frangos S, Maloney-Wilensky E, et al. Anemia and brain oxygen after severe traumatic brain injury. Intensive Care Med. 2012;38:1497-504.
- Phan RD, Bendo AA. Perioperative management of adult patients with severe head injury. In: Cottrell and Patel's Neuroanesthesia. 6th ed. Edited by Cottrell JE, Patel P: Philadelphia, Elsevier Inc. 2017;326-36.
- Stocchetti N, Canavesi K, Magnoni S, Valeriani V, Conte V, Rossi S, et al. Arterio-jugular difference of oxygen content and outcome after head injury. Anesth Analg. 2004;99:230-4.
- Van Aken HK, Kampmeier TG, Ertmer C, Westphal M. Fluid resuscitation in patients with traumatic brain injury: what is a SAFE approach? Curr Opin Anaesthesiol. 2012;25:563-5.
- Watson HI, Shepherd AA, Rhodes JKJ, Andrews PJD. Revisited: A systematic review of therapeutic hypothermia for adult patients following traumatic brain injury. Crit Care Med. 2018;46:972-9.

천막상 병소수술의 마취관리

Anesthetic Management for Supratentorial Space
Occupying Lesion

08

학습목표

1. 뇌고혈압의 병태생리를 설명한다.
2. 마취제에 의한 뇌생리의 변화를 비교하여 설명한다.
3. 뇌종양 환자에서 마취전 방사선 소견 평가 시 판독해야 할 사항들을 열거한다.
4. 머릿속압력과 뇌조직의 긴장도를 완화할 수 있는 수단들을 열거한다.
5. 개두술 마취의 일반적인 마취 목표를 알고 실천한다.
6. 뇌고혈압 환자에서 혈압 유지의 중요성을 알고, 뇌고혈압의 병태생리를 악화시키지 않는 승압제와
   감압제의 작용 원리를 설명한다.
7. 개두술 마취 후 장시간 이송이 필요한 환자에서 적절한 감시 장비를 선택하고 이송 중 발생할 수 있
   는 현상을 열거한다.

천막상 병소수술의 마취관리

Anesthetic Management for Supratentorial Space Occupying Lesion

08

김남오
연세대학교 의과대학

뇌종양은 전 연령층을 대상으로 할 때 전신에서 발생하는 종양 중 세 번째로 많이 발생하며, 소아 연령층에서는 전체 악성 종양의 약 20-40%로 두 번째로 많이 발생하는 종양이다. 원발성 뇌종양의 경우 연간 발생빈도를 보면 인구 10만 명당 1-15.8명이며, 전이성 뇌종양의 경우 10만 명당 2.9-11.1명, 15세 미만의 소아 연령층에서는 10만 명당 2-3명이다. 이는 폐암, 유방암, 대장암, 위암 등에 비하여 발생빈도가 적지만 최근 30년 동안 인구의 노령화, 진단 방법의 발전, 신경외과 의사 수의 증가, 의료혜택 범위의 증가로 발병률이 과거의 3배 이상으로 증가하고 있다. 가장 흔한 종양은 뇌수막종(meningioma, 36%)이며 아교모세포종(glioblastoma, 15%)이 뒤를 따른다. 신경아교종(glioma)을 통틀었을 때는 전체 뇌종양의 28%를 차지한다. 전체 악성 뇌종양의 5년 생존율은 34%이지만 아교모세포종에 국한했을 경우에는 불과 5%밖에 되지 않는다. 특히 종양의 특성상 신체 장애를 동반하는 경우가 많아 사회적 관심과 공포의 대상이 되어가고 있다. 뇌종양을 치료하는 새로운 방법들이 차츰 개발

표 8-1 뇌종양의 수술적 치료 동안 발생할 수 있는 위험인자들 및 마취의 목표

마취 목표	뇌의 2차적 손상 예방
위험인자	두개내 위험인자 − 머릿속압력 상승 − 뇌 중간선 전위(혈관 손상) − 뇌 이탈 − 전신경련 − 뇌혈관 경련 전신 위험인자 − 고이산화탄소혈증 − 저산소증 − 저혈압 혹은 고혈압 − 저삼투압 혹은 고삼투압 농도 − 저혈당 혹은 고혈당 − 저심박출량 − 고온
실행 목표	뇌의 자동조절능 보존 및 항상성 유지

되고 있지만 개두술을 통한 수술적 제거는 여전히 뇌종양 치료의 중심에 있다. 뇌종양의 수술적 치료 동안 발생할 수 있는 위험인자들 및 이를 관리하기 위한 마취의 목표는 크게 다음과 같다(표 8-1).

1. 병태생리

뇌는 혈관 내 혈액, 뇌척수액 등과 함께 단단한 두개골 안에 들어있다. 뇌조직 자체는 압축되지 못하기 때문에 종양의 발생으로 부피의 증가 또는 비정상적인 질량이 추가된다면 뇌척수액이나 혈액이 감소되어 보상되어야 한다. 뇌종양이 서서히 자라는 초기에는 뇌척수액의 이동 기전으로 압력을 완충할 수 있지만, 급격히 자라거나 종양의 크기가 완충 영역 이상으로 성장했을 경우에는 뇌압의 증가가 완충 기전을 상회하면서(그림 8-1) 신경학적 증상과 징후들을 동반하게 된다. 완충 기전이 작동되지 않는 환자들에서는 아주 작은 혈압의 상승도 심각한 뇌압 상승을 야기할 수 있다(그림 8-2).

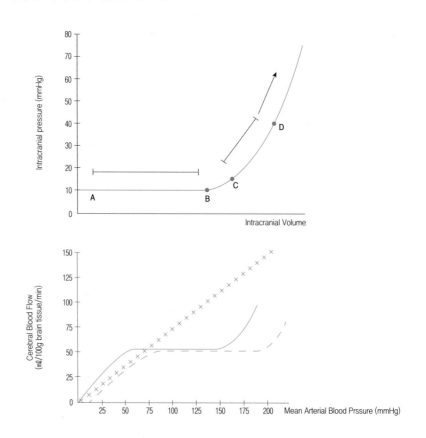

그림 8-1
뇌 용적(intracranial volume)의 변화와 머릿속압력(intracranial pressure)의 상관 관계 . 뇌 용적이 증가하여도 (A-B 구간) 완충 기전에 따라 머릿속압력에는 변화가 거의 없지만 완충 기전을 벗어나면서(B-C-D-구간) 뇌 용적의 단위 증가에 따른 머릿속압력의 상승의 폭은 점점 커진다.

그림 8-2
평균동맥압(mean arterial pressure) 변동에 따른 뇌혈류량(cerebral blood flow)의 변화. 자동조절 범위의 혈압(50-150 mmHg)에서는 아무리 혈압이 변동하여도 뇌혈류량은 변화하지 않지만 조절 범위를 벗어나면 뇌혈류량도 선형으로 변화한다.
실선은 정상 자동조설능을 가진 뇌순환, 파선은 고혈압으로 인해 우측으로 편위된 자동조절능을 가진 뇌순환, 알파벳 엑스(x)는 자동조절능이 완전히 작동되지 않는 뇌순환의 경우이다.

종양의 두개 내 부피증가 효과는 종양 그 자체뿐만 아니라 주변의 혈관성 뇌부종에서도 기인한다. 이는 특히 빠르게 성장하는 종양 주위에 특징적이며, 종양 절제술 후에도 지속되거나 심지어 더 악화될 수 있다. 종양의 발생은 혈액-뇌 장벽(blood-brain barrier)에도 또한 영향을 준다. 일반적으로 혈액-뇌 장벽은 크거나 극성인 분자에 대해 불투과적이고 이온 및 작은 친수성 비전해질에 대해서는 가변적으로 투과적이다. 따라서 혈액-뇌 장벽이 파괴되면 물, 전해질 및 큰 친수성 분자가 혈관 주위의 뇌 조직으로 들어가서 혈관성 뇌부종을 일으킬 수 있다. 이 경우 누출과 그로 인한 뇌 부종은 대뇌 관류 압력(cerebral perfusion pressure)에 직접적으로 비례한다. 혈관성 부종은 삼투성 부종(혈장 삼투압 저하로 인한 것)과 세포독성 부종(허혈에 의한 2차적인 것)에 의한 것으로 구별할 수 있다.

뇌압의 상승은 뇌허혈과 뇌조직의 이탈(herniation)과 같은 합병증을 발생시키는 두개내고혈압(intracranial hypertension) 상태를 초래할 수 있다. 두개내고혈압은 전신경련, 뇌혈관의 경련(vasospasm), 뇌 이탈, 뇌 중간선 전위(midline shift)에 따른 혈관 파열과 같은 두개내 현상 외에도 고탄산혈증, 저산소혈증, 혈압 변동, 혈당 변동, 심박출량 감소, 혈장삼투압의 변화, 고열증(hyperpyrexia), 떨림(shivering)과 같은 전신적인 징후를 일으킬 수 있는데, 열거된 징후들은 모두 뇌 조직의 2차적인 손상의 원인이 된다. 따라서 마취의 목표는 일반적인 목표 외에도 두개내 용적을 줄이는 일련의 수단과 뇌의 2차적인 손상을 야기할 수 있는 징후들을 제거하는 데에 목표를 두어야 한다(표 8-2). 열거된 수단들이 두개내 고혈압을 해소하는데 있어서 뒷받침하는 객관적인 증거는 충분하지 않으며 다분히 경험적이다.

표 8-2   두개내 고혈압의 관리

치료	
이뇨제	삼투성 이뇨제인 mannitol 0.25-1 g/kg IV
	고리이뇨제 Furosemide 0.5-1 mg/kg IV 또는 0.15-0.3 mg/kg IV (mannitol 병용 시)
부신겉질 호르몬제	Dexamethasone(국소 뇌허혈에서만 효과)
산소화/환기 상태 점검	PaO₂≥100 mmHg, PaCO₂ 33-35 mmHg (mild hyperventilation)
혈역학 지표 점검	정상 혈압, 정상 혈관용적 유지(CPP=MAP-ICP)
뇌 정맥환류 촉진	머리 위기울임 20-30도, 머리 회전 해소
뇌혈관수축제	Propofol, thiopental
체온	발열 방지
뇌척수액 배액	자연 배액되도록 하며 강제적인 배액은 금지

2. 일반적인 뇌종양 수술의 마취

뇌신경 마취에서 환자에 대한 접근은 대체로 아래 열한 가지 질문에 대한 마취과 의사의 탐구와 선택을 포괄한다(표 8-3).

표 8-3	개두술 환자 마취관리를 위한 체크리스트

(1) 환자의 중추신경계 질환에 연관된 신경해부학, 생리학, 병리학
(2) 수술의 범위 및 특성
(3) 수술 전 환자의 중추신경계 기능손상 정도
(4) 동반된 내과 질환
(5) 전투약
(6) 수술 중 감시
(7) 마취제 선택
(8) 체위
(9) 수액 및 수혈 관리
(10) 체온 관리
(11) 각성 및 이송

뇌신경마취가 특수한 점은 수술 부위가 마취제의 일차적인 작용 부위라는 점에서 비롯된다. 이는 적어도 두 가지 면에서 아주 중요하다. 첫 번째로 마취제가 중추신경계의 기능 자체에 영향을 미쳐서, 자동조절능과 이산화탄소 혈관반응성 등과 같은 항상성(homeostasis)에 심각한 변화를 초래할 수 있다. 또한 마취제에 의해서 뇌대사, 뇌혈류, 두개내용적이 변화한다. 그 결과, 마취제가 머릿속압력을 불리한 방향으로 변화시킬 소지가 많다. 두 번째로 중추신경계 병증에서 나타나는 증상과 징후가 마취제의 정상적인 작용 아래에서 모두 은폐된다는 점을 들 수 있다. 이를테면 국소 뇌허혈에 따른 뇌손상으로 일어나는 합병증으로서의 무반응성(unresponsiveness)을 흡입마취제, 아편유사제, 신경근차단제의 잔류효과에 의한 무반응성과 구분하는 것은 어려운 일이다. 표 8-3의 (1)–(4)항이 환자가 이미 가지고 있는 불변의 사실이라고 하면, 나머지 (5)–(11)은 불변의 사실을 기초로 해서 환자를 안전하게 관리하기 위한 마취과의사의 고유의 선택사항이 될 것이다.

1) 마취전평가

(1) 수술 전 환자의 신경 상태를 평가하는 주요 목표는 뇌압이 얼마나 많이 상승하였는지, 뇌내 순응도 및 자동 조절능의 장애 정도, 종양의 위치 및 크기, 뇌압 및 뇌혈류에 대한 항상성이 어느 정도로 작용할 수 있는지, 항구적이거나 가역적인 신경손상이 어느 정도 있을지 평가하는 것이다. 환자 기록 및 신체검사, 혈액검사, 영상 검사에서 확인해야 할 사항들은 다음 표 8-4에 잘 나타나 있다.

(2) 방사선 시술의 발달로 말미암아 뇌종양의 마취 전 평가는 과거보다 향상되었다. 컴퓨터단층촬영(computed tomography, CT)이나 자기공명영상(magnetic resonance imaging, MRI)에서 뇌종양의 정확한 위치와 함께 종양의 크기, 뇌실의 변형과 뇌척수액의 배액 장애, 중간선

표 8-4	수술 전 신경학적 평가

과거력 – 경련(종류, 지속시간, 치료)
　　　 – 뇌압 상승 정도
　　　 – 의식 수준, 기면유무
　　　 – 국소적 신경학적 징후
　　　 – 신생물딸림증후군(paraneoplastic syndrome) 여부
신체 평가 – 의식 수준
　　　　 – 시신경유두부종(papilledema) 유무
　　　　 – 동공크기, 글래스고 혼수 척도(Glasgow coma scale), 국소적 신경학적 징후
투여 약제 – 스테로이드 사용 유무
　　　　 – 항경련제 사용 유무 및 사용 기간
영상검사(CT, MRI) – 종양의 위치, 크기
　　　　　　　　 – 뇌내 종양 효과: 뇌실의 변형, 뇌 이탈, 중간선 전위 정도, 뇌수두증 등
전신 수분 상태 – 열, 감염 유무
　　　　　　 – 침상 요양 기간
　　　　　　 – 수분 섭취 정도, 이뇨제 사용 유무
조직검사 – 뇌 종양의 조직 종류

전위, 종양 주위 뇌조직의 부종, 조영증강, 정맥동(venous sinus)과의 거리 등을 판독한다. 뇌압 상승 징후에는 종양으로 인한 뇌실의 감소 및 폐쇄성 뇌수두증으로 인한 측심실 확장 및 정중선 이동(>5 ㎜) 등이 포함된다.

(3) 종양의 위치에 따른 외과적 접근법은 환자의 자세를 결정하며, 절제해야 할 종괴가 종양, 혈종(급성 또는 만성), 농양, 전이암인지 여부에 따라 마취 방법이 달라질 수 있다. 뇌수막종(meningioma)의 경우 일반적으로 완전한 절제를 목표로 하는데, 신경학적 증상이 잘 나타나지 않는 부위에선 크기가 상당히 커질 수 있고, 주변에 기능적으로 중요한 조직들이 많아 수술이 까다로울 수 있다. 수술 중 상당한 양의 출혈이 수반될 수 있는데, 수술 전 색전술을 통해 출혈량을 감소시킬 수 있다. 이와 대조적으로, 신경교종(glioma)은 수술 중 출혈 가능성이 비교적 낮다. 천막상 뇌종양의 제거술에서 일반적으로 접근하는 방법은 전두접근법(frontal) 혹은 관자놀이 접근법(pterional/temporal) 개두술이다. 양쪽 이마 접근법(bifrontal)은 시상정맥동을 가로 질러 출혈 및 정맥 공기색전증의 위험이 증가된다.

(4) 환자의 심폐혈관 기능은 뇌 관류 및 산소 공급을 유지하는데 매우 중요하다. 천막상 뇌종양의 수술(특히 수막종, 전이암)은 심각한 출혈과 연관될 수 있는데, 혈액량 감소 및 저혈압이 발생하지 않도록 주의해야 한다. 전이암의 40%가 원발성 폐암인데, 이때 종양 자체에 의한 심폐혈관 기능 약화뿐만 아니라, 독소루비신(Adriamycin), 사이클로포스파마이드(Cytoxan)와 같은 항암 요법 또는 방사선 요법에 의한 2차적인 기능약화도 고려해야 한다. 그밖에도 신장 계통, 내분비 계통, 소화기 계통 등과의 상호작용을 충분히 고려해야 하고, 골전이와 연관되

어 있을 때 나타나는 고칼슘혈증 등도 감별진단 할 수 있어야겠다.

(5) 위와 같은 요소들과 함께 본격적인 마취관리를 위해 다음 표 8-5의 사안들을 고려한다.

표 8-5   수술 중 마취관리를 위해 고려해야 할 사항

- 혈관 접근: 출혈 및 정맥 공기 색전증의 위험성, 혈역학 및 대사 모니터링의 필요성, 마취제(목표 농도 조절 주입법, target controlled infusion, TCI), 혈관수축제 혹은 기타 약물의 주입에 대한 고려
- 수액 요법: 정상 혈량과 정상 혈압을 목표로 저삼투성 수액(lactated Ringer's solution) 배제, 허혈성 뇌 손상을 악화시키는 고혈당증을 예방하기 위해 포도당 함유 용액 배제
- 마취 요법: (1) 머릿속압력 상승 문제가 상대적으로 낮고, 허혈의 위험성 및 뇌 이완의 필요성이 낮은 '기본적'인 수술을 위한 흡입 마취제 사용 (2) 머릿속압력 상승 및 뇌 허혈의 위험성이 있고, 뇌의 이완이 필요한 복잡한 수술을 위한 전정맥마취 사용
- 환기 요법: 정상 이산화탄소혈증 혹은 경한 저이산화탄소혈증 및 심장으로의 정맥혈류 흐름 개선을 위한 낮은 흉막 내 압력 유지
- 두개 외 모니터링: 심혈관 및 신장 기능 평가, 점탄성 시험(ROTEM® 또는 TEG®) 및 전혈 임피던스 응집법 (Multiplate®)와 같은 현장검사(point of care testing) 장치를 이용한 출혈 감시
- 두개 내 모니터링: 신경 생리학적(EEG, evoked potential), 대사적(경정맥 산소 공급량, 경두개내 산소 측정), 기능적(경두개 도플러 초음파) 감시

2) 마취전투약

대부분의 진정제는 호흡억제를 수반하므로 동맥혈 이산화탄소분압을 상승시켜 뇌혈류와 뇌 용적을 증가시키고, 머릿속압력 상승을 초래할 수 있다. 때문에 개두술을 앞둔 환자에게 진정 작용을 가진 전투약을 투여하는 일은 금기까지는 아니지만 반드시 추천되지도 않는다. 환자의 과흥분이 호흡억제보다 더 위험하다고 판단될 때에는 호흡 상태를 철저히 감시하면서 진정제를 투여하는 것을 추천하며, 머릿속압력 증가로 인한 부작용과 감별하기 어려울 수 있기 때문에 조심스럽게 투여하도록 한다. 일반적인 전투약 용량의 midazolam(0.5-2 ㎎ 근주 또는 정주)과 소량의 아편유사제(opioids, fentanyl 25-100 ㎍ 혹은 sufentanil 5-20 ㎍)를 병용할 수 있다. 스테로이드(methylprednisolone 또는 dexamethasone)는 수술 당일 아침까지도 지속적으로 투여해야 한다. 히스타민 차단제(H_2 blocker)와 위장 운동 보조제는 특히 뇌신경 (IX, X) 마비가 있는 환자들(gag reflex가 손상된 환자들)에게서 스테로이드 요법과 함께 위산분비 증가 및 감소된 위 연동운동을 보상해준다. 항경련제, 항고혈압제와 같이 지속적으로 투여되는 약물들은 페니토인(phenytoin)과 약물 상호작용이 발생할 수 있다는 것을 고려해야 하며, 때문에 약물의 혈장 농도를 일시적으로 감시하는 것이 필요할 수 있다.

3) 감시장비의 선택

심전도, 맥박산소포화도, 호기말이산화탄소분압, 체온과 같은 기본적인 마취감시장비는 개두술 마취에서도 그대로 적용된다.

(1) 침습적 동맥압

① 개두술의 대부분에서 침습적인 동맥혈압 감시를 필요로 한다. 전신 마취 중에는 비록 반응이 완화되기는 하지만, 동맥압을 파형단위로 관찰 분석함으로써, 머릿속압력의 급격한 변화를 감지할 수 있으며, 마취 깊이의 변동을 추정하는 것이 가능하다. 이에 더하여, 동맥혈 샘플링을 통해서 동맥혈 이산화탄소분압 및 산소분압, 포도당, 전해질 등의 측정을 한다. 침습적 동맥압을 측정하기 위한 동맥로는 마취의 유도가 이루어진 후에 확보되는 것이 보통이지만 환자의 상태에 따라서는 마취 전에 확보하여야 한다. 이때에는 국소마취제와 진통제를 충분히 투여하여 통증으로 인한 혈역학 반응을 억제하여야 한다. 동맥로로 흔히 선택되는 것은 요골동맥(radial artery), 대퇴동맥(femoral artery), 족배동맥(dorsalis pedis) 등이다.

② 눕거나 엎드린 체위에서는 침습적 동맥압의 압력 센서의 높이를 심장의 높이를 기준으로 맞추는 것이 일반적이며, 앉은 자세처럼 심장의 높이와 머리의 높이에 격차가 큰 경우, 유도저혈압이나 뇌관류압을 철저하게 유지할 필요가 있는 경우에는 외이도(external auditory carnal)의 높이에 맞추는 것이 뇌허혈을 예방하는데 있어서 안전한 지침을 제공할 것이다.

(2) 혈관용적

① 일반적으로 완전한 두개내 종양 절제술을 하기 위해서는 수액 투여나 수혈을 위한 적어도 큰 직경의 정맥로가 두 개 이상 필요하다. 중심정맥관은 대량 출혈이나 과다한 수액 이동이 예상되는 경우 중심정맥압 측정과 승압제 등의 약물 투여를 위해 삽입하여야 한다. 자주 선택되는 정맥로는 내경정맥(internal jugular vein), 쇄골하정맥(subclavian vein), 외경정맥(external jugular vein) 등이며, 특수하게 고안된 긴 도관(50 ㎝ 이상)이 준비되어 있다면 자쪽 또는 노쪽 피부정맥(basilic or cephalic vein), 대퇴정맥(femoral vein)에도 도관을 넣을 수 있다. 내경정맥 도관이 정맥환류를 방해하여 머릿속압력을 상승시킨다는 우려가 있으나 이를 뒷받침하는 객관적인 증거는 없다. 단, 정맥 천자 및 도관 삽입 시에 통상적으로 시행하는 머리 아래기울임 체위와 과도한 두부 회전은 정맥환류를 저해하여 머릿속압력 상승을 유발할 수 있으므로 삼가야 하며, 장시간 거치 중에는 정맥 혈전이 발생될 가능성이 있으므로 주의를 요한다.

② 수술 중에는 정상 혈량(euvolemia)를 유지해야 한다. 정상 혈량이라는 표준 목표는 달성하기가 매우 어려워서, 체내 혈량을 반영하는 신체 징후와 검사결과들 즉, 혈액농축 정도, 질소혈증(azotemia), 소변 내 sodium 부족, 대사성 산증/알칼리증은 모두 저혈량을 반영하지만 부정확하고 비특이적이다. 경우에 따라서 폐동맥 도관을 삽입하여 폐모세혈관쐐기압(pulmonary capillary wedge pressure, PCWP)을 측정하면 심장의 전부하를 비교적 정확하게

측정할 수 있지만 시술 자체의 합병증을 무시하기 어려우며 높은 가격도 고려하여야 한다. 근래에는 경식도초음파를 동원하여 심장의 이완기 부피를 평가하여 혈량을 측정하는 방법이 동원되기도 하는데, 2차원 영상에서 얻은 좌심실의 확장기말 넓이로부터 용적을 산출하는 방법이다. 경식도초음파는 또한 공기 색전증을 가장 민감하게 감시할 수 있는 방법이기도 하며, 어떠한 고전적인 방법보다 체내 혈량의 참값에 보다 근접할 수 있는 것은 사실이지만 장비의 비용과 시간에 따른 영상의 비교분석을 위해서는 잘 훈련된 초음파 시술자가 필요하다는 점은 보편적 사용을 어렵게 한다.

(3) 호기말이산화탄소분압

개두술에서는 약한 과환기(Pa_{CO_2}=30-35 mmHg) 상태를 유지하는 것이 뇌압과 뇌 긴장도를 낮추어 수술 시야를 확보하는 데 중요하다. 각 환자에서 동맥혈 가스분석을 통해 호기말이산화탄소분압과 동맥혈이산화탄소분압의 차이를 밝혀야 한다. 전정맥마취 동안에는 과환기의 중요성은 다소 떨어지며 흡입마취 동안에는 중요하다. Propofol을 주 마취제로 사용하는 경우에는 propofol의 내재적인 뇌혈관수축 작용으로 인해 뇌혈류/뇌대사 결합(cerebral blood flow/cerebral metabolic rate coupling)이 떨어져 뇌허혈을 일으킬 수 있으므로 과환기를 금해야 한다는 의견도 팽배하다. 뇌관류압과 수술 시야 확보를 위해 과환기보다 중요한 것은 저환기, 동맥혈 탈산소화를 방지하는 것이다.

(4) 신경근차단

① 뇌조직 자체에는 감각 수용기가 존재하지 않으므로 뇌수술에서 요구하는 적당한 마취깊이는 사실상 얕다. 하지만 얕은 마취는 수술 중의 뜻하지 않은 각성과 움직임의 위험성을 내포한다. 특히 현미경을 사용하는 두개내 미세수술에서 수술 중 힘주기, 기침, 움직임은 머릿속압력의 급격한 항진과 연관된 재앙을 초래할 수 있으므로 신경근차단을 완전하게 유지할 필요가 있다.

② 많은 마취과 의사들은 신경근차단의 정도를 경험과 직관으로만 판단하는 경향이 있지만, 뇌수술을 받는 환자들은 수술 전에 장기간 항경련제를 복용하는 경우가 많아 약물 상호작용으로 인하여 비탈분극성 신경근차단제의 신경근육 접합부 작용을 단순히 직관만으로 예측하는 것을 곤란하게 한다.

③ 근전도계(electromyography)나 기타 신경근차단을 파악할 수 있는 감시 장비(accelerography 등)를 부착하여 도움을 얻을 수 있다. 기침을 완전하게 통제하기 위해서는 엄지벌림근(adductor pollicis)보다는 눈둘레근(orbicularis oculi)과 후두근(laryngeal muscles)의 근활성도

를 감시하여야 하지만, 측정 부위와 수술 부위와의 거리가 가까운 뇌신경마취에서의 유용
성은 떨어진다.

④ 반신마비(hemiplegia) 환자에서는 마비된 편측의 아래운동신경세포(lower motor neuron)의
신경접합부에 acetylcholine 수용체가 병적으로 과잉 증식한다. 따라서 마비된 편측에서
신경근차단을 감시한다면 신경근차단제에 저항하는 것으로 오판하여 과량의 신경근차단제
를 사용하게 될 우려가 있어서 반드시 정상 운동기능을 가진 편측에서 신경근차단 감시를
하여야 한다.

(5) 혈액화학

모든 개두술에서 뇌의 견인은 국소적 뇌허혈을 야기한다. 부신겉질호르몬은 혈당을 상승시
키며 고혈당증은 뇌허혈에 따르는 뇌세포의 손상을 심화시키므로 혈당을 주기적으로 측정
하는 것은 필수적이다. 이뇨제를 사용하는 경우에는 혈장 K^+과 Na^+을 측정하여 신체 징후,
심전도의 변화에 주의를 기울이면서 교정하여야 한다.

(6) 응고 및 지혈 장애 모니터링

원발성 또는 전이성 뇌종양은 혈관의 내피 손상, 허혈 및 2차 염증 반응으로 뇌의 트롬보플
라스틴(thromboplastin), 트롬빈 및 철분 방출 등을 통해 혈전증 및 출혈과 같은 합병증을 유
발한다. 조직 인자(tissue factor)의 발현은 성상세포종양(astrocytic tumor)과 관련이 있을 수
있으며 특정 뇌종양은 섬유소 용해에 직접적인 영향을 미치거나 혈장 응고를 촉진한다. 또
한, 항경련제의 사용은 혈소판 기능 장애, 저섬유소원혈증 또는 인자 XIII의 저하와 같은 지
혈 장애와 관련이 있는 것으로 알려져 있다.

　점탄성 시험(ROTEM® 또는 TEG®) 또는 전혈 임피던스 응집법(Multiplate®) 등과 같은 현장
검사(Point of care testing)를 통해 일상적인 응고 인자 이외에도 응고 상태 및 혈소판 기능에
대한 전반적인 정보를 얻을 수 있다. 언급한 감시장치들은 응고 형성 속도, 응고 정도와 섬
유소 용해의 존재 또는 아스피린, 클로피도그렐(clopidogrel) 혹은 당단백질(glycoprotein) IIb/
IIIa 수용체 차단제의 효과에 관한 정보를 제공한다.

(7) 뇌 기능 감시

개두술 중 전체적인 뇌의 기능을 평가하기 위해서 뇌파, 경정맥구혈 산소포화도(jugular bulb
oxygen saturation, $SjvO_2$), 뇌산소포화도(cerebral oxygen saturation, rSO_2)를 측정할 수 있다.
$SjvO_2$는 병변이 있는 쪽의 경정맥구에 역행적으로 도관을 위치시켜야 한다. 뇌파와 뇌산소
포화도의 센서의 위치는 흔히 수술 부위와 근접하므로 사용에 제한이 있지만 필요하다고 판
단되면 별도의 무균조작법을 동원하여서라도 설치하여야 한다. 별도로 특정 뇌신경에 대한

유발전위를 필요로 하는 경우도 있다. 정도의 차이는 있지만, ketamine, etomidate, 아산화질소를 제외한 모든 마취제는 체성감각유발전위(somatosensory evoked potentials, SSEPs)를 억제한다(표 8-6).

표 8-6 마취제가 체성감각유발전위에 미치는 효과

치료	잠복기(latency)	진폭(amplitude)
Isoflurane, Sevoflurane, Desflurane, Propofol, Barbiturates, Fentanyl	↑	↓
Nitrous oxide	−	↑
Etomidate	↑	↑
Ketamine	−	↑
midazolam	−	↓

(8) 공기색전증 감시

천막상개두술에서는 공기색전증이 잘 발생하는 것은 아니지만 중심정맥압이 낮고 머리의 높이를 심장보다 높게 두는 개두술 환자에서는 공기색전증의 가능성을 완전히 배제할 수 없다. 잘린 정맥으로 공기가 유입되는 것을 막기 위해서는 수술의가 머리뼈의 단면을 뼈왁스와 적신 솜으로 철저히 밀봉하는 것이 가장 중요하다. 호기말양압(positive end-expiratory pressure, PEEP)의 예방효과는 불분명하며, 기이공기색전증(paradoxical air embolism)의 원인을 제공할 수 있어서 추천할 수 없다. 일단 심장으로 유입된 공기는 혈역학의 변화, 동맥혈산소포화도의 하강으로 징후가 나타날 수 있지만 경식도초음파로 직접 공기의 양을 측정하는 것이 가장 민감한 감시장비이다. 중심정맥압 도관은 우심방 내의 공기를 흡인하는 공기색전증 치료의 수단임과 동시에 진단적 가치도 있다. 공기색전증에 대해서는 후두개와 병소수술의 마취관리(9장) 단원에서 보다 자세히 다룰 것이다.

4) 마취: 마취제의 선택, 마취관리

마취 유도 시 뇌의 2차적 손상을 방지하기 위해 환기 조절, 교감 신경 및 혈압 조절에 각별히 신경쓴다. 이를 통해 뇌 관류압을 적절하게 유지하고 머릿속압력 상승을 예방하는 것이 중요하다.

(1) 마취제의 선택

① Ketamine을 제외한 모든 정맥마취제는 뇌대사와 뇌혈류를 감소시켜 결과적으로 머릿속압력을 증가시키지 않는 효과가 있다. Propofol 또는 thiopental을 마취 유도 제재로 사용 가능하며, 혈역학적 변화를 최소화하기 위해 etomidate(0.2-0.4 ㎎/㎏)를 사용할 수 있는데, etomidate는 뇌겉질의 간질병소(epileptic foci)를 전기적으로 활성화시키는 작용이

있다. 아편 유사제로는 alfentanil(5-10μg/kg 주입 후 5-10 μg/kg/h의 속도로 유지), sufentanil(0.5-1.5 μg/kg 주입 후 0.1-0.3 μg/kg/h 유지), remifentanil(0.25-0.5 μg/kg, 0.1-0.2 μg/kg/h 유지) 등을 사용할 수 있다. 아편 유사제의 사용 시 각성이 지연될 수 있으며, 이 때문에 수술 후 발생할 수 있는 외과적 합병증을 감별하는데 어려움을 줄 수 있다. 이러한 문제는 목표 농도 조절 주입법(target controlled infusion, TCI)과 propofol 및 remifentanil과 같은 단시간 작용하거나 주입 지속 시간 비감수성 약물의 이용으로 점차 완화되고 있다.

② 모든 흡입마취제는 뇌대사를 감소시켜서 뇌혈류를 감소시키지만 내재적으로는 뇌혈관을 확장시켜 머릿속압력 및 뇌부피를 증가시킬 수 있는 특성 때문에 뇌신경 마취의 이상적인 약물과는 거리가 멀다. 그러나 정상 뇌생리를 유지하고 있는 뇌에서는 1.5 MAC 이하의 흡입마취제는 각성 상태보다 뇌혈류를 낮추며 뇌혈류의 자동조절능도 잘 유지된다. 작은 차이는 있지만 현재 사용되는 흡입마취제들의 뇌혈관 확장 효과와 뇌압 항진 효과는(desflurane>sevoflurane = isoflurane) 비슷하다고 볼 수 있다.

③ 마취제를 선택하는데 있어서 가장 중요한 점은 현재의 두개내고혈압 여부, 기왕의 뇌허혈이 존재하는가가 될 것이다. 하지만 머릿속압력은 단지 마취제의 종류뿐 아니라 여러 가지 생리적 변수(환기상태, 자세, 뇌척수액 배액 여부), 병용된 약제들과 상호작용을 하기 때문에 어떤 마취제가 가장 안전하다고 단정할 수는 없다.

④ 마취과 의사들은 대부분의 정례 신경외과 수술에서 각기 지식과 경험에 따라 정맥마취제를 근간으로 하는 마취를 선호하거나 저농도의(<1.5 MAC) 흡입마취제를 근간으로 하는 마취를 선호할 수도 있다. 약제에 따른 신경학적 결과의 차이는 여전히 입증되어 있지 않다.

(2) 마취 유도 및 유지
① 개두술에 일반적으로 추천되는 마취 유도법이다(표 8-7). 마취 유도 시 고려해야 할 중요한 요인은 뇌의 2차적 손상을 방지하는 것이다. 따라서 환기 조절(고이산화탄소 혈증 및 저산소 혈증 예방), 교감 신경 및 혈압 조절(적절한 마취 깊이 유지)과 뇌의 정맥 폐쇄로 인한 환류 장애(두부 위치 확인) 예방이 필수적이다. 어떤 마취제를 선택하더라도 마취 깊이를 충분히 유지하여야 하며, 적당한 뇌관류를 보장할 수 있도록 동맥혈압을 철저하게 유지하고 두개내 고혈압을 예방하는 것이 마취제에 따른 뇌혈관 작용의 차이보다 더 중요하다. 하지만 뇌 중간선 전위가 10 ㎜ 이상이라면 흡입 마취제의 사용을 지양하는 것이 좋다는 것에 대해서 대다수의 마취과 의사들이 일치된 의견을 이루고 있는 듯하다. 마취제들이 혈역학에 미치는 효과는 연구의 모델에 따라 미세한 차이는 있으나 일반적인 임상상황에서는 정맥마취제와 흡입마취제가 비슷하다고 볼 수 있다. 마취 중 의도하지 않은 외현기억(explicit memory;

recall)의 빈도는 정맥마취제를 주마취제로 사용할 때 더 높은 것으로 알려져 있다.

표 8-7   일반적인 개두술 마취의 유도

유도	주 마취제	기타
– 마취 유도 전 충분한 진정 및 진통. Midazolam 1–2 mg IV ±opioids – 기본 감시장비 부착 및 마취 전 산소투여 (preoxygenation) – 국소마취 하 동맥내도관 설치 – Propofol 1–2.5 mg/kg 또는 thiopental 3–5 mg/kg IV – $PaCO_2$ 35 mmHg 목표로 마스크 양압환기 – 비탈분극성 신경근차단제(± 윤상연골 압박) – 마스크 환기(± 주 마취제) – 기관내삽관	– 정맥마취제(Propofol) – 흡입 마취제(Sevoflurane, Isoflurane, Desflurane)	뇌의 적절한 이완: 필요 시 mannitol 투여, 요추 배액관 삽입

② 아산화질소는 뇌조직의 활성도를 증가시키는 효과 때문에 뇌신경마취에서의 적용에는 제한이 따른다. 특히 흡입마취제를 주 마취제로 쓰는 경우에는 금기로 여겨지며 정맥마취제는 아산화질소의 뇌조직 활성 효과를 상쇄할 수 있으므로 정맥마취제를 주 마취제로 쓰는 경우에는 자유롭게 사용하여도 좋지만 마취 전에는 없었던 머릿속압력 항진의 징후가 마취 중에 새롭게 나타난다면 아산화질소는 즉각 중단하여야 한다.

③ 현재 뇌 수술에서 주로 사용되는 아편유사제인 fentanyl과 remifentanil은 뇌혈류와 뇌 대사에 거의 영향을 미치지 않는다. Remifentanil은 아편유사제 중에서 가장 신속하게 체내에서 제거되므로 수술 후의 신경학적 평가를 용이하게 해준다. Remifentanil의 용량 범위는 0.125–0.2 μg/kg/min이며 상황에 맞추어 조절한다.

④ 비탈분극성 신경근차단제는 뇌내 혈역학에 거의 영향이 없다. 반면 탈분극성 신경근차단제인 succinylcholine은 뇌대사율, 뇌혈류 및 머릿속압력을 증가시킬 수 있기 때문에 기관삽관이 어려운 환자, 빠른 마취유도가 필요한 환자 등에 한해서 제한적으로 사용한다. 하지만 이 또한 마취 유도를 하면서 적당한 과환기와 마취약제의 투여로 조절 가능하다. 일반적으로 pancuronium과 같은 장시간 작용하는 약제는 피하고 vecuronium, cisatracurium, mivacurium, rocuronium과 같은 단–중기간 작용 신경근차단제의 사용이 권장된다. 장기간의 항경련제를 복용한 환자들은 동일한 근이완효과를 얻기 위하여 비탈분극성 신경근차단제 용량을 50–60% 증량할 필요가 있다.

⑤ 머릿속압력 항진으로 인해 수술 전에 구토를 일으킨 환자에서는 마스크 환기 중에 반지연골누르기(cricoid pressure)를 적용할 것을 추천한다.

5) 자세

① 천막위 개두술을 위한 수술 자세는 일반적인 수술의 마취과적 관심사와 크게 상충되지 않는다. 단, 어떤 개두술에서는 장시간의 수술이 소요되므로 장시간 신전과 압박에 따른 신경 손상을 피하기 위해서는 호발 부위인 팔꿈치, 무릎과 발목 뒤에 적절히 패딩을 해줘야 한다. 장시간 아산화질소 혼합 가스로 환기시키면 기관튜브의 기낭이 부풀어 오를 수 있어 신경계 합병증이 일어나는데 반회후두신경(recurrent laryngeal nerve)에 압박 손상을 주어 성대마비가 일어나면 발관 후 기도 폐쇄를 일으키므로 일정한 시간 간격으로 기낭의 공기를 빼주는 등의 방법을 모색해야 한다. 과도한 머리 회전은 뇌정맥의 환류를 방해하여 뇌혈량을 증가시키고 머릿속압력이 상승될 수 있으므로 피해야 한다. 머리를 회전시키는 쪽의 반대편 상완 신경총의 스트레치 손상이 발생할 수 있으므로, 이를 방지하기 위해 반대쪽 어깨를 높여야 한다.

② 개두술에서는 머리를 안전하게 고정하기 위해서 머리뼈에 고정침(mayfield fixator)을 박는 경우가 빈번한데 일반적인 마취 깊이에서 갑자기 고정침을 박으면 혈압과 심박수가 심각한 수준까지 오를 수 있다. 고정침 설치에 따른 혈압 반응을 억제하기 위해서는 충분한 마취 깊이를 유지하거나(propofol 0.5 ㎎/㎏ 추가 투여), 아편유사제(remifentanil 0.25-1 ㎍/㎏)나 베타차단제(esmolol, labetalol), 혈관확장제를 투여하는 방법, 고정침이 설치될 부위에 미리 국소마취제(1% lidocaine 또는 0.25% bupivacaine)를 침윤하는 방법이 있다. 국소마취제는 두개의 뼈막(periosteum)까지 깊숙하게 침윤하여야 효과가 좋다.

6) 수액, 수혈 관리
수액관리는 두 개의 목표를 모두 만족시킨다. 첫째로는 정상혈량을 유지해야 하고, 둘째로는 정상 혈장 삼투압을 유지해야 하는 것이다.

(1) 정상 혈량

① 수분 제한은 수액 과다만큼 합병증이 많으므로 반드시 혈량을 정상으로 맞추어야 한다. 심장의 전부하를 나타내는 감시상의 지표들 외에도 수술 부위의 실혈량을 주기적으로 측정하여 보충하여야 한다.

② 머릿속압력이 증가한 경우에는 이뇨제를 필요로 하는데, 이뇨제의 목표가 뇌 조직의 탈수이지 저혈량이 아니라는 점을 명심한다. 이뇨제 중에서 삼투성 이뇨제인 mannitol을 초회 용량 0.25-1.0 g/kg으로 천천히 주입하거나 furosemide 10-40 ㎎을 정주할 수 있다. 모든 이뇨제는 크고 작은 범위의 전해질 이상을 동반하며, 혈량 보충을 게을리할 경우 저혈량과 심정지를 초래할 수 있어, 근래의 뇌 수술에서는 머릿속압력 항진의 증거가 없는 경우에 일상적으로 이뇨제를 투여하는 것을 삼가고 있다.

(2) 정상 혈장삼투압

① 뇌에서 혈관과 간질 간의 수분이동을 결정하는 주된 인자는 교질삼투압(oncotic pressure)이 아니라 전해질의 삼투압 경사(osmotic gradient)이다. 혈장보다 삼투압이 낮은 링거씨액(273 mOsm/kg)은 뇌부종을 악화시킬 수 있기 때문에 투여하지 않는다(목표 삼투압 농도 = 290-320 mOsm/kg). 고장액(hyperosmolar solution)이 등장액(isoosmolar solution)에 비해서 소생술의 초기에는 혈량 증가에 도움이 되지만 장기적인 예후와는 상관이 없다. 수술 동안 혈액 손실을 대체하기 위해 적합한 수액은 등장성 정질액과 등장성 교질액이다.

② 생리식염수와 생리식염수를 근간으로 하는 각종 교질액은 무방하지만, 정질액과 교질액의 임상 차이는 입증되어 있지 않았고, 뇌부종에서 교질액의 삼투압 효과 또한 그 효과가 입증되지 않았다. 뇌허혈에 따른 세포의 손상을 심화시키므로 포도당이 함유된 수액은 투여하지 않는다.

③ 머릿속압력 상승의 합병증으로 요붕증이 발생한 경우에는 vasopressin (5-10 IU), desmopressin (0.5-2 ㎍) 등의 약물 치료에 앞서 저삼투압 용액(1/2 생리식염수, 자유수)을 사용하면서 K⁺ 보충을 고려할 것을 권장한다.

(3) 개두술의 마취에서 수혈 관리 지침

① 수술에 따른 출혈량은 종양의 크기, 위치, 혈관형성 정도에 따라 다양하다. 뇌조직의 출혈은 동맥혈의 산소함량을 낮추기도 하지만 가장자리 구역(marginal zone)의 혈관수축을 야기하여 뇌허혈에 취약해진다. 통상 뇌종양의 개두술의 예측 실혈량은 25-500 ㎖ 정도에 이를 뿐이지만 혈관종양(vascular tumor)의 경우에는 달리 대처해야 한다.

② 동종혈액(homologous blood)은 반드시 수술 전에 교차시험과 항원검사를 마쳐야 한다. 수술 중의 출혈량을 측정하는 것은 다분히 경험과 직관에 의존하게 되지만 수혈의 목표는 혈장 혈색소(hemoglobin, Hb) 농도를 10-12 g/㎗, 적혈구 용적률(Hematocrit)은 28% 이상 유지를 목표로 하는 것이 좋으며, 체온 유지를 위해 충분히 가온하여 주입하도록 한다.

③ 출혈된 혈장의 용적은 위에서 언급한 정질액을 기준으로 출혈량의 3배 비율로 보충하여
야 혈장 삼투압을 유지할 수 있다. 혈소판제(platelet)는 혈액 혈소판이 양적, 기능적으로
부족한 것을 검사로 확진한 경우에, 신선동결혈장(fresh frozen plasma, FFP), 동결침전물
(cryoprecipitate)은 혈액 응고 이상을 혈액검사로 확진한 경우에만 투여한다.

7) 혈압관리

(1) 혈압의 변동에 대해서는 철저히 대응하여야 한다. 자동조절능을 벗어나는 고혈압은 두개
내 고혈압을, 저혈압은 뇌허혈을 유발할 수 있다(그림 8-2). 원인을 제거하는 것이 혈압 관리
의 일차적인 치료라는 점에 대해서는 의문의 여지가 없으므로 마취의 깊이, 혈관내용적, 혈
색소농도, 체온을 섬세하게 맞추는 것이 약물치료보다 중요하다.

(2) 항고혈압제 중에서 혈관 확장 작용을 가진 nitroprusside, nitroglycerine, hydralazine
등은 경막이 개방되기 전에는 사용하지 않으며, 주로 교감신경에 작용하는 베타차단제(la-
betalol, esmolol)를 사용할 수 있다. 모든 약제는 용량을 잘 적정하여 사용하여 의인성 저혈압
을 초래하지 않도록 한다.

(3) 대부분의 마취과 의사들이 개두술에서 일차적으로 선택하는 승압제는 순수 알파작용제
인 phenylephrine일 것이다. 혈압 반응에 따라 phenylephrine을 25–50 μg씩 순차적으로
증량하는 일회정주의 반복으로 사용할 수 있으며 0.05–0.1 μg/kg/min으로 지속 정주할 수
도 있다. Dopamine, dobutamine에는 뇌동맥경련을 예방, 치료하는 부수 효과가 있어서 경
막 개방 후에는 오히려 이점이 될 수 있고, 머릿속압력이 문제가 되지 않는 경우에는 경막이
개방되기 전에라도 자유롭게 써도 좋다. 또한 아무리 두개내 고혈압 환자라고 하더라도 현
존하는 저혈압이 순환 상태를 위협하는 상황이라면 망설이지 말고 epinephrine, norepi-
nephrine 등의 소생술에 준하는 약물 치료로 전환하여야 한다. 이상의 약제들에 불응하는
저혈압에서는 vasopressin을 시도할 필요가 있다.

(4) 유도저혈압(deliberate hypotension)의 필요성과 가치에 대해서는 뇌신경마취의 영역에서
과거에 비해 중요하게 다루어지지 않는다. 이는 현재 사용되는 마취제들이 과거에 비해 좋
은 수술 시야를 제공하는 것이 주된 이유일 것이지만 크기가 큰 혈관종양을 제거하는 수술
에서 수술의들은 여전히 유도저혈압을 요구하곤 한다. 이때의 유도저혈압은 가능한 한 짧은
시간에만 한정되어 적용해야 한다는 점을 명심할 필요가 있다. 유도저혈압의 대상이 되는
환자들은 현존하는 뇌허혈, 심근허혈의 징후, 고혈압의 합병 여부와 치료 정도에 대해서 철
저히 평가되어 있어야 한다. 경막이 열리기 전에는 결코 유도 저혈압을 시행해서는 안된다.
유도저혈압을 적용하기 전까지 혈관용적은 반드시 정상혈량으로, 혈색소농도도 정상범위로

유지되고 있음을 확인해야 한다. 유도저혈압은 뇌관류를 유지할 수 있는 최저평균동맥압을 유지하는 것을 목표로 하지만 이를 환자마다 개별화할 수 있는 표준화된 기술은 존재하지 않는다. 평균동맥혈압 55 ㎜Hg을 최저 기준으로 볼 수 있지만, 개두술에서는 60-70 ㎜Hg 이라는 다소 엄격한 기준에 대부분의 마취과의사들이 동의할 것이다. 유도저혈압 기간 동안 에 $SjvO_2$와 rSO_2를 기준으로 유도저혈압의 바닥값과 중단 시간을 판정하는 데 도움을 받을 수 있지만 아직은 경험된 자료의 축적이 부족한 형편이다. 유도저혈압을 구현하기 위해서 앞에서 열거한 항고혈압제를 쓸 수도 있으며, 단순히 마취제의 용량을 높임으로써 간단하게 이룰 수도 있다.

8) 체온 관리

저체온이 뇌보호에 미치는 효과에 대한 여러가지 실험실 증거에도 불구하고 실제 임상에서 드러나는 많은 부정적 효과들로 인해서 인위적으로 유도하는 저체온을 삼가는 것이 현재의 정론이다. 저체온은 혈소판 기능을 손상시키고 응고를 지연시키기 때문에 결과적으로 경도 의 저체온증(<1℃)조차도 출혈과 수혈 위험을 증가시킬 수 있다. 이외에도 상처 감염, 심혈 관계 부작용, 회복 지연 및 오한 등의 부작용이 나타날 수 있다. 마취 중에 자연적으로 발생 하는 저체온은 약 33℃까지는 허용하지만, 더욱 심한 저체온은 치료하는 것보다 발생하기 전에 예방하는 것이 더 바람직하다는 점을 염두에 둔다. 자연적으로 발생한 저체온은 마취 로부터 각성시키기 전까지는 반드시 재가온한다.

9) 폐 보호 환기 전략

두개내 질환이 있는 환자들의 경우 폐 합병증의 위험이 높으며 낮은 일회 호흡량과 일정 수 준의 호기말양압을 적용하는 폐 보호 환기 요법은 수술 후 호흡관련 합병증 발생의 위험을 줄여준다. 신경 외과 환자에서 10 ㎝H_2O 미만의 호기말양압은 뇌혈류 또는 머릿속압력에 미치는 영향이 미미한 것으로 나타났다.

10) 수술 후 각성

수술 후 각성 시 주된 목표는 혈압, 뇌관류, 머릿속압력, 산소 및 이산화탄소의 일정 농도, 체온 등 두개내외 항상성을 일정하게 유지하는 것이다. 수술 후 약 20%의 환자에게서 머릿 속압력이 상승하는 소견을 보이는데, 두개내 고혈압 발생 시 뇌출혈 위험이 3.6배 증가하므 로 기침, 고혈압 및 기도 압력 상승과 같이 뇌출혈을 발생시킬 수 있을 만한 상황을 최대한 피해야 한다. 뇌출혈은 수술 후 첫 6시간 동안 가장 많이 발생하며, 이와 관련된 인자로는 종양의 중증도 점수(종양의 위치, 크기, 정중선 이동을 점수화 해서 합한 것), 출혈량과 수액 주입 량, 7시간 이상 되는 수술 시간, 수술 후 인공환기의 지속이었다.

① 천막상 종양의 수술 후에는 일반적으로 조기 신경학적 평가를 위해 수술실 내 각성을 목표로 한다. 수술 중 전신 및 뇌 항상성(적절한 산소화, 온도, 혈관 내 용적, 혈압, 심혈관 기능 및 뇌 기능의 보존)의 조건이 맞을 경우 조기 각성을 시도해 볼 수 있다(표 8-8). 하지만 수술 후에는 자동조절능 감소 및 호흡 운동 감소로 인해 이산화탄소가 축적되고 저산소증이 나타나 2차 적인 뇌손상이 동반될 위험성이 따른다. 그렇기 때문에 종양의 크기, 수술 전 의식 저하의 여부, 호흡 조절 여부, 수술 합병증의 동반 여부에 따라서 조기 각성을 피할 필요가 있는 경우에는 수술의와 상의하여 중환자실에서 천천히 각성을 유도하기로 한다. 수술 후 뇌부 종의 위험이 높거나, 머릿속압력 상승 및 출혈이 해결되지 않는다면 조기 각성이 적절하지 않다. 조기 각성시의 위험인자로는 6시간 이상의 수술시간, 광범위한 수술(특히 출혈과 관련 된 경우), 반복 수술, 교모세포종 수술, 중요한 뇌 영역을 포함하는 수술 및 심각한 뇌허혈과 연관된 수술(예: 긴 혈관 클리핑 시간) 등이 있다.

표 8-8 조기 각성을 위한 항상성 유지 조건

전신적 항상성 유지	뇌 항상성 유지
– 정상 혈량, 정상 체온 – 정상 혈압(평균 동맥 혈압 80 mmHg) – 경한 저탄산혈증($PaCO_2$ 35 mmHg) – 정상 혈당치(혈당치 4–6 mmol/L) – 경한 고삼투압(285 ± 5 mOsm/kg) – 적혈구 용적률 약 30%	– 정상적인 대뇌 신진 대사 속도, 대뇌 혈류 및 두개 내압 – 항 경련제 예방 – 적절한 머리 위기울임 자세

② 각성을 유도할 때에는 항상 부드러운 각성을 목표로 한다. 부드러운 각성을 얻기 위해 선택하는 술기와 약제의 선택은 마취과 의사에 따라서 각양각색일 것이다. 수술 후반에 아편 유사제를 투여하는 것이 일반적인 방법이다. 그 밖에도 아산화질소를 마지막 순간까지 중단하지 않는 방법, 각성을 유도하는 동안에 적당한 용량의 propofol을 점적주입하는 방법 등을 각각의 상황과 자신의 경험에 비추어 신중하게 적용하면 된다.

③ 마취로부터 각성하는 동안에는 혈역학 지표의 상승으로 대변할 수 있는 급격한 신체 징후가 나타나는데 이는 술후 두개내 출혈의 위험을 높이므로 진통제와 교감신경 차단제(antagonist)로 예방 및 치료를 하여야 한다. 특히 기관내 튜브의 흡인이나 발관 전시에는 마취 유도 전을 기준으로 $SjvO_2$의 증가 및 뇌혈류 속도가 60–80% 증가하는데, 적절한 약제 사용을 통해(아편유사제 용량 추가, labetalol, esmolol) 교감신경 항진을 막아야 한다.

④ 마취 중에 저체온이 동반된 경우에는 각성 전까지 완전히 재가온을 하여야 하며, 재가온

중에는 산소소모량이 증가하므로 맥박산소포화도의 변화를 주시하면서 산소를 충분히 투여한다. 수술실 내에서 충분한 재가온에 실패한 경우에는 중환자실 각성으로 전략을 바꾸도록 한다.

⑤ 수술 직후 기관내튜브를 가지고 있는 환자가 방사선 촬영 등으로 인해 시간이 지체되는 동안에 점진적인 각성이 이루어지면서 기침/힘주기/혈압 상승을 겪을 수 있다. 따라서, 기관내튜브를 가진 채로 이송되는 환자의 경우, 근이완 효과가 유지될 수 있도록 수술 종료 시에 신경근차단 길항제를 투여하지 않는 것이 좋고, 이송을 담당한 의사는 labetalol, es-molol 등의 교감신경차단제, propofol 등을 준비하여 이에 대비하고, phenylephrine 등으로 급작스러운 저혈압에도 대비하는 것이 안전하다. 이송 중의 급작스러운 힘주기, 기침, 오심과 구토에 대비해서 여분의 신경근차단제도 준비하는 것이 좋다. 이송 중에도 심전도, 맥박산소포화도와 침습적 동맥혈압을 철저히 감시하여야 한다.

⑥ 마취를 중단한 이후 20-30분이 지났음에도 불구하고 간단한 구두 명령을 따를 수가 없다면, 마취 이외의 다른 원인을 감별해야 한다. 감별 진단으로는 발작, 뇌부종, 두개내 혈종, 공기뇌증, 혈관 폐색 및 허혈, 대사 또는 전해질 이상이 포함된다. 아편유사제의 과다 투여가 의심되면 naloxone을 소량 투여해본다.

11) 수술 후 관리

⑴ 두개내 수술 후 약 23.6%에서 합병증이 동반되며, 뇌종양 수술 후 30일 사망률은 약 2.2%로 조사되었다.

⑵ 수술 후 보통 중증도이상의 통증을 호소하며, 특히 마취 중 remifentanil의 사용은 효과적인 수술 후 진통제를 필요로 한다. 두피 신경 차단이나 절개부위에 국소 마취 투여는 효과적인 진통효과를 보이지만 수술이 시작되기 전에 시행되었다면 수술 후 지속시간이 짧을 수 있다. Paracetamol 단독 투여는 통증 완화에 효과적이지 못하며, 트라마돌은 머릿속압력이나 관류압에 영향을 미치지 않지만 메스꺼움과 구토를 유발할 수 있다. Nefopam은 진통 효과와 오한을 억제하는 효과가 있지만 경련이 나타난 경우가 있었다. 아편유사제를 이용한 자가통증조절장치의 경우 비교적 안전하게 사용할 수 있는 것으로 알려졌지만 졸음과 혈중 이산화탄소농도 상승 및 그에 따른 머릿속압력 상승을 초래할 수 있어 적절한 감시가 필요하다. 비스테로이드성 소염진통제(NSAID)는 혈소판 응집을 억제하고 스테로이드를 투여 받기 때문에 거의 사용되지 않지만 출혈 위험은 매우 낮다.

(3) 뇌신경 수술 후 메스꺼움의 빈도는 50%이며 구토는 약 40%의 환자에서 발생한다. 온단세트론(ondansetron)은 안전하고 부작용이 적지만 효과가 부분적이고 드로페리돌(droperidol)은 온단세트론보다 효과적으로 구토를 예방하며, 용량이 1 ㎎ 미만인 경우 진정을 유도하지 않는다. 스테로이드 또한 술 후 메스꺼움, 구토를 예방하는데 효과적이다.

(4) 스테로이드는 고혈당을 유발할 수 있지만 종양 및 혈관 주위 뇌부종을 완화하는데 효과적이다. 덱사메타손(dexamethasone)은 뇌 부종의 관리를 위해 가장 일반적으로 처방되는 스테로이드이며, 메틸프레드니솔론(methylprednisolone)이 대안으로 사용될 수 있다. Dexamethasone은 methylprednisolone보다 약 6배 더 강력한 효과를 보인다. 수술 후 고용량의 스테로이드가 투여되었다면 이후 며칠에 걸쳐 서서히 감량 후 끊도록 한다.

(5) 뇌 수술 후 항경련제(phenytoin 또는 levetiracetam)를 예방적으로 사용하는 것은 효과가 불분명하고 부작용이 동반될 수 있어 논란의 여지가 있다. American Academy of Neurology에서 발표한 권고사항에는 뇌종양 환자에서 항경련제의 예방적 투여를 금지하고, 환자의 발작 징후가 없을 경우 수술 후 첫 주에 이들 약물을 중단하는 내용이 포함되어 있다.

(6) 깊은 정맥 혈전증(deep vein thrombosis, DVT)은 두개내 수술 후 20-35%까지 보고되고 있다. 다리의 간헐적 인공 압축 장치는 수술 중 또는 수술 후 가능한 한 빨리 모든 환자에게 적용하는 것이 좋으며, 적절한 지혈이 되었다면 고위험 환자에 한하여 수술 후 24-48시간이 지난 후에 미분획 헤파린 또는 저분자량 헤파린을 추가하는 것을 고려해볼 수 있다.

3. 특정 수술의 마취관리(Specific Anesthetic Management)

1) 농양 및 감염성 종양
뇌 농양은 천막상 뇌종양과 비교하여 뇌조직 및 머릿속압력에 미치는 영향이 유사하다. 위험 요인으로는 연속 감염(부비동, 귀), 심장의 션트(right-to-left cardiac shunt), 면역 억제(외인성 또는 내인성) 및 정맥 약물 남용이 있다. 초기 치료에는 감염을 조절하는 항생제와 뇌부종을 치료하기 위한 이뇨제와 스테로이드 등이 포함된다. 확실한 진단 및 치료는 정위조직검사 및 수술적 절제로 이루어진다. 마취관리는 뇌종양의 마취관리와 크게 다르지 않다.

2) 머리얼굴, 머리바닥뼈 수술(Craniofacial and Skull Base Surgery)
머리얼굴, 머리바닥 뼈 수술법은 비강의 뒤쪽 벽 근처 혹은 안와의 종양 등에 점점 더 많이 사용되는 수술법이다. 이 수술은 신경외과뿐만 아니라 이비인후과, 안과, 성형외과 등 여러 분야의 외과적 접근이 필요하고 종종 뇌신경의 감각 및 운동 신경 생리학 모니터링을 필요로 하므로 기술적으로 어려운 수술분야다. 간혹 얼굴로의 외과적인 접근 및 광범위한 바닥머리뼈의 노출로 인하여 관자부위 근육을 제치고, 하악의 거짓 관절굳음(pseudoankylosis) 등을 초래하기 때문에 기관절개술이 요구되기도 한다. 뇌신경 모니터링, 특히 운동유발전위(motor evoked potential)를 모니터링 해야 한다면, 근이완에 대한 효과를 최소화하기 위해 신경근 차단은 마취 유도 이후에는 지양되어야 하며 흡입 마취제보다는 정맥마취제를 이용한 마취가 요구된다.

3) 각성개두술(Awake craniotomy)의 마취

발화(eloquence)에 관계하는 대뇌 겉질을 포함하는 종양에서는 수술 중에 대뇌 겉질의 기능적 지도화(functional mapping)를 필요로 하는 경우가 있다. 지도화를 통해 종양의 제거 범위를 기능적으로 최소화하여 술 후 신경학적 결손의 발생률을 약 2배 감소시키고, 외과적 전절제의 가능성을 향상시킬 수 있다. 발화 기능을 수술 중에 평가하기 위해서 각성 개두술을 시행하며 이에 맞추어 마취의 전략을 특별하게 구성하여야 한다.

(1) 마취 전 준비

각성 개두술의 마취에서 환자의 선별은 아주 중요하다. 정신적 문제, 기도 관리의 문제가 합병되어 있어서는 안되며 치료되고자 하는 환자의 강한 의지와 협조가 필수적이다. 수술과 마취의 절차에 대한 상세한 설명과 동의를 필요로 한다. 수술 과정을 미리 녹화하여 영상물 형태로 정보를 제공하는 것이 도움이 될 수 있다.

(2) 마취

① 각성 개두술의 마취는 수면-각성-수면이라는 일련의 절차를 포함한다. 수면상태는 일반적인 진정수면 상태와 전신마취 상태의 중간에 위치하지만 충분한 통증 억제를 병행해야 한다. 긴 수술시간과 자세에 따른 불편을 미리 해소하기 위해서는 환자가 깨어 있는 상태에서 미리 수술 자세를 잡은 뒤에 마취를 유도하여야 한다. 피부절개 부위에서는 국소마취제를 도포하고 필요에 따라 두피신경을 차단하는 것이 도움이 된다.

② 아무리 용량을 잘 적정하여도 수면 상태의 환자들에서는 호흡 억제가 필연적으로 수반되므로 후두마스크 등으로 기도를 확보한다. Propofol과 초단시간 지속성 아편유사제의 지속정주가 일반적이며 dexmedetomidine 병용으로 도움을 받을 수 있다. 후두마스크로 기도가 적절히 확보되지 않는다면 수술 중에 기관내삽관을 해야 하는데 삽관 전에 혈역학 반응을 억제할 수 있는 조치를 취한 뒤에 직접 후두경이나 굴곡형 기관지경

을 사용하여 삽관할 수 있지만 수술 중에 삽관하는 일은 대개 번거롭고 때로는 대단히 어려운 일이므로 호흡억제와 기도 관리의 문제를 미리 예방하는 것이 최선이다. 호흡 억제 외에 수술 중에는 고혈압, 안절부절, 착란 등이 발생하며 심한 경우에는 환자의 과흥분과 비협조 상태가 되기도 한다. 과흥분은 그 자체로 고혈압, 구역과 구토, 뇌압 항진, 경련을 일으킬 수 있으므로 각별한 주의를 필요로 한다. 항고혈압제, 항구토제, 항경련제를 예방 처치한다. 머리를 고정하기 위한 머리뼈 고정침은 마취 중에 환자가 과흥분, 경련을 일으킬 경우에 목뼈 골절을 초래할 위험이 있어서 사용하지 않을 것을 추천한다.

이상으로, 개두술 마취의 주요 목표 는 뇌허혈 손상을 입은 조직의 2차적인 손상을 최소화하면서 뇌 허혈 손상을 입지 않은 조 직에 대해서는 항상성을 유지하는 것이다. 이를 위해 뇌대사와 뇌혈류의 자동조절능을 잘 보존하며 혈역학, 가스교환 상태를 정상으로 유지한다. 머리속압력이 항진되고 뇌조직의 긴장도가 상승되어 있다면 이를 낮출 수 있는 여러 수단을 도모한다(표 8-2).

참고문헌

- Black PM. Brain tumors. Part 1. N Engl J Med 1991;324:1471-6.
- Truong J, Yan AT, Cramarossa G, Chan KK. Chemotherapy-induced cardiotoxicity: detection, prevention, and management. Can J Cardiol 2014;30:869-78.
- Paul F, Veauthier C, Fritz G, Lehmann TN, Aktas O, Zipp F, et al. Perioperative fluctuations of lamotrigine serum levels in patients undergoing epilepsy surgery. Seizure 2007;16:479-84.
- Yeh JS, Dhir JS, Green AL, Bodiwala D, Brydon HL. Changes in plasma phenytoin level following craniotomy. Br J Neurosurg 2006;20:403-6.
- Magnus N, D'Asti E, Garnier D, Meehan B, Rak J. Brain neoplasms and coagulation. Semin Thromb Hemost 2013;39:881-95.
- Guan M, Su B, Lu Y. Quantitative reverse transcription-PCR measurement of tissue factor mRNA in glioma. Mol Biotechnol 2002;20:123-9.
- Goh KY, Tsoi WC, Feng CS, Wickham N, Poon WS. Haemostatic changes during surgery for primary brain tumours. J Neurol Neurosurg Psychiatry 1997;63:334-8.
- Priziola JL, Smythe MA, Dager WE. Drug-induced thrombocytopenia in critically ill patients. Crit Care Med 2010;38:S145-54.
- Gerstner T, Teich M, Bell N, Longin E, Dempfle CE, Brand J, et al. Valproate-associated coagulopathies are frequent and variable in children. Epilepsia 2006;47:1136-43.
- Pan CF, Shen MY, Wu CJ, Hsiao G, Chou DS, Sheu JR. Inhibitory mechanisms of gabapentin, an antiseizure drug, on platelet aggregation. J Pharm Pharmacol 2007;59:1255-61.
- Kaisti KK, Metsahonkala L, Teras M, Oikonen V, Aalto S, Jaaskelainen S, et al. Effects of surgical levels of propofol and sevoflurane anesthesia on cerebral blood flow in healthy subjects studied with positron emission tomography. Anesthesiology 2002;96:1358-70.
- Petersen KD, Landsfeldt U, Cold GE, Petersen CB, Mau S, Hauerberg J, et al. Intracranial pressure and cerebral hemodynamic in patients with cerebral tumors: a randomized prospective study of patients subjected to craniotomy in propofol-fentanyl, isoflurane-fentanyl, or sevoflurane-fentanyl anesthesia. Anesthesiology 2003;98:329-36.

- Cole CD, Gottfried ON, Gupta DK, Couldwell WT. Total intravenous anesthesia: advantages for intracranial surgery. Neurosurgery 2007;61:369-77; discussion 77-8.
- Warner DS. Experience with remifentanil in neurosurgical patients. Anesth Analg 1999;89:S33-9.
- Bouillon T, Bruhn J, Radu-Radulescu L, Bertaccini E, Park S, Shafer S. Non-steady state analysis of the pharmacokinetic interaction between propofol and remifentanil. Anesthesiology 2002;97:1350-62.
- Shafer SL, Varvel JR. Pharmacokinetics, pharmacodynamics, and rational opioid selection. Anesthesiology 1991;74:53-63.
- Todd MM, Warner DS, Sokoll MD, Maktabi MA, Hindman BJ, Scamman FL, et al. A prospective, comparative trial of three anesthetics for elective supratentorial craniotomy. Propofol/fentanyl, isoflurane/nitrous oxide, and fentanyl/nitrous oxide. Anesthesiology 1993;78:1005-20.
- Richard A, Girard F, Girard DC, Boudreault D, Chouinard P, Moumdjian R, et al. Cisatracurium-induced neuromuscular blockade is affected by chronic phenytoin or carbamazepine treatment in neurosurgical patients. Anesth Analg 2005;100:538-44.
- Tempelhoff R, Modica PA, Jellish WS, Spitznagel EL. Resistance to atracurium-induced neuromuscular blockade in patients with intractable seizure disorders treated with anticonvulsants. Anesth Analg 1990;71:665-9.
- Todd MM, Hindman BJ, Clarke WR, Torner JC, Intraoperative Hypothermia for Aneurysm Surgery Trial I. Mild intraoperative hypothermia during surgery for intracranial aneurysm. N Engl J Med 2005; 352:135-45.
- Rajagopalan S, Mascha E, Na J, Sessler DI. The effects of mild perioperative hypothermia on blood loss and transfusion requirement. Anesthesiology 2008;108:71-7.
- Kurz A, Sessler DI, Lenhardt R. Perioperative normothermia to reduce the incidence of surgical-wound infection and shorten hospitalization. Study of Wound Infection and Temperature Group. N Engl J Med 1996;334:1209-15.
- Frank SM, Beattie C, Christopherson R, Norris EJ, Perler BA, Williams GM, et al. Unintentional hypothermia is associated with postoperative myocardial ischemia. The Perioperative Ischemia Randomized Anesthesia Trial Study Group. Anesthesiology 1993;78:468-76.
- Lassen B, Helseth E, Ronning P, Scheie D, Johannesen TB, Maehlen J, et al. Surgical mortality at 30 days and complications leading to recraniotomy in 2630 consecutive craniotomies for intracranial tumors. Neurosurgery 2011; 68: 1259-68; discussion 68-9.
- Solheim O, Jakola AS, Gulati S, Johannesen TB. Incidence and causes of perioperative mortality after primary surgery for intracranial tumors: a national, population-based study. J Neurosurg 2012;116:825-34.
- Jeffrey HM, Charlton P, Mellor DJ, Moss E, Vucevic M. Analgesia after intracranial surgery: a double-blind, prospective comparison of codeine and tramadol. Br J Anaesth 1999;83:245-9.
- Magni G, La Rosa I, Melillo G, Abeni D, Hernandez H, Rosa G. Intracranial hemorrhage requiring surgery in neurosurgical patients given ketorolac: a case-control study within a cohort (2001-2010). Anesth Analg 2013;116:443-7.
- Komotar RJ, Raper DM, Starke RM, Iorgulescu JB, Gutin PH. Prophylactic antiepileptic drug therapy in patients undergoing supratentorial meningioma resection: a systematic analysis of efficacy. J Neurosurg 2011;115:483-90.
- Pulman J, Greenhalgh J, Marson AG. Antiepileptic drugs as prophylaxis for post-craniotomy seizures. Cochrane Database Syst Rev 2013: Cd007286.
- Gould MK, Garcia DA, Wren SM, Karanicolas PJ, Arcelus JI, Heit JA, et al. Prevention of VTE in nonorthopedic surgical patients: Antithrombotic Therapy and Prevention of Thrombosis, 9th ed: American College of Chest Physicians Evidence-Based Clinical Practice Guidelines. Chest 2012; 141: e227S-e77S.

후두개와 병소 수술의 마취관리

Anesthetic Management for Posterior Fossa Surgery

(09)

후두개와 병소 수술의 마취관리

09

Anesthetic Management for Posterior Fossa Surgery

박성식

경북대학교 의과대학

한정된 공간 내에 인체의 중요한 기관들이 들어있는 후두개와 수술은 집도의뿐만 아니라 마취통증의학과 의사에게 있어서 다양한 고려할 점들이 있다. 수술을 좀 더 용이하게 하도록 하며, 신경 조직에 대한 손상을 최소화하며 호흡 및 심혈관계를 유지하여야 하는 마취통증의학과 의사로서는 좀 더 많은 관심을 가져야 한다. 해부학적 특징, 수술을 위한 접근 방법, 수술과 관련된 환자의 자세뿐만 아니라 환자의 호흡, 심혈관계의 안정성 등으로 인하여 다양한 합병증이 발생할 수 있다. 그러므로 후두개와 수술 및 마취로 인한 합병증을 예방하고 안전하게 수술을 마치기 위하여 수술 전 환자의 병력을 철저히 확인하고, 신경학적 검사, 영상 검사 및 수술 자체와 연관된 다양한 합병증에 대해서 준비하는 것이 중요하다.

이 장에서는 후두개와 수술의 마취관리에서 고려해야 할 환자의 자세, 공기색전증(venous air embolism, VAE)의 위험성과 예방, 감시 및 치료, 합병증에 대해서 살펴보았다.

1. 해부학적 특징

후두개와는 두개와 중 가장 깊고 크다. 후두개와의 전방과 후방은 경사대(clivus)와 후두골(occipital bone)로 이루어져 있으며 측부는 측두골(temporal bone), 하부는 후두골 및 대공(foramen magnum), 상부는 소뇌천막(tentorium cerebelli)으로 이루어져 있다. 내부에는 소뇌 및 뇌간(brain stem), 3-12번의 뇌신경, 척추뇌기저(vertebro-basilar) 혈관계가 자리하고 있으며 또한 뇌척수액과 정맥동(venous sinuses)들로 구성되어 있다.

호흡과 심혈관계의 중요한 구조물들이 한정된 공간에 존재하기 때문에 수술을 하는 것이 더욱 어렵다. 만약 후두개에 공간을 차지하는 병변이 있다면 이로 인한 압박 효과와 함께 뇌척수액의 흐름을 방해하여 뇌수종으로 인한 뇌압의 상승을 초래하게 된다. 또한 후두개와 내에 위치한 정맥동들은 수술 중 심한 출혈과 함께 공기의 흡입으로 인한 VAE를 초래하기도 한다.

2. 증상

천막상 병변은 뇌압 증가로 인한 증상이 주를 이루는 반면 천막하 병변은 뇌압의 증가로 인한 증상 이외에 내부 구조물에 대한 압박 등에 의한 호흡이나 심혈관계에 대한 영향이나 폐쇄수두증(obstructive hydrocephalus)으로 인한 뇌압 증가 및 뇌신경에 대한 압박으로 인한 증상이 주를 이룬다.

뇌압의 증가의 주증상인 두통, 오심, 시신경유두부종(papilledema)과 더불어 병변이 있는 부위의 운동 이상, 긴장도의 변화 눈떨림(nystagmus), 사시(strabismus), 복시(diplopia), 동공이상(pupillary abnormality)과 같은 안구의 변화와 함께 죽음에 이를 수도 있는 호흡 정지와 뇌간 탈출이 발생하기도 한다. 후두개와의 종양을 의심할 수 있는 특징적인 증상으로 두통, 구토 및 실조(ataxia)를 들 수 있다. 천막상 종양과 달리 발작(seizure)은 드물다.

후두개와의 수술 요인으로는 종양이 가장 흔하다(표 9-1). 소아에 있어서는 후두개와의 종양이 모든 뇌종양의 60%에 이른다. 성인에 있어서는 상대적으로 뇌종양의 빈도는 떨어지며 청신경집종(acoustic neuroma)이나 폐나 유방으로부터의 전이 등이 주를 이루게 된다. 이외에도 혈관성 질환, 뇌신경 질환, 선천성 질환 등으로 나눌 수 있다.

표 9-1 후두개와의 다양한 병변
Intra-axial tumors Astrocytoma/ Hemangioblastoma/ Medulloblastoma/ Ependymoma/ Choroid plexus papilloma/ Glioma Metastasis
Extra-axial tumors Vestibular schwannoma/ Meningioma/ Epidermoid tumor/ Glomus jugulare tumor/ Metastasis/ Chordoma Chondrosarcoma
Vascular malformations Posterior cerebellar artery aneurysm/ Vertebral, vertebrobasilar aneurysm/ Basilar tip aneurysm AV malformation/ Cerebellar hematoma/ Cerebellar infarction
Cranial nerve lesion Trigeminal neuralgia/ Hemifacial spasm/ Vestibular nerve dysfunction/ Glossopharyngeal neuralgia
Congenital abnormality Dandy-Walker complex/ Arnold-Chiari malformation/ Craniocervical abnormalities/ Arachnoid cyst

3. 후두개와 수술 환자의 주술기 관리

인체의 중요 활력기관인 소뇌와 뇌간이 있는 후두개와 수술은 특별한 주의를 필요로 한다. 후두개와의 용량이 작은 관계로 작은 혈종에 의해서도 신경학적 활동에 제약을 줄 뿐만 아니라 수술 후 발생한 부종은 호흡이나 심혈관계에 악영향을 미친다.

또한 해부학적인 위치상 후두개와에 대한 수술적 접근이 까다롭기에 좌위처럼 생소한 자세를 요구하며 이러한 자세로 인한 다양한 합병증을 초래할 수 있다. 그러므로 마취통증의에게 후두개와 수술에 대한 마취관리는 환자에 대한 세심한 평가와 관리뿐만 아니라 술 중 집도의와 적극적인 의사소통을 요구한다.

1) 술전 평가와 처치

일반적으로 천막상 병변을 수술하는 환자의 술전 검사를 기준으로 한다. 환자의 술전 평가를 위하여 환자력과 함께 환자의 호흡, 심혈관, 신경학적 임상 평가를 철저히 하여야 한다. 이와 함께 환자의 다양한 수술 자세로 인한 합병증을 고려하여 이에 대한 부가적인 검사가 필요하다.

술전 평가에서 중점을 두어야 할 것은 동반 질환의 발견과 적절한 조절이다. 관상동맥 질환이 있거나 경동맥 질환이 있는 경우 수술 시 자세의 변화에 따른 심혈관계의 변화로 인하여 위험성이 증가할 수 있다. 고혈압이 있는 경우 자동조절기능(autoregulation)의 변화로 인하여 좌위나 복와위에서 저혈압이 발생할 경우 뇌관류(brain perfusion)의 장애가 발생할 수 있다.

뇌압의 증가로 인하여 의식 저하와 호흡의 변화가 올 수 있다. 그러므로 술전 혹은 술중 뇌척수액의 배액이나 션트가 필요할 수 있다. 또한 뇌압의 증가로 인한 구토는 저혈량증을 초래할 수 있으며 이는 수술 중 마취와 체위로 인한 심혈관계의 불안정을 심화할 수 있다. 이에 더하여 요붕증이나 이뇨제, 조영제의 투여는 탈수와 함께 전해질 이상을 초래할 수 있다. 그러므로 술전의 적절한 수액의 투여와 전해질 이상의 교정은 환자에 따라 적절히 조절되어야 한다.

연하곤란이나 기침, 구역(gag), 기타 뇌신경의 이상으로 인한 증상들이 나타날 수 있으므로 이에 대해 확인을 하여야 한다. 이러한 이상은 술후 흡인성 폐렴과 연관이 있을 수 있으며 기관내튜브의 발관이 어려워질 수 있다. 그러므로 이러한 경우 술후 인공호흡기의 사용이나 기관절개 및 중환자실의 사용 등에 대해서 미리 설명하고 준비를 하여야 한다.

수술적 시야를 확보하기 위하여 술중 환자의 목을 과도하게 숙이거나 돌리는 경우 수술 후 사지 마비에 대한 보고가 있는데 이것은 목의 과도한 움직임으로 척수에 대한 기계적인 압박, 혹은 척수혈관에 대한 견인에 의하여 일어날 수 있다. 고리중쇠아탈구(atlantoaxial subluxation)가 있는 경우나 머리목고정술(craniocervical fusion)로 인하여 목의 움직임이 제한된 경우에는 기도의 확보 및 환자의 수술 자세를 만들기가 어렵다. 그러므로 술전 목 운동에 제한은 없는지 혹은 어떤 특정한 자세에서 불편한 점은 없는지에 대한 검사가 필요하다. 특히 노인들에 있어서 수술 중 경추 굴곡이 많이 요구되는 경우에는 목 혈관에 대한 검사를 통하여 술중 혈류 이상의 가능성을 확인해야 한다.

좌위로 수술을 하는 경우 좌위에서의 수술이 불가한 적응증(심장 내 션트질환, 우심방압이 좌심방압보다 높은 경우, 난원공개존증(patent foramen ovale, PFO)) 여부에 대한 심초음파 평가가 선행되어야 한다.

2) 수술 자세

술 중 환자의 적절한 생리적 지표를 유지하고 후유증을 막기 위해 마취된 환자의 적절한 자세를 유지하는 것은 마취에 있어서 중요한 요소이다. 특히 후두개와 병변의 처치는 다양한 접근법이 요구되는 만큼 다양한 자세가 사용되며, 비교적 긴 시간을 요하는 수술인 만큼 각각의 자세에 따라 압력이 가해지는 부위에 대한 세심한 배려가 필요하다. 또한 각 자세에 따라 특이한 합병증을 초래할 수 있으므로 자세에 따른 합병증을 숙지하여야 한다. 후두개와 수술에 있어서 가장 많이 사용되는 자세로는 엎드린자세(복와위) 및 옆누움자세(측와위)가 있으며 또한 특별한 경우에는 앉은자세(좌위, sitting position)가 사용되기도 한다. 이외에도 바로누움자세(앙와위) 및 반엎드림자세(반복와위, semiprone position)가 있다.

(1) 바로누움자세(앙와위)

후두개와에 대한 수술적 접근을 위하여 바로누움자세를 취하는 경우는 드물다. 그러나 부득이하게 바로누움자세를 취할 경우 목을 한쪽으로 비틀게 되는 데 이로 인하여 혈류의 장애를 초래하게 되므로 너무 과도한 목의 회전은 하지 않는 것이 바람직하다.

(2) 옆누움자세(측와위)

옆누움자세는 소뇌교각(cerebellopontine angle) 부위를 포함한 외측 후두개와와 후두엽(occipital lobe)과 후부두정엽(posterior parietal lobe)에 대한 수술적 접근에 주로 사용된다. 정맥동 출혈의 위험성은 증가하나 VAE의 위험성은 드물다.

그러나 아래쪽 팔의 상완신경총 및 아래쪽 다리에 대한 압박이 장시간 가해질 경우 상완신경총 및 외측슬와신경(lateral popliteal nerve)의 장애를 초래할 수 있으므로 겨드랑이 및 하지에 대는 패딩은 신경 손상을 방지하는 데 중요하다. 상완신경총에 대한 패딩은 겨드랑이에 직접 하지 않고 바로 아래쪽에 하도록 한다. 또한 롤과 플라스터를 이용하여 환자를 고정하는 것보다 환자의 해부학적 특성에 맞추도록 되어 있는 진공 매트리스는 환자의 옆누움자세를 보다 안정되게 유지할 수 있도록 해준다.

(3) 엎드린자세(복와위)

엎드린자세는 척수, 후두엽, 두개골유착증과 후두개와 수술 시에 사용된다. 엎드린자세는 출혈의 배출을 위하여 머리를 약간 높게 하는 경향이 있어 VAE을 완전히 피할 수는 없다.

병변에 대한 수술적 접근을 위하여 고개를 심하게 굴전시키는 경우가 흔한데 이런 자세는 기관내튜브를 더 깊게 할 수 있으므로 환자의 자세를 잡기 전 환자의 고개를 움직여 보아 환자의 움직임에도 기관내튜브의 적절한 위치가 유지되는지 확인하는 것이 좋다. 또한 환자가 자세를 취한 이후에는 기도에 대한 접근이 어려운 경우가 많으므로 자세를 취한 후에도 즉시 기관내튜브의 위치가 적당한지, 혹은 고정이 잘 되어 있는지 확인하여야 한다.

엎드린자세에서 안구에 대한 압박은 안압의 증가와 망막허혈로 인한 실명이 초래될 수 있으므로 안구의 보호를 위하여 자세가 고정된 후 안구의 상태를 점검하여야 하며 술중에도 자세의 변화가 있다면 다시 안구의 상태를 점검하는 것이 필요하다. 안구 이외에도 압박이 올 수 있는 안면부위나 겨드랑이, 가슴 및 기타의 접촉부위에 대한 압박 및 견인으로 인한 손상이 오지 않도록 적절한 패드를 대어주어야 한다.

(4) 반엎드린자세(반복와위, three-quarter prone, semiprone, lateral oblique, park-bench position)

옆누움자세와 거의 동일하다. 머리를 30도 정도 비틀며, 목은 최대한도로 굽힌다. 옆누움자세와 비교하여 후두개와에 대한 접근이 더 쉬우나 수술포를 덮고 난 이후 해부학적 방향성을 잡기가 상대적으로 어렵다. 혈역학적 변화는 옆누움자세나 엎드린자세와 거의 비슷하며 VAE의 위험성은 낮으나 출혈 및 상완신경총에 대한 손상의 위험성이 증가하게 되므로 이에 대해 자세를 잡을 때 철저히 준비하여야 한다.

(5) 앉은자세(좌위)

앉은자세는 송과체(pineal gland)나 소뇌교각에 대한 접근이나 중앙부 조직에 대한 수술에 이용되나 다른 수술 자세에 비교하여 이환율 및 사망률이 높아서 지금은 많이 사용되지 않고 다른 수술 자세를 응용하는 경우가 많다.

① 앉은자세의 장점

앉은자세는 다른 수술 자세와 비교하여 몇 가지 장점을 가지고 있다. 출혈이나 뇌척수액의 자연적인 배액이 원활하여 수술시야의 확보가 용이하다. 또한 수술 중 출혈의 양이 상대적으로 줄어들어 수혈의 가능성이 낮다. 마취통증의의 입장에서 기도에 대한 접근이 용이하며 호흡의 조절이 용이하며 기도압을 낮출 수 있고 뇌압을 낮게 유지할 수 있어 환자의 관리가 용이하다. 또한 환자의 모니터나 수액 및 혈액의 공급을 위한 사지에 대한 접근이 쉽고, 뇌신경자극에 대한 안면근육의 반응을 확인하기에 용이하다. 이러한 장점 때문에 많은 단점에도 불구하고 앉은자세는 아직도 사용되고 있다.

② 앉은자세의 단점 및 금기

그러나 자세의 변화 및 환자의 심혈관계의 상태에 따라 심혈관계의 불안정이 발생하기 쉬우며 수술 부위가 심장 부위보다 높아서 열린 정맥을 통하여 공기가 혈중으로 유입되는 VAE가 발생할 수 있으며 심한 경우에는 동맥혈로 공기가 유입되게 되는 기이공기색전증(paradoxical air embolism, PAE)이 발생하게 된다. 이러한 PAE는 환자의 생명을 위협할 수 있는 합병증으로서 이를 일으킬 수 있는 정맥-동맥 션트가 있는 환자(심장 내 션트 질환, 우심방압이 좌심방압보다 높은 경우, 난원공개존증이 있는 경우)에서는 앉은자세가 금기이다. 앉은자세에서 폐혈관 및 전신혈관저항이 증가하게 되고 심박출량, 정맥환류 및 뇌관류압은 감소하게 된다. 그러므로 자세의 변화에 따른 환자의 심혈관계의 변화가 클 것으로 예상되는 기립성 뇌허혈이 있는 경우, 고령의 환자, 조절이 되지 않는 고혈압이 있는 환자 등에서도 상대적인 금기로 인정된다. 또한 과도한 경부의 굴곡이 요구되는 경우가 많으므로 이로 인한 경추의 과도한 압력이나 견인이 될 수 있는 경추의 퇴행성 질환이나 혈관 질환 등에 있어서도 앉은자세는 피하는 것이 안전하다.

③ 혈역학적 영향

환자의 자세가 앙와위에서 좌위로 변화함에 따라 하지에서의 혈액 저류에 의하여 저혈압이 발생할 수 있다. 그러므로 자세 변화 전에 충분한 수액 공급을 하거나 다리를 높여 혈액의 저류를 막아야 한다. 이러한 처치에도 혈압이 심하게 떨어질 경우에는 승압제를 투여할 수도 있다.

좌위로 수술받는 환자에서 혈압은 측정은 심장의 높이가 아니라 외이도의 높이에서 측정하여 뇌관류압을 반영하도록 한다. 뇌관류압은 정상적인 환자에서 최소한 60 mmHg 이상 유지하는 것이 좋다. 그러나 노인이나 고혈압 환자, 혹은 뇌혈관 질환, 경추의 퇴행성 질환, 경추관협착증 등으로 뇌관류가 감소할 위험성이 있는 환자, 견인기에 의한 압력이 뇌나 척수조직에 지속적으로 가해지는 환자에서는 뇌관류압의 하한값을 더 높게 잡아야 한다.

④ 합병증

기도유지기나 식도청진기와 같은 외부 물질이 구강 내에 있을 경우에는 혀의 기저부, 연구개(soft palate)와 인두후벽에 대한 압박이 발생할 수 있으며 이로 인하여 허혈이나 거대설증(macroglossia)을 일으킬 수 있으며 이는 발관 후 예상치 않은 기도폐색을 일으키기도 한다. 그러므로 환자의 머리를 과다하게 숙여 구강 내경을 좁게 하는 것을 피하고 가능하면 구강 내에 불필요한 기구나 장치의 삽입은 피하는 것이 좋고 만약 설치를 하여야 한다면 작은 구경의 기구를 사용하는 것을 권한다.

수술 중 자유롭게 외부와 통하던 공기가 술후 두개강 내에 갇히면 공기뇌증(pneumo-cephalus)이 발생한다. 이러한 공기뇌증은 압력이 증가하게 되면 긴장성 공기뇌증을 일으키게 된다. 긴장성 공기뇌증은 아산화질소의 사용과는 연관이 적으나 뇌경막을 봉합한 아산화질소를 사용할 경우 압력이 증가하여 긴장성 공기뇌증을 일으킬 수 있으므로 아산화질소를 배제하여야 한다.

앉은자세에서 수술을 받는 환자에서 사지마비가 발생할 수 있다. 원인은 아직 밝혀지지 않았으나 경추부위의 과도한 압력이나 견인과 연관이 있을 것으로 추측된다. 이외의 말단 신경 손상 등도 일어날 수 있다.

⑤ 앉은자세의 세팅

환자의 앉은자세는 그림에서와 같은 자세를 취한다(그림 9-1). 환자의 머리를 고정하기 위하여 머리에 핀을 박는다. 핀을 박음으로 인해 가해지는 통증을 고려하여 마취를 깊게 하여야 한다. 곧이어 앉은자세로의 변화는 다시 심혈관계의 변화에 영향을 줌으로 이로 인한 심혈관계의 급격한 변화에 대비하여 마취의 깊이 조절에 유념하여야 한다. 환자의 머리는 테이블의 상체 부위에 고정하여 환자의 상체를 쉽게 낮출 수 있도록 하여야 한다. 환자는 안락의자(beach chair)에 앉았을 때와 같은 자세로 앉게 되는데 환자의 다리는 밑에 베개나 스펀지를 받쳐 다리를 가능한 높게 유지하고 압박붕대나 스타킹 혹은 공기장화(pneumatic boots) 등을 착용하여 혈액의 저류가 일어나지 않도록 한다. 또한 장시간 수술로 인한 압박 손상의 위험성을 고려하여 꼬리뼈나 팔꿈치, 무릎이나 발목 등 압박이 가해질 수 있는 부위에 대한 보호를 하여야 한다.

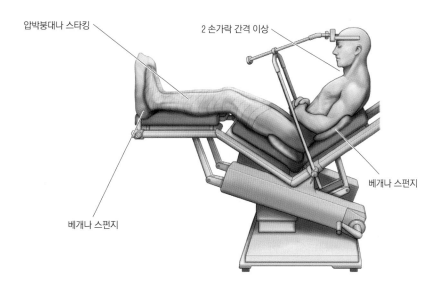

압박붕대나 스타킹
2 손가락 간격 이상
베개나 스펀지
베개나 스펀지

그림 9-1
앉은자세

수술 시야의 확보를 위하여 과도하게 머리를 숙이거나 회전을 할 경우 혈액의 환류를 방해하여 울혈로 인한 수술 시야의 악화나 뇌 관류저하를 일으킬 수 있다. 이를 예방하기 위하여 환자의 턱과 흉부의 간격이 손가락 2개 정도가 들어갈 수 있는 여유(2.5 cm)가 있도록 하여야 한다. 또한 머리의 굴곡으로 인하여 기관내튜브의 위치도 변할 수 있으므로 환자의 위치를 완성한 후 한 번 더 위치를 확인한다.

3) 마취관리

후두개와 수술의 마취관리에 있어서 주의할 점은 기관내삽관 및 수술을 위해 적절한 마취심도를 유지하고 심혈관계의 안정성을 지키며 환자의 움직임을 방지하면서 신경생리학적 모니터를 할 수 있도록 하여야 하는 것이다. 또한 마취에서 부드럽게 일찍 깨어나도록 하여 조기에 신경학적 검사를 하도록 하여야 한다.

기존에 사용하던 질환에 대한 투약은 계속하는 것을 원칙으로 한다. 의식이 명료한 환자에서는 소량의 전투약을 할 수 있으나 의식이 부족하거나 신경학적 증상이 있는 경우에서는 피하는 것이 좋다. 저환기로 인한 두개강내압의 증가를 고려하여 아편유사제성 제재의 전투약은 피하는 것이 좋으며 경구 benzodiazepine이 뇌압에 심각한 영향이 없이 흥분을 감소시킬 수 있는 약제로 추천된다.

(1) 감시 장비

대부분의 환자에서 천막상 종양에 사용하는 것과 같은 일반적인 감시 장비를 사용한다. 심전도 및 침습적 동맥압 측정 및 중심정맥압 측정, 동맥혈 산소포화도 및 호기말 탄산가스 분압, 체온 및 소변량을 측정한다.

앉은자세에서의 수술일 경우 뇌관류의 적정성을 확인하기 위하여 침습적 동맥압 측정은 심장 높이보다는 환자의 외이도(external auditory canal) 높이에서 측정하여야 한다.

중심정맥카테터는 흡입된 공기의 제거에 유용할 뿐만 아니라 정확한 전흉부 도플러의 위치를 확인하는데도 사용된다. 내경정맥의 사용은 뇌로부터의 혈액 환류를 방해할 수 있기 때문에 피해야 한다고 주장하는 경우도 있으나 경정맥의 이상 혹은 혈류에 영향을 미치는 다른 문제가 없는 경우에는 숙달된 마취통증의에 의하여 내경정맥접근법을 통하여 거치할 수 있다.

카테터는 단일공보다는 다공의 카테터를 사용하며, 위치는 공기를 가장 잘 흡입하여 낼수 있는 상대정맥과 심장의 접합 부위에 놓이도록 한다. 중심정맥카테터를 정확한 위치에 거치하기 위해서는 흉부 방사선 촬영이나 초음파 혹은 혈관 내 심전도의 관찰을 이용하여 거치할 수도 있다(그림 9-2). 혈관 내 심전도를 이용하여 카테터를 전진시키면서 이상성(biphasic) P 파가 나타나면 카테터의 끝이 심방 중심에 놓인 것으로 확인을 할 수 있다. 이러한 중심정맥카테터의 위치는 앉은자세로의 변화나 머리 회전 등으로 인하여 변화할 수 있으므

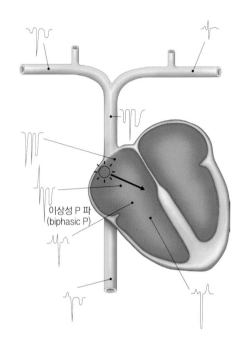

그림 9-2
심장내 중심정맥카테터의
거치 방법
심전도의 양극전극
(다리전극)을 카테터에
연결하여 lead II 를
관찰하였을 때 P파의 변화를
이용하여 원하는 위치에
카테터의 끝을
위치시킬 수 있다.

이상성 P 파
(biphasic P)

로 환자의 자세가 완성된 이후 다시 확인하여야 한다. 수술 중에는 중심정맥압의 파형을 보면서 카테터의 위치를 추정할 수 있다. 수술이 끝난 후에 중심정맥카테터는 심방의 천공 위험성을 피하기 위하여 약간 빼내어야 한다.

(2) 마취 유도

후두개와 수술 환자의 마취를 위하여 일반적인 천막상 종양과 같은 방법으로 마취 유도한다. 뇌압이 증가되어 있는 환자에서는 적극적인 혈압관리를 위하여 마취 유도 전에 침습적 동맥압 측정을 할 수 있다.

마취유도 시 혈압 및 뇌관류압을 좀 더 확실하게 조절하기 위하여 마취 유도 전에 침습적 동맥압을 감시하는 것이 이상적이다. 마취유도는 심혈관계의 안정성을 위하여 정맥마취제 (thiopental, propofol)와 아편유사제(fentanyl, remifentanil)를 주로 사용하게 된다. 기관내삽관 시의 혈역학적 변화를 방지하기 위하여 lidocaine이나 esmolol과 같은 약제를 사용할 수 있다. 마취의 유지는 수술 후 조기에 신경학적 검사를 목표로 한다. 정맥마취제와 산소 및 공기를 이용한 전정맥마취나 정맥마취제와 함께 흡입마취제와 산소 및 공기, 혹은 산소와 아산화질소를 이용한 균형마취를 사용할 수 있다. 그러나 흡입마취제와 비교하여 정맥마취제를 사용하는 경우 폐순환에서 공기가 더 잘 걸러진다는 보고 등을 고려할 때 전정맥마취를 사용하는 것이 더욱 안전할 것으로 생각된다.

아산화질소(nitrous oxide)의 사용에 대해서는 다양한 의견이 있다. 아산화질소 자체가 앞은자세에서 VAE를 일으키지는 않으나 유입된 공기를 팽창시켜 VAE를 악화시킬 수도 있다. 일반적으로 아산화질소의 사용을 금기하지는 않으나 VAE가 발생하면 즉시 중지하여야 한다.

경우에 따라 수술 중에는 기도에 대한 접근이 어려운 경우가 많으며 목의 자세에 따라서 튜브의 이동이 일어날 수 있기 때문에 수술을 시작하기 전 최종적으로 기관내튜브의 위치를 확인하는 것이 중요하다.

(3) 마취 유지

수술 중 마취관리의 목표는 적절한 뇌관류압을 유지하고, 술중 수술 조작에 의한 심혈관계의 변화를 즉각 감지하여야 하며 또한 술중 환자의 움직임을 방지하면서 뇌신경 검사가 필요한 경우 이를 가능하도록 적절한 깊이의 마취를 유지하는 것이다.

수술 중 안정적인 심혈관계의 유지를 위하여 앉은자세의 경우 자세 변화 전에 충분한 수액공급을 통하여 자세 변화에 따른 저류에 따른 저혈압을 예방하여야 한다. 또한 다리에 탄력붕대나 스타킹을 착용하고 다리를 높게 유지하여 혈액의 저류가 일어나지 않도록 한다.

앉은자세에서 수술을 하는 경우 우선적으로 자세의 변화에 따른 심혈관계의 변화와 VAE를 예방하는 것에 주안점을 두어야 한다. 급작스러운 환자의 자세 변화는 환자에 따라 급작스러운 심혈관계의 변화를 가져올 수 있다. 그러므로 가능한 한 혈압 변화를 최소화할 수 있도록 천천히 자세를 변화시켜야 한다. 환자의 자세가 완전히 잡힌 후에는 환자의 기관내튜브의 위치를 확인하고 턱과 흉부 사이에 손가락 2개 정도가 들어갈 수 있는 공간을 확보하여 정상적인 혈류가 유지될 수 있도록 하여야 한다. 환자의 자세를 완성한 후 전흉부 도플러의 위치도 다시 한 번 확인하여야 한다. 또한 신경 손상을 예방하기 위해 환자의 팔꿈치 혹은 발뒤꿈치 등 신경이 눌릴 수 있는 부위를 확인하여 신경 손상을 예방한다.

뇌간(brain stem)에 대한 조작을 할 경우 부정맥이 발생할 수 있다. 서맥이나 빈맥, 저혈압 혹은 고혈압 혹은 부정맥 등이 발생할 수 있으며 자극을 멈출 경우 회복된다. 그러므로 심전도 및 혈압에 대한 세심한 감시를 통하여 뇌간의 손상이 의심되는 변화가 있을 경우 집도의에게 경고를 하여야 한다. 심혈관계의 변화에 대하여 약제를 투여하여 교정하는 것은 이러한 손상에 대한 변화를 가실 수 있기 때문에 심각한 심혈관계의 변화가 없다면 항콜린제나 베타차단제를 사용하여 이러한 심혈관 변화를 마스킹하지 않는 것이 바람직하다. 만약 심각한 서맥이 심할 경우 atropine이나 glycopyrrolate를 이용하여 치료할 수 있다. 약제의 사용이 필요한 경우에는 지속성 약제보다는 단기 작용 약제를 사용하는 것이 바람직하다.

뇌신경에 대한 수술을 할 경우 수술의 적절성을 확인하기 위하여 신경생리학적 검사가 필요할 경우가 있다. 신경생리학적 검사를 할 경우 흡입마취제와 아편유사제를 병용하거나 혹은 propofol과 remifentanil을 이용한 전정맥마취를 시행하여 검사를 할 수 있도록 하고 안면신경 자극이 필요할 경우 신경근차단제를 전혀 사용하지 않기도 하지만 train of four

(TOF) 검사와 함께 지속적인 신경근차단제의 주입을 하여 낮은 정도의 근이완을 일정하게 유지하면서 검사를 하기도 한다. 이때 TOF는 마비가 없는 쪽에서 측정하는 것을 원칙으로 한다.

(4) 각성 및 회복

마취로부터 회복 시에는 가능하면 기침을 피하면서 부드럽고 빠른 각성을 유도하여 조기에 신경학적 검사를 하도록 하는 것을 원칙으로 한다. 술전 환자의 의식에 이상이 있거나 구역 반사가 저하된 경우에는 기관내튜브발관을 신중히 할 필요가 있다. 술후 환자의 각성이 늦어지는 경우는 공기뇌증, PAE로 인한 뇌경색, 뇌간의 손상, 뇌혈종 및 뇌부종이 있을 수 있다. 그러므로 이에 대한 적절한 치료를 위해 빠른 진단이 필요하다.

후두개와는 상대적으로 좁은 구역이므로 자그마한 부종으로도 의식이나 호흡, 심혈관계의 이상으로 발전할 수 있다. 그러므로 마취의는 튜브 발관을 위해 충분히 집도의와 논의를 하는 것이 바람직하다. 호흡중추에 대한 손상은 술후 호흡에 이상을 일으킬 수 있다.

인후의 부종이나 거대설증으로 인하여 기도폐쇄가 올 수 있으므로 기도의 부종을 확인하기 위하여 기관내튜브 커프의 공기를 빼내어 튜브 주위로 공기가 새는지 확인할 수 있다. 부종이 심한 경우에는 발관을 늦추는 것이 안전하다. 만약 발관을 하여야 한다면 tube exchanger를 이용하여 발관할 것을 추천한다. 또한 뇌신경의 손상으로 구역반사의 손상이 와서 기도 보호가 잘 되지 않을 수 있다. 이러한 경우에는 기관내튜브를 계속 유지하며 인공호흡을 계속한다.

술전에 정상 혈압을 유지하던 환자가 수술 후 지속되는 고혈압이나 서맥이 지속되는 경우에는 뇌경색이나 혈종, 뇌간의 압박 등을 의심할 수 있다. 술후 오심과 구토는 뇌압을 상승시키고 술후 출혈을 조장할 수 있으므로 주의하여야 한다. 이에 대해 serotonin 수용체 길항제를 사용하거나 dexamethasone이나 소량의 propofol을 사용해 볼 수 있다.

술중 VAE가 발생한 경우에는 술후 폐부종이 있을 수 있으므로 산소의 공급이 필요하며 인공호흡을 지속하며 24시간 동안 심전도 모니터를 한다. 만약 PAE가 의심된다면 고압 산소 요법을 시도할 수 있다.

4. 공기색전증(VAE)

1) 빈도

앉은자세에서 수술을 할 경우 VAE가 발생할 수 있다. VAE는 복강경을 이용한 위장관 수술, 비뇨기과, 부인과 수술과 함께 안과, 심폐수술 및 정형외과 수술에서도 발생할 수 있다. 또한 환자의 자세에 따라 발생의 빈도가 차이날 수 있는데 이론상 심장보다 높은 위치에서 시행되는 모든 수술에서 발생할 수 있으므로 바로누운자세나 엎드린자세에서의 수술에서도 발생할 수 있으며 앉은자세에서 시행되는 신경외과 수술에서 발생빈도가 가장 높다. 후두개와 수술에 있어서 앉은자세일 경우 전흉부 초음파상 약 30-75% 정도의 빈도로 발생하며 엎드린자세나 반엎드린자세의 경우 그 빈도는 10-15% 정도가 된다. 그러나 심혈관계의 불안정성을 초래할 만큼의 변화를 일으키는 경우는 훨씬 적다. 앉은자세의 경우 8-15%, 엎드린자세의 경우 3-5%의 빈도이다.

혈관 내로의 공기 유입은 정맥의 노출이나 낮은 중심정맥압, 부적절한 수술 술식 등에 의하여 일어날 수 있으며 노출된 뼈의 단면이나 머리를 고정하는 핀을 통해서도 유입될 수 있다. 심지어 중심정맥카테터를 통해서도 유입될 수 있으며 중심정맥카테터 제거 시 환자의 고개가 들려 있을 경우 유입될 수 있다.

2) 증상

혈관 내로 유입된 공기는 폐동맥을 막아 폐동맥압을 증가시키며, 가스교환에 지장을 주어 저산소혈증과 과이산화탄소혈증이 발생하게 되며 폐의 사강이 증가하게 되고 이로 인하여 호기말이산화탄소분압(end tidal CO_2, ET_{CO_2})은 낮아지게 된다. 기관지수축이 발생하여 기도압이 증가하게 된다. 경우에 따라서는 폐부종도 발생하게 된다.

지속적인 공기의 유입은 심혈관계의 불안정을 초래할 수 있다. VAE가 발생하였을 때 부정맥으로는 조기심실수축이 가장 많이 발생하나 이외에도 빈맥, 서맥, 심실성빈맥이 발생할 수 있다. 초기에는 고혈압과 빈맥이 발생할 수 있으나 공기의 양이 많아질수록 심박출량의 감소와 저혈압이 발생하게 된다. 공기의 유입에 따른 심전도의 변화는 상대적으로 늦게 발생하나 관상동맥으로 공기가 유입되었을 때는 심전도의 변화를 보일 수 있다. 대량으로 우심방에 유입된 공기는 혈류를 막거나 우심실에 머물면서 스펀지 효과를 통하여 급작스러운 심정지를 초래할 수도 있다.

유입된 공기가 뇌혈류를 방해하게 되면 신경학적 결손이나 뇌졸중, 혼수상태를 초래할 수 있으며 경우에 따라서는 경련, 편마비, 단일마비, 편측시야결손, 안진, 사시 및 호흡의 이상이 발생하게 된다.

3) 기이성 공기색전증(PAE)

우심방의 압력이 좌심방의 압력보다 높고 션트가 있거나 폐동정맥간의 션트가 있을 경우 전신 순환으로 공기가 유입되어 중요 기관의 혈관을 막는 PAE를 일으킬 수 있으나 그 빈도는 약 2% 이하로 낮다. 심장 내 션트를 일으킬 수 있는 PFO는 특히 PAE의 위험성을 증가시키는데 일반 성인의 약 20-30%에서 존재하는 것으로 보고되고 있다. 그러므로 좌위에서 수술을 받게 되는 환자의 경우 PFO의 유무를 술전에 확인하여야 한다. 그러나 심초음파의 PFO에 대한 민감도가 50%에 이르지 못하므로 술전에 PFO를 발견하지 못하였다 하더라도 술중

PAE의 가능성에 대하여 염두를 두어야 한다.

4) 모니터

그러므로 VAE의 관리에 있어서 유입된 공기를 조기에 발견하여 심혈관계에 영향을 주지 않도록 하는 것이 중요하다. 이를 위하여 전흉부 도플러, 경식도초음파, 폐동맥 카테터, 호기말 가스분압 측정, 식도 청진기 등이 사용되고 있다(표 9-2).

가장 우선적으로 권장되는 감시장치는 전흉부도플러이다. 전흉부 도플러는 비침습적이면서도 상대적으로 민감하게 우심방에 있는 공기를 감지할 수 있다. 비침습적 감시 장비 중에서 가장 민감하게 VAE을 감지할 수 있는데 0.25−1 ㎖ 이상의 공기를 감지할 수 있다. 정확한 모니터를 위하여 탐색자(probe)를 적절히 하는 것이 중요하나 고도 비만 등이 있는 경우에는 위치를 정하는 것이 쉽지 않다. 일반적으로 권장되는 위치는 우측 흉골 옆 부위의 3−5번 늑간에 거치하는 것을 원칙으로 하나 환자의 자세를 모두 취한 후 공기의 움직임을 가장 잘 들을 수 있는 위치를 다시 한번 확인하여 거치한다. 5−10㎖의 생리적 식염수를 우심방 카테터를 통하여 주입하였을 때 공기가 들어갔을 때와 유사한 소리가 들리는 것을 확인하여 정확한 위치를 알 수 있다.

경식도초음파(transesophageal echocardiography, TEE)는 전흉부도플러보다 좀 더 민감하게 공기를 감지할 수 있으며 PFO를 발견할 수 있으며 심장뿐만 아니라 PAE의 발생 시 대동맥 및 좌심실의 공기도 찾아낼 수 있다. 그러나 전흉부도플러와 비교하여 상대적으로 사용이 용이하지 않으며 침습적이고, 사용을 위해 숙달된 의사가 필요할 뿐만 아니라 고개를 숙인 상태에서 장시간 사용하는 것에 대한 안전성에 대해서도 검증이 된 바 없다. 또한 상대적으로 사망률을 줄일 수 있다고 증명된 바 없다.

폐동맥 카테터도 좌위에서 수술하는 환자에서 흡입된 공기를 감시하는 데 사용될 수 있는데 ET_{CO_2}보다 조금 더 예민하다. 심장을 통과하여 폐로 유입된 공기가 혈류를 방해하고 폐동맥 수축이 오면서 폐동맥압이 증가하게 되는데 이를 통하여 VAE을 감지한다. 그러나 ET_{CO_2}에 비하여 침습적인 시술일 뿐만 아니라 효율적으로 우심방내의 공기를 제거할 수 없다는 단점이 있다.

표 9-2 공기색전증의 감시 장비들

수단	민감도	침습도	가용도
TEE	High	High	Low
Precordial doppler	High	None	Moderate
PA catheter	High	High	Moderate
ET_{CO_2}	Moderate	None	High
Esophageal stethoscope	Low	Low	High

TEE = transesophageal echocardiography;
PA catheter = pulmonary artery catheter;
ET_{CO_2} = end−tidal carbon dioxide

ETco$_2$는 전흉부도플러나 경식도초음파에 비하여 상대적으로 민감하지는 않으나 상대적으로 간단하게 사용할 수 있다. 폐동맥 혈류가 공기로 인하여 방해를 받으면 이산화탄소를 잘 배출할 수 없게 되면서 ETco$_2$는 감소하게 된다. 기존의 동맥혈산소분압(Pao$_2$)과의 차이가 증가하게 되면 VAE를 의심하게 된다.

결론적으로 후두개와 수술에 있어서 VAE의 감시를 위하여 전흉부도플러와 병행하여 ETco$_2$ 장비를 사용함으로써 전흉부도플러의 지나친 민감함(sensitivity)을 보완하며 조기에 발견할 수 있는 적절한 조합으로 생각된다.

5) 예방 및 치료

앉은자세의 수술에 있어서 VAE의 예방은 중요하다. 이를 예방하기 위하여 다양한 방법이 사용된다. 심장과 수술 부위의 높이 차이를 최소화하며 정상 혈량을 유지하도록 한다. 저혈량증이 있는 경우에는 예방적으로 수액을 투여하는 것이 VAE 예방에 도움이 된다. 또한 수술 중 출혈 시 즉시 지혈을 시행하여야 하면 박리된 뼈의 단면 부위에 뼈왁스(bone wax)를 바르도록 하며 노출된 조직에 대해서는 젖은 거즈를 덮도록 하여야 한다.

이러한 준비에도 불구하고 VAE는 어느 정도 이상에서는 발생하게 된다. 술중 VAE 치료의 목표는 공기의 유입을 차단하고 유입된 공기를 제거하며 발생한 저혈압, 저산소혈증이나 고이산화탄소혈증을 교정하는 것이다. VAE가 발생한 경우 이에 대한 적절한 대처는 환자의 예후에 심대한 영향을 미친다(표 9-3). VAE가 발생하면 바로 집도의에게 공기유입을 알려 수술부위에 물을 뿌리거나 생리적 식염수로 적신 거즈로 수술 부위에 덮는다. 노출되거나 박리된 뼈의 단면에 뼈왁스를 발라 더 이상의 공기 유입을 막아야 한다. 마취의 유지를 위하여 아산화질소를 사용하고 있는 경우 아산화질소의 사용을 중지하고 적절한 산소의 공급을 위하여 100% 산소를 이용하여 호흡을 유지하도록 한다.

우심방에 흡입된 공기를 제거하기 위하여 중심정맥카테터를 이용하여 공기를 제거하여야 한다. 또한 노출된 수술 부위를 낮추어 압력차가 발생하지 않도록 한다. 만약 공기 유입이 계속될 경우 경정맥을 압박하여 정맥압을 높여 공기의 계속적인 유입을 막을 수 있다. 그러나 경정맥의 압박은 결과적으로 뇌혈류를 감소시키고 경동맥이 함께 눌릴 수 있으며 뇌부종

표 9-3 공기색전증의 처치

집도의에게 알려서 수술 부위에 물을 뿌리도록 한다.
노출된 뼈의 단면에 뼈왁스를 바른다.
N$_2$O를 끄고 100% O$_2$를 투여한다.
중심정맥카테터를 통하여 흡입된 공기를 흡인해 낸다.
수술 부위를 낮춘다.
경정맥을 눌러 뇌정맥압을 높인다.
심혈관계 안정을 시킨다.

을 초래할 수 있으며 경동맥동의 압박으로 서맥을 일으킬 수 있으므로 조심하여야 한다.

환자가 혈역학적으로 불안정한 경우 혈압을 유지하기 위하여 수액 및 승압제를 사용할 수 있다. 만약 공기의 유입이 심할 경우 심정지를 초래할 수 있으므로 흉부압박을 할 수 있도록 환자의 자세를 풀어서 바로누운자세로 변환하여 준비를 하여야 한다. 환자의 자세를 좌옆누운자세(Durant position)로 전환하여 우심방에서의 공기의 영향(air-lock)을 피하는 것은 효과가 제한적인 것으로 밝혀졌다. 호기말양압(positive end-expiratory pressure, PEEP)은 PAE의 가능성을 높일 수 있으므로 중지하여야 한다.

6) 술후 관리

술후 VAE의 관리를 위하여 저산소혈증 및 호흡 부전에 대한 처치를 하여야 한다. 또한 PAE의 발생이 의심되는 경우 심근경색이나 뇌경색에 대한 검사를 진행하도록 한다.

고압산소치료(hyperbaric oxygen therapy, HBO)가 VAE에 효과가 있다는 다수의 보고가 있다. 특히 뇌동맥의 VAE이 발생한 경우 효과가 있는 것으로 보고가 된다. 이는 혈중의 nitrogen의 흡수를 촉진하고 산소의 비율을 높임으로써 공기 방울의 크기를 축소하는 것과 연관이 있는 것으로 보인다. 결론적으로 VAE의 예방과 치료에 있어서 적절한 모니터 장비와 처치 수단을 준비함과 동시에 집도의와의 적절한 협력이 이루어져야 한다.

■■■■ **참고문헌**

- Adornato DC, Gildenberg PL, Ferrario CM, Smart J, Frost EA. Pathophysiology of intravenous air embolism in dogs. Anesthesiology. 1978;49:120-7.
- Black S, Ockert DB, Oliver WC Jr, Cucchiara RF. Outcome following posterior fossa craniotomy in patients in the sitting or horizontal positions. Anesthesiology 1988;69:49-56.
- Bunegin L, Albin MS, Helsel PE, Hoffman A, Hung TK. Positioning the right atrial catheter: a model for reappraisal. Anesthesiology 1981;55:343-8.
- Butler BD, Leiman BC, Katz J.: Arterial air embolism of venous origin in dogs: Effect of nitrous oxide in combination with halothane and pentobarbitone. Can J Anaesth 1987;34:570-5.
- Drummond JC, Patel PM, Lemkuil BP. Anesthesia for neurologic surgery. In: Miller's Anesthesia. 8th ed. Edited by Miller RD: Philadelphia, Elsevier Churchill Livingstone Publishers. 2015, pp2158-99.
- Feigl GC, Decker K, Wurms M, Krischek B, Ritz R, Unertl K, et al. Neurosurgical procedures in the semisitting position: evaluation of the risk of paradoxical venous air embolism in patients with a patent foramen ovale. World Neurosurg. 2014;81:159-64.
- Marshall WK, Bedford RF, Miller ED. Cardiovascular responses in the seated position-impact of four anesthetic techniques. Anesth Analg. 1983;62:648-53.
- Giebler R1, Kollenberg B, Pohlen G, Peters J. Effect of positive end-expiratory pressure on the incidence of venous air embolism and on the cardiovascular response to the sitting position during neurosurgery. Br J Anaesth 1998;80:30-5.
- Ho VTG, Newman NJ, Song S, Ksiazek S, Roth S Ischemic optic neuropathy following spine surgery. J Neurosurg Anesthesiol 2005;17:38-44.

- Mammoto T, Hayashi Y, Ohnishi Y, Kuro M. Incidence of venous and paradoxical air embolism in neurosurgical patients in the sitting position: detection by transesophageal echocardiography. Acta Anesthesiol Scand 1998;42:643-7.
- Meridy HW, Creighton RE, Humphreys RP. Complications during neurosurgery in the prone position in children. Can Anaesth Sco J 1974;21:445-53.
- Perkins NA, Bedford RF: Hemodynamic consequences of PEEP in seated neurological patients: Implications for paradoxical air embolism. Anesth Analg 1984;63:429-32.
- Pivalizza EG, Katz J, Singh S, Liu W, McGraw-Wall BL: Massive macroglossia after posterior fossa surgery in the prone position. J Neurosurg Anesthesiol 1998;10:34-6.
- Porter JM, Pidgeon C, Cunningham AJ. The sitting position in neurosurgery: a critical appraisal. Br J Anaesth 1999;82:117-28.
- Schlichter RA, Smith DS: Anesthetic management for posterior fossa surgery. In: Cottrell and Patel's Neuroanesthesia. 6th ed. Edited by Cottrell JE, Patel P : Philadelphia, Elsevier. 2017, pp 209-21.

두개내 혈관질환 수술의 마취관리

Anesthetic Management for Intracranial Vascular Disease

10

두개내 혈관질환 수술의 마취관리

Anesthetic Management for Intracranial Vascular Disease

10

옥성호

경상대학교 의과대학

1. 뇌동맥류와 거미막밑출혈

두개내 동맥류(cerebral aneurysm) 또는 동정맥기형(arteriovenous malformation, AVM)은 흔하지는 않지만 발생 시 상당히 심각한 신경학적 손상을 일으킬 수 있는 거미막밑출혈(subarachnoid hemorrhage, SAH)의 주된 원인이 된다. 마취의는 SAH가 의심되는 환자 또는 혼수상태의 중환자를 방사선하 중재실이나 수술실에서 마취를 시행할 수 있기에, SAH 환자의 마취관리를 진행함에 있어서 급성두개내고혈압이나, 뇌동맥류파열, 재출혈(rebleeding), 혈관경련(vasospasm), 뇌허혈 그리고 신경학적 결손 등 뇌신경계의 위험에 대한 관리뿐만 아니라, 전신적인 영향에 의한 심폐기관과 전신적 대사이상이 나타나는 경우가 적지 않음을 알고 이에 대한 적절한 처치를 해야 한다.

1) 뇌동맥류에 의한 거미막밑출혈의 발생빈도 및 예후

전체 성인 뇌졸중(stroke) 환자 중 약 10-30%가 뇌동맥류에 의한 SAH로 발생한다. 연간발생률은 미국과 유럽의 경우 8.8-9.5명/100,000이며, 일본의 경우는 21.9-23.5명/100,000으로 지역적인 차이가 있고, 나이에 따라서는 많을수록 유병률이 높게 나타나 40세 이상이 80%를 차지하며, 성별에 따라서는 여성이 남성에 비하여 3:2로 많다.

SAH 환자 중 약 15%가 치료 중 사망을 하기도 하며, 치료 후 퇴원하는 환자 중에서는 약 15%가 간단한 일상적 활동에서 도움이 필요할 정도의 신경학적 장애를 갖게 된다. 이러한 신경학적 장애를 예측할 수 있는 인자로는 고령, 신경학적 등급(neurologic grade)의 불량, 후교통동맥의 동맥류 파열, 동맥류 크기의 증가, 늘어난 출혈의 양 그리고, 내원 시 높은 수축기 혈압 등이 있다.

2) 미파열 뇌동맥류

전구증상 및 징후를 보이는데, 가장 흔한 증상은 두통이고 가장 흔한 징후는 제3 신경마비이다. 다른 임상소견으로 뇌간 기능장애, 시야결손, 삼차신경통, 해면정맥동증후군(cavernous sinus syndrome), 발작, 시상하부-뇌하수체 기능장애 등이 나타날 수 있다. 주로 뇌혈관 조영술, 자기공명뇌혈관조영술, 나선형 전산단층촬영 혈관조영술 등을 이용하여 진단이 가능하다. 대부분의 환자가 40-60세이고 뇌동맥류 외의 다른 건강상태는 양호하여, 예정수술로 동맥류경부 결찰술이나 코일을 이용한 혈관내수술을 받게 된다. 뇌농맥류의 수술적 치료의 방법은 동맥류경부 직접결찰(direct neck clipping), 포착(trapping), 근위동맥결찰(clipping of a parent artery), 포장(wrapping), 혈관내수술(백금코일에 의한 뇌동맥류치환술) 등이 있다. 동맥류 결찰은 재출혈의 위험을 낮추고, 혈액응괴를 제거하여 혈관경련 발생을 감소시키며, 유도고혈압에 의한 혈관경련의 치료를 시행할 수 있음으로 가능한 빨리 시행한다. 전반적인 이병률과 사망률은 조기수술과 지연수술 사이에 차이가 없는 것으로 보고되고 있으나, 의식이 명료한 환자에서 조기수술을 시행한 북미지역의 연구에서 수술결과가 더 좋다고 보고하여 조기수술이 일반적으로 시행되며, SAH 후 18시간 이내에 시행하는 것과 같이 매우 조기에 시행할 것을 권장하기도 한다.

마취유도 동안 동맥류파열의 빈도는 0.5-2%이며 파열 시 75%의 사망률을 보인다. 수술 중 동맥류파열의 빈도는 6-18%로, 병원에 따라, 동맥류의 크기와 위치에 따라 다양하다. 수술 중 파열 원인을 빈도순으로 나열하면 동맥류박리, 뇌당김, 혈종배출, 경막과 거미막의 열기이다. 동맥류의 크기나 위치에 따라서 재출혈의 위험도도 다르다.

3) 뇌동맥류의 분류

뇌동맥류는 형태에 따라서는 낭상(saccular), 방추형(fusiform), 박리형(dissecting)으로 나뉘어지며, 크기에 따라서는 small(<1 ㎝, 78%), large (1-2.4 ㎝, 20%), giant (≥2.5 ㎝, 2%)로 나눈다. 또한 원인에 따라서는 뇌손상 후 2-3주에 발생하는 외상성(traumatic) 뇌동맥류와 진균 감염에 의한 뇌동맥류가 있다.

4) 뇌동맥류의 발생 위치와 양상

환자의 10-30%에서 두 개 이상의 동맥류를 가진다.

⑴ 전방순환계(anterior circulation)의 뇌동맥류는 두개내 동맥류의 약 97%를 차지한다. 전교통동맥동맥류(anterior communicating artery aneurysm)는 두개내 동맥류 중 발생빈도가 41%로 가장 높고, 남자에게서 다소 많으며, 증상은 SAH의 형태로 주로 나타난다. 후교통동맥동맥류(internal carotid-posterior communicating artery aneurysm)는 전체 뇌동맥류의 25%를 차지하며, 여자에게서 더 흔하다. 중간대뇌동맥동맥류(middle cerebral artery aneurysm)는 두개내 동맥류의 약 24%를 차지하며, 이 중 80%는 중간대뇌동맥의 분지부(bifurcation)에서 발생한다. 가장 흔한 임상증상은 SAH이며, 이와 더불어 측두엽 또는 전두엽 내로 출혈에 의해 발생하는 뇌실질내 혈종의 빈도가 30-50%로 높다.

(2) 후방순환계(posterior circulation)의 뇌동맥류는 두개내 동맥류의 3-4%를 차지한다. 뇌기저동맥(basilar artery)에서 30%, 후하소뇌동맥(posterior inferior cerebellar artery)에 70%가 발생하며, 이들 뇌동맥류들은 수술적 접근이 매우 어렵다(그림 10-1).

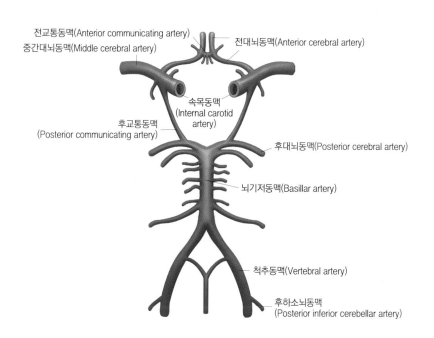

그림 10-1
뇌의 혈관 구조

전교통동맥(Anterior communicating artery)
중간대뇌동맥(Middle cerebral artery)
전대뇌동맥(Anterior cerebral artery)
속목동맥(Internal carotid artery)
후교통동맥(Posterior communicating artery)
후대뇌동맥(Posterior cerebral artery)
뇌기저동맥(Basillar artery)
척추동맥(Vertebral artery)
후하소뇌동맥(Posterior inferior cerebellar artery)

5) 거미막밑출혈(SAH)

갑자기 발생하는 극심한 두통을 주소로 하며, 병소의 신경학적 증상을 동반하거나, 없기도 한다. 주로 동반되는 전형적인 증상으로는 오심, 구토, 수막증(meningism), 의식수준의 저하, 병소의 신경학적 징후(focal neurologic sign)가 있고, 비전형적으로 나타날 수 있는 발작(seizure), 혼돈(confusion), 실신 등으로 수상에 의한 두부손상과 혼동할 수 있으며, 특히나 약한 전조의 두통만을 호소하는 환자의 경우는 편두통이나 긴장성두통으로 오진되기도 한다.

(1) 진단

① 영상진단

전산화단층촬영, 뇌혈관조영술(뇌동맥류의 정확한 위치와 형상), 입체재현 혈관조영술, 자기공명혈관조영술(MRA)

② 요추천자

전산화단층촬영 상 음성일 경우 뇌척수액 분석을 위해 시행한다. 뇌척수액을 원심분리하면 노랗게 변색이 되는 황색변색증(xanthochromia)이 SAH 후 4시간에서 3주 사이에 나타난다. 그러나 요추천자는 뇌이탈이나 재출혈을 유발할 수 있음을 명심하여야 한다.

(2) 중증도의 평가

수술적 위험과 결과를 평가하기도 하며, 환자의 예후에 대한 정보를 취하여 진료에 관련된 의사결정에 도움을 주기도 한다. 주로 변형된 Hunt와 Hess 등급(표 10-1)과 세계신경외과의사연합(world federation of neurological surgeons, WFNS) 등급(표 10-2)이 사용되고 있다.

표 10-1　변형된 Hunt와 Hess 등급

등급	등급 기준
0	파열되지 않은 뇌동맥류
I	무증상, 혹은 극미한 두통과 약한 목 경직
II	중등도 내지 심한 두통, 목덜미경직 그러나 뇌신경마비 이외의 다른 신경학적 결손이 없음
III	나른함(drowsiness), 혼란(confusion) 혹은 경한 국소적 결손(focal deficit)
IV	혼미(stupor), 경증 내지 심한 편측부전마비, 대뇌제거경축의 초기 증상, 식물상태(Vegetative)의 초기
V	깊은 혼수(deep coma), 대뇌제거경축, 빈사상태(moribund appearance)

심각한 전신적 질환이 동반되었거나, 동맥조영술상 심한 혈관경련이 있는 경우 한 등급 더 심한 것으로 한다.

표 10-2　세계신경외과의사연합(World federation of neurosurgeons, WFNS) 등급

WFNS 등급	글라스고우혼수척도 (Glasgow coma scale, GCS)	운동 결손(motor deficit)
I	15	무
II	14-13	무
III	14-13	유
IV	12-7	유 혹은 무
V	6-3	유 혹은 무

(3) 거미막밑출혈과 연관된 변화와 합병증

여러 내과적 합병증(medical complication)들이 SAH의 중증도와 연관이 있고, SAH에 의한 이환률과 사망률에 관련된 주된 합병증은 혈관경련과 지연성대뇌허혈(delayed cerebral ischemia)이며, 내과적 합병증들은 합병증에 대한 유발인자로서 관련이 있다. 교정이 가능한 발열이나, 고혈당증 등은 치료함으로써 예후를 좋게 하는 데에는 도움이 된다고 하지만 불량한 결과(poor outcome)를 예방할 수 있다는 연구적 근거가 미약하다. 사망률이나 중요 질환의 이환률(significant morbidity)에 미치는 원인에는 내과적 합병증(23%), 혈관경련과 지연성대뇌허혈(23%), 재출혈(22%), 여러 인자(multiple factors, 34%)가 있다. 마취의가 이러한 합병

표 10-3 동맥류 파열에 의한 거미막밑출혈의 합병증
중추신경계 : 재출혈, 혈관경련, 자동조절장애, 머릿속압력 상승(Hunt와 Hess 등급 IV, V), 수두증, 발작 전신적 장애 : 혈량저하증, 저나트륨혈증, 저칼륨혈증, 저칼슘혈증 심전도이상 호흡기계 이상 : 폐부종, 폐렴, 폐색전 간기능장애 신기능장애 저혈소판증 위장관출혈

증에 대해서 알고 대처한다면 환자 예후의 향상과 함께, 진료계획의 수립, 결정과 수행에 더욱 효율을 높일 수 있을 것이다.

① 뇌성(cerebral) 변화

일정범위의 혈압 변화내에서도 안정적인 뇌관류나 뇌혈류를 유지하도록 하는 대뇌자동조절능(cerebral autoregulation)은 SAH 후 시간이나, 출혈량, 머릿속압력에 따라 달라지게 된다. SAH 직후에는 Hunt와 Hess 등급에 따른 손상정도와 관련이 있는데, I과 II 등급에서는 SAH에 의한 직접적인 영향을 받지 않는 범위에서는 대뇌자동조절능이 유지될 수 있지만, III 이상의 심한 경우에는 전신적 저혈압에서 자동 조절능의 낮은 한계치(lower limit)가 현저하게 상승하게 된다. 자동 조절능의 불능으로 뇌혈류의 증가와 머릿속압력의 상승에 의한 뇌관류 문제가 발생하고, 대뇌 허혈을 일으키게 된다. CO_2의 변화나 저산소증에 대한 대뇌 혈관의 반응은 Hunt와 Hess 등급 II 이하인 경우 SAH 직후 정상적으로 남아 있으나, 혈관경련의 발생 전, 후에는 대뇌혈관반응(cerebrovascular reactivity)이 상실되는 양상이 나타나고, 출혈 후 24시간 경과 후에는 동맥내 CO_2나 O_2의 변화에 대한 정상적인 반응이 유지되기가 힘들다.

② 심장성(cardiac) 변화

SAH 후 관련하여 심장관련 이상은 부정맥 혹은 심근 수축력 감소의 양상으로 매우 흔하게 나타난다. 이러한 것은 SAH에 수반되어 급작스럽게 상승된 카테콜아민(catecholamine)으로 발생되는 것으로 여겨지며, 카테콜아민은 혈관수축과 함께 전신과 폐의 동맥압 상승을 일으키게 된다. 50대 이상의 환자에게서는 기존의 심장질환을 더욱 악화시키기도 한다.

i. 부정맥

SAH 후 약 60-100%의 환자에서 ECG상 전도 이상이 발견될 수 있다(표 10-4). 대부분이 심각한 심손상을 의미하는 것은 아니며, 3일 이내 자연 소실되는 경우가 많다. 다만 QT

표 10-4　SAH 후 발견되는 흔한 심전도이상소견

형태	변화 소견(ECG변화를 보이는 환자의 비율)	
전도이상	ST분절(27%)	ST 저하[1,2](8%) ST 상승(19%)
	T-wave 변화[1](39%) 기타	T-wave 역전(18%) U , Q wave[1](26%) T wave 역전(18%) 연장된 QT 간격(34%)[3]
부정맥	심실성	AV 또는 BB block(7%) 심실성 빈맥(4-8%)
	심방성 심정지	심방 조동/세동[1](4-78%)

AV: atrioventricular
BB: bundle branch
[1]사망에대한
상대적 위험 증가
[2]지연성 대뇌 허혈의
상대적 위험 증가
[3]악성심실 부정맥으로
이행할 위험 증가

표 10-5　심근손상관련 표지자와 상대적 위험도

표지자	사망률에 대한 상대적 위험도	지연성뇌허혈의 상대적 위험도
BNP 상승	11.1	4.5
Troponins 상승	2.0	3.2
심근벽운동이상	1.9	2.1

BNP:
brain natriuretic peptide

간격이 연장된(>550 msec) 경우에는 torsades de pointes를 비롯한 악성의 심실부정맥으로 이행할 가능성이 높다. 허혈성 심손상과 관련된 부정맥의 경우는 사망이나 지연성 대뇌허혈의 상대적 위험도가 높아지므로 심손상에 대한 징후를 세심히 살피고, 관련된 검사의 실시를 고려해야 한다.

ii. 심근손상

SAH 시 카테콜아민 분비는 심박출량과 심근수축력의 감소를 일으키는 것으로 알려져 있다. SAH 환자에서 트로포닌(troponins, 35-83%)과 뇌나트륨이뇨펩티드(brain natri-uretic peptide, BNP, 45-92%)의 증가는 종종 관찰되며, 이러한 것은 환자의 사망이나 혈관경련 혹은 지연성대뇌허혈로의 이환에 대한 위험인자가 될 수 있기에 심근손상이나 정도를 확인하기 위해 경흉부초음파(transthoracic echocardiography) 검사를 시행하게 된다(표 10-5). SAH 직후 응급상황으로 심초음파 검사를 수행하기 어려운 경우가 있고, 신경인성 스트레스에 의한 심근병증에 대한 임상양상으로 흉통, 호흡곤란, 저산소증 혹은 심장인성 쇼크 등이 SAH 발생 수 시간내에 나타날 수 있으므로 이를 확인하고 마취를 수행하는 것이 중요하다.

iii. 혈액량

이뇨제 투여전에도 이뇨와 저혈량증을 보이기도 하고, 이러한 저혈량증은 저관류에 의한 뇌손상을 일으키기 쉽다. 동맥류의 안정화(경부결찰 혹은 coiling) 후 과거에는 혈관경련을 예방하기 위해 과혈량을 유도하기를 추천하였으나 최근에는 과혈량은 오히려 해로울 수 있으므로, 주로 등장성 정질액으로 수액을 보충하면서 정상혈량을 유지하도록 권고하고 있다.

③ 호흡기계 변화

SAH 후 약 20%의 환자에서 주로 산소화장애 증상을 나타낸다. 산소화 장애는 SAH 직후에 주로 신경인성 또는 심인성 폐부종에 의하며, 지연성 원인으로는 흡인성폐렴, 급성호흡장애증후근(acute respiratory distress syndrome, ARDS), 수혈관련급성폐손상(transfusion-related acute lung injury, TRALI) 등이 있다. SAH에 의한 손상이 클수록 산소 예비능도 감소되어 나타나므로 이에 대비한 적절한 기도확보 및 환자관리 계획이 필요하다.

④ 당대사 변화

저혈당, 고혈당의 비정상적 당대사는 좋지 못한 예후를 예상할 수 있는 중요한 독립적 예후인자로, 내원당시 혈당이 160 mg/dℓ 미만인 경우 33%의 사망률을 보이지만 160-230 mg/dℓ인 경우는 71-95%로 사망률이 급증한다. 고혈당은 증상을 동반한 혈관경련, 영구적 신경장애, 3개월 내 사망 등의 합병증에 대한 예측인자로 알려져 있으며, 적절한 혈당의 조절은 감염, 폐렴, 폐혈증의 비신경학적 문제들의 예방에도 도움이 된다. 적절한 혈당의 조절로 70 mg/dℓ의 저혈당은 절대 피하고, 80-200 mg/dℓ 유지하는 것을 권고하며, 미국당뇨학회에서는 중환자의 경우 인슐린 정주로 140-180 mg/dℓ의 혈당을 유지하길 추천하고 있다.

⑤ 전해질 변화

SAH 후 전해질 이상은 흔하게 나타나며, 이것은 만니톨, 고리이뇨제, 조영제 사용에 의한 삼투성이뇨에 의하여 악화되기도 한다.

i. 나트륨(sodium)

혈장농도 130 mEq/L 미만의 저나트륨혈증은 SAH 환자의 약 30%에서 나타나는 가장 흔한 전해질 이상이다. 나트륨이뇨펩타이드(뇌성염소모증후군, cerebral salt wasting syndrome, CSWS) 또는 항이뇨호르몬(항이뇨호르몬분비이상증후군, syndrome of inappropriate antidiuretic hormone, SIADH)의 분비에 의한 나트륨의 비정상적 소실에 의하여 나타난다. CSWS는 신장에서 수분과 나트륨 과잉 소실로 저혈량, 저나트륨 혈증을 특징으로 하며, 대부분 0.9% 생리식염수를 투여하여 소실된 혈량과 나트륨을 보충하지만 고장성 식염수를 신중히 투여하기도 한다. SIADH는 수분 저류와 함께 나트륨의 과다한 소실로 정상 혈량, 저나트륨혈증을 특징으로 하며, 적은 용량의 고리이뇨제 사용과 함께 정상 혈량 유지를 위한 수액보충으로 치료한다. 삼투성 혹은 고리이뇨제에 사용에 따른 150

mEq/L 초과의 과나트륨혈증이나 상기의 저나트륨혈증이 SAH 환자에서 나쁜 예후를 의미하는 것만은 아니다.

ii. 칼슘(calcium), 마그네슘(magnesium), 칼륨(potassium)

약 41-74%의 SAH 환자에서 이뇨와 연관되어 저칼슘혈증이 나타나지만 이는 신경학적 합병증에 관련하기 보다는 칼슘통로차단제 사용과 함께 되는 경우 저혈압을 나타낸다. 여러 기관에서 혈관경련이나 지연성대뇌허혈을 대비하여 황산마그네슘(MgSO$_4$)을 예방적으로 사용하기도 하는데, 마그네슘은 칼슘과 상반된 작용으로 심박출량 및 혈압의 감소, 비탈분극성 신경근차단제 작용의 강화효과를 나타내기도 한다. 이뇨제 사용에 의한 저칼륨혈증도 흔하게 나타나므로 부정맥발생과 관련하여 고려하여야 한다.

⑥ 뇌하수체 호르몬 변화

뇌하수체저하증은 37-55%에서 나타나며, 주로 성장호르몬과 부신겉질호르몬의 결핍을 나타낸다. 마취의는 처음 SAH 발병 시보다는 단락수술(shunt operation) 조정(revision)이나 추가적인 동맥류 제거를 위한 재방문시 이러한 합병증을 가진 환자를 만나기 쉽고, 먼저 고려해야 할 것은 부족한 코르티솔(cortisol), 수술적 스트레스에 대한 부족한 스테로이드 반응, 저혈당증 발현 가능성의 증가등이다. 예방적으로 스테로이드를 처방하여 조절하기도 하며, 상대적으로 드물기는 하나 항이뇨호르몬 결핍에 의한 요붕증(diabetes insipidus)이 나타나기도 한다.

⑦ 거미막밑출혈에 의한 혈관경련

혈관경련은 SAH 환자에서 이환율과 사망률이 증가하는 주요 원인(30%)으로, 뇌혈관조영술검사로 환자의 70%까지 발견 가능하고 임상적으로 허혈성 신경학적 결손을 보이는 경우는 발견환자의 30-35%이다. SAH 후 3일까지는 드물고, 4-12일에 빈발하여, 6-7일에 발생률이 가장 높으며, 수 시간 내지 수일 내에 혼수와 사망(5-17%)에 이르거나 2-4주에 걸쳐 서서히 호전된다. 혈관경련은 SAH 후 혈전 내 적혈구의 분해로 생기는 경련유발 물질에 의해 혈전 주위 큰 동맥이 가늘어짐으로써 발생한다고 하지만 완전한 기전에 대해 알려진 것은 아니며, 특히 이러한 기전이 중증도와 치료에 대한 반응, 결과에 대한 명확한 설명이 되지는 못한다. SAH에 의한 뇌자동조절장애와 비정상적인 이산화탄소에 대한 반응성, 입원 시 13 이하의 Glasgow coma scale (GCS) 점수, 경두개도플러초음파촬영술에서 평균 중간대뇌동맥 혈류속도의 조기 증가, 전대뇌동맥과 내경동맥 동맥류, 술중 혹은 술후 농축 적혈구 수혈을 받은 환자에서 혈관경련의 발생 위험이 높다고 한다. Fisher 등은 혈관경련의 발생위험을 전산화단층촬영 상 나타나는 SAH의 양과 분포에 따라 분류하여(표 10-6) 등급 III이 혈관경련 발생의 위험이 가장 높고, 등급 IV는 혈관경련 발생 위험이 없다고 하였다.

표 10-6 거미막밑출혈의 Fisher 등급

등급	전산단층촬영 상 출혈
I	거미막밑 공간에 출혈이 보이지 않음
II	산재성이거나 두께 1 ㎜ 미만의 얇은 수직층의 출혈
III	국소화된 거미막밑출혈 그리고/또는 두께 1 ㎜ 이상의 수직층의 출혈
IV	뇌실내 혹은 뇌실질내 출혈(거미막밑출혈이 없거나 산재성 거미막밑 출혈이 동반된 경우)

i. 증상 및 징후

두통의 악화, 목덜미경직, 발열, 혈압상승, 혼돈, 기면(lethargy), SAH 후 4일 이후에 새로이 발생한 국소적인 운동 및 언어장애 등이 나타날 수 있다.

ii. 진단방법

i) 뇌혈관조영술: 혈관경련의 진단과 평가에서 가장 신뢰도가 높은 방법으로, 뇌혈관조영술상 심한 혈관경련의 정의는 동맥내강 직경의 50% 이상의 감소이며, 이 경우 뇌혈류 감소로 인한 증상 및 징후가 나타난다.

ii) 경두개도플러초음파촬영술: 안전하고 비침습적이며 반복측정이 가능한 방법으로 치료의 효능과 지속시간을 평가하는데 사용된다. 혈류속도의 증가(중간대뇌동맥 혈류속도>120 ㎝/s)와 24시간 이내에 혈류속도의 빠른 상승(>50 ㎝/s)은 혈관직경의 감소를 반영하며, 최고혈류속도가 140-200 ㎝/s이면 중등도의 혈관경련으로, >200 ㎝/s이면 중증의 혈관경련으로 진단한다. 이 방법은 측정자에 따라 다를 수 있고, 기술적 요인, 머릿속압력, 심박출량, 평가하고자 하는 동맥에 따라 다르게 나타날 수 있으므로 결과를 판독할 때 신경학적 검사, 머릿속압력, 혈압, 심박출량의 연속적인 측정결과를 관련시키는 것이 중요하다.

iii) 크세논-증강 전산화단층촬영술(Xenon-enhanced CT) : 국소 뇌혈류감소가 나타난다. 비교적 저렴하며, 국소 뇌혈류량을 정확히 측정할 수 있고, 20분 내에 반복 측정이 가능하며, 고식적 전산화단층촬영술에 의한 해부학적 결과와 연합하여 판독할 수 있고, SAH 후 신경학적 증상 악화의 원인이 허혈에 의한 것인지 다른 원인들에 의한 것인지를 구별할 수 있다.

iv) 경정맥구혈 산소측정법(jugular bulb oximetry): 뇌산소추출의 변화를 감지할 수 있다. 혈관경련의 임상적인 증상을 보이는 환자에서 신경학적 결손이 나타나기 약 1일 전에 뇌산소추출의 유의한 증가가 나타나므로, 뇌산소추출의 증가는 임상적인 혈관경련이 임박하였음을 예측할 수 있으며, 뇌산소추출의 개선은 치료에 대한 환자의 반응을 반영한다.

v) 뇌혈류 측정 방법들: 양전자방출단층촬영술(SAH 후 뇌산소소모량 감소), 단일광자방출

단층촬영술(single-photon emission computed tomography, SPECT: 관류저하)

iii. 치료

i) 조기 동맥류경부 결찰수술: 혈전의 제거가 가능하며 남아 있는 혈전을 용해하기 위해 섬유소용해제인 재조합형 조직플라스미노겐활성제(recombinant tissue plasminogen activator, rTPA)를 거미막밑 공간에 직접 주입하여 혈관경련을 감소시킬 수 있다. 그러나 섬유소용해제의 사용은 출혈을 야기할 수 있으므로 임상적으로 혈관경련 발생의 위험률이 높은 환자에서만 사용한다.

ii) 조기 혈관내수술(코일에 의한 뇌동맥류치환술): 입원 시 중증도가 경한(WFNS 등급 I–III) 환자에서 혈관내수술을 시행한 경우가 직접결찰술을 시행한 경우보다 혈관경련 증상이 덜 나타나나, 장기 추적 시 전반적인 결과에는 차이가 없다.

iii) 칼슘길항제: Nimodipine만이 SAH 발생 96시간 이내에 예방적 투여로 혈관경련의 발생빈도 및 중증도를 감소시키나 사망률의 감소는 통계적으로 유의하지 않았다. Nicardipine의 정맥내 투여는 혈관경련에 관련하여서는 효과가 없으나, SAH 직후 동맥류 처치 전 고혈압에 대해서 매우 효과적으로 조절이 가능하여 많은 환자에게 사용되고 있으며, 마취 저혈압의 발생의 위험(0–8%)이 있으므로 신중하게 조절하여 사용하여야 한다.

iv) Enoxaparin: 저분자량헤파린으로 20 ㎎을 하루에 한번 피하주사 함으로써 허혈성 신경학적 결함과 지연성대뇌허혈을 감소시켜 SAH 후 1년에 전반적인 결과를 향상시킬 수 있고, 두개내출혈과 심한 수두증의 빈도도 낮출 수 있다.

v) 다른 약제들: Tirilazad는 항산화 자유유리기제거제로 동물실험에서는 뇌손상 억제의 효과가 있다고 하지만, SAH 환자에 있어서는 효과 있음의 증거가 없다. Nicaraven은 자유유리제거제로 3개월 시 경색의 크기 감소와 사망률 감소의 효과가 있다. Ebselen은 항산화, 항염증약물로 신경보호의 특징으로 급성 뇌졸중의 치료에 효과적이라고 한다. Fasudil은 키나아제 억제제로 동맥 내로 투여하여야 하며 증상이나 방사선학적 개선의 효과가 보이나 더욱 연구가 필요하다. Endothelin antagonist은 혈관조영상 중등도의 혈관경련의 감소효과가 있으나 폐렴과 저혈압의 빈도가 증가되는 단점이 있다. 스타틴제제는 기존사용 경우 유지하도록 하며, 그 효과에 대해서는 아직 뚜렷하지는 않다.

vi) Triple–H therapy를 대신하여 이전에는 혈관경련에 의한 허혈성 신경학적 결손 시 과다혈량(hypervolemia), 고혈압(hypertension), 혈액희석법(hemodilution)의 세 가지 치료로써 자동조절기능이 손상된 혈관 연축부위의 관류를 증진시킨다고 하여 추천되었으나, 여러 메타분석 및 전반적인 검토에서 재출혈, 뇌부종, 머릿속압력상승, 폐부종, 울혈성 심부전, 심허혈, 응고병증, 사망 등의 triple–H therapy에 의한 합병증으로 최종적인 생존율에는 큰 이득이 없고, 고혈압만이 뇌관류 및 예후에 효과가 있다고 알려졌다. 현재 추천되는 바는 동맥류를 결찰하지 않은 경우는 수축기압을 120-160 mmHg로 유지하고, 결찰한 경우는 증상의 개선을 확인하면서 최대 160-200 mmHg까지 혈압을 유지하는 고혈압 유지만이 추천되고 그 외는 정상혈량을 유지하는 정도의 저혈량증 교정과, 동반된 다른 질환을 고려한 적정한 혈색소 및 적혈구용적률(hematocrit)을 유지하는 것을 기존의 치료법에 대신하여 추천하고 있다. 혈액희석에 대해서는 실험적으로 적혈구용적률 33% 정도가 혈액의 점성과 산소운반능력의 유지에 있어 가장 이상적인 수준이라는 결과가 있지만, 이를 기반으로 임상환자에 적용한 연구로 적극적인 혈액희석법을 예방적으로 시행하지는 않으나 혈관경련 환자에서 증상개선을 위해 25-30%를 유지하는 것은 효과가 있다고 한다.

vii) 경관풍선혈관성형술(transluminal balloon angioplasty): 연축으로 좁아진 뇌혈관을 팽창 가능한 풍선으로 확장시켜 국소적 혀혈성 결손의 향상과 환자의 의식 상태의 호전을 이룰 수 있으며, 스텐트의 거치로 그 효과를 오래 지속할 수 있다. 혈관성형술의 합병증으로는 동맥류파열, 두개내 혈관파열, 혈관내막 박리, 뇌허혈, 뇌경색 등이 있다. Papaverine의 초선택적 동맥내 주입(superselective intra-arterial infusion)이 매우 효과적으로 원위부 혈관을 확장시킬 수 있으나 papaverine의 짧은 혈관이완 작용시간, 신경독성, 갑작스러운 머릿속압력상승, 반동성 혈관경련(rebound vasospasm), 부정맥 등의 부작용으로 verapamil, nimodipine, nicardipine이 papaverine 대신 사용되어 왔다.

iv. 예방

혈관경련이 가장 많이 발생하는 시기까지 중환자실에서 의식수준과 신경학적 기능의 감시와 정상 혈량 및 전해질균형의 유지 등 주의 깊은 중환자 진료가 필요하며 이차적인 뇌질환과 내과적 합병증의 예방이 필요하다. SAH 후 환자는 정상 혈량을 유지하기 위하여 3-4 L/day의 수액이 필요하나 링거젖산용액과 같은 저장액의 사용은 피해야 하고, 저나트륨혈증 시 필요에 따라 생리식염수나 고장성 생리식염수로 치료한다. 동맥류 결찰 전에는 혈압조절을 하며 결찰 후에는 위험 수준에 도달하지 않는 한 치료하지 않는다. 머릿속압력을 정상범위로 유지하고 뇌관류압을 60-70 mmHg보다 높게 유지하기 위하여 mannitol 투여, 뇌실배액(ventricular drainage), 경한 과환기 등을 시행한다. 여러 메타 분석에서 예방적 치료가 혈관경련의 발현을 줄여주는 것으로 보이나, 장기적인 환자 예후에는 영향을 미치지는 않는 것으로 알려져 있다.

⑧ 거미막밑출혈 후 재출혈

재출혈은 SAH 후 신경학적 증상 악화의 주요 원인 중 하나로, SAH 후 24시간 이내에 가장 잘 발생하며(4%), 그 후 재출혈 가능성은 1.5%/day로 2주경에 19%, 1개월 이내에 20-30%, 6개월에 50%에 달하고, 그 후부터는 15년 동안 1년에 3%씩 감소한다. 전반적인 재출혈 빈도는 11%이다. 재출혈 시 사망률은 50-70%로 증가하며 SAH에 의한 사망 원인의 22%를 차지한다.

경막하 혈종이 크고 전산화단층촬영에서 심한 중간선 전위를 보이는 환자와 뇌내 또는 뇌실내 출혈이 있는 환자는 SAH 후 재출혈에 의한 예후가 나쁘다. 동맥류의 조기 결찰수술이나 혈관내수술이 재출혈을 막는 유일하게 확실한 방법이며 24-48시간 이내에 시행하는 것이 예후를 좋게 하므로 선호된다. 임상적인 중증도 등급이 좋고(WFNS 등급 I-II, 표 10-2) 크기가 작은 전방순환계 동맥류를 가진 2,143명의 환자를 대상으로 무작위로 실시한 국제적인 거미막밑 동맥류 임상시험의 1년 추적조사 결과, 재출혈 위험이 동맥류결찰술에서 1%, 혈관내수술에서 2.4%로 두 방법 모두 낮았으나 사망이나 심각한 불구는 혈관내수술 환자에서 동맥류결찰술을 시행한 환자에 비해 상대적 위험은 22.6%, 절대적 위험은 6.9% 낮은 것으로 나타났다.

표 10-7   거미막밑출혈 후 재출혈의 선행요인

거미막밑 출혈량이 많은 경우
신경학적 상태가 나쁜 경우
처음 출혈과 재출혈 사이의 간격이 짧은 경우
여성: 재출혈 빈도가 남성의 두 배
노인 및 일반적인 건강상태가 나쁜 경우
전신고혈압: 재출혈 위험은 수축기혈압과 직접적인 관련이 있다.
다수의 재출혈 과거력
뇌내 또는 뇌실내 혈종
비정상적인 혈액응고 지표
후방순환계 동맥류

---

i. 관리 및 치료

뇌관류압의 유지와 출혈의 예방을 위한 전신적인 혈압의 조절과 동맥류 경벽압의 감소, 머릿속압력의 상승을 제한한다. 두개내 용적을 감소시키며, 동맥혈산소포화도와 혈색소 농도를 정상으로 유지하여 뇌산소 운반을 적절하게 유지하도록 한다. 혈종을 제거하기 위해 혹은 술 후 출혈이나 뇌실 배액을 조절하기 위해 응급수술이 필요할 수 있다. 뇌실의 감압을 위하여 외부 뇌실배출관을 삽입하기도 한다. Epsilon-aminocaproic acid (EACA)와 다른 항섬유소용해제 사용은 SAH 후 첫 2주 이내에 재출혈 발생률을 반으로 줄이나, 혈관경련, 수두증, 정맥혈전증, 폐색전의 빈도를 증가시켜 전반적인 결과의 향상에는 효과가 없어 신경외과 의사들은 조기에 혈관내수술이나 직접 결찰술을 선호한다.

ii. 예방

수축기혈압의 상승과 경벽압(평균동맥압 – 머릿속압력)의 상승을 조절한다. 불안정한 고혈압의 조절이나 치료적 시술로 인한 일시적 혈압상승의 조절을 위하여 짧은 작용시간을 갖는 항고혈압제(esmolol, labetalol)를 투여할 수 있으며, 특히 통증과 불안을 경감시키기 위해 적정용량의 아편유사제진통제와 진정제 투여한다. 뇌관류압 감소로 인한 혈관경련의 발생이나 악화를 막기 위해 평소의 정상혈압 이상을 유지하고, 정상혈량을 유지하도록 한다. 갑작스러운 뇌척수액 배액은 머릿속압력의 감소로 상대적인 경벽압 증가를 일으켜 동맥류 재파열이 발생할 수 있으므로, 요추천자나 뇌실천자에 의한 뇌척수액의 갑작스러운 배액은 피한다. 발작 자체가 고혈압을 일으키므로 발작을 피한다.

⑨ 수두증(hydrocephalus)

뇌실내 혹은 뇌실질내 혈액에 의한 뇌척수액 배액경로의 폐쇄와 거미막 유착의 발생으로 뇌척수액의 재흡수가 안되어 발생하며, 발생시기에 따라 급성수두증과 만성수두증이 있다.

급성수두증은 환자의 15-41%에서 발생하며 SAH 후 24시간 이내에 기면, 혼수가 발생하고 입원 시 임상적 등급이 나쁘며, 초기 전산화단층촬영에서 거미막밑 혹은 뇌실내 출혈이 있는 경우, 알코올중독, 여자, 노인, 동맥류 크기가 큰 경우, 폐렴, 수막염, 기존에 고혈압 병력이 있는 경우에 동반되기 쉽다. SAH 후 의식 수준이 떨어지는 환자에서 머릿속압력을 정상화하기 위해 뇌척수액의 뇌실외배액술(external ventricular drainage, EVD)을 시행하면 뇌실-복강 단락술 같은 영구적인 단락술의 필요를 감소시킬 수 있으나 출혈과 감염 가능성이 있다.

SAH 후 생존한 환자의 25%에서 수 주 후에 발생하는 만성수두증은 의식장애, 치매, 보행 장애, 실금 등의 증상이 나타난다. 거미막밑출혈 한 달 후에는 뇌실의 크기를 확인하기 위해 전산화단층촬영을 시행한다.

⑩ 발작

SAH 후 발작의 빈도는 3-26%이며 환자의 1.5-5%에서 조기에 발생하고, 3%에서 후기에 발생한다. 발작은 뇌혈류와 뇌산소소모량을 증가시키며, 혈압증가로 재출혈 가능성이 있다. 전산화단층촬영상 수조 혈액의 두꺼운 층(thick cisternal blood)이나 엽상 뇌내출혈, 재출혈, 혈관경련, 허혈성 신경학적 결손의 지연발생, 중간대뇌동맥류, 경막하혈종, 만성 신경학적 장애 등이 있는 경우는 발작 발생의 위험이 높다. 대부분의 발작은 SAH 후 24시간 이내에 발생하며, 내원 전에 자주 발생하기 때문에 항경련제의 예방치료에 대해서는 논쟁의 여지가 있으나, 신경외과의사들은 보통 SAH 후 1-2주 동안 phenytoin, fosphenytoin, levetiracetam으로 발작을 예방한다. 두개내출혈이 있거나 조기에 두 번 이상의 발작을 일으킨 환자의 경우 적어도 6개월 동안 항경련제 치료를 한다.

6) 마취관리

(1) 마취 전 평가와 관리

자기공명영상, 전산화단층촬영, 뇌혈관조영술 등을 이용한 신경진단학적 검사소견의 재검토가 필요하며, 병력, 진찰소견, 신경학적검사와 병동에서 측정한 혈압을 기록하고, 혈압감소와 신경학적 소견 악화의 관련 유무를 기록한다. 수액 및 전해질 평형 평가를 하여 SAH에 의해 순환혈액량이 감소된 환자는 뇌관류를 유지하기 위해 마취유도 전에 등장성 정질액을 투여한다. 또한 심장병에 대한 병력, 심전도, 심초음파촬영의 필요 유무를 확인하고 심장 동종효소, 심장 핵스캐닝(cardiac nuclear scanning), 주술기 심혈관감시 및 현재 투여 받는 약물 기록을 확인하는 것이 중요하다.

(2) 마취 전처치

칼슘통로차단제(nimodipine), 항경련제, 스테로이드 등은 계속 투여한다. Nimodipine은 혈압을 감소시키므로 nimodipine을 투여 받은 환자의 경우 마취유도 시 수액보충과 승압제의 사용이 필요할 수 있고, 술 중 및 술 후 수액평형 유지에 세심한 주의를 기울여야 한다. 위산도 감소 약물(cimetidine, ranitidine)과 위배출을 촉진시키는 약물(metoclopramide)을 투여한다. 임상적 등급이 좋은 환자는 소량의 아편유사제(morphine 1-4 mg, fentanyl 25-50 μg)와 소량의 benzodiazepine (midazolam 1-2 mg)을 직접 감독하에 투여할 수 있으며, 임상적 등급이 나쁜 환자는 기관내튜브가 거치되어 있지 않으면 전처치를 하지 않고, 기관내튜브가 거치되어 있는 환자는 근이완, 진정, 혈압조절 등이 필요할 수 있다.

(3) 마취 중 감시장치

① 심전도(V5 유도를 함께 감시): 심장박동수, 리듬, 허혈 등을 감시

② 직접적인 동맥내 혈압 감시: 뇌관류를 반영하기 위해 압력변환기를 머리 높이에 둔다. 마취유도 전 동맥내도관 거치는 미파열동맥류를 혈관내수술을 하는 경우에는 필수적이지는 않다.

③ 중심정맥압

④ 폐동맥쐐기압, 심박출량: 심장에 문제가 있거나 심한 혈관경련이 있는 환자

⑤ 간헐적인 동맥혈가스분석, 혈당, 전해질, 삼투질농도, 적혈구용적률 측정

⑥ 뇌의 온도 측정: 고막이나 비인두 온도 측정

⑦ 뇌혈류속도 측정(경두개도플러초음파촬영술): 유도저혈압시 혈압의 안전역 확인 및 뇌동맥류 진단

⑧ 전기생리학적 감시장치

　i. 뇌파: 일시적 동맥결찰 동안 돌발파 억제가 필요할 때, barbiturate 주입 적정 시 유용

ii. 체성감각유발전위: 일시적 동맥결찰 동안 가역성 허혈을 탐지할 수 있으나 겉질하구조와 운동겉질의 허혈은 탐지할 수 없다. 비교적 높은 위양성률(38-60%)과 위음성률(5-34%)을 보인다.

iii. 운동유발전위

iv. 뇌간청각유발전위: 후방순환계 동맥류 결찰 동안 감시에 유용

⑨ 경정맥구혈산소포화도(jugular bulb venous oxygen saturation) : 뇌허혈을 예방하는 동맥혈 이산화탄소의 조절 및 수술 중 혈압조절에 도움을 주며, 뇌충혈의 감시

⑩ 신경근차단, 산소포화도, 소변배출량, 호기말이산화탄소분압 감시

⑪ 머릿속압력감시: 뇌실도관을 통해 머릿속압력을 측정할 수 있고 뇌척수액 배액도 할 수 있다.

(4) 정맥내 도관 거치

환자의 자세를 잡기 전과 혈압, 머릿속압력, 경벽압 등에 영향을 줄 수 있는 시술 전에 중심정맥이나 폐동맥 도관 외에 두 개의 굵은 정맥내 도관을 거치한다.

(5) 마취 유도

① 마취유도 중 동맥류파열이 발생하면 사망률이 매우 높으므로(75%까지), 동맥류파열과 재출혈을 예방하기 위하여 마취유도 시 전신혈압의 갑작스러운 상승과 머릿속압력의 감소를 막아야 한다. 즉, 후두경조작과 기관내삽관에 대한 혈압상승, 기침, 과도 긴장을 막기 위해 부드러운 조작이 필요하며 동맥류 경벽압의 변화를 최소로 하면서 적절한 뇌관류를 유지하는 것이 중요하다. 임상적인 등급이 좋은(Hunt와 Hess 등급 0, I, II) 환자는 보통 머릿속압력이 정상이며 환자의 정상혈압 보다 20-30%의 혈압 감소는 뇌허혈이 없는 환자에서는 해롭지 않다. 그러나 임상적 등급이 나쁜(등급 IV, V) 환자는 머릿속압력상승과 관류장애로 인한 허혈의 가능성이 있고, 35% 이상의 혈압 감소는 뇌허혈을 악화시킬 수 있으므로 주의해야 하며, 이러한 환자에서도 후두경조작과 기관내삽관에 의한 교감신경 반응을 둔화시킬 필요가 있다.

② 임상적 등급이 좋은 환자는 두개내 탄력이 정상이므로 마취유도 중 과환기가 필요하지 않으나(Pa$_{O_2}$ 35-40 mmHg 유지), 등급이 나쁜 환자는 머릿속압력이 상승되어 있으므로 두개내 유순도를 향상시키기 위해 마취유도 중 중등도의 과환기가(Pa$_{O_2}$ 25-30 mmHg 유지) 필수적이다.

③ 정맥내 마취유도제로는 thiopental 3-5 mg/kg, etomidate 0.1-0.3 mg/kg, 또는 propofol 1-2 mg/kg을 사용할 수 있고, 혈역학적 안정과 두개내 안정을 위해 추가로 후두경조

작 3-5분 전에 fentanyl 1-5 μg/kg, sufentanil 0.5-1.0 μg/kg 또는 remifentanil 0.25-1.0 μg/kg; propofol 0.5 mg/kg; lidocaine 1.5-2.0 mg/kg (후두경조작 90초 전에)을 투여한다.

④ 두개내 유순도가 감소되어 있는 환자에서는 특히 마취유도 시 N_2O를 사용하지 않고 100% 산소로 마스크환기를 실시한다. 두개내 탄력이 상승되어 있지 않은 환자에서는 후두경조작 전에 isoflurane이나 sevoflurane을 투여하여(0.5 MAC) 마취를 깊게 할 수도 있다.

⑤ 신경근차단제로 사용되는 vecuronium 0.1 mg/kg은 심장박동수와 혈압을 증가시키지 않으며 두개내유순도가 저하된 경우에 머릿속압력을 상승시키지 않는다. Succinylcholine 은 머릿속압력을 상승시키며 SAH 환자에서 심실세동을 유발할 수 있다. Succinylcholine 에 민감하여 뇌혈류나 머릿속압력에 나쁜 영향이 없이 빠른연속마취유도가 필요한 불완전 마비가 없는 혼수 환자, 머리 손상 후 이완마비, 경직, clonus 등이 있는 환자, 명령에 의해 사지를 움직이지 못하고 통증에 대해 움직이는 환자는 rocuronium (0.6-0.9 mg/kg) 혹은 vecuronium (0.15-0.20 mg/kg)을 사용한다.

⑥ 혈압의 조절: 동맥류의 재출혈을 피하면서, 뇌관류를 유지할 수 있는 수축기 또는 평균 동맥압을 유지한다. SAH 발병전 환자의 혈압과 전신질환 상태를 고려하여 결정하지만 성인의 경우 수축기 혈압 130-150 mmHg, 평균동맥압 80-110 mmHg 정도를 유지한다(표 10-8).

표 10-8 급성기 SAH 환자의 혈압조절

술기	처치
수술 전	IR과 OR: maintain BP within agreed range: 환자의 정상범위 혹은 평균동맥압 70-80 mmHg, 수축기혈압 > 140 mmHg 유지; 출혈의 전조증상이나 신경학적 증상이 나타나는 경우는 혈압을 다르게 조절한다.
수술 중 동맥류 폐쇄 전	IR과 OR: maintain BP within agreed range: 환자의 정상범위 혹은 평균동맥압 70-80 mmHg, 수축기혈압 > 140 mmHg 유지
동맥류 폐쇄 중	IR: 이전과 동일, 간혹 혈압을 낮추기도 OR-proximal clip: 이전과 동일 OR-permanent clip: 혈압을 조금 낮추거나 유지한다.
동맥류 폐쇄 후	IR: maintain BP within agreed range: 환자의 정상범위 혹은 평균동맥압 70-80 mmHg, 수축기혈압 > 140 mmHg 유지 OR: 마취전 환자의 혈압범위를 유지, 대개 수축기혈압 < 160 mmHg, 평균동맥압 ≤ 110 mmHg
혈관경련에 대한 처치 중재적 동맥혈관조영술 시	ICU에서 목표로 하던 혈압을 유지: 평균동맥압 > 80 mmHg

IR: intervention radiology,
OR: operating room

후두경조작과 기관내삽관에 대한 혈압상승 반응을 억제하기 위해 esmolol 0.5 ㎎/㎏과 labetalol 2.5-5 ㎎을 사용하며, 뇌혈류와 머릿속압력에 영향을 미치지 않고 교감신경 자극의 심장박동수변동 효과와 수축력 효과를 차단한다.

   i. Sodium nitroprusside (SNP): 100 ㎍ 정맥투여로 후두경조작과 기관내삽관에 대한 혈압상승 반응을 막을 수 있으나 직접 작용하는 뇌혈관확장제로, 뇌혈량과 머릿속압력을 증가시키므로, 두개내 유순도가 감소되어 있는 환자에서는 해로울 수 있다.

   ii. Nitroglycerin: 용량혈관(capacitance vessel)의 확장으로 뇌혈량을 증가시켜 머릿속압력을 증가시킨다.

   iii. 칼슘통로차단제: Nicardipine 0.01-0.02 ㎎/㎏, diltiazem 0.2 ㎎/㎏ 또는 10 ㎎은 술 중 고혈압을 빨리 조절할 수 있으며, 국소적 뇌혈류나 혈류속도를 감소시키지 않는다.

⑦ 위가 꽉 차 있는 경우는 동맥류 파열의 가능성과 흡인에 대한 위험성을 고려하여 결정하여야 하는데 일차적으로 윤상연골의 압박과 함께 빠른연속마취유도을 시행할 수 있다. 이때 기관삽관에 의한 혈압상승의 반응을 줄이기 위해 아편유사제성 진통제, 베타-차단제, 추가적인 정맥마취제를 사용할 수 있으며, 후두경 사용 중 혈압이 오른다면 바로 중지하고 마취를 더 깊게 하여 혈압을 낮춘 후 다시 시행하도록 한다. 어려운 기도관리가 예상되는 경우는 조심성 있게 각성하 굴곡기관지경삽관을 해야 하는데 이때 적절한 진정을 위해 fentanyl과 midazolam을 천천히 적정하여 진정을 시행할 수 있고, 국소마취를 위한 경후두 마취의 경우는 기침이나 혈압상승이 있을 수 있어 4% lidocaine을 충분한 시간 흡인 (inhalation of nebulized lidocaine)하여 국소 마취를 하기도 한다. 이외 진정 후 윤상연골막을 통한 lidocaine의 주입, 목뿔활(hyoid arch)의 양끝에 피하주사를 통한 위후두신경차단을 하여 기관내 삽관에 의한 혈압상승을 억제하기도 한다.

⑧ 재출혈 관리: 마취유도 중이나 후에 동맥류파열 발생 시 진단은 서맥을 동반하거나 동반하지 않은 갑작스런 혈압상승으로 할 수 있고 머릿속압력 또한 증가한다. 경두개도플러로 파열을 진단할 수 있으며 치료에 대한 효능 또한 판단할 수 있다. 마취유도 전, 중, 후에 동맥류출혈이 있으면 100% 산소로 과환기시킨다. 치료는 뇌관류를 유지하고 머릿속압력을 조절하며 thiopental이나 SNP로 혈압을 낮추어 출혈을 줄여야 하는데, 정질액, 교질액, 혈액, 혈액제제 등으로 혈관내용적을 보충한 후 thiopental이나 SNP를 투여한다. Thiopental은 혈압을 낮추고 뇌보호를 제공하나 이 시기에 전신혈압의 과도한 저하는 뇌관류를 방해하여 해로울 수 있다.

(6) 마취 유지

마취 유지를 위해 propofol, 아편유사제, 비탈분극성근이완제를 함께 사용하거나 이에 추가로 0.5 MAC의 흡입마취제를 사용할 수 있다. 마취 중 혈압을 조절하고 뇌 이완을 통해 뇌 당김에 의한 압력을 최소화하면서 뇌관류를 적절히 유지할 수 있도록 한다. 빠른 각성을 촉진하도록 마취제를 조절하여 투여하며, 시기적절한 신경학적 평가를 시행하는 것이 중요하다.

① 흡입마취제

모든 흡입마취제는 뇌혈관확장제로 머릿속압력을 증가시키며, N_2O를 제외한 모든 흡입마취제는 뇌대사를 감소시킨다.

i. N_2O: 뇌혈관수축제 사용과 저탄산혈증(hypocapnia)을 일으킨 후 사용하며, 정맥공기색전증의 가능성이 있는 환자에서는 사용하지 않는다.

ii. Isoflurane: 뇌혈류를 최소로 증가시키나 공간점유병소(space occupying lesion)가 있는 환자에서는 저탄산혈증에도 불구하고 머릿속압력을 증가시키므로, 두개내유순도가 감소되어 있는 환자에서는 낮은 농도로 투여하거나 사용하지 않는다.

iii. Desflurane과 sevoflurane: 4-6%의 desflurane의 뇌혈관에 대한 효과는 isoflurane과 비슷하다. Sevoflurane도 뇌혈관 확장제이나 저탄산혈증을 일으킨 후 투여하면 머릿속압력을 증가시키지 않는다. 혈액가스분배계수가 낮은 이 두 흡입마취제는 빠른 각성을 유도하여 술 후 신경학적 평가를 빨리 할 수 있는 장점이 있다. Sevoflurane은 대뇌자동조절능의 억제가 다른 흡입마취제에 비해 극히 적다.

② Fentanyl과 remifentanil

과환기로 isoflurane을 투여 받고 있는 환자에서 개두술 동안 뇌의 이완을 향상시킨다. Isoflurane이나 sevoflurane과 함께 사용하거나 thiopental 1.0-1.5 mg/kg/h 혹은 propofol 40-60 μg/kg/min과 함께 투여하며, 용량은 다음과 같다.

i. Fentanyl: 25-50 μg(일회정주), 1-2 μg/kg/h(지속주입)의 방법으로 술 후 인공 환기가 예정되어 있지 않다면 총량 10-12μg/kg을 넘지 않도록 한다.

ii. Remifentanil: 0.25 μg/kg(일회정주), 0.05-2 μg/kg/h(지속주입)(60% N_2O + 0.4-1.5 MAC isoflurane 혹은 propofol 100-200 μg/kg/min과 함께 사용하면서 주입속도 조절)

③ Thiopental

뇌가 단단한 경우 주 마취제로서 5 mg/kg 투여 후 1-3 mg/kg/h로 지속주입할 수 있으나 이 경우 마취로부터의 회복이 느려지거나, 전신적인 저혈압이 발생할 수 있는 단점이 있다.

Thiopental의 사용으로 전신적인 저혈압이 발생한 경우에는 혈량을 증가시키고 폐동맥압과 심박출량을 감시하면서 심장작업수행능력을 증가시켜 주어야 한다.

④ 재출혈 예방

재출혈 예방을 위해서는 골판(bone flap)을 들어낸 후 mannitol을 투여하고 뇌척수액 배액을 시작한다. 또한 경막 절개 전까지 동맥혈이산화탄소분압을 정상으로(35-40 mmHg) 유지하도록 환기를 조절한다. 재출혈예방의 한 방법으로 신경외과의사가 모혈관(parent vessel)의 일시적인 근위부를 폐쇄하여 동맥류낭의 긴장도를 감소시킴으로써 경벽압을 감소시키고 동맥류결찰을 용이하게 하고, 수술 중 파열 빈도를 낮추고 유도저혈압 시행을 피할 수 있는 장점이 있다.

⑤ 모혈관의 일시적인 근위부 폐쇄 시 고려사항

i. 뇌보호를 위하여 mannitol, vitamin E, dexamethasone을 사용할 수 있으며, 근위부 폐쇄 바로 직전에 thiopental 3-5 mg/kg을 투여할 수 있다. Magnesium은 동물실험에서 뇌혈관확장제로 전압의존 칼슘통로를 차단하고 혈관경련을 역전시켜 동맥류결찰 시 뇌보호제로 대두되었다. 사람에서도 magnesium은 일시적 동맥류결찰 동안 뇌조직 저산소증을 줄이는 것으로 보고되었다.

ii. 뇌보호의 보조적인 방법으로 32.5-35.5℃ 정도로 체온을 내리는 방법에 대한 국제적인 연구(Intraoperative hypothermia for aneurysm surgery trial, IHAST)에서 여러 동물실험 모델에서는 뇌보호효과가 확인되었으나, 임상연구에서는 뇌보호효과를 확인할 수 없었으며, 일부 감염율이 소폭 증가하는 부작용이 보고되었다. 다른 연구들에서는 의도하지 않은 저체온증이 말초혈관 수술 환자에서 심근손상 발생이나, 복부수술에서 창상의 감염율을 증가시키며, 혈액응고병증, 약물 대사 및 제거의 지연, 고혈당증 등을 일으킨다고 문제점을 제기였다. 22℃ 미만의 극저체온 순환 정지의 경우는 인공심폐기의 이탈, 전신적인 헤파린치료 및 프로타민 역전, 심한 저체온의 가온 등의 해결해야 할 점이 있을 뿐만아니라, 해당 저체온이 필요한 뇌동맥류 환자들의 많은 경우가 혈관내코일 시술로 가능하게 되어 극저체온 순환 정지의 적용은 드물게 되었다.

iii. 원위부 허혈과 경색, 뇌부종, 모혈관손상 등의 위험은 일시적인 폐쇄의 기간과 측부순환(collateral circulation)의 상태와 직접적으로 관련이 있다. 일시적인 근위부 폐쇄 후 새로운 신경학적 결함이 발생할 가능성은 61세 이상의 노인, 수술 전 신경학적 상태가 좋지 않은 환자, 뇌기저동맥과 중간대뇌동맥의 동맥류에서 증가한다. 일시적인 폐쇄의 기간이 20분을 초과하는 경우 술 후 신경학적 결함과 경색의 빈도가 증가하므로 20분 이하로 제한한다. 집도의에 따라 일시적 폐쇄 후 10분에 일시적인 클립을 제거하였다가 thiopental의 추가 용량을 투여한 후 다시 폐쇄를 시도하기도 한다. 폐쇄 동안 측부순환을 향상시키기 위하여 환자의 혈압을 정상혈압 범위의 높은 쪽으로 유지한다. 이를 위해 dopamine 이나 phenylephrine의 투여가 필요할 수 있으며, 이 경우 관상동맥질환이 있는 환자에서는 심허혈 위험이 있을 수 있음을 고려해야 한다. 일시적인 폐쇄 동안 뇌파를 감시하여 뇌파가 심하게 느려지면 클립을 재위치시키거나 phenylephrine 투여와 마취깊이를 낮추어 평균동맥압을 증가시켜, 뇌파에 큰 장애를 일으키지 않으면서 일시적 동맥결찰을 수행할 수 있는 방법을 찾을 수 있다.

iv. 동맥류결찰 전에 일시적인 클립을 제거하는 경우에는 환자의 혈압을 정상범위의 낮은 쪽으로 빨리 낮추어 동맥류파열을 막는다.

⑥ 유도저혈압(동정맥기형 마취 참고)

과거에는 isoflurane, SNP, esmolol, labetalol, nitroglycerin, trimethaphan 등을 사용한 유도저혈압이 추천되었으나 유도저혈압은 SAH에 의해 자동조절기능에 이상이 있는 환자에서 뇌혈류를 감소시켜 뇌혈관경련이 있거나 발생 과정에 있는 환자에게 뇌허혈, 뇌경색, 술 후 신경학적 결함 등 나쁜 영향을 줄 수 있으므로 선호되지 않는다. 그러나 만일 수술조작 중에 동맥류낭의 파열이 발생하면 모혈관의 조절을 위하여 유도저혈압을 시행할 수 있다. 뇌파, 체성감각유발전위, 뇌간청각유발전위, 뇌산소측정법 등이 목표 평균동맥압을 정하는데 도움이 될 수 있고, 유도저혈압의 상대적 금기는 뇌내혈종, 폐쇄성 뇌혈관질환, 관상동맥질환, 신기능장애, 빈혈, 발열 등이다.

⑦ 수액투여

정상혈량을 유지하는 것이 추천된다. 동맥류결찰 후 적당한 혈량을 유지하기 위해 혈관내 용적의 회복이 필요하며, 국소 및 전체 허혈성 결함은 고혈당증에 의해 악화될 수 있으므로 포도당이 없는 정질액을 투여한다. 링거젖산용액이 혈장에 비해 삼투질 농도가 낮아 혈액-뇌장벽이 손상된 경우 뇌부종을 초래할 수 있기 때문에 생리식염수 및 등장성 용액을 선호한다. 적응증이 되는 경우 5% albumin이나 콜로이드도 사용하며, hetastarch와 dextran의 경우는 혈소판과 factor VIII의 간섭을 통한 지혈장애의 가능성으로 사용하지 않는 것이 낫다.

⑧ 빈혈과 수혈

약 50%의 환자에서 혈색소 10 g/㎗ 미만의 빈혈을 일으키게 되는데, 약 3-4일간 실혈의 증거 없이 빈혈이 계속되기도 하며, 낮은 혈색소의 경우 혈액의 산소운반능을 떨어뜨려 지연성 대뇌 허혈이 일어날 수도 있으므로 수혈에 대한 고려가 필요할 것이다. 하지만 수혈 또한 면역의 저하, 수술 후 감염, 폐렴 등의 관련된 합병증을 일으킬 수 있기에 혈색소 10-11 g/㎗ 정도를 유지하는 것을 여러 연구에서 추천한다. 수혈의 결정은 환자의 전반적인 신체적 상태와 진행되는 수술(처치)이 환자에게 미치는 영향을 고려하여 도움이 되는 방향으로 해야 할 것이다. 동맥류를 박리하기 시작할 때 수술실에 혈액을 준비해 응급 수혈에 대비해 두어야 한다.

⑨ 뇌용적 감소를 위한 관리

i. 경막 절개 후 동맥류의 수술적 접근을 용이하게 하기 위하여 두개내 용적을 감소시키고 뇌를 이완시켜야 한다.

ii. 경막 절개 전까지는 중등도의 과환기를 시행하여 동맥혈이산화탄소분압을 30-35 mmHg로 유지하고 경막 절개 후에는 뇌혈류, 뇌혈액량, 뇌용적을 감소시키기 위해 동맥혈이산화탄소분압을 25-30 mmHg로 낮춰야 하나 혈관경련이 있거나 유도저혈압 기간 동안에는 25-30 mmHg보다 높게 유지해야 한다.

iii. Mannitol 0.25-1 g/kg: 뇌혈액량과 머릿속압력의 감소를 피하기 위하여 골판을 들어낸 후 작용이 시작되도록 하여야 하며, 투여 후 10-15분 이내에 작용하기 시작한다.

iv. Furosemide 0.1-1.0 mg/kg: mannitol의 작용을 강화시키며 용량을 줄여 준다.

v. 뇌척수액 배액: 마취유도 후 삽입한 요부 거미막밑 카테터, 뇌실 카테터, 혹은 술 중 기저수조(basal cistern)의 관 삽입 등을 통해 시행하되, 머릿속압력 감소와 동반된 경벽압 증가를 예방하기 위하여 두개골이 닫혀 있는 동안에는 뇌척수액 배액을 피한다. 머릿속압력이 수술 전에 증가된 경우 개두술 전에 뇌척수액 배액을 시행하면 소뇌편도탈출(tonsillar herniation)을 일으킬 수 있다.

⑩ 동맥류수술 중 파열

수술 중 파열 빈도는 2-19%이고, 파열 시기별 빈도는 박리 전에 7%, 박리 중에 48%, 결찰 시 45%이며, 파열 시 저혈압과 일시적인 근위부 및 원위부 폐쇄를 포함하여 동맥류 경부를 확보하기 위한 수술적 조작에 의해 부수적으로 발생하는 허혈 때문에 이환율과 사망률이 매우 증가한다. 빠른 외과적 조절이 필요하며, 동맥류 경부 결찰이나 동맥류 경부 결찰을 위한 준비로 모혈관의 근위부와 원위부의 일시적인 조절을 위해 평균동맥압을 단기간동안 40-50 mmHg로 감소시킨다. 일단 모혈관이 폐쇄되면 측부순환을 증가시키기 위해 혈압을 정상으로 증가시킨다. 달리 취할 수 있는 방법으로, 동측의 경동맥을 3분 동안 손으로 압박하여 수술부위의 출혈을 적게 유지할 수 있다. 혈압을 낮출 필요가 있는 경우 정상혈량을 유지하는 것이 매우 중요하므로 실혈량은 즉각적으로 보충해 주어야 한다.

(7) 각성 및 회복과 술후 관리

일반적으로 마취로부터 각성 시 빠르고 부드러운 각성을 유도하여 빠른 신경학적 평가가 가능하도록 하며, 혈압을 조절하여 재출혈을 예방한다. 그러나 수술 전 임상적 등급, 수술과 관련된 환자의 상태에 따라 마취로부터 회복 시 환자 관리에 있어 차이를 두어야 한다.

① 임상적 등급이 좋은 환자는 수술 종료 시 수술실에서 각성시키고 기관내튜브를 발관한다. 이때 기침, 과도 긴장, 고탄산혈증, 고혈압의 예방이 중요하다. 기관내튜브에 의한 기침 같은 반응을 최소화하기 위해 lidocaine 1.5 ㎎/㎏을 투여하기도 한다. 기존의 고혈압, 통증, 방광도관 기능장애로 인한 요축적, 잔류 마취효과로 인한 이산화탄소 축적 등에 의해 이차적으로 발생하는 수술 직후 고혈압은 보통 12시간 내에 정상으로 되나, 필요하면 항고혈압제를 투여한다.

② 술후 통증관리를 위해 만일 수술 중 remifentanil을 투여하였다면 수술 후 진통을 위하여 수술 종료 전에 작용시간이 긴 아편유사제를 투여한다.

③ 뇌동맥류를 결찰하지 못하고 wrapping 하였거나 치료하지 못한 다른 동맥류가 있는 환자에서는 각성 시 동맥류 파열을 막기 위해 혈압을 정상범위의 20% 이내로 유지해야 한다(수축기혈압: 120-160 ㎜Hg).

④ 술전 임상적 등급이 나쁘고(등급 III-V) 수술 중에 뇌종창(brain swelling), 동맥류파열, 혈류공급 혈관의 결찰 등과 같은 사건 발생의 경우는 기관내삽관 상태를 유지하고 진정과 술후 환기보조가 필요하다.

⑤ 수술 종료 시 환자가 깨어나지 못하거나 새로운 신경학적 결함이 발생한 환자에서는 진정제, 아편유사제, 근이완제, 흡입마취제 등의 잔류효과를 역전시키거나 없애야 하며, 동맥혈이산화탄소분압을 정상화하고 의식저하의 다른 원인들(저산소증, 저나트륨혈증, 저혈당증)이 있는지 확인하고 치료해야 한다. 수술 후 2시간 동안 반응저하가 지속되고 새로운 신경학적 결함이 지속된다면 경막하혈종, 두개내출혈, 수두증, 기두증(pneumocephalus), 뇌경색 또는 뇌부종 등을 진단하기 위하여 전산화단층촬영을 시행하여야 하며, 혈관 막힘을 증명하기 위해서는 혈관조영상(angiogram)이 도움이 된다.

⑥ 수술 후 합병증: 재출혈, 혈관경련, 수두증, 발작, 저나트륨혈증, 뇌부종, 폐렴, 신경성폐부종, 깊은정맥혈전증(deep venous thrombosis), 폐색전증 등이다. 저나트륨혈증은 항이뇨호르몬 부적절분비 증후군, 뇌성염소모증후군(CSWS), 혹은 mannitol의 장기간 사용 또는 과다사용으로 인해 발생한다. CSWS은 수두증으로 인해 확장된 뇌실에 의해 시상하부로부터 심방 나트륨이뇨인자의 분비로 인해 발생하는 것으로 여겨진다.

7) 혈관내수술(제16장 참고)

수술 외에 선택할 수 있는 치료방법으로 가장 흔하게 시행하는 방법은 GDC (Guglielmi detachable metal coil) 등 백금코일에 의한 뇌동맥류치환술로, 1990년 Guglielmi 등에 의해 처음으로 시술되어 그 효과가 인정됨으로써 1995년 9월 미국 FDA에서 승인된 이후 사용이 증가하고 있다. 뇌동맥류의 혈류역학을 볼 때 유입부위(inflow zone), 유출부위(outflow zone), 중앙의 침묵야(central silent area), 주변 활동성야(peripheral active flow area)가 있는데 이중에서 주된 색전술 표적(embolization target)은 혈류의 유입부위와 활동성야이다. 간혹 GDC와 뇌동맥류의 모양이 일치하지 않거나 뇌동맥류 내부의 혈전형성, 또는 완전폐색(complete packing)으로 인하여 주위의 정상적인 혈관의 혈류장애가 예상될 경우에는 의도적으로 불완전폐색을 시도할 수 있다.

(1) 적응증

① 수술적 접근이 어려운 해면정맥동내의 동맥류나 추골동맥 및 뇌기저동맥의 동맥류
② 클립 작업을 하기 위한 충분한 수술공간을 확보할 수 없는 경우
③ 경부가 넓은 석회화 거대동맥류(broad neck, calcified giant aneurysm)
④ 고령이거나 전신상태가 불량하여 수술 및 마취에 위험이 있는 경우
⑤ 수혈 및 수술 받기를 거부하는 환자
⑥ 양측의 다발성 동맥류
⑦ 뇌혈관촬영에서 우연히 발견되는 미파열 동맥류
* 현재는 거의 모든 뇌동맥류에 적용할 수 있다.

(2) 마취 관련 고려사항

① 마취 시 문제점

주 수술실에서 멀리 떨어진 곳에서 마취를 해야 하며, 신경외과 수술을 받는 환자에게 익숙치 않은 중재적 신경방사선과학 의료진과의 의사소통이 필요하고, 시행되는 시술에 대한 전문적인 사항에 대한 완전한 이해가 필요하다. 또한 항응고에 대한 계획(정도, 기간, 역전 시기)에 대해 잘 알고 있어야 하며 유도저혈압, 유도고혈압, 고탄산혈증 등이 필요함을 숙지하고 있어야 한다.

② 수액요법

두 개의 굵은 정맥내 도관을 거치하고 표준 감시장치와 동맥내 혈압을 직접 측정해야 하는 등 수술실에서의 마취와 같다. 조영제를 사용한 전산화단층촬영을 한 환자는 조영제에 의

한 삼투성 이뇨효과를 보이므로 혈관내 용적이 부족할 수 있으며, 대퇴동맥 카테터를 통해 많은 양의 헤파린화 생리식염수를 투여 받은 경우에는 과혈량증이 발생할 수 있으므로 환자의 수액평형 상태를 잘 파악해야 한다.

③ 의식 있는 진정(conscious sedation)
　간헐적인 신경학적 검사를 수행할 수 있는 장점이 있다.

④ 전신마취
　i. 환자의 움직임이 전혀 없을 때 영상의 질이 향상되므로 선호되며, 시술 전에 기도확보를 하는 것이 중요하므로 환기조절과 두개내 조작을 위한 적절한 상태 및 질 좋은 영상을 제공할 수 있는 기관내삽관을 한다.
　ii. 마취제의 선택: 전정맥마취 혹은 정맥마취제와 흡입마취제의 병용으로 할 수 있으며 근이완제를 사용하기도 하고, 사용하지 않을 수도 있다.
　iii. 마취 후 관리: 시술 후 의식회복을 빠르게 하여 신경학적 평가를 신속하게 할 수 있도록 하는 것이 중요하다.

(3) 합병증
시술과 관련되어 발생하는 사망과 이환율이 2-8%로 보고되고 있다.

① 출혈
　항응고제의 작용을 역전시키기 위하여 protamine을 즉시 투여하고 혈압을 정상범위의 낮은 쪽으로 유지하도록 한다.

② 혈관폐쇄 및 혈전색전증
- 유도고혈압: 신경학적 검사로 적정한 유도고혈압이 필요하다.
- 혈전용해: 직접적인 혈전용해를 하기도 하고, 하지 않을 수도 있다.
- 혈액용적 증가
- 두부거상 자세
- 과환기
- 이뇨제
- 항경련제
- 33-34℃의 저체온
- Thiopental 주입: 뇌파검사 상 돌발파 억제를 일으키도록 주입한다.

③ 신기능 감소

N-acetylcysteine, NaHCO₃ 투여 및 혈관내 용량 유지, fenoldopam, dopamine 사용 고려

④ 조영제 반응 혹은 감작

조영제 투여중지, diphenhydramine, steroid 투여와 감작(anaphylaxis)에 대한 치료, 다른 조영제로 교체 사용 또는 시술 중지

8) 거대동맥류와 척추-뇌기저동맥 동맥류 수술을 위한 저체온순환정지

(1) 거대뇌동맥류
직경이 2.5 ㎝를 넘고, 해부학적으로 동맥류경부가 없으며, 동맥류벽 관통혈관들을 가지고 있으며, 전체 동맥류의 2-5%를 차지한다. 두통, 시각장애, 뇌신경마비, 두개내 종괴 병변으로 인한 증상 및 징후를 일으킨다.

(2) 수술적 치료
심한 저체온 하에서 adenosine 투여로 순환정지를 일으키는 동안 동맥류 허탈을 유도하기 위해 근위부 및 원위부의 일시적인 차단을 시행한다. 순환정지는 시야를 좋게 하고, 수술 시야에 출혈이 없게 하며 동맥류 조작과 클립 거치를 쉽게한다. 경부가 너무 넓지 않고 동맥류 크기를 줄여야 할 필요가 없으면 혈관내수술을 시행할 수도 있다.

① 순환정지 동안 뇌보호를 위해 cerebral metabolic rate of oxygen (CMRO₂)를 감소시킨다.

i. Barbiturates는 뇌대사율의 활성 요소인 신경세포활동을 감소시키기 위해 냉각과 순환정지를 일으키기 전에 30-40 ㎎/㎏을 30분에 걸쳐 일회 투여하거나 지속 주입하여 뇌대사의 활성 요소를 줄여 전체 뇌대사율을 50%까지 내릴 수 있다. 또한 free radical을 제거하고 세포막 안정화에 도움을 주어 뇌보호가 가능하다.

ii. 저체온은 뇌산소소모의 활성 및 기초대사 요소를 감소시키며, 무산소 상태동안 뇌보호를 제공한다. 15-18℃에서 60분까지 순환정지를 안전하게 시행할 수 있다. 뇌 온도는 직접 측정할 수 있고, 식도, 고막, 비인두 체온과 상관관계가 밀접하지만 직장체온이나 방광체온과는 밀접한 상관관계가 없다. 저체온은 혈액점성을 증가시키므로 정맥절개술과 동시에 정질액으로 용적 보충을 하여 적혈구용적률을 낮추면 합병증을 피할 수 있고, 재가온 시 수혈을 위해 혈소판풍부자가혈액을 확보해 두기도 한다.

② 감시
- 직접적인 동맥압 및 중심정맥압 측정
- 뇌파검사: 돌발파억제 발생
- 체성감각유발전위: 대뇌겉질로 감각전도를 측정
- 뇌간청각유발전위
- 경식도심장초음파촬영: 심실기능 평가

③ 저체온순환정지와 동반되는 술 후 주요 합병증은 응고병증(coagulopathy)과 두개내출혈이 있고, 이러한 합병증 발생 위험을 감소시킬 수 있는 방법은 다음과 같다.
- 집도의는 저체온순환정지 시작 전에 동맥류를 박리하고, 지혈을 이루어야 한다.
- 헤파린화 한 후 활성혈액응고시간(activated coagulation time, ACT)을 400-450초로 유지하고 재가온 후 헤파린 효과를 역전시키기 위해 protamine을 투여하여 ACT를 100-150초를 유지하도록 한다.
- 사전에 정맥절개술로 채취해 보관하였던 혈액을 수혈하고, 필요 시 추가로 혈액제제(신선냉동혈장, 한랭침전물, 혈소판)를 투여한다.
- 경막봉합 전에 지혈을 이루어야 한다.

2. 동정맥기형(arteriovenous malformation, AVM)

다른 질환에 동반되어 우연히 발견되거나, 증상이 없는 미세출혈, 검사에서 우연히 발견되는 경우도 많아 유병률에 대해 서술하기는 힘드나, 미국의 경우 일년에 10만 명당 약 1명 정도로 예측된다고 한다. 남자가 여자보다 2배 많이 발생하고, 10-40세 사이에 주로 발견되며, 유아기(young children)에서는 드물다.

두개내 동정맥기형에 대한 원인으로 알려진 바는 없지만, 태아기 자궁내 여러 인자로 인해 선천적인 혈관의 해부학적, 생리학적 병소가 생기는 것으로 추측되고 있다. 몇몇 상염색체 우성 유전질환(예를 들어 Parkers Weber syndrome) 등에서 병소가 증가되어 보고되는 바, AVM을 막거나, 절제하여 치료한 후에도 다시 재발할 수 있음을 고려해야 한다.

AVM은 동맥계와 정맥계를 연결하는 모세혈관계에 해당하는 병소(nidus)가 여러 곳에서 기인하는 영양동맥(feeding artery)의 여러 아단위(subunit)로 구성되는 비정상적인 혈관구조를 가지는 것이다. 조직학적으로 직경이 큰 병소의 혈관벽이 혈관내막은 두껍고, 중막의 민무늬 근육층은 부족하여 구조유지를 위한 조직실질의 약한 압력으로도 부종이나 출혈이 일어날 수 있게 된다. 병소에서는 정상적인 모세혈관계와 같은 대사를 위한 기능이 없으며, 유출정맥(draining vein)은 동맥혈압에 노출되어 확장되고, 구불구불하게 보인다.

70% 이상의 AVM이 천막위(supratentorial) 부위에 위치하며, 대뇌겉질층 주위 얇은 층에서 발생하여 출혈 시 동맥류에 의한 거미막밑보다는 뇌실질내에 발생하는 경우가 많다.

1) 병태생리

⑴ AVM의 크기나 출혈에 따라 국소 덩어리 효과를 나타낼 수 있다.

⑵ 크기가 큰 AVM의 경우 소아에서 볼 수 있는 깊은 중심 동맥의 공급과 내부 정맥계와 관련된 기형처럼 대뇌 관류에 전반적인 영향을 미칠 수도 있다.

⑶ 동맥혈압은 AVM을 통해 유출 정맥계의 혈압을 높이게 되어, 대뇌 관류압을 떨어뜨리게 된다(관류압감소 = 평균동맥압 – 정맥혈압증가).

⑷ AVM은 혈액-뇌 장벽(blood-brain barrier)의 기능이 없고, 모세혈관의 기능이 없어 해당 범위 뇌에 혈액 관류를 공급할 수 없다.

⑸ 주변신경조직은 지속되는 저산소성 손상과 괴사에 의해 반응성 신경교세포와 반흔 조직이 늘어나는 특징적인 위축반응을 보인다.

⑹ AVM은 임신 시 증가하는 혈관이완성의 프로게스테론의 영향에 의해 이완되기도 하고, 축소되기도 하는 지속적으로 변화할 수 있는 병소이다.

2) 임상적 측면
가장 흔한 임상증상은 뇌내출혈, 간질, 덩어리 효과(mass effect)이다. 연령에 따라 뇌내출혈의 원인은 다양하고, 가장 많은 수가 SAH에 의하여 뇌내출혈이 일어나고, AVM에 의한 경우는 적지만 AVM 환자의 42-70%에서 뇌내출혈을 일으키므로, 뇌내출혈은 중요한 AVM의 임상양상이다. 출혈은 10-30세에 가장 흔하고, 초회 출혈 위험은 1년에 2-4%이며 재출혈의 위험은 첫해에 가장 높아 4.5-34%에 달하며, 후에 감소한다. 출혈의 위험인자로는 깊고, 천막아래 위치, 3 ㎝ 미만의 작은 크기, 영양동맥이나 유출정맥이 하나인 경우, 깊은 정맥 유출로, 정맥류(venous varices), 관련된 동맥류가 있는 경우이다. 이전의 출혈, 깊은 위치, 고령, 독점적인 깊은 정맥유출류가 있는 경우는 재출혈의 위험도가 높다.

동정맥 기형의 병소나 영양동맥에서 기인한 출혈은 사망률(10%)보다 신경학적 이환율(20-30%)을 더 높게 만든다.

간질은 10-53%의 환자에서 나타나는 흔한 증상이며, 두통(7-48%), 수두증, 머릿속압력

표 10-9 AVM의 형태와 임상적 상관관계

병변형태	임상 양상	병태생리
소형(< 3 cm)	출혈	높은 혈관압에 따른 병소 파열(nidal rupture)
병소내 동맥류(intranidal aneurysm)	출혈	동맥류 파열
정맥 협착 또는 확장	출혈	높은 혈관압에 따른 정맥 파열
깊은 또는 단일 정맥 유출	출혈	유출유량 제한에 의한 병소 파열
깊은 또는 후두와 위치	출혈	유출유량 제한에 의한 병소 파열
고유량 단락	정신운동 기능 장애, 간질	관류압 저하에 따른 저산소증, 국소 또는 전체
정맥 울혈 또는 유출로 폐쇄	정신운동 기능 장애, 간질	관류압 저하에 따른 저산소증, 국소 또는 전체
덩어리 효과, 수두증	정신운동 기능 장애, 간질	관류압 저하에 따른 저산소증, 국소 또는 전체
신경아교증, 병소주위	간질	신경교세포로부터의 글루탐산염
유출정맥의 긴 연질막 경로	간질	관류압저하에 따른 국소 저산소
(Long pial course of draining vein)		
동맥 스틸(arterial steal)	편두통, 일시적인 국소적 징후	국소적 저산소증

의 증가 등이 나타나기도 한다(표 10-9).

3) 환자의 평가

(1) AVM은 대부분 출혈의 양상을 나타내고, 뇌혈관 질환에 의한 증상과 징후를 나타내는 환자의 응급검사로는 조영제를 사용하지 않는 컴퓨터 단층 촬영이 가장 기본이 된다.

(2) 초기증상의 중요한 시간에 CT는 혈관 외로 나온 출혈과 허혈 뇌병변이나 출혈성 뇌졸중 소견과 구분할 수 있어 매우 유용하다.

(3) 혈종(hematoma)의 위치와 크기, 뇌척수액 흐름이 막혀 발생할 수 있는 수뇌증을 확인하여야 하며, 혈종제거를 위한 응급 개두술의 필요성에 대한 확인이 필요하다. 컴퓨터 단층촬영 혈관조영술은 AVM 검사를 위한 두개내 혈관구조를 3차원적으로 보여줄 수 있다.

(4) MRI는 출혈성 뇌졸중에 대한 진단의 민감도는 CT와 유사하나 응급상황에서 접근성이 떨어져 CT를 대신하여 초기 검사방법으로 할 수는 없으나, 기능적 뇌자기공명영상(functional MRI)은 병변과 연관된 신경 중심(neuronal center)과의 상호영향을 확인할 수 있으며, 뇌자기공명영상은 CT 혈관조영술과 같이 AVM혈관구조를 확인할 수 있고, 후속 치료를 계획하는 것에는 CT 혈관조영술보다 더 우월하다.

(5) 혈관조영술의 추후 검사는 AVM의 혈관구조를 확인하는 데 필요하다. 초선택적 디지털 감산혈관조영술(digital subtraction angiography)은 병소주위 혈관의 생리상태를 확인하는 데

필요하며, 신경중재술 시행 시에도 사용된다.

(6) 경두개 도플러 초음파는 AVM을 지나는 빠르고, 요동하는 난류의 혈류를 확인할 수 있다.

(7) 병소 주위 구조를 확인하는 것은 임상적 결정을 내리는 것에 중요하다.

4) AVM의 치료

(1) AVM의 치료는 내과, 중환자의학, 신경과, 신경외과, 방사선학과의 다학제적 접근으로 시작되며, 크게 그 방법에는 관찰(monitoring), 미세수술(microsurgery), 신경혈관내 중재술 (neuroendovascular intervention), 방사선수술(radiosurgery)로 4가지가 있다.

(2) 진행될 치료에 고려할 점은 환자 개개인의 신체적, 심리적 요소 및 삶의 질, 기대 여명 등을 모두 고려하고, 이에 대해서 환자에게 동반되는 위험과 치료 과정을 충분히 설명하여 야 한다. 순차적인 중재적 치료법이 근치적인(완전한) 치료가 되지는 못하지만 위험율을 낮출 수 있고, 이후에 좀더 근치적인 치료를 시행할 수 있는 전기가 될 수 있기 때문에 환자의 이 해와 동의가 절실히 요구된다. 실제적으로 미세수술은 혈관내 중재술이나, 방사선 치료보다 합병증이나 치사율이 높으나 AVM의 완전 치료율(폐쇄율)이 높고, 출혈의 가능성이 낮아 이 러한 치료법을 단계적으로 시행하기도 한다.

(3) 치료 계획의 수립은 Spetzler–Martin scale(표 10-10)에 따라 환자를 분류하고, 축적된 알 고리즘에 따라 결정한다(그림 10-2).

표 10-10 Spetzler–Martin AVM 등급표

대상	점수(1–5)
최대 직경의 크기 소형 < 3 ㎝ 중형 3–6 ㎝ 대형 > 6 ㎝	1 2 3
증상을 나타내는 뇌병변 부위와의 위치관계(location to eloquent region of brain) 없음 포함되거나 인접	0 1
정맥 유출로 독점적인 얕은부위(exclusively superficial) 여느 깊은부위(any deep)	0 1

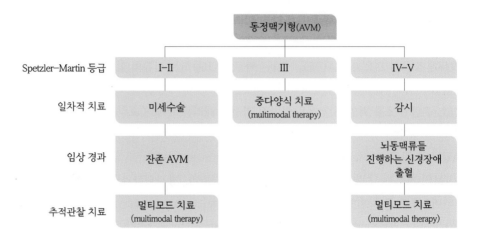

그림 10-2
동정맥기형(AVM) 치료의
알고리즘

① 관찰

무증상의 환자에서부터 치료 시 큰 위험이 예상되는 환자를 연속적인 신경학적 검사와 CT
나 MRI를 이용한 방사선학적 검사를 시행하면서 관찰하며 보존적 치료를 시행한다. 출혈
의 위험이 가장 큰 단점이다.

② 미세수술

적용하기 좋은 AVM의 위치나 구조에서는 근치적인 단일 치료법으로 시행될 수도 있고,
순차적인 치료들 중에 이어지는 치료법으로 시행하기도 한다. 다른 치료보다 재원 일수가
길며, 높은 신경학적 장애 및 정상관류압 출혈의 위험성이 높다.

③ 신경혈관내 색전술

작은 AVM에서는 단일 치료법으로도 적용 가능하고, 큰 AVM의 경우 파열의 위험이 있는
혈역학적 위험을 줄이기 위한 중간 단계 치료법으로도 가능하다. 수술을 시행할 수 없는 큰
AVM 환자에서 악화되는 증상을 조절하기 위해 고식적인 치료법으로 일부 색전술(partial
embolization)을 시행하기도 한다.

④ 방사선수술

작은 경우에는 단일치료법으로 고려될 수 있으나, 그 외에는 근치적 치료보다는 고식적 치
료법으로 이용된다. 비침습적이고, 긴 입원이 필요하지 않으며, 색전술이나 미세수술과 함
께 적용하여 색전술은 미세수술 전 시행하여 수술 시 위험율을 낮추고, 방사선수술은 미세
수술 후 잔존하는 병변을 치료할 수 있다.

5) 마취관리

(1) 고려사항

① 여러 가지 치료 방법이 있어 다양한 환경에서 AVM 환자를 마취하게 된다. AVM은 재출혈의 경향이 적어 환자가 안정화된 후 치료를 할 수도 있지만, 처음 출혈에 양이 많은 경우는 응급수술이 필요로 하며, 가능하면 30분 이내 혈종을 제거할 수 있다면 예후는 좋아지게 된다. 뇌신경마취에 적용되는 일반적인 사항들은 AVM 마취에서도 같다.

② 수술실 외 마취의 경우는 위급 시 함께할 도움의 인력이 부족하며, 수술실만큼 밝지 못하여, 시술 테이블의 움직임이 떨어지고, 마취기나 카트 등이 환자와 위치가 생소하며, 특히 환자에게 바로 접근하기가 힘들 수 있다는 것을 유의해야 한다.

③ 대부분 수술 전 고려사항은 다른 수술 전 환자와 비슷하다.

④ 최근에 심장 스텐트 삽입을 시행한 환자에서 정상보다 이르게 항혈소판제를 중단한 경우 스텐트안 혈전의 위험이 매우 높게 되므로, 이러한 환자는 개두술에 의한 치료와 신경방사선적 치료에 대한 적용을 신중히 판단하여야 한다.

⑤ 신경외과 환자들은 종종 다량의 수액치료나 혈액내 용량의 부족이 생기기도 하며, 조영제의 사용 등으로 기본 신기능의 유지가 매우 중요하다. 신장기능 저하의 요인이 있으면 기본적인 충분한 수액치료(hydration)와 저 삼투농도의 조영제를 사용하는 것이 도움이 된다고 알려져 있으며, 스테로이드나 N-acetylcysteine, 중탄산나트륨(sodium bicarbonate)을 사용하기도 하지만 그 효용성은 알려지지 않았다. 이 경우 mannitol과 furosemide는 사용을 피해야 한다.

⑥ 항경련제중 cytochrome 효소계를 증강하는 경우(fosphenytoin)는 신경근차단제와 아편유사제의 효과를 줄일 수 있으므로 복용약제와 체내용량을 확인해야 하기도 한다.

⑦ 아편유사제나 약물 남용의 경우 아편양 제제에 대한 내성이 있을 수 있으므로 동일 효과를 위해서 용량을 늘려야 할 수도 있음을 알고, 다른 아편양 약물이나 비아편유사제성 약물로의 전환 또는 신경차단술의 시행이 도움되기도 한다.

⑧ 알레르기 반응: 헤파린에 의한 저혈소판증 또는 혈소판증가증의 병력이 있는 경우 연관된 항원검사(ELISA) 및 기능검사(serotonin)를 시행한다. 헤파린과 유사한 트롬빈억제제(hirudins)를 사용할 수 있으나 용량의 조절이나, 효과의 감시, 역전이 용이하지 않다. 프로타민 또한 과민반응을 일으키는 경우가 있으므로 생선 알레르기 나 NPH (neutral protamine hagedorn) 인슐린에 대한 병력이 있으면 유의해야 한다.

(2) 수술 중 감시

① 기본적인 마취감시(monitoring of the American society of Anesthesiologist)를 수행하여야 한다.

② 심혈관계 감시
두개내 수술의 경우 다양한 범주의 수술적 자극에 대한 안정적인 혈역학적 상태의 유지와 혈색소, 전해질 농도 검사 및 동맥 혈액가스 검사를 위해 침습적 동맥압 감시가 필요하다. 커다란 AVM의 경우 혈역학적 감시 및 약물 투여를 위해 중심정맥카테터를 초음파를 이용하여 거치하는 것이 추천되며, 앉아 있는 자세에서 개두술을 시행하는 경우 정맥 공기 색전증을 감시하기 위해 전흉부 도플러 감시를 사용하기도 한다.

③ 신경계 감시
i. 전정맥 마취나 돌발파억제(burst suppression)를 시행하는 경우 BIS (bispectral index) 감시나 전뇌파(full-standard electroencephalogram) 감시를 시행하기도 한다.
ii. 목정맥팽대(jugular bulb)에서 산소를 측정하기도 한다. 일반적으로 55% 미만의 적은 포화도의 경우 불충분한 산소공급으로 간주하고 피하고자 하나, AVM 환자의 경우 동정맥 단락의 존재로 80-90%의 비정상적으로 높은 포화도를 보이고, 수술적으로나 색전술로 병변이 제거된 경우는 비정상적 포화도가 떨어지는 것을 관찰할 수 있다. 또한 유도저혈압을 시행하는 경우 안전역의 혈압을 감시하는 데 이용되기도 한다.
iii. 경두개 도플러는 중형 또는 대형 AVM에서 영양동맥의 혈류흐름 증가와 맥압의 감소를 통해 알 수 있으며, 치료의 효과도 술 후 검사로 평가할 수 있다.
iv. 각성하 검사와 신경생리 검사(somatosensory, motor, auditory-evoked potentials, electromyographic recordings): AVM이 언어, 운동, 감각 영역에 위치한 경우 세심한 박리와 기능의 보존을 위해 시행한다. 제거나 색전술 전에 전기적 자극이나 유발 약물투여로 신경회로를 감시하며 유의미한 변화를 관찰한다.
v. 대뇌산소포화도는 AVM로 인해서 왜곡된 측정치가 나타날 수 있으므로, 세심한 기준값 측정을 시행하고 감시를 진행한다. 혈관내 시술을 위한 카테터에 의한 혈관관련 합병증 감시나 유도 저혈압 시행 중 혈압의 안전역 감시에 이용될 수 있다.

(3) 마취약제의 사용

대부분 흡입마취제를 사용하거나 아편유사제성 진통제와 함께 정맥마취제를 사용하고 있으며, 어느 약제가 더 우수하다는 특별한 연구는 없으며, 각 약제의 장단점은 아래와 같다.

① 흡입마취제는 조절이 쉽고, 비용이 적게 들며, 각성이 빠른 장점이 있으며, 직접적인 뇌혈관이완의 단점이 있지만 뇌대사율의 감소와 혈류의 감소로 단점이 상쇄되는 부분이 있다.

② 정맥마취제는 뇌혈관의 수축을 일으키고, 수술 후 오심과 구토가 적으며, 뇌생리적 감시에 간섭이 적다는 장점이 있지만 약력학적 예측이 다소 부정확한 경우가 있어 과용량에 의한 지연된 각성이나 부족용량에 의한 수술 중 각성의 우려가 있다. 프로포폴주입증후군에 의한 심한 산증이 나타나는 경우도 있다.

(4) 마취의 유도

① 엄격한 혈압과 맥박수의 조절이 뇌신경마취의 유도에 있어서 매우 중요하다. 이를 위해 적정용량의 약물조절을 천천히 하면서, 추가 중재를 위해 아편유사제성 진통제, 베타/알파 차단제, 혈관수축제 등을 투여할 수 있다.

② AVM환자에서 고혈압은 동맥류의 경우 보다 파열을 일으키는 경우가 적다고 한다. 동맥류나 출혈, 허혈성 뇌질환의 환자의 경우는 더 엄격하게 혈압의 변동을 조절해야 할 것으로 본다.

③ 성인 환자에서 전신마취의 유도는 대개 속효성 정맥투여 약제(propofol 또는 thiopental을 주로 사용하며, 심혈관계 저하의 환자는 etomidate)를 적정하여 사용한다.

④ 후두경을 사용하기전 succinylcholine이나 비극성 신경근차단제를 투여하여 깊은 근육이완의 상태를 이루고, 단일수축 감시(twitch monitoring)로 이를 확인한다. Succinylcholine은 짧은 작용시간으로 어려운 기도확보가 예상되는 환자에서 유용할 수 있으나, 머릿속 압력을 상승시킬 수 있으므로 빠른 작용시간을 특징을 가진 rocuronium을 대신 사용하기도 한다.

⑤ 자극에 대한 혈역학적 안정성을 위해 많이 사용하는 아편유사제성 진통제는 혈액-뇌 평형에 이르는 중간시간(blood-brain equilibration half-time)이 alfentanil과 remifentanil

은 약 1분, fentanyl의 경우는 약 6분이 되므로, 이를 고려하여 투여시간을 조절해야 한다.

(5) 마취의 유지

① 대개 뇌신경마취의 유지 시 적은 용량의 흡입마취제 사용과 함께/또는 아편유사제성 진통제의 정주와 함께 propofol을 투여하는 방법을 사용한다.

② Fentanyl, sufentanil, alfentanil 정주 시 각각 약물의 상황민감 반감기(context-sensitive half time)를 알고, 사용된 총량을 고려하여 약물 대사에 필요한 시간과 수술의 종료시간을 고려하여 조절한다.

③ Remifentanil을 마취유도(1-2 μg/kg), 마취유지(0.125 μg/kg), 마취각성(0.0125-0.0375 μg/kg)에 각각 사용하여 급속(fast-track) 뇌신경마취를 시행한다. 안정적인 뇌파도를 유지하고, 뇌관류의 유지와 머릿속압력을 감소하며, 뇌생리적 검사에 대한 마취제의 간섭을 최소화할 수 있다.

④ Dexmedetomidine은 알파-2 작용제로 최소한의 호흡억제와 함께 진정, 진통, 교감신경차단의 효과를 나타내며, 산소에 대한 뇌대사율이나 머릿속압력의 감소없이 뇌혈류를 줄인다. BIS를 60 정도로 유지하면서 수술 중 간단한 명령에 반응할 수 있는 협조적인 진정(cooperative sedation)을 시행할 수 있으나, 약물 투여 후 1시간까지도 인지기능에 영향을 주기도 한다고 한다.

⑤ 반복적인 동맥혈 가스분석과 전해질농도 측정을 시행하여 생리적 변화에 대해 빠르게 대처할 수 있도록 한다.

(6) 수액, 전해질 및 수혈 관리
뇌-혈액 장벽(blood-brain barrier, BBB)의 관점에서 병소내(intranidal) 부분은 다소 치밀이음(tight-junction)이 잘 유지되지만, 병소주위(perinidal)에서는 큰 간격과 풍부한 소낭(vesicle)으로 수술 후 부종, 출혈 및 AVM의 재발이 나타나기 쉬워진다.

① 등용적, 등삼투성, 등장성 수액의 공급이 주로 요구되며, 주로 등삼투성 0.9% 생리 식염수를 많이 사용하고, 유리수(free water)는 사용하지 않는다. 수액의 필요량은 소변량, 불감소실량, 출혈량과 함께 여러 혈역학적 데이터를 고려하여 결정한다. BBB의 손상이 경한 환자에 있어서는 콜로이드의 사용은 정상 삼투압의 유지에 도움이 된다.

② 뇌내병변의 경우 전해질 농도의 이상은 흔하게 나타난다. 뇌성염소모증후군(CSWS) 또는 항이뇨호르몬부적절분비증후군(SIADH)에 의한 저나트륨혈증이나 요붕증(diabetes insipidus)에 의한 고나트륨혈증등은 천천히 교정해야 하며, 급속한 경우 신경학적 후유증이 생길 수 있다.

③ 수혈에 의한 위험을 최소화 하면서 적절한 산소의 공급과 혈전의 생성에 문제가 없는 것이 목표이며, 혈색소 10 g/dℓ 정도의 혈액희석은 혈액내 산소량과 운반능은 감소하나 혈액의 흐름이 개선되어 대뇌의 산소화에 도움이 된다. 수상에 의한 뇌손상 환자에서는 거미막밑출혈에 의한 피해의 경우가 빈혈에 의한 피해의 경우보다 많겠지만, AVM 환자에 있어서는 혈색소가 감소하게 되면 혈액희석에 의해 혈류 역동성의 증가로 동정맥루를 통과하는 혈류의 속도는 증가할 수 있으나 만성적으로 관류가 상대적으로 적었던 병변의 주변은 혈색소의 감소로 산소의 운반능 감소에 더욱 민감하게 피해를 받게 된다.

(7) 뇌보호

① 뇌손상은 수술 전후 허혈과 저산소증에 의한 대사중단으로 발생하는 즉각적 손상과 함께 혈류의 재개에 의한 세포사멸, 염증반응, 산화적 스트레스, 흥분으로 이차적 손상이 일어날 수 있다.

② 저체온은 비례적으로 뇌대사율을 낮출 수 있어, 소생한 심정지 환자에서 적용이 유용하나, 두부수상, 뇌동맥류 수술, SAH 환자에서 적용시 장기적 효과에 대해서는 알려지지 않았다.

③ Barbiturate는 뇌대사를 줄이고, 뇌혈류를 떨어뜨리며, 머릿속압력을 감소하게 한다. 통상적으로 마취용량을 사용하며, 이는 늦은 각성과 관련되기도 한다.

④ 돌발파 억제용량의 프로포폴과 흡입마취제도 도움이 될 수 있다고 하나 관련된 임상적 결과에 대한 연구가 부족하다.

⑤ 고체온과 고혈당증은 신경학적 결과에 좋지 못하므로 꼭 피해야 한다.

(8) 유도저혈압과 혈류의 정지(flow arrest)

① 유도저혈압 시 주로 목표되는 수축기 혈압은 100 mmHg, 평균동맥압은 약 50-60 mmHg 정도이며, 동반된 질환(뇌, 목동맥, 심장 및 신장질환)이 있는 환자에서는 수반되는 위험과 이

득에 대한 세심한 검토 후 적용이 필요하다.

② 관리가 되지 않거나 잘 되지 않은 고혈압환자는 뇌혈류자동조절 곡선이 우측으로 전위되어 유도저혈압 시 안전역의 혈압수치를 높게 설정하여야 하며, 또한 평소 교감신경계에 의한 말초혈관이 수축되어 있는 경우가 많아 마취 후 저혈압이 발생하는 경우가 많다.

③ Nicardipine은 용량의존적으로 혈압을 내릴 수 있으나, 예상한 것보다 오래 지속되어 약제중지 후 오랫동안 저혈압이 유지되기도 하며, 뇌혈류자동조절을 방해하기도 한다.

④ Fenoldopam은 말초혈관의 이완과 뇌혈관 수축의 두가지 효과(dexmedetomidine과 같이 알파-2 수용체를 통하여)로 저혈압과 함께 뇌혈류의 감소효과도 일으킨다.

⑤ 저용량의 흡입마취제-remifentanil-propofol을 사용하여 마취를 시행하는 일부 환자에서 0.3-0.4 mg/kg의 adenosine을 사용하여 부작용을 최소한으로 하면서 평균동맥압을 60 mmHg 미만으로 45초간 유지할 수도 있다. 지속되는 서맥이나, 심방세동, 기관지 연축의 위험이 있으므로 수술 중 심박조율 패드를 적용하고, 수술 후 트로포닌(troponin) 검사를 시행해야 하며 심한 관상동맥질환자나 반응성 기도 질환자는 금기로 하여야 한다(표 10-11).

⑥ 우측 심실에 심박조율을 위한 도자를 중심정맥관을 통해 거치하고, 이를 통해 180회/분까지 심박수를 올려서 혈압을 50%까지 내리는 저혈압을 유도할 수도 있다.

표 10-11 유도저혈압에 사용되는 약제

약리학적 분류	약제	부작용
흡입마취제	Isoflurane, sevoflurane	뇌혈관 이완, 각성의 지연
베타 차단제	Esmolol, labetalol	서맥, 기관지연축, 심근수축력저하
직접 혈관이완제	Nitroprusside	뇌혈관 이완, 빠른내성, 시안화물(cyanide) 독성, 반사성 빈맥
칼슘통로차단제	Nicardipine, clevidipine	방실차단, 뇌혈류 자동조절 불능
도파민수용체 작용제	Fenoldopam	방실 세동, 심부전
아편유사제성진통제	Remifentanil	심한 서맥, 오심
퓨린 유사체	Adenosine	서맥, 심허혈, 기관지연축
이차약제(연관된경우만사용)	Angiotensin-converting enzyme inhibitors, clonidine	-

(9) 마취 후 각성 및 회복

① 수술 전 양호한 신경학적 상태, 중요 합병증이 수술 중 혹은 수술 후 예상되지 않는 환자의 경우에는 신경학적 검사를 위해 빠른 각성을 선호한다.

② 기도의 보호(흡인이나 분비물 등에 대해)나 인공호흡의 필요, 승압제 사용 또는 혈역학적으로 불안정한 경우, 약제나 과호흡을 통한 머릿속압력의 조절이 필요한 경우는 천천히 각성하기도 한다.

③ 각성 중 혈압의 상승은 두개내 출혈을 일으키기 쉬우므로, 매우 세심한 혈압의 조절이 필요하며 이때 작용시간에 따라 esmolol이나 labetalol을 사용하고, 조절이 힘든 경우 nicardipine을 사용하기도 한다.

④ 마취 중 remifentanil을 사용한 경우는 중지 전에 작용시간이 긴 진통제를 대체하여 사용하여야 한다.

⑤ AVM의 여러 합병증은 매우 빠르게 진행되기도 하며, 환자에게 매우 큰 손상을 입힐 수 있기에 기관내 튜브의 발관여부나 술후 신경학적 상태의 양호함과는 상관없이 집중 감시를 위해서 회복실을 경유하지 않고 바로 신경관련 집중치료실로 입실할 것을 권유한다.

⑥ 두개내 혈종, 뇌충혈, 두개 내압 상승, 나트륨 이상, 고탄산증 발생은 기존(처음)임상 신경학적 임상 검사에서 상태가 급격하게 변화하게 되므로, 자주 신경학적 검사를 시행하여야 하며, 국소화된 징후들은 위와는 다른 병변을 시사할 수 있으므로, 신경학적 검사상 변화가 관찰되면 이미지 검사(CT 또는 MRI)를 시행하여야 한다.

⑦ 중요 합병증인 뇌충혈(brain hyperemia)은 부종이나 출혈 등의 양상과 함께 다양한 중증도로 나타난다. 만성적으로 관류가 적었던 AVM 주위 뇌조직은 뇌혈류자동조절 곡선이 좌측으로 이동되어 있다가, 상대적으로 저항이 적었던 AVM이 수술로 제거되고 나면 제거된 병변 주위는 정상 관류압에 의해서도 일부 환자에서는 혈류량이 증가하게 되고, 부종이나 출혈을 일으키기도 한다. 이를 예방하기위해서는 영향을 줄 수 있는 혈역학적 변화를 줄이기 위하여 단계적인 치료로 나누어서 시행하거나, 혈압의 조절을 엄격히 하는 것으로 수술 후 8일까지 140-160 mmHg 정도로 적게 올라가도록 하는 것을 추천한다.

⑧ 수술 후 정맥계에서는 폐쇄에 의한 충혈이 일어나고, 혈류 정체에 의한 혈전생성, 허혈,

부종 등이 절제된 병변 주변에 생길 수 있으므로 저혈압을 피하고, 혈전생성 예방을 위한 아스피린이나 헤파린을 사용한다.

⑨ 수술 후 경련 또한 중요 합병증으로 대부분 환자에서 치료 후 일정기간 항경련제를 복용하도록 한다.

⑩ 수술 후 통증, 오한, 오심과 구토 등을 호소하는 환자들도 많고, 호흡관리, 혈당 및 전해질 조절, 영양 및 수분상태 유지, 혈전예방 등을 위한 전반적인 환자의 관리도 중요하다.

■■■■■ 참고문헌

• Al-Shahi R, Warlow C. A systematic review of the frequency and prognosis of arteriovenous malformations of the brain in adults. Brain 2001;124:1900–26.

• Dankbaar JW, Slooter AJ, Rinkel GJ, Schaaf IC van der. Effect of different components of triple-H therapy on cerebral perfusion in patients with aneurysmal subarachnoid haemorrhage: a systematic review. Crit Care 2010;14:R23.

• Drummond. JC, Patel. PM, Lemkuil. BP. Anesthesia for Neurologic Surgery. In: Miller's Anesthesia. 8th ed. Edited by Miller RD: Philadelphia, Elsevier Churchill Livingstone. 2014, pp 2158-99

• Fukuda S, Warner DS.Cerebral protection. Br J Anaesth 2007;99:10–7.

• Jafar JJ, Rezai AR. Acute surgical management of intracranial arteriovenous malformations. Neurosurgery 1994; 34: 8–12; discussion 12-3.

• Lee CZ, Talke PO, Lawton MT. Anesthetic considerations for surgical resection of brain arteriovenous malformation. In: In: Cottrell and Patel's Neuroanesthesia. 6th ed. Edited by Cottrell JE, Patel P: Philadelphia, Elsevier. 2016, pp 263-76.

• McEwen J, Huttunen KH. Transfusion practice in neuroanesthesia. Curr Opin Anaesthesiol 2009;22:566–71.

• Pasternak JJ, Lanier WL. Neuroanesthesiology update 2010. J Neurosurg Anesthesiol 2011;23:67–99.

• Patel PM, Drummond JC, Lemkuil BP. Cerebral Physiology and the Effects of Anesthetic Drugs. In: Miller's Anesthesia. 8th ed. Edited by Miller RD: Philadelphia, Elsevier Churchill Livingstone. 2014, pp 387-422.

• Pong RP, Lam AM. Anesthetic management of cerebral aneurysm surgery. In: Cottrell and Patel's Neuroanesthesia. 6th ed. Edited by Cottrell JE, Patel P: Philadelphia, Elsevier. 2016, pp 222-47.

• Priebe H-J. Aneurysmal subarachnoid haemorrhage and the anaesthetist. Br J Anaesth 2007;99:102–18.

• Rose MJ. Aneurysmal subarachnoid hemorrhage: an update on the medical complications and treatments strategies seen in these patients. Curr Opin Anaesthesiol 2011;24:500–7.

• Suarez JI, Tarr RW, Selman WR. Aneurysmal subarachnoid hemorrhage. N Engl J Med 2006;354:387–96.

• Todd MM, Hindman BJ, Clarke WR, Torner JC: Intraoperative Hypothermia for Aneurysm Surgery Trial (IHAST) Investigators. Mild intraoperative hypothermia during surgery for intracranial aneurysm. N Engl J Med 2005;352:135–45.

뇌하수체 수술의 마취관리

Anesthetic Management for Pituitary Surgery

11

뇌하수체 수술의 마취관리

Anesthetic Management for Pituitary Surgery

문봉기
아주대학교 의과대학

신경내분비학은 신경계와 내분비샘 그리고 신체 장기들 간의 시상하부-뇌하수체 축(hypo-thalamo-hypophysial axis), 시상하부-뇌하수체-갑상선축, 시상하부-뇌하수체-부신 축 등을 통하여 다양한 호르몬들을 분비하게 하여 신체의 항상성 유지, 수분 및 전해질 조절, 신체대사와 성장과 번식기능 등의 작용을 이해하는 분야이다(그림 11-1, 그림 11-2). 뇌신경마취분야에서 신경계통의 내분비질환은 주로 뇌하수체질환 시 흔히 발생한다.

　뇌하수체는 뇌에 존재하는 해부학적인 구조인 동시에 신체대사를 조절하는 호르몬을 분비하는 기능적 기관이다. 그러므로 뇌하수체에 뇌하수체 선종, 육아종, 농양 등의 질환과 종양이나 감염 등의 질환이 생기거나 뇌하수체 주변에 종양이나 뇌동맥류, 뇌농양이나 뇌상이 생길 경우 뇌하수체의 본연의 기능이 변화되어 정상적으로 분비하는 호르몬의 양의 변화를 초래한다. 이러한 뇌하수체의 호르몬 분비 장애로 호르몬 과분비로 인한 쿠싱증후군, 거인증 및 말단비대증, 갑상선항진증 등의 병들을 초래하며 반대로 뇌하수체기능저하증은 성선자극호르몬 결핍, 갑상선자극 호르몬 결핍, 부신겉질 자극 호르몬 결핍, 성장호르몬 결핍을 초래한다.

그림 11-1
시상하부 – 뇌하수체 축

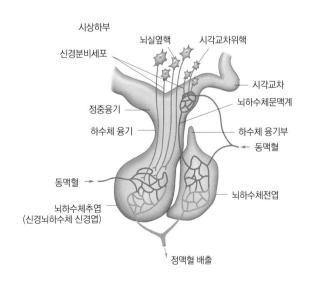

그림 11-2
시상하부-뇌하수체
– 목표장기 축

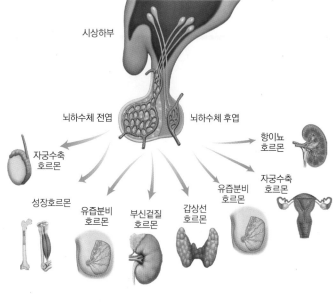

시상하부

뇌하수체 전엽   뇌하수체 후엽

항이뇨
호르몬

자궁수축
호르몬

자궁수축
호르몬

성장호르몬

유즙분비
호르몬

부신겉질
호르몬

갑상선
호르몬

유즙분비
호르몬

그림 11-3
뇌하수체의 해부학적 구조,
관상면

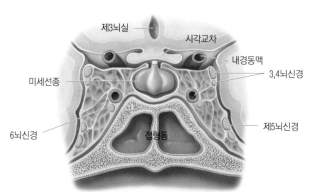

제3뇌실   시각교차

내경동맥

3,4뇌신경

미세선종

6뇌신경   접형동   제5뇌신경

이러한 환자들의 경우 마취유도시의 기도확보 어려움, 수술 중과 수술 후에 혈역학적 불안정성 및 수액 및 전해질 이상 등을 초래할 수 있어 수술과 마취를 시행하기 전에는 질병에 관한 이해와 증상 및 신체변화를 알고 있어야 한다. 또한 뇌하수체 종양의 크기와 위치에 따라 수술의 방법과 수술 시 접하는 구조물도 달라진다. 뇌하수체 주위에는 시신경, 해면정맥동(carvenous sinus), 뇌신경(cranial nerve) 등의 주요기관들이 존재하며 이로 인해서 수술 시 발생할 수 있는 과다한 출혈이나 시신경 손상 및 신경학적인 후유증이 생길 수 있다는 사실을 사전에 알고 있어야 한다(그림 11-3). 마취과의사는 수술과 마취 시 안정적인 환자 관리를 위하여 뇌하수체의 기능과 역할뿐만 아니라 해부학적 구조에 대한 지식을 갖추어야 하며, 마취 전 환자의 질환으로 인한 해부학적인 변화와 생리학적 변화를 검토하여 내분비학적 변화로 인한 환자관리상 문제점들을 예견하고 이에 대한 예방과 적절한 치료를 시행해야 한다.

1. 해부학적 구조

1) 터키안(Sella turcica)
뇌하수체는 접형골(sphenoid bone) 안에서 터키안장처럼 생긴 터키안(sella turcica)에 의해 보호되고 있으며 터키안의 측면에는 해면정맥동(carvenous sinus)이 있다(그림 11-3).

2) 해면정맥동
내경동맥(internal carotid artery)의 해면정맥동가지(intracarvernous portion)가 지나가며 3, 4, 6 뇌신경과 삼차신경의 안신경(ophthalmic nerve)과 상악신경(maxillary nerve)이 위치하고 있으며 6번 뇌신경은 해면정맥동 내쪽으로 지나가며 다른 뇌신경은 외측으로 지나간다(그림 11-3). 경접형동 접근법(transsphenoidal approach)수술 시 정맥에 의한 출혈은 대부분 해면정맥동에 의한 것이다.수술 중 출혈 방지를 위하여 해면정맥동에 과도한 패킹을 할 경우 시신경을 누를 수 있으므로 수술 후 시신경 검사를 시행하여 과도한 패킹이나 수술 후 발생한 혈종 등이 시신경이나 시각교차(optic chiasm) 부분을 누르는지를 확인해야 한다.

3) 뇌하수체줄기(Pituitary stalk)
시각교차의 앞에 위치하고 있으며 시각교차와 터키안까지의 거리는 2-9 ㎜ 정도로 매우 짧으며 이 거리가 많이 짧을 경우 경전두접근법(transfrontal approach)이 불가능해진다.

4) 경동맥
뇌하수체의 측면에 위치하며 그 거리는 불과 평균 12 ㎜ 정도이다. 경접형동 접근법 수술 중의 동맥출혈은 주로 경동맥이나 그것의 분지인 하뇌하수체동맥(inferior hypophyseal artery)에 의한 것이다.

2. 뇌하수체 기능

뇌하수체는 전엽과 후엽으로 구성되며 각기 다른 역할을 하고 있다(그림 11-1, 그림 11-2).

1) 시상하부-뇌하수체 축

(1) 시상하부에서 뇌하수체자극호르몬 생성
시상하부의 신경세포에서 만들어져 뇌하수체 문맥을 통해서 뇌하수체 전엽으로 전달되어 뇌하수체 전엽의 호르몬 분비를 조절하는 thyrotropin 분비호르몬(thyrotropin-releasing

hormone, TRH), corticotropin 분비호르몬(corticotropin-releasing hormone, CRH), gonado-tropin 분비호르몬(gonadotropin-releasing hormone, GnRH), 성장호르몬 분비호르몬(growth hormone-releasing hormone, GRH) 등을 분비한다(그림 11-2).

2) 뇌하수체 전엽

선뇌하수체(adenohypophysis)로서 뇌하수체자극호르몬에 의하여 성장 호르몬(growth hormone, GH), 갑상선자극호르몬(thyroid simulation hormone, TSH), 부신겉질자극호르몬(adrenocorticotrophic hormone, ACTH), 황체형성호르몬(luteinizing hormone, LH), 난포자극호르몬(follicle stimulating hormone, FSH), prolactin, 멜라닌세포자극호르몬(melanocyte-stimulating hormone, MSH)을 분비하여 내분비적 평형상태를 유지한다. 이러한 호르몬은 나이, 심리적인 요소, 수면 사이클, 시상하부 요소, 대사적인 요소(metabolic degradation), 그리고 뇌하수체 전엽의 종양에 의해서 영향을 받는다. 약물이나 마취제도 뇌하수체 전엽의 기능에 영향을 미친다.

3) 뇌하수체후엽(Posterior pituitary gland)

시상하부의 시각교차상핵과 뇌실곁핵(paraventricular nuclei)은 옥시토신(oxytocin)과 항이뇨호르몬(antidiuretic hormone, ADH)을 생성한다. oxytocin과 ADH는 시상하부-신경뇌하수체경로의 축삭(axons of hypothalamic-neurohypophyseal tract)을 거쳐 뇌하수체 후엽으로 운반된다. ADH 분비는 세포외액의 삼투압이 증가하거나 폐정맥이나 좌심방에 있는 수용기가 체내 혈량 감소를 감지했을 때 촉진되며 이외에도 여러 가지 요인에 의해서 ADH 분비가 영향을 받는다(표 11-1).

표 11-1   ADH 분비에 영향을 미치는 요인

분비촉진	분비억제	효과증대
고삼투압	저삼투압	Acetaminophen
저혈장	고혈장	Chlorpropamide
두부거상체위	측와위	Chlorothiazides
통증, 스트레스	알파수용체 자극	
Morphine, Nicotine	ethanol	
Barbiturate, tricyclic antidepressants	atropine	
뇌손상	당질corticoid	
뇌고혈압	저체온	
양압	Reserpine	
교감신경 β수용체 자극		
체온증가		
Tegretol		

3. 뇌하수체 종양

대부분 뇌하수체 앞쪽 2/3에서 많이 발생하며 주로 뇌하수체 선종이 가장 많으며 원발성 뇌종양 중에 약 15%를 차지한다. 종양은 호르몬 분비 유무에 따라 특정 호르몬을 과다 분비하는 기능성(functioning) 종양과 호르몬 분비와 직접 관계가 없고 주로 종괴 효과를 초래하는 비기능성(nonfunctioning) 종양으로 분류한다.

1) 기능성(Functioning)과 비기능성(Nonfunctioning)으로 구분

기능성 종양은 뇌하수체의 호르몬 분비에 직접 영향을 미쳐 호르몬 이상으로 성기능장애, 생리와 임신에 영향을 미치고 성장과 골격근 이상 및 쿠싱증후군 등이 생길 수 있으며 비기능성 종양은 주로 주변조직을 눌러서 종괴 효과를 나타내며 증상이 없거나 뇌하수체기능저하증(hypopituitarism)과 시력저하 및 시야장애를 초래하기도 하며 때로는 뇌압상승을 초래하기도 한다.

(1) 기능성 뇌하수체종양

① 성장호르몬 과다분비

GH은 시상하부의 조절 호르몬인 성장호르몬 분비 요소(GH-releasing factor, GHRF)와 성장호르몬 억제 요소(GH release inhibiting factor, GHRIF: somatostatin)에 의해 조절된다. 이들의 이상이 생겨서 GH이 과다 분비되는 시기가 장골(long bone)의 골단(epiphysis)이 융합되기 이전이면 뼈의 크기와 넓이가 넓어지는 거인증(gigantism)이 생기고, 골단이 융합되고 난 뒤에 GH가 과다분비 되면 말단비대증(acromegaly)이 생긴다.

② ACTH 과다분비

시상하부에서 분비되는 CRH는 뇌하수체의 ACTH의 분비를 조절하며 뇌하수체에 선종이 생길 경우에는 ACTH가 과다하게 분비된다. 뇌하수체 종양에 의해 과다한 ACTH 분비는 이차적으로 부신겉질의 과증식을 초래하여 과다한 cortisol 분비를 초래하여 쿠싱병(Cushing's disease)을 일으킨다.

③ Prolactin 과다분비

뇌하수체 종양에서 호르몬 분비를 촉진시키는 경우 prolactin의 과다분비가 가장 흔한 유형이다. 프로락틴 분비선종은 뇌하수체 선종의 60% 정도를 차지하는 가장 많은 뇌하수체종양이며 대게 20-30대 여자에게 많이 발생한다. 증상은 여자의 경우 유즙분비과다(galactorrhea), 불임, 무월경, 희발월경(oligomenorrhea)이 주 증상이며 남자의 경우 발기부전,

성욕감퇴, 정자부족증(oligospermia)이 주 증상이어서 초기에는 쉽게 발견 못하고 종양의 크기가 커져서 종괴효과가 있을 때 발견되기 쉽다. 보통 뇌하수체 선종의 크기가 1 ㎝ 이상이고 혈청 프로락틴 수치가 200 ng/㎖ 이상이면 프로락틴 분비선종으로 확진할 수 있다. 수술 전 검사를 준비해야 될 사항 중에서 가장 중요한 것은 뇌하수체종양에 의하여 부신기능저하증(hypoadrenalism)과 갑상선저하증(hypothyroidism)이 있는지 고려해야 하며 부신저하증이 있을 경우에는 수술 중이나 수술 후에 glucocorticoid의 투여가 필요하며 갑상선저하증이 있을 경우에 갑상선 호르몬의 투여가 필요하다. 보통 도파민 작용제인 bromocriptine 2.5-20 mg/day 또는 pergolide 0.25-2.0 mg/day로 치료를 해보고 용량조절 시에도 반응이 없거나 종괴효과 증상이 생기면 gamma knife, 방사선 치료 또는 수술을 고려해야 한다.

④ TSH 과다분비
매우 드물며 일차적인 갑상선기능 항진증과 구별을 해야 한다. 뇌하수체 종양에 의한 일차적 갑상선기능 항진증으로 혈중 T4 증가, 비정상적으로 증가된 TSH, 그리고 방사선 이미지검사를 통해서 진단한다.

(2) 비기능성 뇌하수체종양
주로 혐색소성선종(chromophobe adenoma), 두개인두종(craniopharyngioma), 수막종(meningioma), 뇌동맥류(aneurysm) 등이 흔하며 초기에 진단하기가 어려워 크기가 비교적 큰 상태에서 발견되기 쉬우며 이로 인해 뇌압증가와 범뇌하수체저하증이 흔하다. 종양의 확산은 주변조직에 압력을 가하여 시상하부, 시력, Ⅲ, Ⅳ, Ⅴ, Ⅵ 뇌신경 이상 증상을 초래할 수 있다.

① 뇌하수체기능저하증(hypopituitarism)
크기가 큰 뇌하수체 선종, Rathke's cleft cyst, 두개인두종, 동맥류, 다발성 랑게르한스 세포 육아종 등의 질환은 시상하부의 문맥혈류(portal blood system)나 시상하부 주변조직에 압력을 주어 뇌하수체기능저하증을 유발할 수 있으며, 한 가지 호르몬뿐만 아니라 여러 가지 호르몬 결핍을 보일 수 있어 만약 한 가지라도 결핍될 경우, 전체 호르몬 검사가 필요하다. 진단은 전산화단층촬영과 내분비적 검사로 진단할 수 있다. 이러한 환자는 혈중 호르몬 검사와 임상적으로는 요붕증의 사인을 보이며 특히 생식선저하증으로 인한 성적장애와 혈중 LH나 testosterone의 감소가 나타난다. 아침 혈중 cortisol 수치가 낮으면 이차적 부신겉질저하증이 있어 수술 전 후의 스테로이드의 투여가 필요하며 혈중 free T4가 낮으면 갑상선저하증으로 이때 갑상선 호르몬 투여가 필요하다. 환자 마취 시는 수분중독증(water intoxication)과 저혈당에 주의해야하며 특히 중추신경억제제(CNS depressant)에 매우 민감하게 반응한다.

② 급성뇌하수체 기능마비(pituitary apoplexy)

크기가 큰 뇌하수체 종양, 뇌하수체의 출혈성 경색증(hemorrhagic infarction), 허혈, 뇌손상 등에 의하여 발생하며 증상으로 두통, 구역, 저혈압, 시력약화와 소실, 안근마비(ophthal-moplegia), 범뇌하수체저하증 등이 생기며 이때는 즉시 응급으로 수술을 해야 한다.

3. 마취를 위한 환자관리

1) 마취 전 준비

(1) 마취 전 검사
일반적인 검사와 방사선이미지 검사, 내분비적 검사를 시행해야 한다. 수술 전 검사로 혈액 검사를 시행하여 빈혈과 혈액검사의 이상 유무를 확인해야 하며, 남성의 경우 뇌하수체 종양으로 인해 testosterone 수치가 감소되면 빈혈이 발생하기 쉽다.

(2) 호르몬 검사
성장호르몬, 부신겉질 호르몬, 갑상선호르몬 검사, cortisol, prolactin, 생식호르몬(reproductive hormone) 등을 검토해야 한다. 갑상선 호르몬 검사에서 T3, T4, TSH를 검사하고 특히 TSH 분자의 β-subunit이 증가 한 경우는 TSH 분비 뇌하수체종양의 표시자(indicator)가 된다.

(3) 임신반응 검사
여성의 경우 무월경의 증상은 뇌하수체종양으로 인한 것인지 임신으로 인한 것인지 감별 진단을 하기 위하여 임신 반응 검사를 필수적으로 해야 한다.

(4) 전해질 검사
뇌하수체종양 환자들의 대사 장애를 검사하기 위하여 혈중 전해질 검사는 필수적이며 특히 뇌하수체 후엽의 종양의 경우 요붕증으로 인한 저나트륨혈증인 경우가 많다. 수술 전 뇌하수체저하증이 있는 환자의 경우는 수술 전에 hydrocortisone과 thyroxine을 투여하여야 하며 수술 중에도 투여를 시행하여야 한다.

(5) 심혈관계 검사
쿠싱 증후군이 병이 있는 경우는 비만과 고혈압, 식도역류의 가능성 증가하며 고혈당, 그리고 좌심실비대 등의 심혈관계 질환을 동반하며 말단거대증 환자도 심혈관계 질환을 동반하고 있어 마취 시 유의를 하여야 한다.

(6) 기도검사

경접형동접근법 수술 후 환자는 nasal packing을 한 상태에서 기관 내 발관을 하게 되는데 말단비대증 환자나 쿠싱증후군이 있는 환자는 수면무호흡증(sleep apnea)이 있는 경우가 많으며 이러한 환자는 발관 후 기도유지에 세심한 관찰을 요한다.

2) 말단비대증환자 환자 마취관리

(1) 진단

혈중 GH은 분비량이 매우 일정하지 않아 말단비대증 환자일 경우라도 정상적으로 측정될 수 있어 GH 생성의 표시자가 되는 혈중 IGF-I가 정상 수치 보다 5배 이상 증가되어 있고 20% 정도는 prolactin을 과다 분비한다. 특히 갑상선 기능저하증이 동반된 경우가 많아 T4, TSH를 체크해야 되며 경구 당부하(100 g) 60분 후 혈청 성장호르몬 수치가 2 ng/dℓ 여자는 5 ng/dℓ 이상이면 말단비대증으로 진단이 되며 보통 MRI에서 90% 정도 뇌하수체 선종이 발견된다.

(2) 해부학 특성

거인증 환자는 성인이 되기 전에 사망할 확률이 매우 높아 보통 임상적으로 수술을 하는 경우는 대부분 말단비대증 환자이다. 환자는 안면골격의 과다증대, 손, 발 등 모든 장기의 크기가 증가되어 있다. 상기도 연 골조직의 과성장으로 혀와 후두개의 증대가 있고, 하악골의 과성장으로 입술과 성대 간의 거리가 길어지며, 좁은 성문과 큰 비갑개(nasal turbinate) 등으로 인해 수면무호흡증이 잘 생긴다. 마취 유도 시에는 마스크가 잘 맞지 않을 수 있으며, 과도한 뼈들의 성장으로 척추 협착증이 있을 수 있고 경추의 굴곡이 어려워 후두의 노출이 힘들고 또한 턱관절의 유연성 부족으로 입이 잘 안 벌어져 후두경 사용 시 기관내삽관이 어렵다.

(3) 기도확보 시 문제점

해부학적 특성으로 기관내삽관이 어려울 수 있음을 예상하여 굴곡성 후두경이나 기관절개술도 고려해야 하며, 환자의 수술 전 평가 시에 기도유지와 기관 삽관의 어려움을 예견할 수 있도록 해야 한다.

말단비대증 환자에서 기도 침범 정도는 다음과 같이 평가한다. ① 1등급; 특별한 침범 없음 ② 2등급; 비인두 점막비대 ③ 3등급; 성문비대와 성대마비 ④ 4등급; 2와 3등급의 혼합 즉 성문과 연부조직의 침범 3등급과 4등급은 기관절개술이 추천되기도 한다. 내시경적 기관내삽관법과 삽관용 후두마스크도 기도관리가 어려운 환자에서 적용한다.

(4) 구강 packing

경접형동접근법으로 수술 시 기관내삽관 후 구강과 인두 뒤에 packing을 하여 성문으로 혈액과 조직부스러기가 넘어가지 않게 하며, 또한 이물질이 위장으로 넘어가는 것을 막아줌으로써 수술 후 발생할 수 있는 구토의 위험을 방지한다.

(5) 성대마비

환자에 따라 수술 전에 반회후두신경(recurrent laryngeal nerve)이 마비된 경우도 있고, 수술 후 발관 시에 후두부종이나 성대마비가 흔히 발생한다.

(6) 심폐기능 저하

환자의 대부분의 사망 원인은 고혈압, 관상동맥질환, 심부전에 의한 심혈관계 질환이며, 환자에게는 폐용적(lung volume) 증가와 환기/혈류 장애(V/Q mismatch)가 생길 수 있으며 고혈당과, 말초신경질환, 골격근 약화, 관절염 및 골다공증 등이 나타난다.

(7) 신경근차단제 반응

신경근차단제에 민감하여 말초신경자극기(peripheral nerve stimulator) 사용이 필수적이다.

(8) 동맥카테터 거치

손목부위의 연부조직들의 과성장으로 팔목터널증후군(carpal tunnel syndrome)이 자주 생기며 이로 인해 척골(ulnar) 혈류 장애와 측부 순환(collateral circulation) 장애가 초래될 수 있다. 그러므로 연속적 혈압측정을 위하여 요골동맥(radial artery)에 동맥카테터 거치 시는 요골 동맥에 혈전이 생기면 치명적일 수 있으므로 척골동맥의 측부 순환을 잘 파악한 후 시행해야하며 가능하면 다른 곳을 이용하는 것이 안전하다.

3) 쿠싱증후군(Cushing's syndrome)

혈중 cortisol 과다로 인하여 발생하는 여러 양상의 신체 변화의 임상 증후이다.

(1) 원인

① 70%가 5 mm 이하의 양성 뇌하수체 선종이 ACTH 분비를 증가시켜 부신겉질에서 cortisol 분비를 증가시키는 현상이며 이처럼 뇌하수체 질환이 원인인 경우를 쿠싱병(Cushing's disease)이라 하며 남성보다 여성에게서 3배 이상 많이 나타난다.
② 이소성 ACTH를 분비하는 소세포 폐암, 유암종(carcinoid), 갈색 세포종에서 발생
③ 부신종양 등과 같은 질환으로 부신에서 과량의 cortisol 분비로 발생
④ 류마티스 질환 등으로 다량의 스테로이드를 치료제로 장기간 투여한 경우

(2) 진단

① 혈중 cortisol, 소변의 17-OHCS, 17-KS, free cortisol의 증가

② 정상인의 경우, 혈중 cortisol 농도는 오전 4-8시는 25 $\mu g/d\ell$이나 오후 4-8시는 <10 $\mu g/d\ell$로 적게 분비되어 하루에 평균 16 $\mu g/d\ell$ 정도 분비되나 쿠싱증후군 환자의 경우는 아침과 저녁의 혈중 cortisol 농도 차이 없이 높게 분비된다.

③ 소변에서 24시간 측정한 cortisol이 정상보다 높은 경우

④ Dexamethasone 억제검사 후: 덱사메타손 1 ㎎을 밤중에 투여한 후 다음날 혈중 cortisol >2 $\mu g/d\ell$

⑤ 저용량 덱사메타손 억제검사 후: 0.5 ㎎을 6시간 간격으로 2일간 투여한 후 혈중 cortisol >2 $\mu g/d\ell$

(3) 증상

ACTH, 남성 호르몬, cortisol 3가지 호르몬 과다로 인하여 생기는 증상으로 고혈압, 고혈당, 골격근 약화, 몸통비만(truncal obesity), 달덩이얼굴(moon face), 피부가 얇아지고 주름이 생기며, 무기력, 정신장애, 다모증, 부신의 과증식 등이 나타난다.

(4) 기도관리

수면무호흡증과 비만으로 인해 기관내삽관이 어렵고 기관내튜브 발관 시 주의해야 하며 특히 마취전 처치로 진정제는 사용은 하지 않는 것이 좋으며 필요할 시 각별한 주의가 필요하며 수술 후 발관 시 충분히 회복하였을 때 하여야 한다.

(5) 혈압관리

Catecholamine에 대한 혈압상승이 예민하게 반응한다.

(6) 골다공증

골다공증이 있어 환자의 이동이나 체위를 정할 때 골절에 대한 세심한 주의가 필요하다.

(7) 안구관리

1/3 정도의 환자에서 안구돌출증이 있어 수술 및 마취 시 안구손상이 일어날 확률이 매우 높다.

수술 전 복용하는 약들은 수술 당일 복용하는 것을 원칙으로 한다.

(8) 치료
약물적 치료와 방사선 치료, 수술적 치료가 있다.

① 뇌하수체 선종
대부분 작은 크기여서 경접형동 접근법으로 제거를 하며 제거 수술 중 cortisol 분비가 감소가 되므로 cortisol 투여가 필요하며 수술 후에도 일정기간 cortisol 투여가 필요하다. 환자에 따라 양쪽 부신제거술이 필요한 경우도 있어 이 경우 평생 cortisol 투여가 필요하다.

② 부신종양
종양이 있는 부신제거술 후 남은 부신의 급격한 위축으로 코티졸 분비의 급속한 감소로 인하여 cortisol 부족 증상인 저혈압 쇼크 등이 일어날 수 있어 수술 중 cortisol 투여와 수술 후 cortisol 투여가 필요하다.

③ 장시간 스테로이드 투여 환자
치료는 약물을 점차적으로 감소시켜 중단하는 것이다. 이런 과정에서 환자가 일반적인 수술을 받게 될 경우 수술 전 후로 평소 사용하는 스테로이드 투여 용량을 수술 전후로 투여한다.

이처럼 모든 쿠싱증후군 환자에서 cortisol 투여가 필요하며 투여 시기 방법 용량 등은 일반적으로 뒤에 언급하는 호르몬 투여 방법으로 시행 하지만 내분비내과 신경외과 마취과에서 서로 협의하여 투여하는 것이 가장 좋다.

4) 수술적 접근

(1) 수술 방법
정위적접근법(stereotactic approach), 경접형동접근법, 경전두접근법 등이 있다. 수술 전 MRI 등의 영상에서 종양이 터어키안의 상방 또는 측방으로 신전되어 해면정맥동을 침범하는지를 파악하여 이에 대한 대비를 해야 한다.

① 경접형동접근법
10 ㎜ 이하의 종양에서 가장 많이 이용하는 수술 방법으로 비강을 통해 비중격을 지나 접형동의 천정을 통하여 터키안 바닥에 도달한다. 터키안을 일부 제거하면 뇌하수체가 노출되어 수술을 할 수 있게 된다. 이 방법은 수술 시간이 빠르며, 경전두접 근법보다 뇌손상이나 출혈위험이 적고, 수술 후 낮은 합병증을 보인다.

② 경전두접근법

터키안을 벗어나 측방으로 확장된 대형 종양은 전두(frontal) 쪽에서 두개골절제술(crani-otomy)을 통하여 뇌하수체절제술을 시행하여야 한다. 수술은 주로 뇌하수체의 전체를 다 절제하기 때문에 영구적 호르몬 대치법이 필요한 경우가 생길 수 있고, 수술 후 경련 발생의 가능성도 높다.

(2) 수술 전 유의사항

수술 전 시력저하, 뇌압증가 증상이 있는지 검토를 하여야 한다. 수술 전 종양이 시신경을 누르고 있거나 시야의 장애를 초래하고 있는지 사전에 알아야 하며 수술로 인한 시신경 손상과 출혈방지를 위한 해면정맥동의 packing이 시신경이나 시각교차를 누르는지를 감별해야 한다.

5) 수술 중 관리

(1) 마취목표

혈역학적 안정, 뇌관류압 유지, 수술적 시야확보 제공, 수술 중 합병증 방지와 수술 후에 시행하는 빠른 신경학적 검사를 위한 부드럽고 빠른 각성이다.

(2) 뇌하수체 종양

일반적으로는 국소 뇌혈류(regional cerebral blood flow), 자동조절기능, 이산화탄소의 반응도 등에 영향을 미치지 않는다.

(3) 경전두접근법

출혈이 많을 수 있어 수혈을 위한 정맥로 확보가 필요하며 뇌압 하강을 위해 이뇨제나 mannitol의 사용이 필요하다.

(4) 경접형동접근법

수술 후 nasal packing으로 인해서 입을 통한 호흡이 불가피하다. 장기간 입으로 하는 호흡에는 가습이 필요하며, 또한 환자에게 산소를 효과적으로 주기 위하여 stent나 foley cath-eter를 거치한 후 nasal packing을 하고 그것을 통하여 산소를 투여하면 훨씬 효과적이다.

6) 마취 유지

(1) 마취제 선택

① 빠른 각성

마취는 수술 후 시력과 운동장애검사 그리고 외안근 기능(extraocular muscle function)을 관찰하기 위하여 빠른 각성이 필요한데 대부분 N_2O/narcotics에 소량의 흡입마취제나 수술 후 빠른 회복을 위하여 propofol과 sevoflurane, desflurane 등의 대사가 빠른 마취제의 사용이 권장된다.

② N_2O

전정맥마취와 흡입마취에서 뇌압상승이 동반된 경우는 흡입마취제의 단독 사용보다는 N_2O를 사용하지 않는 전정맥마취가 추천되기도 한다. 그리고 N_2O는 수술 후 공기뇌증(pneumocephalus) 발생에 따른 문제로 사용을 피하는 것이 좋다.

③ Remifentanil 사용

흡입마취제와 혼용하여 사용하는 경우 매우 안정된 마취를 유지할 수 있으며 빠른 각성을 나타낸다. 그러나 remifentanil은 작용과 분해 시간이 짧은 아편양제 이므로 중단 후 빠른 효과소실로 인하여 수술 후 환자는 심한 통증을 호소하게 된다. 특히 경접형동접근법으로 수술한 환자의 경우 nasal packing으로 인한 통증과 두통이 매우 심하므로 환자의 통증관리를 위해 수술 종료 20-30분 전에 진통제를 주사한다. 그러나 환자가 쿠싱병이거나 말단비대증이 있는 환자로 수면 무호흡증이 있을 경우에는 아편유사제성진통제의 사용은 세심한 관찰을 필요로 하게 된다. 때로는 경접형동접근법 수술 후에 심한 통증으로 인한 혈압 상승을 막기 위하여 양측 상악신경 차단을 하기도 한다.

(2) CO_2 조절

경접형동접근법 수술 시에 환기는 조절된 고탄산혈증(hypercapnia)을 통해 뇌압을 상승시켜 뇌하수체 종양이 터어키안으로 밀려 나오게 하여 수술을 용이하게 할 수 있지만 고혈압, 빈맥, 심근과부하를 초래하므로 고탄산혈증이 필요한 경우에도 Pa_{CO_2}를 60 mmHg 이상으로 올려서는 안되며, 일반적으로 환기는 Pa_{CO_2} 40-45 mmHg 정도 유지한다. 과환기를 할 경우 뇌용량 증가로 수술시야 확보가 어려워진다.

(3) 뇌척수액 배액(drainage)

최근엔 수술 중 시야확보를 위하여 C-arm 영상장치와 수술용 네비게이터를 이용하여 뇌하수체 위치를 뇌척수액을 배액시키기도 한다. 공기를 주입 시킬 경우 마취가스에서 N₂O를 중단해야 공기색전증을 방지할 수 있다. 요추 뇌척수액 배수관은 수술 후에 간혹 발생하는 뇌척수액 누수가 있을 경우 이 배수관을 통해 뇌척수 액을 조절한다. 최근에는 수술실 내에서 전산화단층촬영이나 fluoroscopy를 직접 사용하여 뇌하수체를 잘 볼 수 있어 수술의에 따라서 뇌척수액 카테터를 사용하지 않는 경우도 많다.

(4) Valsalva maneuver

수술 시 호흡기낭을 부풀게 하여 양압을 가한 상태로 멈추게 하여 뇌하수체 종양을 더욱 잘 보일 수 있게 할 수 있고, 수술부위의 뇌척수액 누출을 확인할 수 있다.

7) 체위

경접형동접근법 파악할 수 있고, 특히 터어키안 상위로 크게 퍼져 있는 종양인 경우에는 경접형동접근법으로 수술 시 뇌하수체의 광범위한 노출을 위하여 척추를 통해 지주막하에 카테터를 삽입하여 여기로 10 ㎖ 정도의 공기나 생리식염수를 주입하고 때에 따라 수술 시 대부분의 환자의 머리가 앙와위보다 위에 위치하게 되는데 이러한 자세는 출혈을 줄일 수 있는 장점은 있지만 이때 그 각도가 15도 이상일 경우와 해면정맥동이 열릴 가능성이 있는 경우는 공기색전증이 생길 가능성이 높아져서 호기말 이산화 탄소 측정기, precordial doppler, CVP 등을 준비해야 한다. 수술 시에 수술 시야의 확보를 위하여 머리를 약간 돌리기도 한다. C-arm은 집도의에 맞게 배치하고 모든 수술 참가자는 방사선 방어복을 착용한다.

8) 비강점막 처치

경접형동접근법 수술 시 수술 부위의 출혈을 줄이기 위하여 수술 전 대부분 혈관수축제를 비강에 사용한다. Cocaine과 epinephrine 혼합액이 많이 사용되고 있으며 부정맥과 심근경색의 위험이 있다. 1% lidocaine과 adrenaline (1:200,000) 혼합액으로 비강내 효과적인 국소마취가 가능하며 대체로 혈역학적으로 안정성을 보인다. 그러나 특히 Cushing's disease 환자에서 고혈압성 반응을 보이는 경우가 있고 베타차단제를 사용하는 환자에게는 아주 심한 고혈압을 초래할 수 있어 사용에 주의를 해야 한다. 이를 위하여 labetalol, 알파차단제 (phentolamine), 베타차단제, 또는 혈관확장제(nitroglycelin 혹은 nitroprusside)를 사용한다. 그 외에 마취를 깊게 하거나 강력한 아편양제재가 사용되기도 한다. Xylometazoline은 교감신경 α수용체에 작용하는 교감신경흥분제로서 기존의 혈관수축제 보다 안전하게 사용할 수 있다.

9) 호르몬 대치법

(1) Cortisol과 혈압

Glucocorticoid는 혈압과 혈관긴장도를 조절한다. Glucocorticoid의 혈관긴장도에 관여하는 작용은 prostacyclin (PGI2)을 억제하는 작용으로 설명된다. 체내 glucocorticoid가 부족할 경우 PGI2의 농도가 증가하여 혈관 긴장도가 감소하여 혈관확장이 일어나고 저혈압이 발생한다. 그러므로 수술 전 glucocorticoid가 부족한 환자에게는 마취전과 수술 중, 수술 후에 cortisol의 투여를 고려하여야 한다.

(2) Cortisol 투여 방법

내분비적 관리 방법이 병원마다 의사들마다 조금씩 차이가 있다. 정상인의 혈중 cortisol 농도는 스트레스 상황에서 증가하게 된다. 큰 수술을 받을 경우 평균 47 μg/dℓ 정도이고 소수술일 경우 10-44 μg/dℓ 정도가 된다. 그러나 뇌하수체기능저하증이 있거나 장기간 스테로이드 투여를 받았던 환자는 혈중 cortisol 농도가 낮고 수술을 시행해도 단기간 cortisol 농도가 증가되지 않아 심각한 저혈압이 일어날 수 있다. 그러므로 수술 전 cortisol을 투여하여야 한다.

① 급성 뇌하수체 전엽 부전(acute anterior pituitary insufficiency)

마취 전 hydrocortisone 50-100 mg을 정주하고 수술 중 10 mg/hr 정주한다. 수술 후는 혈중 cortisol 수치를 체크하면서 점차적으로 감량하면서 먹는 약으로 대체한다. 특히 범하수체저하증 환자는 cortisol뿐만 아니라 수술 전에 levothyroxine (Synthyroid) 0.10-0.15 mg/day을 경구 투여해야 한다. 투여가 안 된 경우는 수술 중 T4(200-400 μg) 및 T3(5-25 μg)를 정맥 투여한다. 이때는 갑상선약 투여 전에 cortisol 투여를 하여야 부신 부전을 방지할 수 있다. 일반적으로 cortisol 투여가 필요한 경우 마취유도시 hydrocortisone (hydrocortisol) 100 mg 정주하는 것이 마취와 수술로 인한 스트레스를 견딜 수 있는 용량이라고 설명하며 최근 들어 기술 발달로 수술시간이 8시간 이전에 끝나서 한번 투여 후 술 후 cortisol 검사를 진행하면서 투여를 조절할 수 있다.

② 다른 방법

i. Cortisol 투여 시

수술 전 short ACTH stimulation test 와 오전 8시에 혈중 cortisol 수치를 측정하여 정상이면 cortisol을 투여하지 않고 비정상적으로 낮으면 수술 당일 hydrocortisone 50 mg을 8시간 간격으로, 술 후 첫날 hydrocortisone 25 mg을 8시간 간격으로, 수술 둘째 날 오전 8시에 hydrocortisone 25 mg을 정주나 근주한다.

ii. Dexamethasone 투여 시

마취 유도 전 dexamethasone 4 ㎎, 수술 다음날 오전 8시에 2 ㎎, 그 다음날 오전 8시에 0.5 ㎎을 정주한다.

이처럼 다양한 방법들이 있어 수술 전 앞에 언급한 방법으로 투여해도 되겠지만 환자의 상태와 수술 범위를 내분비내과, 신경외과, 마취과 의사들이 상의해서 투여하는 것이 바람직하다고 할 수 있다.

10) 환자 감시

(1) 기본 감시장치
심전도, 말초산소포화도, 호기말이산화탄소분압, 직접동맥압 측정이 포함된다. 동반질환자, Cushing's disease 환자에게는 추가적인 침습적 감시가 요구된다.

(2) 공기색전증
해면정맥동에 종양침범이 의심되는 환자는 높은 두부거상 자세가 필요하며, 이때는 공기색전증의 발생 가능성을 고려하여 공기색전증 감시장치를 준비한다.

(3) 시각유발전위(visual evoked potential, VEP)
시신경 통로 부위에 위치한 종양 수술 시 추천되나 수술 실에서는 위양성과 위음성 결과가 많아 적용이 제한된다.

11) 수술 중 합병증

(1) 경접형동접근법
드물지만 내경동맥이나 해면정맥동 손상으로 인한 출혈을 고려해야 한다. 뇌하수체 종양은 혈관이 적어 출혈은 압박으로 쉽게 조절된다. 심각한 합병증은 수술 중 해부학적 표지를 잃어 발생할 수 있다. 경동맥 손상이 생기면 대부분 packing으로 해결할 수 있으나 수술 후 가성 동맥류가 생길 수가 있어 혈관조영술로 확인해야 한다.

(2) 경전두접근법
다른 뇌수술과 비슷한 위험을 동반한다. 경동맥 손상이나 시신경 교차로 손상이 발생할 수 있다. 전두엽하접근법(subfrontal approach) 수술은 수술 후 경련 발생이 높아 예방적 항경련제 사용이 추천되기도 한다. 후각신경 손상의 가능성이 있다.

(3) 뇌척수액 누수

종양제거 후 수술 중 터키안을 다시 교정하고 수술을 끝내는 단계에서 뇌척수액의 누수를 확인하여야 하는데 이때 Valsalva maneuver를 사용하여 확인하기도 한다. 뇌척수액의 누수를 방지하기 위하여 환자의 지방조직을 사용하여 누수를 교정한다.

12) 마취 후 각성

수술 후 신속한 신경학적 검사를 시행하기 위하여 부드럽고 신속한 각성이 필요하다. 이를 위하여 속효성의 마취제를 사용해야 한다. 경접형동접근법 수술 후 기관내튜브의 발관은 자발호흡이 돌아오고 인두의 흡인, 목에 거치한 packing 제거와 후두 반사가 회복된 후 시행한다.

13) 수술 후 처치

세심한 기도 유지, 충분한 술 후 진통, 적절한 수액공급과 호르몬 대체와 수술 후 합병증 발생에 대비한 주의 깊은 감시가 요구된다. 경접형동접근법 수술은 심각한 동반질환이 없으면 회복실에서 일반병실로 보내면 되지만 두개골절제술을한 경우는 하루 이상 집중치료를 필요로 한다.

14) 기도 관리

경접형동접근법으로 수술한 환자는 구강과 비인두강에 남은 혈액과 nasal packing으로 인하여 기도관리가 어렵다. 특히 말단 비대증 환자나 쿠싱증후군 환자의 경우에는 기도 관리에 유의해야 하며 특히 수면무호흡증의 병력을 가진 환자에게는 세심한 기도관리가 필요하다. 이런 환자는 저환기와 기도폐쇄 위험으로 하루나 이틀은 집중치료를 요한다.

15) 수술 후 진통

경접형동접근법 수술 후 환자는 통증은 심하지 않아도 nasal packing에 의한 코막힘이 문제가 된다. 대부분의 환자의 경우 두통을 호소하며 일반적으로 저용량의 진통제가 사용되어 왔다. Morphine 근주나 통증자가조절법(patient controlled analgesia, PCA)으로 조절이 가능하다. 그러나 수면무호흡증이 있는 환자에 있어 아편유사제성진통제를 사용할 경우 세심한 관찰이 요구되며 필요한 경우 상악신경 차단술을 시행하여 통증을 줄여 줄 수 있다.

16) 수술 후 합병증

(1) 요붕증(diabetes Insipidus)

① 원인

시상하부의 삼투압수용기(hypothalamic osmoreceptors)가 종양이나 다른 원인에 의해서 손상되는 경우, ADH의 생성과 분비가 감소되는 경우, 수술이나 허혈 등에 의한 직접적인 시상하부 손상이나, 뇌하수체줄기 손상과 뇌손상 등으로 인하여 요붕증이 일어나며 cortisol의 투여에 의해서도 발생한다.

② 진단

요붕증이 있는 환자는 mannitol 투여, 포도당 투여, 과다한 수액투여를 한 경우와 구별을 해야 하며 수술 중이거나 술후에 소변량, 비중, 그리고 혈중 전해질을 측정하여 진단한다. 특히 터어키안이나 시상하부에 병변이 있어 수술할 경우는 발생할 확률이 상당히 높다. 소변량이 1–2 L/h, 뇨삼투압이 200 mOsm/L 이하인 경우 그리고 뇨비중이 1.001–1.005 사이이며 뇨/혈장 삼투압 비율이 1보다 작고 혈장 삼투압 증가(>295 mOsm/kg)가 있는 경우에 요붕증으로 진단할 수 있다(표 11-2).

표 11-2 혈중 나트륨 이상을 초래하는 경우

	SIADH	DI	CSWS
증상	저나트륨혈증	다뇨	저혈압
혈장량	정상용량(약간 과용량)	정상용량(약간 감소)	약간 감소
혈장	저삼투압(<275 mOsm/L)	고삼투압(>310 mOsm/L)	저삼투압
혈장 Na^+	<135 mEq/L	>145 mEq/L	<135 mEq/L
소변량	정상 또는 감소	다량(4–18 L/d)	정상 또는 감소
뇨 삼투압	>혈청삼투압	<혈청삼투압	>혈청삼투압
뇨 Na^+	>40 mEq/L	<40 mEq/L	>40 mEq/L
뇨 비중	>1.010	<1.004	>1.010
혈중 ADH	고농도	저농도	정상
치료			
수분	수분제한	수분투여	수분투여
Nacl	Na^+ < 125mEq 시 고장성 투여 Urea Demeclocyline Lithium 정주	제한 DDAVP	투여

SIADH: syndrome of inappropriate ADH secretion, DI: diabetes Insipidus, CSWS: cerebral salt wasting syndrome, Osm: osmolarity.

③ 발생

수술 전 요붕증이 없는 환자의 경우에도 약 40% 수술 환자에서 일시 적으로 발생하며 vasopressin을 생성하는 뉴론의 80% 이상이 파괴되거나 일시적인 기능불능 상태에 빠지면 생긴다. 요붕증은 일반적으로 경접형 동접근법 뇌하수체 수술을 한 환자에서 0.5–24% 정도가 발생하며 수술 후 12–24시간 이후에도 발생되며 보통 수일 동안만 지속되나 6% 정도는 1주일 이상 지속된다.

④ 치료

수술 전에 desmopressin(DDAVP) 10-20 ㎍을 2회/일 비강흡입 하거나 ADH 작용을 증가시키는 chlorpromide 200-500 ㎎/day, carbamazepine 200-600 ㎎/day 투여로 요붕증 환자를 치료하며 수술 중에는 4-6시간 간격으로 vasopressin 5-10 U를 피하 주사한다. DDAVP의 투여는 일차적으로 경구 투여가 가능하면 0.1 ㎎을 경구로 투여하고 그렇지 않을 경우는 DDAVP 1-2 ㎍ 근주나 피하로 주사한다. 정맥투여는 특별한 경우에만 사용한다. 과용한 DDAVP는 환자에게 저나트륨혈증을 유발하여 혼미, 경련, 혼수 등을 가져올 수 있다. 보통 정도의 요붕증은 수일 내로 좋아지지만 수액 전해질 균형을 맞추는 것이 환자 관리에 매우 중요하다.

　　노붕증 환자의 수액 투여 방법은 다량의 소변량으로 시간당 수액 투여량(시간당 환자의 수액 유지량 + 시간당 환자의 소변량의 2/3)을 투여하면 된다.

(2) 저나트륨혈증

① 원인

뇌하수체 수술 후 생기는 저나트륨혈증의 가장 흔한 원인은 DDAVP의 과량 사용이다. 경접형동접근법으로 수술한 환자의 경우에는 9-25% 정도에서 항이뇨호르몬 부적절분비 증후군(syndrome of inappropriate ADH secretion, SIADH)이 발생하며 SIADH는 저나트륨증을 초래한다.

② SIADH

항이뇨제의 과다분비에 의하여 체내의 수분 저류와 urine[Na^+]>40 mEq/L, serum [Na^+]<135 mEq/L가 되며 혈중 요산의 농도가 감소되고 고삼투압의 소변과 저삼투압의 혈청 그리고 체내 정상이거나 약간과량의 순환체액과 세포외액을 유지한다. 보통 일시적으로 생기며 7-10일 이상 지속하는 경우는 드물지만 심한 저나트륨혈증(<120 mEq/L)의 경우 심한 두통과 오심과 구토 그리고 의식소실과 경련을 초래할 수 있어 지속적 전해질 측정과 수분제한으로 치료해야 한다(표 11-2).

③ SIADH의 감별진단

뇌수술 후 저나트륨 혈증은 SIADH와 대뇌성 염소모 증후군(cerebral salt wasting syndrome, CSW)에서 나타나며 서로 감별이 어렵다. CSW는 뇌수두증이나 경막하 출혈 환자나 뇌수술 환자에서 볼 수 있으며, 심방선나트륨이뇨호르몬(ANP)이나 brain natriuretic peptide 분비로 다량의 나트륨 소실로 인한 저나트륨 혈증이 나타난다. SIADH와 CSW는 치료방법이 다르기 때문에 감별진단 하는 것이 매우 중요하다. 정확한 감별을 위해서 혈장량을 측정해야 되나 임상적으로 쉽지 않고 특징을 보면 SIADH보다 CSW에서 ADH 농도가 정상이며 소변량이 훨씬 많고 다뇨와 과도한 나트륨 소실과 체중 감소가 보인다. SIADH는 혈관내수액용적이 정상이거나 많기 때문에 하루에 500–1,000 ㎖로 수분섭취를 제한하여 수분저류를 치료하나, CSW는 혈관내수액용적이 감소되어 있어 수분제한으로는 저나트륨혈증을 교정하지 못하며 오히려 저혈압의 위험을 초래할 수 있다. CSW으로 인한 저나트륨혈증의 치료는 생리식염수나 고삼투압의 생리식염수 투여로 교정할 수 있다(표 11-2).

④ 저나트륨혈증의 치료

저나트륨혈증의 증상이 경미한 경우에는 0.5 mEq/L/h, 중등도의 경우에는 1.0 mEq/L/h, 심한 경우에는 1.5 mEq/L/h 이하 속도로 혈장 나트륨의 농도를 증가시킬 수 있게 24–48 hr 동안 천천히 교정하여야 한다. 급속한 저나트륨혈증의 교정은 연수내 말이집용해(central pontine myelinolysis)를 초래할 위험이 있기 때문이다.

(3) 뇌신경손상

수술 후 환자가 의식이 돌아오면 신속히 뇌신경 기능을 검사해야 하며 시력장애, 시야검사와 외안근의 운동 검사를 시행하여야 한다. 특히 3, 4, 5, 6뇌신경은 뇌하수체 종양 수술 후에 손상이 될 가능성이 높다. 환자의 의식이 돌아오지 않거나 시력장애가 심해진 경우는 그 원인은 찾아서 응급으로 수술을 시행하여야 한다. 수술 중 뇌파와 VEP관찰은 수술 중 시신경과 시각교차 부위의 손상을 감지하는데 도움이 된다.

17) 협의진료

뇌하수체 질환은 어느 특정한 의사 한 사람이 환자를 치료할 수 있는 질환이 아니라 마취과와 신경외과, 신경내분비과, 안과, 영상의학과 등의 여러 의료진들간의 긴밀한 상호협조체계가 구축되어야만 수술 및 치료의 효과를 극대화할 수 있다.

증례

37세 여자 환자가 주증상은 시력저하와 두통 및 선단비대증을 호소하여 내원하였다. 진단결과 15 ㎜의 뇌하수체 선종으로 수술을 받기로 하였다.

Q.: 환자의 호르몬 검사상 prolactin 증가와 성장호르몬 및 IGF-I 증가 소견이 나왔다(표 11-3). 마취 시 고려해야 할 점?

A.: 1) Prolactin 증가 뇌하수체선종 환자에서 prolactin이 증가가 된 경우가 흔하며 종양의 크기로 인해 뇌압의 증가나 시신경과 시각교차를 눌러서 양측 측두부의 시야결손 및 시력저하증상이 없는지 확인하고 호르몬 검사에 혈중 cortisol 감소나 혈중 갑상선호르몬 감소가 있는지를 파악하며,

만약 뇌하수체저하증으로 인해 cortisol과 갑상선호르몬 감소가 있을 경우 마취 전 cortisol과 갑상선 호르몬을 투여해야 한다.

2) 성장호르몬과 IGF-I 과다분비 성장 호르몬의 과다 분비로 인하여 근 골격계의 변화가 나타난다. 연골조직의 과성장으로 혀와 후두개의 증대, 하악골의 과성장으로 입술과 성대 간의 거리가 길어지고, 좁은 성문과 큰 비갑개 등으로 수면무호흡증이 잘 생기고, 마취 유도 시 마스크가 잘 맞지 않을 수 있으며, 과도한 뼈들의 성장으로 척추 협착증이 있을 수 있어 후두경 사용 시 경추의 굴곡이 어렵고 또한 턱관절의 유연성 부족으로 입이 잘 안 벌어져 기관내삽관이 매우 어렵다. 그러므로 마취유도 시 기도확보를 위한 사전 준비를 철저히 해야 하며 만약의 경우를 위하여 응급 기관절개술까지 준비와 설명이 되어야 한다. 기관내삽관 시 기관내튜브는 한 사이즈 작은 것으로 하는 것이 좋다.

환자는 피부가 두꺼워지고 코와 턱이 커지며 손가락 발가락이 비대해지는 말단비대증이 나타난다. 환자의 대부분의 사망 원인은 고혈압, 관상동맥질 환, 심부전에 의한 심혈관계 질환이며, 환자에게는 폐용적 증가와 환기/혈류 장애가 생길 수 있으며 고혈당과, 말초신경질환, 골격근 약화, 관절염 및 골다공증 등이 나타난다. 많은 환자에서 손목 부위의 연부조직들의 과성장으로 인한 팔목터널증후군이 생기며 이로 인해 척골혈류 장애와 측부순 환장애가 초래된다. 이러한 이유로 연속적 혈압측정을 위하여 요골동맥 삽관 시는 요골동맥에 혈전이 생기면 치명적일 수 있으므로 척골동맥의 측부순환을 잘 파악한 후 시행해야 하며 가능하면 다른 곳을 이용하는 것이 안전하다. 환자는 평소 수면무호흡증이 흔하며 경접형동접근법 수술 후 기관내튜브의 발관 시 nasal packing으로 인하여 입으로만 호흡하기 때문에 기도폐쇄에 유의해야 하며 습도를 잘 유지해야 한다.

Edge WG, Whitwam JG. Chondro-calcinosis and difficult intubation in acromegaly. Anaesthesia 1981; 36: 677-80.

Fatti LM, Scacchi M, Pincelli AI, Lavezzi E, Cavagnini F. Prevalence and pathogenesis of sleep apnea and lung disease in acromegaly. Pituitary 2001; 4: 259-62.

PiperJG, Dirks BA, Traynelis VC, VanGilder JC. Perioperative management and surgical outcome of the acromegalic patient with sleep apnea. Neurosurgery 1995; 36: 70-5.

표 11-3 수술 전 환자 호르몬 검사

혈액검사	목적
prolactin	prolactin 선종시에 증가
IGF-I	선단비대증/거인증 진단(성장호르몬은 정상일 경우가 있음)
부신겉질호르몬	부신겉질 기능저하증 진단
cortisol (오전 8시)	부신겉질 기능저하증 진단
T4	갑상선 기능저하증 진단
갑상선자극호르몬	갑상선 자극호르몬 분비선종
알파-subunit	생식선선종 진단
황체호르몬	생식선선종 진단
난포자극호르몬	생식선선종 진단
테스토스테론(남성)	생식선기능저하

Q. 수술은 경접형동접근법으로 시행하기로 하였을 때 유의할 사항이 무엇인가?

A. 1) 이비인후과에서 비강내 염증이나 축농증이 없는지 확인하고 질환이 있을 경우 치료를 한 후 시행해야 한다.

2) 수술을 위한 환자 체위가 두부거상 자세가 될 경우 공기색전증이 생길 가능성이 높아 공기색전증을 감시하기 위한 모니터를 거치해야 한다.

3) 비강점막에 수술시 출혈을 방지하기 위하여 혈관수축제(cocaine 혹은 epinephrine)가 함유된 국소마취제를 사용할 경우, 부정맥과 고혈압을 초래할 수 있어 주의 있게 관찰해야 한다. 특히 Cushing's disease나 고혈압이 있는 환자에서는 더욱 심한 부정맥, 빈맥과 고혈압의 반응을 나타내므로 세심한 주의가 필요하다.

4) 경접형동접근법으로 수술 시 해면정맥동과 내경동맥을 손상할 경우 출혈이 많이 생길 수 있어 빠른 수액공급과 수혈을 할 수 있는 정맥로 확보가 필요하다. 그리고 수술 시 해면정맥동에 걸쳐서 Ⅲ, Ⅳ, Ⅴ, Ⅵ 뇌신경이 지나가며 및 시신경 교차가 뇌하수체와 근접해 있어 경접형동접근법 수술 시 각별한 주의가 요구된다.

5) 수술 중 뇌하수체 노출을 용이 하게 하기 위한 요추부 배액(lumbar CSF drainage)용 거치관을 통하여 10 ㎖의 공기나 생리식염수를 사용할 수 있다.

6) 뇌하수체 종양의 수술을 경접형동접근법으로 시행할 경우 수술 후 시신경 손상 및 뇌신경손상을 확인하기 위하여 빠른 각성이 필요하므로 작용시간이 짧은 정맥마취제나 흡입마취제의 사용이 필요하다. 흡입 마취제 사용 시 아산화질소는 공기뇌증을 야기시킬 수 있고 요추부 배관으로 공기를 주입 시 공기색전증을 야기시킬 수 있다.

7) 마취유지에서 중요한 것은 터기안를 일부 제거한 다음 뇌하수체가 노출되는 데, 이때 과환기로 뇌압을 너무 낮추는 경우는 뇌하수체의 노출이 어렵게 된다. 그러므로 환기법은 Pa_{CO_2}를 40-45 mmHg 정도를 유지하는 것이 좋으며 과탄산혈증이 요구되는 경우라도 Pa_{CO_2}를 60 mmHg 이상 올려서는 안 된다.

8) 수술 후 발관은 수술 중 남은 혈액이나 조직 등의 찌꺼기가 구강 내에 남아 있을 경우 폐로 흡인이 될 수 있고 위로 넘어갈 경우 구토를 유발할 수 있어 발관 전 충분히 제거를 해주어야 한다.

Jane JA, Thapar K, Kaptain GJ, Maatens NF, Laws Jr, ER. Pituitary surgery: transsphenoidal approach. Neurosurgery 2002; 51: 435-42. Semple PL, Laws ER Jr. Complications in a contemporary series of patients who underwent transsphenoidal surgery for Cushing's disease. J Neurosurg 1999; 91: 175-9.

Q. 마취 회복 시 주의해야 될 사항 및 술 후 통증관리 방법은 어떤 것이 있나?

A. 말단비대증 환자의 경우 해부학적 구조로 인해 기도폐쇄 위험이 매우 높아 수술 후 기관내튜브의 발관에 매우 유의 하여야 한다. 특히 발관 후에도 수면 무호흡증이 있었던 환자의 경우는 저환기와 기도폐쇄의 위험도 매우 높아 하루나 이틀 동안 세심한 관찰이 필요하므로 집중치료를 하는 것이

좋다.

경접형동접근법 수술 후에 비강내 거치한 packing은 매우 심한 통증을 유발한다. 그러므로 수술 후 진통제를 투여하게 되는데 아편유사제성진통제를 사용한 경우는 특히 기도유지에 세심한 관찰을 요한다. 수술 후 합병증으로 시신경 손상과 뇌신경 손상 및 두개내 출혈 등이 생길 수 있다. 특히 수술 전 보다 시력이나 시야가 나빠지고 외안근의 운동이 원활하지 않는다면 시신경 손상을 의심해야 하며 출혈을 방지하기 위하여 해면정맥동에 넣어둔 packing이 시신경이나 시각교차를 누르지 않는지, 또는 수술부위에 혈종이 생기지 않았는지를 의심해야 하며, 만약 이상이 있을 경우 신속하게 방사선검사를 시행하고 재수술을 결정해야 한다.

Catherine M, Edward C. Anesthetic and critical care management of patients undergoing pituitary surgery. In: Pituitary Surgery: A Modern Approach. Edited by Laws ER Jr, Sheehan JP. 2006, pp 236-55.
Nemergut EC, Dumont AS, Barry UT, Laws ER. Perioperative management of patients undergoing transsphenoidal pituitary surgery. Anesth Analg 2005; 101: 1170-81.

Q. 뇌하수체 종양 수술 중이나 수술 후에 생길 수 있는 요붕증과 고나트륨혈증 치료법은?

A. 수술 후 대부분의 환자에서 소변양은 증가한다. 그 원인으로는 수술 중 주입된 수액과, 수술 중 흔히 발생하는 저체온, 뇌하수체기능 저하로 인한 수술과 마취의 스트레스를 극복하기 위하여 투여한 cortisol로 인한 고혈당에 의한다. 그러나 뇌하수체 수술 환자의 약 40% 정도에서 요붕증이 24시간 내 발생하며 주로 일시적으로 오는 경우가 많다. 요붕증의 진단은 소변양이 지속적으로 시간당 1-2 L 이상 나오고 소변의 삼투압이 <200 mOsm/L이고 혈장 삼투압이 295 mOsm/kg 이상이며 고나트륨 혈장(>145 mEq/L)과 저비중 뇨(1.004 >)를 보일 때 요붕증으로 진단한다. 보통 정도의 요붕증은 수일 내로 좋아지지만 수액 전해질 균형을 맞추는 것이 환자 관리에 매우 중요하다. DDAVP의 투여는 일차적으로 경구 투여가 가능하면 0.1 ㎎을 경구로 투여하고 경구 투여가 곤란한 경우는 DDAVP 1 ㎍ 근주나 피하주사로 치료가 가능하다.

B. 요붕증에 의한 혈중 고나트륨혈증 치료

몸무게 60 ㎏인 환자의 혈중 나트륨이 157 mEq/L인 경우 수분 부족 양은?

(정상 나트륨 농도: 140 mEq/L, 몸의 전체 수분 양: 몸무게의 60%)

1. 전체 수분양 = 0.6 × 60 = 36 L

2. 몸의 정상 나트륨 양 = 36 × 140 = 5,040 mEq

3. 5,040 mEq/157 mEq/L = 32.1 L

4. 수분 부족량 = 36 - 32.1 = 3.9 L 전체 수분 부족량은 3.9 L가 되며 수액 투여 방법은 처음에 부족량의 1/2을 먼저 투여하고 1-2시간 후에 검사하여 천천히 교정한다. 빠른 교정은 뇌부종과 경련을 유발할 수 있으며 목표는 혈중 나트륨 농도가 150 mEq/L로 서서히 교정하는 것이 좋다.

Nemergut EC, Dumont AS, Barry UT, Laws ER. Perioperative management of patients undergoing transsphenoidal pituitary surgery. Anesth Analg 2005; 101: 1170-81.

Morgan GE, Mikhail MS, Murray MJ: Clinical Anesthesiology. 3th ed. New York, McGraw-Hill. 2006, pp 671-2.

■■■■ **참고문헌**

- Atkin SL, Coady AM, White MC, Mathew B. Hyponatremia secondary to cerebral salt wasting syndrome following routine pituitary surgery. Eur J Endocrinol 1996;135:245-7.
- Campkin TV. Radial artery cannulation: potential hazard in patients with acromegaly. Anaesthesia 1980;35:1008-9.
- Chacko AG, Babu KS, Chandy MJ. Value of visual evoked potential monitoring during trans-sphenoidal pituitary surgery. Br J Neurosurg 1996;10:275-8.
- Chelliah YR, Manninen PH. Hazards of epinephrine in transsphenoidal pituitary surgery. J Neurosurg Anesthesiol 2002;14:43-6.
- Cole C, Gottfried O, Liu J, Couldwell W. Hyponatremia in neurosurgical patients: diagnosis and management. Neurosurg Focus 2004;16:E9.
- Drummond JC, Patel PM. Neurosurgical anesthesia. In: Miller's Anesthesia. 6th ed. Edited by Miller RD: Philadelphia, Elsevier Churchill Livingstone. 2005, pp 2158-9.
- Nemergut EC, Dumont AS, Barry UT, Laws ER. Perioperative management of patients undergoing transsphenoidal pituitary surgery. Anesth Analg 2005;101:1170-81.
- Ellegala DB, Alden TD, Couture DE, Vance ML, Maartens NF, Laws ER. Anemia, testosterone and pituitary adenoma in men. J Neurosurg 2003;98:974-7.
- Gemma M, Tommasino C, Cozzi S, Narcisis S, Mortini P, Losa M, et al. Remifentanil provides hemodynamic stability and faster awakening time in transsphenoidal surgery. Anesth Analg 2002;94:163-8.
- Jane JA, Thapar K, Kaptain GJ, Maatens NF, Law ER JR. Pituitary surgery: transsphenoidal approach. Neurosurgery 2002;51:435-42.
- Kitahata LM: Airway difficulties associated with anaesthesia in acromegaly: three case reports. Br J Anaesth 1971;43:1187-90.
- Lim M, Williams D, Maartens N. Anaesthesia for pituitary surgery. J Clin Neurosci 2006;13:413-8.
- Lopez-Velasco R, Escobar-Morreale HF, Vega B, Villa E, Sancho JM, Moya-Mur JL et al. Cardiac involvement in acromegaly: specific myocardiopathy or consequence of systemic hypertension? J Clin Endocrinol Metab 1997;82:1047-53.
- Matta MP, Caron P: Acromegalic cadiomyopathy: a review of the literature. Pituitary 2003;6:203-7.
- Melmed S, Braunstein GD, Chang RJ, Becker DP. Pituitary tumors secreting growth hormone and prolactin. Ann Intern Med 1986;105: 238-53.
- Mindermann T, Wilson C. Age-related and gender-related occurrence of pituitary adenomas. Clin Endocrinol(Oxf). 1994;41:359-64.
- Olson BR, Gumowski J, Rubino D, Oldfield EH. Pathophysiology of hyponatremia after transsphenoidal pituitary surgery. J Neurosurg 1997;87:499-507.
- Singer PA, Sevilla LJ. Postoperative endocrine management of pituitary tumors. Neurosurg Clin N Am 2003;14:123-38.
- Stinger I, OsterJR, Fishman LM. The management of diabetes insipidus adults. Arch Intern Med 1997;157:1293-301.
- Vance M. Treatment of patients with a pituitary adenoma: one clinician's experience. Neurosurg Focus 2004;16: E1.
- Inder WJ, Hunter PJ. Glucocorticoid replacement in pituitary surgery: guidelines for perioperative assessment and management. J Clin Endocrinol Metab 2002;87:2745-50.

간질 수술의 마취관리

Anesthetic Management for Epilepsy Surgery

12

간질 수술의 마취관리

Anesthetic Management for Epilepsy Surgery

12

김현주

인하대학교 의과대학

1. 간질의 기본적 특징

1) 간질의 정의와 역학

흔히 간질이라고 불리는 병은 서로 다른 임상적 특성과 발생 기전 및 예후를 보이는 비균질적 질병군으로 간질성 발작이 지속적, 반복적으로 나타나는 상태로 정의할 수 있다. 간질성 발작이란 대뇌 겉질 세포가 갑작스럽게 그리고 무질서하게 이상흥분하는 상태를 지칭한다. 간질의 발병률은 만 명당 4-7명, 유병률은 천 명당 5-10명으로 추산된다. 연령에 따른 발병률을 보면 영아기와 70세 이상에서 현저하게 높은 U자형 발병 곡선을 나타내므로 최근 노령화에 따라 그 발생률이 급격하게 증가하고 있다.

2) 간질의 원인

원인은 특발성과 이차성 간질로 분류할 수 있는데 특발성 간질은 유전적 소인에 의한다고 볼 수 있는데 부계 유전이 1.5-3%, 모계 유전이 3-9% 정도이다. 이차성 간질을 일으키는 원인은 시기에 따라 크게 출생 전, 주산기, 출생 후 원인으로 나눌 수 있다. 출생 전 원인은 주로 대사성 장애와 염색체 이상 등이 대부분이다. 간질을 일으키는 염색체 이상은 400가지 이상이 밝혀져 있는데, 다운증후군, 여린X증후군(fragile X syndrome), Angelman syndrome 등을 예로 들 수 있다. 태아기 감염이 원인이 되는 경우도 있는데, 톡소포자충증(toxoplasmosis), 풍진(rubella), 거대세포바이러스(cytomegalovirus), 단순포진(herpes simplex); TORCH 등이다. 결절성경화증, 겉질형성이상, 동정맥기형 등의 선천성 기형도 간질의 원인이 된다. 주산기에 발생하는 흔한 원인은 신생아기의 저혈당, 저칼슘혈증, 저산소증, 두개내출혈 등이다. 또는 뇌염, 사람면역결핍바이러스, 바이러스성 뇌수막염, 대뇌농양 등의 두개내의 염증성 질환 또는 귀, 코, 인후 등의 염증이 정맥동 혈전증(venous sinus thrombosis)을 거쳐 간질의 원인이 되기도 한다. 두부외상, 악성 질환, 전신적 저산소증 등도 원인이 되며 아직도 개발도상국에서는 신경계에 침범하는 기생충 질환이 간질의 흔한 원인이기도 하다.

3) 간질의 분류

현재 가장 널리 사용되고 있는 간질성 발작의 분류법은 발작의 임상증상(ictal semiology)과 뇌파소견을 연계한 것으로 이에 의거하여 모든 간질을 부분발작(partial seizure: 발작이 대뇌의 국소에서 발생하는 경우)과 전신발작(generalized seizure: 발작이 대뇌 전반에 걸쳐서 동시에 발생하는 경우)으로 구분하고, 부분발작은 다시 발작 중에 의식의 변화 유무에 따라서 의식이 명료할 경우에는 단순부분발작(simple partial seizure)이라 하고 의식의 저하가 있을 경우에는 복합부분발작(complex partial seizure)이라고 하였으며, 또한 뇌 국소에서 시작된 발작이 신경회로를 따라서 뇌 전반으로 파급되는 경우에는 이차적 전신발작(secondarily generalized seizures)으로 분류하였다. 반면에 전신발작의 경우에서는 갑자기 하던 일을 멈추고 멍하게 깜빡하는 발작 증상과 함께 뇌파 검사에서 뇌 전반에 걸친 3 Hz의 극파(spikes)가 관찰되는 소발작(absence seizure), 갑자기 온몸이 뻣뻣해지며 쓰러지는 긴장성 발작(tonic seizures), 갑자기 양측 상지나 하지를 불규칙적으로 움찔하는 근간대성 발작(myoclonic seizures), 양측 상하지를 규칙적이고 반복적으로 움직이는 간대성 발작(clonic seizures), 긴장성 발작 후 간대성 발작으로 이행되는 대발작(generalized tonic−clonic seizure)과 갑자기 온몸의 근육이 풀어지면서 풀썩 주저앉는 무긴장성 발작(atonic seizure)으로 분류한다. 만일 뇌파 검사소견이나 임상증상이 불명확하거나 뇌파 및 임상의 연계가 안될 경우에는 분류할 수 없는 발작(unclassifiable seizure)로 분류된다.

4) 간질의 예후

간질을 앓고 있는 환자는 생활양식, 지적 발달, 직업생활, 경제적 지위 및 전신적인 건강 상태 등에서 전반적으로 제한을 받게 된다. 간질 환자의 사망 원인은 종양(26%), 폐렴(25%), 심혈관 질환(24%), 발작과 관련된 원인(12%), 원인불명의 급사(6%), 사고(3%) 등으로 보고되었으며, 이 결과는 간질 환자들의 사망원인 중 약 10−20%가 발작과 관련되어 있다는 것을 의미한다. 이 중 특히 원인불명의 급사(sudden unexplained death in epileptic patients, SUDEP)는 젊은 연령층과 난치성 간질 환자들에서 높은 것으로 보고되고 있는데, 그 빈도는 약 100−500명 중 1명꼴로 보고되고 있고, 이는 젊은 연령층의 일반인들에 비해 10배 이상 높은 수치이다.

간질 환자는 대부분 지속적인 치료가 필요한 만성적인 경과를 밟게 된다. 간질의 치료는 약물치료가 기본인데 약물 치료에 반응하지 않는 난치성 간질(medically refractory epilepsy)의 경우는 외과적인 치료방법을 고려해 보아야 한다. 전체 유병 환자의 30−40%가 난치성 간질 환자이고 그 중 10−30%가 수술적 치료의 적응증이 되며 실제로 시술을 받는 환자는 1% 정도이다. 수술적 치료는 미주신경자극기 삽입, 시상 deep brain stimulation 등과 같은 방법들도 소개되어 치료에 적용되고 있으나 간질성 발작의 원인 부위를 절제하는 것이 주류이다. 대부분의 환자가 수술 후에도 항경련제 치료를 계속하기는 하지만 삶의 질은 확실히 향상되는데 특히 취업률 부분에서는 그 의미가 크다고 할 수 있다.

2. 간질의 수술적 치료

1) 마취 계획에 대한 전반적 고려사항과 목표

간질 수술에서 간질 초점(epileptic foci)의 위치를 찾고 중요한 기능을 하는 eloquent 영역을 보호하기 위하여 마취제를 선별하는 과정은 대단히 중요하다. 현재까지 다양한 마취제 각각의 항경련 효과와 proconvulsant 효과에 대한 연구결과들이 명확하게 정리되지 않았으며 항경련제와 마취제 사이의 상호작용에 대한 고려도 필요하다. 또한 마취관리에 대한 전반적인 계획을 세우기 위해서 사용하는 마취제의 약리학과 수술의 목적, 과정에 대하여 명확하게 알고 있어야 한다. 따라서 담당 마취과 의사, 신경외과 의사, 신경생리학자 간의 원활한 소통이 환자의 안전과 수술의 성공에 필수적이다.

간질 수술을 받는 환자의 마취관리에서 마취과 의사는 다른 어떠한 수술보다 전 기간에 걸쳐 연속적으로 적절한 마취관리가 이루어지도록 해야 한다. 수술 전에는 환자의 신경계 외에도 전반적인 상태의 평가와 합병증에 대한 예측과 대비를 해야 한다. 수술 중에는 뇌의 부종 예방하고 뇌 관류를 적절하게 유지하는 것이 목표라 할 수 있겠다. 수술 후에는 가능한 신속하게 신경학적 검사를 할 수 있도록 해야 한다. 국소적인 간질 초점을 찾기 위해서는 경련을 유도하기 위해 가장 효과적인 약제를 선택하고 필요한 시기에 신속하게 간질성 발작이 유도될 수 있도록 하고 그 과정에서 환자에게 발생하는 합병증을 예방해야 한다.

2) 약리학

(1) 정맥 마취제

마취제는 대부분 신경세포 사이의 신호전달 자체를 변화시켜 그 기능을 하므로 간질성 발작과 관련해서 그 영향을 예상하고 평가하는 작업은 혼란스러울 수밖에 없다. 특히나 각 약제들의 상충되는 발작 효과의 기전은 아직 완전히 밝혀지지 않았으며 관련된 연구의 결과들은 서로 모순되는 경우도 많아 명확한 결론을 내지 못하는 실정이다. 이는 겉질과 겉질밑 뇌조직에서 억제성과 흥분성 신경세포 양쪽 모두에서 영향을 주는데 그 비율은 진정 또는 마취의 깊이에 따라 달라지게 된다. 마취제를 투여하면서 관찰된 뇌파도 기록을 통해 대뇌겉질의 흥분성, 또는 억제성 변화가 나타나는 것을 확인할 수 있는데 가벼운 진정상태에서는 higher-frequency beta activity를 갖는 겉질의 활동이 우세하고 마취가 깊어지면서 slow wave activity로 진행된다. 즉 대부분의 마취제가 저농도에서는 대뇌 겉질의 흥분성이 커지며 농도가 증가함에 따라 억제 효과 강화되는 것이 일반적이다.

Methohexital, etomidate 및 ketamine은 간질 병력이 있는 환자에게 투여할 때 뇌파도에서 흥분성 작용을 활성화시킬 수 있으므로 수술 중 겉질뇌파도를 감시하는 동안 간질 초점의 활성화를 위해 사용한다. 마취 유도를 위해 정주할 때 비간질성 근간대성경련이 발생하기도 하는데 간질성 발작으로 오해할 수 있다.

Etomidate는 간질성 발작 역치에 이중적인 역할을 보이는데 우선 간질환자의 마취유도에서는 뇌파도로 확인되는 간질성 발작을 일으킨다. 반면에 고용량을 투여하면 burst suppression을 일으키거나 간질지속증(status epilepticus)을 중단시킬 수 있다. Ketamine은 간질성 발작의 발생에 용량 의존적인 역치를 보이므로 체중당 4 ㎎ 이상의 용량을 투여해야 임상적인 간질성 발작이 유도될 수 있다.

Etomidate, methohexital처럼 간질성 발작을 야기할 수 있는 약제 외에도 propofol, thiopental은 마취유도시에 근간대성경련, 활모양강직(opisthotonus), tonic-clonic activity와 같은 운동 자극 현상을 일으키는데 이때 뇌파도에서 흥분성 활성은 동반하지 않는다. 특히 propofol은 간질 수술을 받는 환자에서 안전하고 효과적으로 간질 발생을 억제할 수 있다. 특히 propofol은 외측, 내측 측두엽 부위에서 발생하는 간질성 뇌파의 빈도를 줄이고 활동 중인 간질 초점을 안정화시키는데 효과적이다. 항경련 효과가 thiopental보다는 짧기는 하지만 지속 주입의 중단시기에 대해서는 고려해 보아야 한다. Propofol의 지속 주입을 중지해도 30분까지는 고주파 베타파가 나타나므로 적어도 20분 전에는 중지해야 한다는 연구자도 있다.

(2) 휘발성 흡입마취제와 아산화질소

Isoflurane, desflurane, halothane은 뇌파 변화를 동반하지 않는 근간대성경련을 일으킬 수 있으나 단독 투여하는 경우 간질성 발작을 일으켰다는 보고는 없다. 휘발성 흡입마취제에 보조적 역할을 위해 투여된 아산화질소가 뇌파도 상에서 간질성 발작을 일으킬 수 있지만 그 가능성이 크지는 않다. 여러 기관에서 간질환자의 마취에서 isoflurane과 아산화질소를 동반 투여하였지만 대부분의 경우 간질성 발작을 일으키지 않았다.

Enflurane은 단독으로 또는 아산화질소와 동반 투여하는 경우 간질성 발작을 일으키며 투여 용량에 따라 발생 정도가 다를 수 있다. 심지어 한번도 간질성 발작이 나타나지 않았던 환자에서도 발생이 보고되었다. 저탄산혈증 상태에서 간질성 발작을 일으키는 최소폐포내 농도의 문턱값이 감소할 수 있다. 현재는 새로운 휘발성 흡입마취제의 발달로 겉질뇌파도를 위해 간질성 발작을 유도하는 경우를 제외하고는 사용하지 않는다.

Sevoflurane은 간질환자가 아닌 경우에서도 간질성 발작을 일으킬 수 있으며 enflurane과 마찬가지로 휘발성 흡입마취제의 농도와 과호흡에 의해 극파(spike wave)의 빈도가 증가한다. 겉질뇌파도를 시행할 때 sevoflurane을 사용하면 신경의 흥분성이 광범위하게 발생하여 간질 초점의 위치를 특정하는 것이 방해받을 수 있으며 특히 과호흡시에는 예측특이도가 더욱 감소한다.

(3) 아편유사제성진통제

Alfentanil, fentanyl, sufentanil 및 remifentanil 등의 합성 아편유사제는 작용시간이 짧고 일반적인 사용 농도로 지속주입하는 경우 대뇌겉질에 영향이 크지 않으므로 신경외과 마취에서 광범위하게 사용된다. 그러나 고용량에서는 간질성 발작을 촉진할 수 있는데 특히 alfentanil과 remifentanil을 덩어리(bolus) 정주한 경우 뇌파도 상에서 간질 초점에서 극파(spike wave)의 활성이 증가한다. 특히 alfentanil 30 ㎍/kg가 remifentanil 1 ㎍/kg보다 더 효과적이다. 반면에 고용량의 fentanyl은 간질 초점이 아닌 겉질에서 간질성 흥분을 일으켜 임상적으로는 별 도움이 되지 않는다. 따라서 임상적으로 적절한 용량을 사용하는 경우 아편유사제는 간질성 발작의 위험을 증가시키지는 않으므로 안전하게 사용할 수 있다.

(4) 신경근차단제

Phenytoin, carbamazepine 같은 항경련제 치료를 장기간 받아온 환자는 대부분의 신경근차단제 작용에 저항성을 가지고 있어 그 용량을 증가시켜야 한다. 다만 atracurium은 그 정도가 약하다.

3) 마취관리

(1) 수술 전 평가

① 신경계 병력

환자의 개별적인 간질성 발작의 특징을 파악하는 것이 필수적이다. 간질성 발작은 마취 전후에 발생할 수 있는 정신과적 문제나 emergence agitation과 구별하기 어려울 수 있기 때문에 환자의 특징적 발작 양상에 대하여 잘 알고 있어야 한다. 마취 전, 후에 환자가 각성이 늦어지거나 의식이 저하되거나 반복적으로 이상한 운동을 나타내는 경우 간질성 발작도 의심해 볼 수 있다.

② 동반하는 질환, 상태

간질 수술을 받는 환자는 대부분 젊고 심폐기능을 포함한 전신상태가 양호하다. 그러나 전신질환을 동반하는 환자의 경우에서는 다른 수술과 마찬가지로 수술 전 환자 평가를 철저히 시행해야 한다. 일반적으로 간질 수술을 위한 개두술은 심혈관계 위험이 5% 미만인 중등도 위험으로 간주한다.

　간질을 동반하는 희귀한 전신 질환은 주의가 필요하다. 신경 섬유종증(Von Recklinghausen disease)은 상 염색체 우성 유전자를 통해 유전되며 300명 중 1명에 발생한다. 환자는 두개 내 종양도 많이 발생하지만 종양이 호흡 기관이나 뇌신경을 침범한 경우 기도 손상으로 환기에 심각한 문제가 발생할 수 있다. 폐는 만성 흡인 증후군, 섬유성 폐포 염증, 폐고혈압 및 폐색전증으로 인해 심각한 폐손상이 발생할 수 있다.

결절성 경화증을 동반하는 간질 환자는 드물지만 심장 부정맥, 심장 내 종양, 대뇌 색전증, 신장 기능 부전 및 동맥류와 같은 심각한 문제를 동반할 수 있다. 그 중에서 심장 내 종양은 성인 환자의 18%, 소아환자의 58%에서 발생하므로 수술 전 이 질환을 앓고 있는 환자는 심초음파 검사를 포함하여 심장기능의 평가가 필수적이다.

③ 약물치료기록

i. 항경련제

수술을 받는 환자가 약물치료에도 불구하고 난치성 간질이기는 하지만 대부분 한가지 이상의 항경련제 복용하고 있는 상태이다. 20세기 중반까지는 phenobarbital, phenytoin이 항경련제의 주류였으나 그 이후에 많은 종류의 약제가 개발되었다(표 12-1). 표 12-1은 주요 항경련제의 기전, 치료농도의 범위, 반감기, 합병증을 나타낸다.

ii. 심리적 관리

간질 환자는 일반적으로 인지기능장애, 정동장애, 자살시도, 신경증, 성격장애 등의 신경정신과적 문제를 동반할 가능성이 많다. 따라서 수술 전에 보다 심리적인 치료에 주의를 기울여야 한다. 특히나 수술 중 겉질뇌파도 감시 기간에는 적절한 검사를 위해 마취제의 용량을 크게 감소시키게 되므로 전신마취상태에서도 환자가 각성을 경험할 수 있다. 따라서 수술 전에 환자에게 일반적으로 통증을 동반하지는 않지만 음성을 듣거나 다른 감각을 경험하고 기억하게 될 수도 있음을 충분히 설명하고 안심시켜야 한다.

(2) 간질 수술의 종류와 고려 사항

① 진단을 위한 전극 삽입술

경막외 PEG 전극을 삽입하기 위해서는 삽입하는 전극의 수에 따라 burr hole을 뚫어야 하고(그림 12-1) 그 수에 따라 수술 시간도 결정된다. 대뇌 겉질 하부의 영역을 검사하기 위한 전극의 삽입 위치를 정하기 위해서는 정위수술방법(stereotactic technique)이 필요하다. 수술은 대부분 출혈이나 다른 문제없이 종료되므로 침습적인 감시 없이 단순한 전신마취로 시행하는 경우가 많다.

경막하 격자(grid) 전극을 위치시키기 위해서는 개두술을 시행해야 하는데(그림 12-2) EEG 기록이나 자극 수술 후에 시행하므로 전신 마취를 위한 계획 단계에서 뇌파도에 미치는 영향에 대한 고려는 필요 없다. 두개골 절개술을 시행하므로 수술 중 경막 정맥동에서

표 12-1   주요 항경련제의 특징

약제	기전	치료농도 범위(μg/mℓ)	반감기 (h)
	합병증		
Phenytoin	나트륨 통로 차단제	10–20	24
	거대적혈모구빈혈, 용혈		
Sodium valproate	나트륨 통로 차단제	50–150	10
Carbamazephine	나트륨 통로 차단제	4–12	12
	백혈구감소증, 빈혈, 저혈소판증, 쓸개즙정체, 간독성, 저나트륨혈증, 진정, 시각장애		
Phenobarbital	GABA 작용제, AMPA 차단제	10–40	96
	거대적혈모구빈혈, 진정		
Clonazepam	GABA 작용제	0.02–0.08	50
	진정, 중추신경계 억제		
Ethosuximide	칼슘 통로 차단제	50–100	40
	백혈구감소증, 저혈소판증, 간독성, 진정, 구역		
Primidone	알려지지 않음	5–15	12
	자살행동, 백혈구감소증, 저혈소판증, 진정		
Vigabatrin	GABA 경로 촉진	알려지지 않음	8
	진정, 빈혈, 과민성, phenytoin 농도 증가		
Gabapentin	칼슘 통로 차단제	알려지지 않음	7
	진정, sodium valproate 분해 억제		
Lamotrigine	나트륨 통로 차단제	3–14	24
	진정, 어지럼, 위장장애		
Topiramate	알려지지 않음	5–20	26
	대사산증		
Felbamate	NMDA 경로 억제	50–110	22
	재생불량빈혈, 백혈구감소증, 저혈소판증, 간독성		

GABA: gamma–Aminobutyric acid
AMPA: α–amino–3–hydroxy–5–methyl–4–isoxazolepropionic acid
NMDA: N–methyl–D–aspartate

그림 12-1
경막외 PEG 전극 삽입.
(A) PEG 전극
(인용: Epilepsy Res.
2017 Sep;135:29–37)
(B) 경막외 PEG 전극 삽입

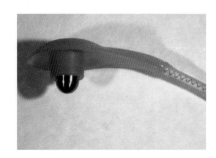
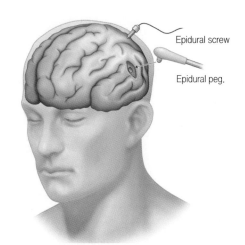

Epidural screw

Epidural peg.

그림 12-2
Grid 전극.
(인용: Ann Indian Acad
Neurol. 2014 Mar;
17(Suppl 1): S89–94)

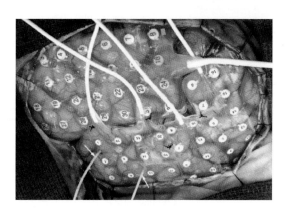

심한 출혈이 발생할 수 있으므로 침습적 동맥관 삽입과 충분히 굵은 정맥로의 확보는 필수적이다. 수술 직후에 신경학적 검사를 위하여 환자를 빠르게 각성시킬 수 있는 방법을 고려해 보아야 한다. 그리고 부피가 큰 전극을 삽입하기 위해서 뇌의 부피를 줄일 목적으로 과호흡을 시행하는 경우가 있는데 과호흡은 저탄산혈증을 일으켜 간질성 발작의 역치를 감소시킬 수 있다. 따라서 과호흡은 필요한 시기에만 단시간 시행하고 이뇨제 등의 다른 수단을 사용해야 한다.

② 간질 부위 절제술

간질 부위 절제술의 마취 계획은 수술 중 뇌에 간질 초점 영역을 표시하는 과정을 원활하게 관리하는 것이 가장 중요하다. 간질 초점 영역에 대한 지도화 없이 전신마취를 통해 간질 부위 절제술을 시행하는 경우는 일반적인 개두술의 마취관리와 유사하다. 수술 중 각성이나 움직임이 없어야 하며 급성 출혈을 포함한 예기치 않은 상황을 관리하여 안정적인 혈역학 상태를 유지한다. 또한 뇌의 이완 상태를 유지하고 수술 전, 후 간질성 발작을 억제해야 한다. 만약 뇌파도 감시를 하지 않는 경우는 benzodiazepine 전저치도 좋은 방법이지만 항히스타민제제는 간질성 발작을 유발할 수 있으므로 사용하지 않는다. 개두술에서 혈역학적 안정성, 뇌의 이완상태, 신속한 각성을 목표로 하여 가장 좋은 방법을 찾기 위한 다양한 연구가 시행되었다. 이 중에서 propofol과 remifentanil을 조합한 전정맥마취가 isoflurane, sevoflurane보다 머릿속압력을 낮추고 뇌의 이완 상태를 유지하는데 더 효과적이라는 결과가 있지만 확정적이지는 않다. 아편유사제를 비교한 결과에서는 속효성 제제인 remifentanil이 fentanyl보다 신속한 각성을 통해서 신경학적 검사를 가능하게 하며 뇌 이완 상태를 유지하는 것도 우수하다는 결과가 많지만 아직 결론을 내리기는 부족하다. Remifentanil을 수술 중 지속 주입한 경우 수술이 끝나기 전에 진통효과가 있는 다른 아편유사제로 대체해야 한다.

간질 초점 영역을 표시하는 경우에서는 간질성 극파(spike wave)의 감시를 원활하게 하는 것이 중요하다. 극파의 발생을 방해하는 약제를 사용하지 않고 반대로 의도치 않게 간질성 발작이 확산되는 것도 억제해야 한다. Barbiturate, benzodiazepine를 전처치하면 발작의 역치가 올라가 겉질뇌파도의 감시를 방해할 수 있다. 소아에서 thiopental을 직장으로 투여하거나 마취유도시에 속효성 barbiturate를 삽관 용량으로 단회 주입하는 것은 사용할 수 있지만 마취 유도 이후에는 barbiturate나 lidocaine은 피해야 한다. 간질성 뇌파를 감소시킨다는 보고도 있었지만 아산화질소는 사용할 수 있다. Propofol의 지속 주입 후 30분까지는 고주파 beta wave가 나타나 검사를 방해할 수 있으므로 빠르게 중지해야 한다는 의견도 있지만 beta wave가 나타나도 겉질뇌파도를 해석하는 것은 가능하다는 의견이 더 우세하다. 저농도의 isoflurane, desflurane은 사용 가능하지만 겉질뇌파도 감시 전에는 체내에서 제거돼야 한다. Isoflurane은 간질성 spike wave의 빈도나 영역을 감소시킬 수 있으나 저용량에서는 그 영향이 확실하지 않다. 저농도의 sevoflurane은 발작의 발생을 경미하게 촉진하면서 작용시간이 짧기 때문에 선호된다. Scopolamine, droperidol, 아편유사제는 휘발성 흡입마취제를 낮은 농도로 또는 아예 사용하지 못하는 시기에 뇌파에 영향을 미치지 않으면 수술 중 각성을 예방할 수 있다. 중등도 저탄산혈증은 뇌의 부피를 줄이고 이완된 상태를 유지하기 위해 필요할 수 있지만 sevoflurane를 투여하는 중에는 간질성 발작의 예측성이 감소할 수 있음을 유의해야 한다.

수술 중에 대뇌 겉질의 운동 영역에 대한 자극을 시행하는 경우에서는 신경근차단제 사용이 제한될 수 있다. 일반적으로는 운동 영역 자극을 위해서 신경근 차단을 최소화해야 하므로 신경근 차단의 감시가 필수적이다. 만약 잔류 신경근 차단 정도가 중등도 이상이면 소량의 역전제를 사용할 수 있다.

대뇌 겉질을 자극하는 것만으로도 간질성 발작이 발생할 수 있다. 수술 중 겉질뇌파도를 시행하는 중이라도 감시 결과를 방해할 가능성과 간질성 발작에 의한 악영향을 잘 판단하여 필요할 경우 methohexital처럼 항경련 효과가 있는 약제를 투여해야 한다.

수술 중 EEG 검사에서 간질성 극파가 나타나지 않는 경우 필요에 따라 간질성 발작을 일으키는 마취제를 투여해야 할 수 있다. 보통 methohexital(25-50 mg), alfentanil(20 μg/kg), etomidate(0.2 mg/kg) 정도를 사용하면 간질 부위를 활성화시킬 수 있으며 alfentanil 이 가장 효과적인 것으로 알려져 있다. 그러나 약제에 의해 유발된 간질성 극파가 자연적으로 발생한 간질파와 발생 위치가 일치하는지에 대해서는 아직 논란이 있다. Amygdala-hippocampectomy를 시행하는 경우 전 측두엽 절제술에서는 일반적으로 보이지 않는 심한 서맥이 보고되었는데 이는 변연계의 수술적인 자극으로 인해 미주신경 활성이 증가하면서 발생하는 것으로 생각된다.

③ 대뇌반구절제술

발작 부위가 광범위할 경우는 해당 대뇌 반구에서 상당한 부분을 절제해야 할 수 있다. 이런 수술은 주로 소아에서 시행되는데 수술 중이나 수술 후에 대량 출혈, 전해질 및 대사 장애, 응고 장애, 뇌출혈, 발작과 관련된 심각한 합병증이나 사망에 이를 수 있다. 반구절제술은 넓은 범위의 개두술을 해야 하므로 정맥동의 손상으로 심한 출혈이 생길 수 있으며 공기 색전증도 보고되었다. 반구절제술의 세 가지 수술 기법을 비교한 연구를 보면 외측 반구절제술이 수술 중 실혈량은 적고 치료기간은 짧으며 합병증 발생이 적었다. 기능적 반구절제술은 재수술율이 가장 높았으며 해부학적 반구절제술을 시행한 환자는 입원 기간이 가장 길고 수술 후 감염률도 높았다. 겉질이형성증 환자는 해부학적 반구절제술 시행 시에 실혈량이 많았다.

반구절제술를 시행할 때는 동맥 카테터 삽입으로 혈압을 지속적으로 감시해야 하며 중심정맥관(central venous catheter) 삽입도 꼭 필요하다. 심장 박출량이 감소한 경우는 승압제 투여가 필요할 수 있다. 3개월에서 12세 사이의 10명의 환자를 대상으로 한 연구에서 평균 수혈량은 환자 전체 순환혈액량의 1.5배였다. 이 중 7명의 환자에서 수술 중 응고 장애가 발생하여 혈소판, fresh frozen plasma 등을 투여해야 했으며 4명의 환자에서 교정이 필요한 저칼륨혈증이 발생했다. 또한 5명의 환자에서는 저체온증과 대사성 산증이 관찰되었다. 이런 환자에서 많은 경우 심한 당뇨가 동반되므로 소변량은 순환 상태를 잘 반영하지 못한다. 하는데 많은 경우에서 빈번한 대규모 때문에 체적 상태의 빈약 한 지표였다. 5년 미만의 소아를 대상으로 한 다른 연구의 결과에서 보면 넓은 범위의 대뇌 겉질을 절제한 반구절제술은 후 신경탓폐부종(neurogenic pulmonary edema)이 의심되는 임상 지표가 많이 나타났다. 즉 심장박출계수, 서맥, systemic vascular resistance의 증가, alveolar to arterial gradient의 증가 등이 유의하게 증가한다. 성인이나 소아에서도 광범위한 대뇌의 절제술에는 경막을 봉합하기 전부터 이미 응고 장애가 발생하게 되며 나중에 혈전 발생과 연관된다는 보고도 있다. 이와 같이 심각한 합병증이 생길 수 있는 발생할 수 있는 반구절제술을 시행하면서 대량 수혈을 하고 나서 즉시 발관하는 것은 위험할 수 있다. 수술 후에도 혈역학적으로 불안정한 상태이고 간질성 발작이 발생하면서 기도 관리가 어려워질 수 있기 때문이다. 그리고 수술 후에도 집중치료실로 이동하여 관리해야 한다.

④ 미주신경 자극기 삽입

간질 초점 절제술의 적응증이 되지 않는 환자는 간질성 발작의 빈도를 유의하게 감소시킬 수 있는 미주신경 자극기의 삽입을 고려해 볼 수 있다. 발작 빈도를 감소시킬 수 있는 기전은 확실히 밝혀지지는 않았으나 미주신경이 중추신경계의 locus ceruleus와 편도에 작용하는 것으로 예상된다. 미주신경 자극기 삽입은 현재까지 전세계적으로 32,000개 이상이 삽입되었는데 기관에 따라서는 입원을 하지 않고 시행하기도 한다. 왼쪽 미주신경은 방실결절을, 오른쪽은 굴심방결절(sinus node)을 자극하므로 심장으로 가는 신경 가지의 기시 부위를 피해서 목의 중앙부에 위치시키게 된다. 수술 중 시험 자극을 하면 드물게 일시적인 서맥이 생길 수 있으며 되돌이후두신경(recurrent laryngeal nerve), superior laryngeal nerve의 자극으로 인해 쉰 목소리와 기침을 자주 겪을 수 있다. 만성 폐흡인이 생길 수 있는 일측성 성대 마비 보고도 있었다. 수술 중 간질 초점 지도화는 하지 않으며 그에 따른 마취관리가 필요하다. 예를 들면 수술 전 후에 간질성 발작을 억제하기 위해 약제를 선택하고 항발작제와의 상호 작용에 대한 고려를 하면서 기도 합병증 대비를 해야 한다.

(3) 마취 후 관리

두개내 수술은 합병증의 빈도가 비교적 높은 편이다. 수술 후 오심, 구토는 30-50% 정도 보고되었고 신경학적 문제는 8-10% 환자에서 발생하였고 그 중에서 약 절반 정도는 지속적으로 나타났다. 호흡기계 합병증도 3-8% 정도, 심혈관계 합병증은 5-19%에 이른다. 간질 수술을 받는 환자는 전신적으로 건강한데도 불구하고 간질성 발작이 발생으로 신경학적 기능이 손상되거나 광범위 뇌 절제술을 받게 되면 심각한 합병증이 생길 수 있다.

수술 전 항경련제의 용량을 줄이고 또 마취약제와의 상호작용에 의해 항경련 효과가 약화되면서 환자는 수술 후 발작이 발생할 위험이 높아진다. 항경련제의 혈중 농도는 자주 점검하여 적절히 유지되도록 복용량을 조절하는 것이 필수적이다. 일단 발작이 발생하면 환기 장애가 생기지 않도록 기도를 유지하는 것이 필수적이므로 우선 100% 산소로 마스크 환기를 해줘야 하며 필요하다면 supraglottic airway device를 삽입하거나 기관내삽관을 해야 한다. 성인은 thiopental 1-1.5 mg/kg, lorazepam 2-5 mg, diazepam 5-10 mg, midazolam 2-4 mg을 투여해서 경련을 중단시킬 수 있다. 발작이 재발하면 phenytoin을 투여하는데 이전에 phenytoin으로 치료받지 않았다고 가정하고, 50 mg/min에서 총 20 mg/kg으로 증가한다. 경련중첩증에서 항경련제 효과가 없는 경우 isoflurane, barbiturates, propofol 등으로 전신마취 유도를 해야 한다.

표 12-1에서 보는 바와 같이 항경련제는 졸음 또는 의식 저하를 일으킬 수 있는데 많은 임

상의사들은 항경련제를 복용하는 환자가 전신마취에서 각성하는 데 신경학적 문제가 없는 환자에 비해 오래 걸린다는 경험을 얘기한다. 게다가 수술 중에 phenytoin을 지속정주하는 것은 각성이 지연되는 것을 심화시킬 수 있다. 수술 후에는 phenytoin, carbamazepine의 혈중 농도가 증가하여 독성 범위가 될 수도 있으니 주의가 필요하다.

일부의 환자에서는 두개내출혈이 발생할 수 있으므로 신경학적 상태에 대한 지속적인 감시가 꼭 필요하다. 또한 출혈이 발생하지 않도록 기침이나 전신적인 고혈압은 적극적으로 예방하고 처치해야 한다. 예방적으로 항구토제를 사용하는 것이 좋다. 측두엽 수술의 특이적 합병증은 기억력 장애와 시야 결손이 있다. 격자(grid) 전극을 삽입한 환자는 뇌부종이 발생하여 재수술이 필요할 수도 있다.

3. awake craniotomy (각성하 개두술)

Awake craniotomy는 뇌 절제 부위에 인접하고 있는 중요한 기능의 겉질 위치를 파악하고 보호하기 위해 시행한다. 간질의 발작 부위 절제술과 뇌종양 제거를 위해서도 많이 사용되며 수술 중 뇌의 지도화 과정을 방해하지 않는 마취관리가 핵심적이다.

가장 큰 장점은 eloquent 부위에 손상을 막을 수 있다는 것이겠지만 원래 전신 기능이 양호한 환자에서 수술이 문제없이 이루어지는 경우 수술 다음날 퇴원할 수도 있다. 반면에 환자들이 불만을 호소하는 부분은 우선 수면 중에 의도하지 않게 각성하는 경우가 8-37% 정도이며 그 외에는 머리 받침대에서 오는 고통, 부적절한 신경 차단 및 수술대에서의 자세에 관한 것이다.

Awake craniotomy를 위해서는 수술 중 의식을 유지하는 시기를 포함하여 다양한 심도의 마취 상태를 유지하는 방법이 필요하다. 많은 기관과 뇌신경마취과 의사들은 전신마취 기간에는 supraglottic airway device나 기관내삽관을 유지하다가 언어나 기억력 검사를 위하여 안전하게 마취를 중단하는 여러가지 방법들을 제시하였다. 마취 관련 약제와 기술이 발달하여 다양한 방법들이 제시되고 있지만 대부분 어려움과 한계가 많아 awake craniotomy의 마취는 여전히 발전이 필요한 분야이다.

1) 마취전 관리

(1) 성공을 위한 조건
Awake craniotomy의 성공적인 마취를 위한 조건은 다른 영역과는 조금 다르다. 일단은 적절한 환자 선택하여 철저한 수술 전 심리적 준비를 해야하는데, 여기에는 환자와 마취과 전문의 간의 견고한 관계가 대단히 중요하다. 그 다음은 두피의 신경을 완전하게 차단해야 한

표 12-2　Awake craniotomy의 금기

절대적 금기	상대적 금기
환자가 거부하는 경우 가만히 있지 못하는 경우 협조가 되지 않는 경우	기침 학습을 하기 어려운 경우 똑바로 눕지 못하는 경우 불안장애가 있는 경우

다. 환자의 자세를 가능한 편안하게 하여 수술기간동안 유지할 수 있도록 해주어야 한다. 그리고 나서 적절한 마취 방법의 선택을 선택하여 지속적으로 팀 소통을 시행하는 것이 포함된다.

(2) 심리적 준비단계

현재까지 환자를 선택하는 임상적 지침은 존재하지 않는다. 그러나 경험이 풍부한 임상의들은 적절한 환자의 특징을 몇 가지 제시하는데 일단 동기 부여가 잘 되어 최선을 다할 수 있으며 성숙하고 술이나 약물 등을 남용하지 않아야 한다는 것이다. 미성숙하거나 알코올 중독이 있는 환자는 일단 진정 과정에서 실패할 위험이 높다는 보고가 있었으나 아직 확립된 정도는 아니다. 수술 전 면담 단계에서 환자가 나이가 어리지 않더라도 성숙하지 못하거나 정신적인 문제가 있거나 불안 등을 동반하는 성격 장애가 있거나 행동장애 등이 있는지를 파악해야 한다. 연령제한은 청소년의 개별 성숙도에 따라 다를 수 있지만 일반적으로 14세 이하는 고려하지 않는 것이 좋다. 또한 환자의 기도를 평가하여 깊은 진정이 어려울 것으로 생각되면 대처 방법을 고려해 보아야 한다. 표 12-2는 일반적으로 제시된 awake craniotomy의 금기를 요약하였다.

수술 전 환자와의 면담 과정을 통해서 수술 중에 환자가 겪게 될 일과 해야하는 역할에 대하여 환자가 명확하게 이해할 수 있도록 설명해야 한다. 기본적으로 예상되는 불편함만 아니라 환자가 협조해야 하는 언어능력, 기억, 감각, 운동 능력을 평가하는 작업이 구체적으로 어떤 수준인지 설명해야 한다. 그리고 예기치 않게 발생할 수 있는 여러 가지 상황들과 그에 따른 조치들, 예를 들면 전신마취로의 이행으로 인해 환자가 경험할 수 있는 일에 대해 현실적인 묘사가 이루어져야 한다. 앞서 언급한 바와 같이 이 단계를 통해서 환자는 마취과 의사를 신뢰하여 의존할 수 있는 관계를 형성하는 것이 중요하다.

(3) 수술 전 처치

Awake craniotomy 환자에게는 일반적으로 전처치를 하지는 않는다. 원래 환자가 복용하던 항경련제, 항고혈압제, 스테로이드제제를 계속 복용하도록 지도한다.

2) 마취관리

(1) 실제 마취관리와 감시장비

마취제 선택에 따라서 세부적인 관리 방법은 다를 수 있으나 기본적인 원칙은 공통적이다. 환자를 최대한 편안하게 해주고 머릿속압력을 상승시킬 수 있는 구역, 구토를 예방해주어야 한다. 혈역학적으로 안정되도록 주의하면서 환자의 의식수준을 원활하게 조절하기 위해 지속시간이 짧은 약제를 사용해야 한다.

환자가 수술실에 들어오면 기본적인 감시장비를 거치하는데 이후에는 기관이나 의사에 따라 선호하는 순서가 있을 수 있다. 대부분의 경우에 침습적 도관 삽입이나 신경차단은 중등도 이하의 진정상태에서 시행한다. 동맥 카테터, 굵은 정맥 카테터의 확보는 필수적이지만 도뇨관의 경우는 고려해 볼 필요가 있다. 많은 환자들이 불편함을 호소하므로 도뇨관 (Foley catheter)를 삽입하지 않고 비침습적으로 소변을 모을 수 있는 기구를 택하기도 한다.

Bispectral index 등의 의식 감시 장치는 진정이나 마취가 지나치게 깊어지지 않도록 도움을 주므로 검사를 위해 환자를 깨울 때 시간을 절약할 수 있다. 호기말 이산화탄소 분압의 감시는 전신마취에서는 기본 감시 장치일 뿐 아니라 진정 시에도 도움을 받을 수 있다. 진정 시에는 그 절대값은 정확하지 않으나 그래프 형태를 통해 환기가 적절한지 여부를 확인할 수 있다.

예방적으로 항구토제를 투여하는 것이 필요한데 5-HT3 차단제가 일반적이다. 그 외에도 dexamethasone을 많이 사용하며 수술 중 뇌조직의 팽창을 막는 데도 도움을 줄 수 있다.

(2) 마취의 방법과 마취제의 선택

현재까지 awake craniotomy에서 가장 좋은 마취제에 대하여 도출된 합의는 없다. 이는 담당 마취과 의사의 선호도와 신경외과의사, 진단명, 조직학적 성질, 수술 시간에 따라 다를 수 있다. 또한 환자에 따라서도 필요한 진정 수준이 다른데 어떤 환자는 최소 진정(light sedation)으로도 잘 견디는데 반해 다른 환자는 전신마취가 포함된 일명 수면-각성-수면 (asleep-awake-asleep) 방법이 필요할 수 있다. 1980년대까지는 droperidol을 fentanyl과 병용투여하는 신경이완진통(neuroleptanalgesia) 방법이 많이 사용되었지만 진정이 오래 지속되고 발작이 동반되거나 QT prolongation이 발생하는 등의 위험성에 대한 경고 이후로 현재는 사용하지 않는다.

① 진정-각성 병용법(sedation only awake throughout)

이 방법은 환자의 자발적인 호흡을 유지하면서 수술 단계에 따라 진정의 깊이를 변화시킨다. Head clamp pinning, 피부 절개, 두개골과 경막 제거시까지는 진정 수준을 충분히 깊게 유지하다가 검사를 시작하기 전에 진정작용을 최소화한다. 절제할 부분의 뇌지도를 작성하여 절제를 시행한 다음에는 다시 수술이 종료될 때까지 진정을 깊게 할 수 있다.

이 방법의 관건은 적절한 진정의 깊이를 어떻게 찾고 유지할 것인가의 문제이다. 진정이 너무 깊은 경우 환자는 기도 폐쇄나 저환기로 인해 저산소증, 고이산화탄소혈증이 발생하는데 이는 머릿속압력을 증가시킬 수 있다. 반면에 진정이 너무 얕은 경우 환자는 불안하고 불편한 상태이므로 수술과정을 견디기 힘들 수 있다.

이 방법의 가장 큰 장점은 환자의 자발호흡을 유지하므로 기도 관리를 위한 조작이 필요 없다는 것이다. 또한 마취제의 사용이 상대적으로 적으므로 겉질 지도화가 진행되는 동안 구역, 구토의 발생이 적다는 연구결과가 있었다.

지속 시간이 짧아서 빠르게 적정하면서 투여할 수 있는 정맥마취약제인 propofol, remifentanil이 개발되고 목표조절주입 방법이 상용화되면서 awake craniotomy에서도 전정맥마취(total intravenous anesthesia)를 가장 일반적으로 사용한다. 이때 propofol, remifentanil의 적당한 중단 시기는 검사 전 9분에서 20분까지 다양하게 제시되고 있다. 또 propofol과 fentanyl(0.5-1 μg/kg/hr) 또는 alfentanil(0.25-0.75 μg/kg/hr)를 사용할 수도 있는데 검사하기 15-20분 전에는 약제를 중단해야 한다. 또 alfentanil을 사용하는 경우 해마 부위에서 간질성 활성이 나타날 수 있으므로 복합부분발작 환자는 주의가 필요하다. 그 외에 clonidine, benzodiazepine계 진정제 등도 사용한다. 비교적 최근에 개발된 dexmedetomidine에 대한 보고가 많은데 선택적인 α2 수용체 작용제로 실제 수면과 유사하게 진정작용을 일으킨다. 따라서 호흡 억제가 거의 없고 머릿속압력을 증가시키지 않으며 진정 상태의 환자는 깨우면 쉽게 일어났다가 다시 잠드는 독특한 성질을 갖는다. 또한 진통 작용과 마취제 보조 작용이 있으며 용량에 따라 저혈압과 서맥이 나타난다. 실제 용량에 대한 연구에서는 부하 용량인 0.5-1.0 μg/kg를 10-20분에 걸쳐 주고 필요한 진정 깊이에 따라 0.2-0.7 μg/kg/hr를 지속 주입할 수 있다. Dexmedetomidine은 단독으로 투여할 수도 있지만 다른 약제와 동반해서 사용하는 경우 상승 작용이 크기 때문에 검사를 위해 약제를 중단한 후에도 환자를 깨우기 위해 추가적인 노력이 필요하다는 보고도 있었다.

뇌지도 작성을 위한 검사 과정을 위해서 환자를 각성시킬 때는 진통 작용에 대한 고려가 필요하다. 특히 효과가 짧은 아편유사제는 완전히 중단하지 않거나 일회 용량을 주입할 수 있고 또는 acetaminophen, NSAID 같은 다른 성분의 진통제를 사용하기도 한다.

② 전신마취를 통한 수면-각성-수면(asleep-awake-asleep) 방법

이 방법은 전신마취를 유도하고 supraglottic airway device나 기도내삽관을 해서 기도를 유지한다. 신경인지검사나 뇌지도 작성을 시작하기 전에 환자를 각성시키고 뇌의 절제술이 끝나면 다시 전신마취 한다. 이 방법의 장점은 기도 폐쇄나 저환기의 위험 없이 환자의 기도를 안전하게 관리하여 저산소증을 예방할 뿐 아니라 이산화탄소농도도 효과적으로 조절할 수 있다는 것이다. 사용되는 마취제는 다양하지만 앞에 소개된 Sedation only awake throughout 방법과 유사하게 propofol, remifentanil target-controlled infusion를 많이 사용하고 휘발성 흡입마취제와 remifentanil를 병용하기도 한다. 기도 유지를 위해 기관내삽관도 가능하지만 supraglottic airway device를 많이 사용한다. 고탄산혈증을 방지하기 위해 기계 환기가 필요하므로 신경근차단제를 사용하기도 한다.

(3) 두피 신경 차단마취

어떤 마취 방법을 선택하든지 두피의 신경을 완전하게 마취하는 것이 필수적이다. 부적절한 신경 차단을 진통제, 마취제 등으로 극복하려는 생각은 대단히 위험한데 기도 폐쇄나 저환기 등이 발생하거나 환자가 동요하는 경우 계획하지 않은 전신마취로 이행될 수 있으므로 피해야 한다. 또한 신경 차단은 전신마취를 하는 경우에도 환자를 혈역학적으로 안정시키고 스트레스 반응을 감소시키는 데 도움을 준다. 심지어 경우에 따라서 진정이나 전신마취없이 신경 차단마취 만으로 수술을 진행할 수도 있다. 개두술을 위한 신경 차단마취는 두피에 분포하는 감각신경을 각각 개별적으로 차단하는 해부학적 차단 방법이다(그림 12-3).

해부학적으로 신경 차단을 하는 방법이 두개를 단순히 고리 모양으로 침윤하는 것에 비하여 국소마취제의 사용량이 적으므로 전신적인 독성작용을 예방할 수 있다. 신경 차단에 사용하는 약제의 종류와 양은 신경외과 의사와 상의해야 하는데 필요한 경우 수술 중에도 근막과 경막에 투여해야 할 수 있기 때문이다. Ropivacaine은 4.5 mg/kg까지, levobupivacaine은 2.5 mg/kg까지 안전하게 사용할 수 있으며 15분 후에 최대 혈장 농도를 나타날 수 있다. Epinephrine의 첨가는 대개 1:200,000이며, 사용 가능한 국소 마취제의 총량을 증가

그림 12-3
두개 신경 차단마취 시 개별적으로 차단해야 하는 신경들

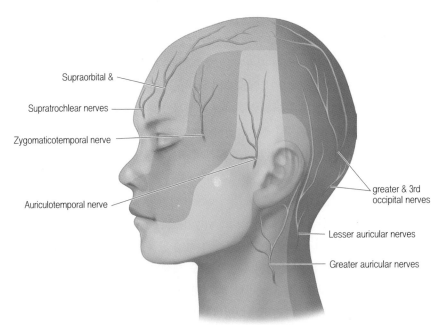

Supraorbital &

Supratrochlear nerves

Zygomaticotemporal nerve

Auriculotemporal nerve

greater & 3rd occipital nerves

Lesser auricular nerves

Greater auricular nerves

시키고, 국소적 출혈을 감소시킬 수 있다. 또한 신경 차단의 지속시간을 최대화하고 전신 순환에 주입될 때는 빈맥, 고혈압이 발생하여 이를 인지하는데 도움을 준다.

① 눈확위신경(supraorbital nerve)

삼차신경의 분지(V1)이며 환자의 눈확위패임을 촉지하여 바늘을 수직으로 삽입한 다음 흡인 후 부위마취제를 주입한다.

② 도르레위신경(supratrochlear nerve)

삼차신경의 분지(V1)이며 눈확위신경 차단 부위 바로 안쪽에서 눈썹의 안쪽 경계선 바로 위에 바늘을 안쪽 방향으로 삽입하여 부위마취제가 퍼지도록 주입한다.

③ 광대관자신경(zygomaticotemporal nerve)

삼차신경의 분지(V2)이며 temporalis muscle을 지나서 관자근막으로 분포한다. 신경차단은 위쪽 눈확의 바깥쪽 경계에서부터 광대활의 말단 부위까지 진행하면서 부위마취제를 침윤 주입한다.

④ 귓바퀴관자신경(auriculotemporal nerve)

삼차신경의 분지(V3)이며 관자뼈의 광대돌기 뿌리부위를 지나서 깊은 관자동맥과 얕은 관자동맥 위를 지나가므로 혈관내 주입되지 않도록 주의해야 한다. 동맥을 촉지하면서 턱관절 높이에서 귓바퀴의 1 ㎝ 앞쪽에 흡인을 하면서 주사한다.

⑤ 큰귓바퀴신경(greater auricular nerve)

2번 또는 3번 경추 신경의 분지이며 귀구슬 높이에서 귓바퀴의 2 ㎝ 뒤쪽에 주입한다.

⑥ 작은뒤통수신경(lesser occipital nerve)

3번 또는 4번 경추 신경의 분지이며 귓바퀴 바로 뒤에서부터 아래방향으로 귓불을 지나서 위쪽 목덜미선까지 침윤하면서 주입한다.

⑦ 큰뒤통수신경(greater occipital nerve)

2번 경추 신경의 분지인데 신경차단을 할때는 먼저 뒤통수동맥을 촉지하고 뒤통수융기에서부터 목덜미선을 따라 외측으로 3-4 ㎝ 진행하여 동맥의 안쪽에 부위마취제를 주입한다.

(4) 자세 잡기

수술대는 가능한 만큼 환자가 편안하도록 세심하게 배려해야 하는데 일단 한번 자세를 고정하면 바꿀 수 없으므로 환자는 몇 시간 동안 같은 자세로 누워 있어야 하기 때문이다. 환자의 의식이 있는 상태에서 가장 편안하게 누워 있을 수 있는 자세를 찾아 주어야 하는데 특히 등이나 다른 부위 등에 특별히 눌리는 부분 없이 압력이 고루 분산될 수 있도록 해줘야 한다. 어쩔 수 없이 눌리는 부위가 발생할 경우 세심하게 젤리 등으로 대주고 쿠션을 다리 사이, 등 뒤쪽, 가슴 앞쪽 등 필요한 부위에 위치시킨다. Surgical drape를 칠 때는 환자의 안전과 원활한 언어 능력, 기억 능력, 감각 운동 능력의 평가가 가능하도록 해야 한다. 자세를 잡은 다음에는 안정적으로 유지하기 위하여 bean bag이나 등받이 등으로 받치고 수술 침대에 고정한다. 머리를 어떻게 고정할 것인지는 신경외과 의사의 성향에 따라 다른데 head clamp에 고정하기도 하고 도넛 모양 젤리에 올리기도 한다. 수술실의 온도도 환자가 편안한 정도로 하고 불안을 최소화할 수 있도록 불필요한 소음은 최소화한다.

그림 12-4는 awake craniotomy을 위한 자세와 위치에 대한 예를 제시한다. Awake craniotomy에서 환자 수술대와 신경외과 의사, 마취과 의사 그리고 주변을 배치하는 데 고려해야 할 사항은 보통의 개두술과는 조금 다르다. 일단 신경생리학자 또는 마취과의사가 환자의 얼굴을 볼 수 있어야 하는데 이는 환자와 소통할 수 있는 위치에 있어야 하기 때문이다. 뿐만 아니라 예기치 않은 상황을 쉽게 인지하고 기도에 접근하여 조치할 수 있는 공간을 확

그림 12-4
환자의 자세와
수술대 배치
ODP: operating
department practitioner

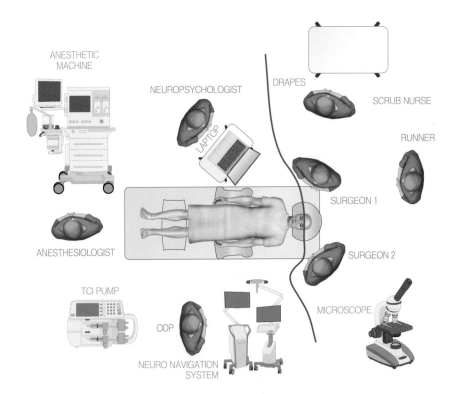

보할 수 있어야 한다. 일반적으로 환자가 옆으로 눕는 자세를 취하는 경우가 많다.

(5) 뇌지도의 작성과 인지기능 평가

검사를 위하여 깨우면 환자는 아무리 수술 전에 준비가 충분하다고 해도 일시적으로 혼란스러워 하고 주변 상황을 인식하는데 시간이 필요할 수 있다. 이 시기에는 특히 안정적이고 조용한 환경에서 부드러운 목소리로 환자를 불러서 깨워야 하는데 이때 환자는 머리의 통증이나 자세 때문에 불편함을 호소하거나 구역, 구토를 보일 수 있다. 심지어 emergence agitation이 발생할 수도 있으니 미리 환자의 움직임을 억제할 수 있는 인원도 대비시켜야 한다. 이때 수술 부위에 악영향을 주지 않도록 언급한 불편함이나 합병증은 가능한 신속하게 효과적으로 해결해 주어야 한다.

환자의 의식이 거의 회복되고 안정되면 뇌지도 작성과 기능 평가를 시작하는데 이 절차에는 기능적 뇌 영역을 식별하기위한 직접 겉질 자극, 감각 겉질과 운동 겉질의 기능을 평가하는 겉질 유발전위 검사 및 간질 초점을 식별하기 위한 겉질뇌파도가 포함된다. 평가하는 주요 부위는 언어능력, 운동능력을 좌우하는 대뇌 겉질이며 검사가 진행되는 동안 언어 영역, 운동 영역 평가가 이루어지고 그 결과에 따라 외과적 절제술이 진행된다. 이 과정에서 감각, 운동이나 언어 능력이 변화하거나 악화되면 겉질 조직의 제거를 멈추고 계획을 수정해야 하므로 즉시 신경외과 의사에게 알려 주어야 한다. 대뇌 겉질을 자극하는 동안 환자는 이상한 감각과 비자발적 움직임 때문에 괴로움을 호소할 수 있는데 안심시키고 위안을 해주는 것만으로 충분하지 않을 경우는 약한 항불안제나 진정제를 사용해 볼 수도 있다. 이전에 Propofol-remifentanil로 진정을 하고 나서 기능 평가 기간에 힘들어 하는 환자에서 dexmedetomidine으로 전환하여 성공한 경우에 대한 보고도 있다.

(6) 마취 중 합병증의 관리

Awake craniotomy를 받는 동안 환자는 간질성 발작, 환기 장애, 구역, 구토, 초조(agitation) 등의 다양한 합병증을 겪을 수 있다. 깊은 진정 상태나 기계 환기를 하지 않는 전신마취 중에는 기도 폐쇄나 고탄산혈증, 저산소증이 발생할 수 있다. 일시적인 환기 장애는 propofol을 투여하는 경우에서 많이 발생하는데 일단 약제를 줄이고 기도를 유지할 수 있는 기구들을 시도해야 할 수도 있다. 환자의 자발호흡을 유지하면서 진정을 시행하는 경우 일반적으로 성인에서 분당 호흡수 12회 정도를 기준으로 약제를 적정하는 것이 적절하다.

이전 세대에서 많이 사용하던 신경이완진통 방법과 비교하면 최근에 propofol을 사용하면서 수술 중 경련이 발생하는 경우는 현저히 감소했는데 4.9% 정도를 보고한 연구가 있다. 간질성 발작은 뇌지도를 작성하는 중에 대뇌 겉질을 자극하면서 발생하거나 외부의 자극과 무관하여 환자의 기저 상태에 의해서도 발생한다. 환자의 머리가 head clamp에 고정되어 있는 경우에 특히 위험할 수 있으며, 이때는 신속하게 뇌를 차가운 얼음물로 세척하여 경련을 즉시 중단시켜야 한다. 뇌파도 검사를 계속해야 하는 경우는 propofol(0.75-1.25 mg/kg) 또는 thiopental(1.0-1.5 mg/kg)로 치료하고 검사가 완료된 후에는 필요한 경우 benzodiazephine계 약제나 항경련제를 사용할 수 있다.

깊은 진정을 시행한 환자에서 구역, 구토가 많은데 기도가 보호되지 않으므로 흡인의 위험이 있다. 보통 두가지 이상의 약제로 진정을 하는 경우에서 4% 정도 발생하며 propofol을 사용하는 경우에서 좀 더 낮다. 예방적으로 항구토제를 사용하는 것이 도움이 되며 일단 증상이 발생하면 metoclopramide 10 mg을 사용해 볼 수 있다. 경막을 당기거나 수막의 혈관을 조작할 때 구역 증상이 일어나는 것은 해당 부위에 추가적으로 부위마취제를 사용하는 것으로 효과를 볼 수 있다.

두개 내에 부피 효과를 나타낼 만큼 종괴 등이 있는 환자는 뇌부종이 문제가 될 수 있다. 자발 호흡 상태에서는 흉곽내 압력이 음압으로 유지되고 뇌 정맥의 유출이 촉진되므로 뇌조직이 팽팽해지는 것을 방지한다. 그러나 경우에 따라 mannitol이나 furosemide를 투여하는 것이 도움이 될 수 있다. 개두술 중에 경련, 갑작스러운 각성, emergence agitation 때문에 환자의 머리가 갑자기 움직일 수도 있는데 이는 꼭 피해야 한다. Head clamp 때문에 두피나 결합조직이 손상될 수 있을 뿐 아니라 갑작스럽게 압력을 받은 뇌조직이 팽창하면서 뇌부종이 생길 수 있기 때문이다. 환자를 깨우기 위해서 준비를 하는 동안 예측하고 propofol을 일시 정주하는 등의 방법을 준비해야 한다.

(7) 봉합

대뇌겉질의 기능 검사와 절제가 끝나면 다시 환자를 진정시키거나 기도 유지 장치를 이용해서 전신마취 유도를 하는데 환자가 옆으로 누워 있는 경우에 기도 삽관은 어려우므로 주로 supraglottic airway device를 사용한다. 경막, 두개 골편, 근육, 피부를 봉합하는 과정은 소요 시간이 길고 통증도 크며 이미 몇 시간째 한 자세로 누워 있는 환자가 얕은 수면 상태로는 견디는 것은 어려우므로 충분히 깊은 진정이나 마취가 필요할 수 있다.

3) 수술 후 관리

Awake craniotomy를 받은 환자는 수술 부위의 출혈 위험이 있어 수술 후에 최소한 6시간 정도는 집중 감시가 필요하다. 출혈이 의심되는 경우 혈종 제거를 위해 즉시 응급 개두술을 시행해야 한다. 일반적으로 수술 후 2일 정도 입원을 한다. 일부의 기관에서 외래 수술로 시행하는 경우도 있으나 이는 환자의 특징을 면밀히 검토한 후에 발생할 수 있는 여러 상황에 대한 대비를 할 때 가능하다.

신경 차단의 효과가 없어지면 통증 조절이 필요한데 일반적으로 paracetamol이나 약한 아편유사제가 쓰인다.

참고문헌

- Balakrishnan G, Raudzens P, Samra SK, Song K, Boening JA, Bosek V, et al: A comparison of remifentanil and fentanyl in patients undergoing surgery for intracranial mass lesions. Anesth Analg. 2000;91:163-9.

- Bennett DR, Madsen JA, Jordan WS, Wiser WC: Ketamine anesthesia in brain-damaged epileptics. Electroencephalographic and clinical observations. Neurology. 1973;23:449-60.

- Brian JE Jr, Deshpande JK, McPherson RW: Management of cerebral hemispherectomy in children. J Clin Anesth. 1990;2:91-5.

- Davies KG, Maxwell RE, French LA: Hemispherectomy for intractable seizures: long-term results in 17 patients followed for up to 38 years. J Neurosurg. 1993;78:733-40.

- Ebrahim ZY, Schubert A, Van Ness P, Wolgamuth B, Awad I: The effect of propofol on the electroencephalogram of patients with epilepsy. Anesth Analg 1994;78:275-9.

- Hisada K, Morioka T, Fukui K, Nishio S, Kuruma T, Irita K, Takahashi S, Fukui M: Effects of sevoflurane and isoflurane on electrocorticographic activities in patients with temporal lobe epilepsy. J Neurosurg Anesthesiol. 2001;13:333-7.

- Kurita N, Kawaguchi M, Hoshida T, Nakase H, Sakaki T, Furuya H: The effects of sevoflurane and hyperventilation on electrocorticogram spike activity in patients with refractory epilepsy. Anesth Analg. 2005;101:517-23.

- McGuire G, El-Beheiry H, Manninen P, Lozano A, Wennberg R: Activation of electrocorticographic activity with remifentanil and alfentanil during neurosurgical excision of epileptogenic focus. Br J Anaesth. 2003;91:651-5.

- Modica PA, Tempelhoff R, White PF: Pro- and anticonvulsant effects of anesthetics (Part II) Anesth Analg. 1990;70:433-44.

- Parra J, Augustijn PB, Geerts Y, van Emde Boas W: Classification of epileptic seizures: a comparison of two systems. Epilepsia 2001;42:476-82.

- Petersen KD, Landsfeldt U, Cold GE, Petersen CB, Mau S, Hauerberg J, et al: Intracranial pressure and cerebral hemodynamic in patients with cerebral tumors: a randomized prospective study of patients subjected to craniotomy in propofol-fentanyl, isoflurane-fentanyl, or sevoflurane-fentanyl anesthesia. Anesthesiology. 2003;98:329-36.

- Richard A, Girard F, Girard DC, Boudreault D, Chouinard P, et al: Cisatracurium-induced neuromuscular blockade is affected by chronic phenytoin or carbamazepine treatment in neurosurgical patients. Anesth Analg. 2005;100:538-44.

- Sato K, Shamoto H, Yoshimoto T: Severe bradycardia during epilepsy surgery. J Neurosurg Anesthesiol. 2001;13:329-32.

- Skucas AP, Artru AA: Anesthetic complications of awake craniotomies for epilepsy surgery. Anesth Analg. 2006;102:882-7.

- Souter MJ, Rozet I, Ojemann JG, Souter KJ, Holmes MD, Lee L, et al: Dexmedetomidine sedation during awake craniotomy for seizure resection: effects on electrocorticography. J Neurosurg Anesthesiol. 2007;19:38-44.

- Whittle IR, Midgley S, Georges H, Pringle AM, Taylor R: Patient perceptions of "awake" brain tumour surgery. Acta Neurochir (Wien). 2005;147:275-7.

- Woodforth IJ, Hicks RG, Crawford MR, Stephen JP, Burke DJ: Electroencephalographic evidence of seizure activity under deep sevoflurane anesthesia in a nonepileptic patient. Anesthesiology. 1997;87:1579-82.

Korean Society of Neuroscience in Anesthesiology and Critical Care

척수 손상 환자의 마취관리

Anesthetic Management for Spinal Cord Injury

13

척수 손상 환자의 마취관리

Anesthetic Management for Spinal Cord Injury

13

김동원
한양대학교 의과대학

척수 손상 환자의 마취관리는 척수 손상을 더 악화시키지 않는 기관삽관 방법의 선택, 이차적인 손상으로부터 척수 보호, 척수 손상이 전신에 미치는 영향의 이해, 수술 중 척수 기능의 감시, 자율신경반사이상의 방지 등에 세심한 주의가 요구된다.

1. 해부학

1) 경추의 구성

(1) 경부 척추 축 아래 부분(subaxial spine [below the axis of C2]): 제2 경추 아래에 있는 경추
(2) 경부 척추 축 위 부분(upper [or high or atlanto-axial] cervical spine): 두개골 바닥(skull base), 제1 경추, 제2 경추

2) 고리뼈(atlas)와 중쇠뼈(axis)의 특징(그림 13-1)

(1) 제1 경추(고리뼈): 척추체와 가시돌기가 없음(no vertebral body & no spinous process)
(2) 제2 경추(중쇠뼈): 비특이적 모양, 치아돌기(odontoid process)가 있음
(3) 제1 경추와 제2 경추: 가로인대(transverse ligament)로 연결되어 하나의 단위(unit)를 이루고 있다.

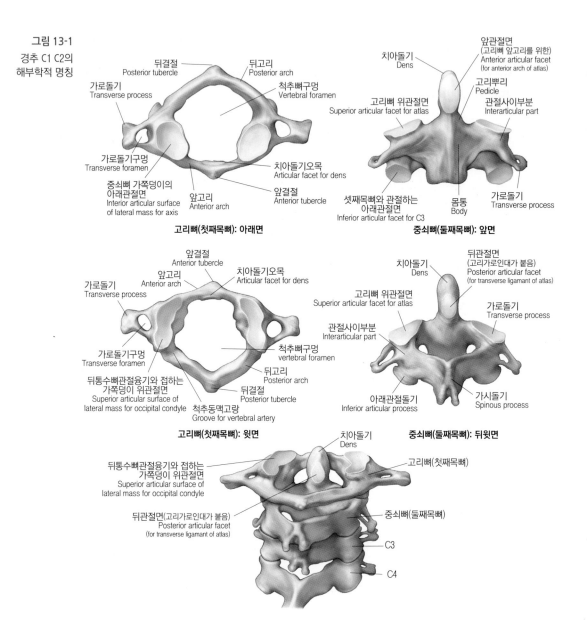

그림 13-1
경추 C1 C2의
해부학적 명칭

뒤결절
Posterior tubercle

뒤고리
Posterior arch

가로돌기
Transverse process

척추뼈구멍
Vertebral foramen

가로돌기구멍
Transverse foramen

중쇠뼈 가쪽덩이의
아래관절면
Interior articular surface
of lateral mass for axis

앞고리
Anterior arch

치아돌기오목
Articular facet for dens

앞결절
Anterior tubercle

고리뼈(첫째목뼈): 아래면

치아돌기
Dens

앞관절면
(고리뼈 앞고리를 위한)
Anterior articular facet
(for anterior arch of atlas)

고리뼈 위관절면
Superior articular facet for atlas

고리뿌리
Pedicle

관절사이부분
Interarticular part

셋째목뼈와 관절하는
아래관절면
Inferior articular facet for C3

몸통
Body

가로돌기
Transverse process

중쇠뼈(둘째목뼈): 앞면

앞결절
Anterior tubercle

앞고리
Anterior arch

치아돌기오목
Articular facet for dens

가로돌기
Transverse process

가로돌기구멍
Transverse foramen

뒤통수뼈관절융기와 접하는
가쪽덩이 위관절면
Superior articular surface of
lateral mass for occipital condyle

뒤고리
Posterior arch

뒤결절
Posterior tubercle

척추동맥고랑
Groove for vertebral artery

고리뼈(첫째목뼈): 윗면

치아돌기
Dens

뒤관절면
(고리가로인대가 붙음)
Posterior articular facet
(for transverse ligamant of atlas)

고리뼈 위관절면
Superior articular facet for atlas

가로돌기
Transverse process

관절사이부분
Interarticular part

아래관절돌기
Inferior articular process

가시돌기
Spinous process

중쇠뼈(둘째목뼈): 뒤윗면

뒤통수뼈관절융기와 접하는
가쪽덩이 위관절면
Superior articular surface of
lateral mass for occipital condyle

치아돌기
Dens

고리뼈(첫째목뼈)

뒤관절면(고리가로인대가 붙음)
Posterior articular facet
(for transverse ligamant of atlas)

중쇠뼈(둘째목뼈)

C3

C4

3) 경추의 혈액공급

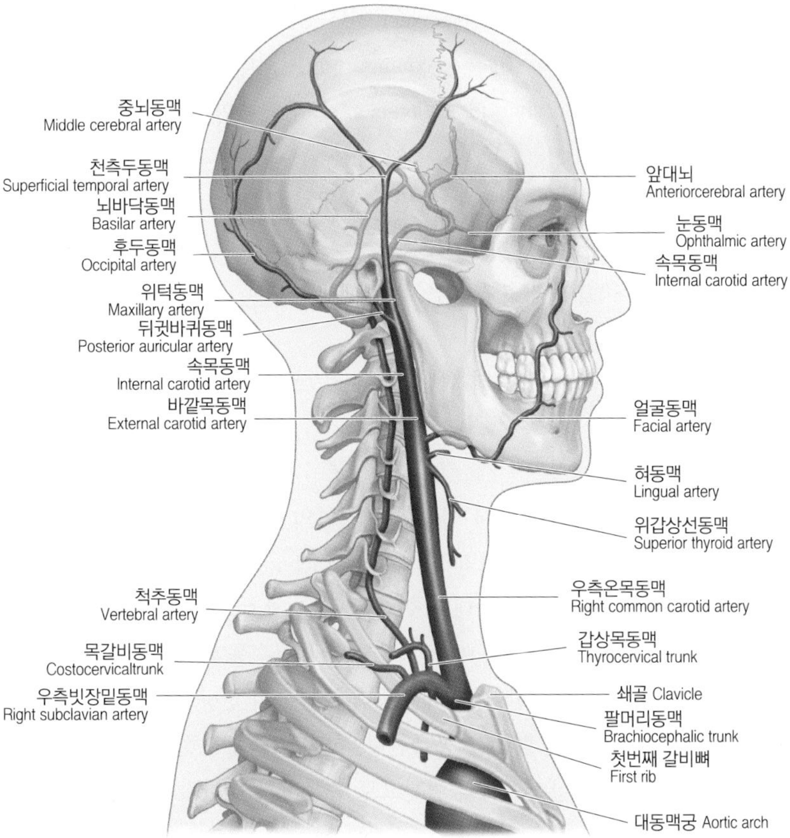

그림 13-2
머리와 목의 중요혈관

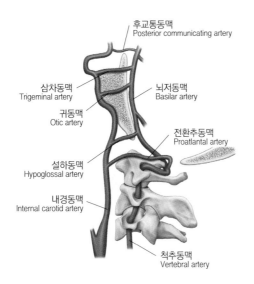

중뇌동맥
Middle cerebral artery

천측두동맥
Superficial temporal artery

뇌바닥동맥
Basilar artery

후두동맥
Occipital artery

위턱동맥
Maxillary artery

뒤귓바퀴동맥
Posterior auricular artery

속목동맥
Internal carotid artery

바깥목동맥
External carotid artery

앞대뇌
Anteriorcerebral artery

눈동맥
Ophthalmic artery

속목동맥
Internal carotid artery

얼굴동맥
Facial artery

혀동맥
Lingual artery

위갑상선동맥
Superior thyroid artery

우측온목동맥
Right common carotid artery

갑상목동맥
Thyrocervical trunk

쇄골 Clavicle

팔머리동맥
Brachiocephalic trunk

첫번째 갈비뼈
First rib

대동맥궁 Aortic arch

척추동맥
Vertebral artery

목갈비동맥
Costocervicaltrunk

우측빗장밑동맥
Right subclavian artery

그림 13-3
C1 C2부위의 혈관

후교통동맥
Posterior communicating artery

삼차동맥
Trigeminal artery

귀동맥
Otic artery

뇌저동맥
Basilar artery

전환추동맥
Proatlantal artery

설하동맥
Hypoglossal artery

내경동맥
Internal carotid artery

척추동맥
Vertebral artery

4) 운동(Motion)

(1) 굴곡(flexion)/신전(extension)(maximum down to maximum up): 최대 130–140°

(2) 측면 굽힘(lateral bending)(shoulder to shoulder): 85–90°

(3) 축회전(axial rotation)(maximum left to maximum right): 최대 160–170°

(4) 고리뒤통수뼈관절/인대(C1–occiput joints/ligaments): 단단하여 움직임이 거의 없다.

① 축회전(axial rotation)은 거의 없으며, 측면 굽힘(lateral bending)은 약 5–10°, 약 20°의 신전과 약 5°의 굴곡을 나타낸다.
② 고리뒤통수뼈관절의 유일한 관절 운동은 신전이다.

(5) 제1 경추와 제2 경추(C1–C2): 큰 폭의 회전(rotation), 굴곡과 신전(10°)

5) 척수의 해부와 생리

척수는 대후두공(foramen magnum)에서 시작하여 성인의 제1, 2 요추에 있는 척수원뿔(co-nus medullaris)에서 끝난다. 척수는 경막과 거미막(arachnoid membrane)을 포함하는 수막(meninges)으로 둘러싸여 있다. 척수에 대한 혈액 공급은 척추동맥(vertebral artery)에서 분지한 1개의 전척수동맥(anterior spinal artery)과 2개의 후척수동맥(posterior spinal artery)이 척수의 장축을 따라서 혈액을 공급한다. 전척수동맥은 척수의 전방 2/3에 혈액을 공급하고, 후척수동맥은 척수의 후방 1/3에 혈액을 공급한다. 하지만 경수분절(cervical cord segment) 아래의 혈액 공급은 위에서 언급한 3개의 혈관으로 충분하지 못하기 때문에 대동맥에서 분지로 나온 구역동맥(segmental artery) 또는 뿌리동맥(radicular artery)이 전후척수동맥과 문

그림 13-4
대동맥에서 나온 구역동맥(artery of Adamkiewicz)들이 하부 흉수와 요수에 혈액을 공급한다. 이러한 구역동맥의 손상은 척수에 허혈을 일으킨다.

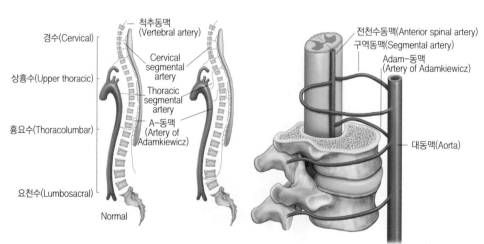

합(anastomosis)한다. 중요한 뿌리동맥은 9번 흉추와 11번 흉추 사이에서 나오는 artery of Adamkiewicz (arteria radicularis magna)이고 이것은 척수의 흉요부위(thoracolumbar region)에 혈액을 공급한다(그림 13-4).

(1) 평균 척수혈류(spinal cord blood flow, SCBF): 약 60 mℓ/100g/min인데, 저산소증(<50 ㎜ Hg)은 혈류를 증가시키고, 이산화탄소 분압이 20−80 mmHg 범위에서 혈류는 이산화탄소 분압의 변화에 비례하여 변한다. 따라서 척수 손상 환자의 마취관리시 정상탄산상태(normocapnia) 또는 경도 저탄산혈증(mild hypocapnia)을 유지하고, 심한 저탄산혈증(hypocapnia)을 피하는 것이 바람직하다. 그리고 척수는 평균동맥압 50−150 mmHg 범위에서 혈관저항을 조절하여 척수혈류를 일정하게 유지한다(그림 13-5). 척수 외상은 척수혈류를 감소시키고, 척수혈류 자동조절 기능을 손상시킨다. 마취제가 척수혈류에 미치는 영향은 뇌혈류에 미치는 영향과 유사하다. 1 MAC 이상의 isoflurane 사용 시 척수혈류는 뇌의 겉질혈류(cortical blood flow)보다 더욱 더 증가하고, 이것은 마취제가 척수 보호 효과가 있음을 암시한다.

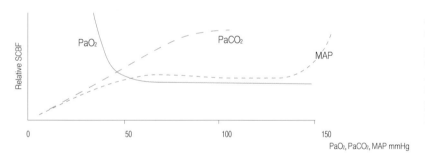

그림 13-5
평균동맥압(mean arterial pressure, MAP), 동맥혈 이산화탄소분압(PaCO₂), 동맥혈 산소분압(PaO₂)의 변화가 척수혈류(spinal cord blood flow, SCBF)에 미치는 영향

2. 고리중쇠관절 불안정(atlantoaxial instability, AAI)

뼈 또는 인대의 이상(abnormality) 때문에 제1 경추와 제2 경추 접합부의 과도한 운동에 의해 불안정이 생긴다. 신경학적증상은 척수(spinal cord)가 침범되었을 때 발생한다.

1) 고리중쇠관절불안정의 원인

(1) 외상
(2) 상기도 감염 후 속발성, 머리 또는 목 수술 후에 발생
(3) 류마티스 관절염(rheumatoid arthritis): 기본적으로 윤활관절(synovial lined joint)을 침범하므로 경추에 잘 생긴다.

2) 고리중쇠관절불안정의 정의

X-ray에서 앞쪽 환추-치상돌기간격(anterior atlanto-dental interval, AADI)이 굴곡 시 5 mm 이상이거나 신전 시 뒤쪽 환추-치상돌기간격(PADI)이 짧아져 척수를 압박할 경우에 고리중쇠관절불안정으로 정의한다(그림 13-6).

신전(extension) 시 뒤쪽 환추-치상돌기간격(posterior atlanto-dental interval, PADI)이 짧아져 척수에 압박을 주어 증상이 나타난다.

그림 13-6
X-ray상에서 앞쪽 환추-치상돌기간격(AADI)과 뒤쪽 환추-치상돌기간격(PADI)의 해부학적 위치

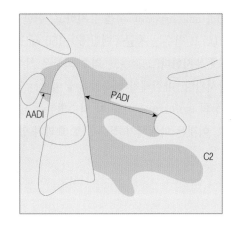

3) 병태생리학

제1 경추와 제2 경추의 관절과 관련된 이상(abnormality)과 외상(trauma)이다. 가장 흔한 이상은 가로인대 혹은 치아돌기(odontoid process)에 생긴다(그림 13-7).

그림 13-7
가로인대(transverse ligament)의 해부학적 위치

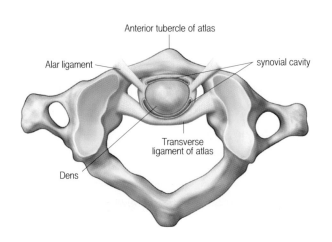

(1) 강한 가로인대와 추관절피막(facet joint): 고리중쇠관절 통합(integrity)을 유지한다.

(2) 가로인대: 고리중쇠관절 앞뒤 이동(atlantoaxial anterior posterior translocation)의 첫 번째 저항체이다. 특히 rotational subluxation 즉 과도한 머리회전하는 tympanic membrane surgery, brain surgery 경우나 편도선 절제술과 같이 과도한 머리신전(extension)은 피해야 한다.

4) 빈도

(1) 다운 증후군(down syndrome): 15%

(2) 류마티스 관절염: 25-30%, 60-80%

(3) 경추골절(cervical fracture): 약 10%가 제1 경추, 제2 경추를 침범하여 이 중 16%에서 관 확장(canal widening)에 의해 신경학적 손상이 나타남

(4) 선천적 조건(congenital conditions)

① 다운증후군(down syndrome)
② 선천적 척추측만증(congenital scoliosis)
③ 불완전 골형성증(osteogenesis imperfecta)
④ 신경섬유종증(neurofibromatosis)
⑤ Morquio syndrome

3. 척수 손상의 병태생리와 치료

1) 병태생리학

척수 외상이 척수 기능 손상을 일으키나, 척수의 해부학적인 절단을 일으키는 경우는 매우 드물다. 척수에 대한 압박과 충격으로 생기는 1차 손상(척수 압박 손상)은 작은 연수내혈관(intramedullary vessel)을 손상시키고, 척수 중앙 회백질(gray matter)에 출혈과 혈관수축을 일으킨다. 즉 심한 급성 압박 척수 손상 후 회백질 혈류와 백색질(white matter) 혈류는 24시간 동안 매우 심하게 감소한다. 1차 손상으로 인한 허혈 때문에 나타나는 2차 손상은 1차 손상 후 수 분에서 수 시간 내에 생긴다. 2차 손상의 생화학다단계(biochemical cascade)는 세포내 칼슘축적, phospholipase A2 활성화, arachidonic acid 분비, prostanoid와 thromboxane 대사산물 분비, 지질과산화(lipid peroxidation), 신경세포(neuron)와 축삭(axon)의 죽음을 야기하는 free radical 생산 등을 일으킨다. 또한 2차 손상은 염증반응, 부종, 혈관변화, 신경세포형질막(neuronal plasma membrane) 파괴 등을 일으킨다.

2) 치료

척수관류(spinal cord perfusion)를 유지하고 2차 손상을 일으키는 생화학다단계를 차단하는 것을 목표로 하는 치료(steroid, localized cord cooling, calcium channel blockers와 opiate antagonist)들이 척수보호를 위하여 시행되고 있으나 지금까지 효과가 있는 치료는 steroid와 국소저체온(local hypothermia)이다. 척수혈류 유지, 척수에 대한 직접적인 손상의 방지, 진행되는 척수 손상을 즉시 확인할 수 있는 충분한 감시 장비 사용이 척수 보호의 기본이 된다. 급성 척수 손상을 받은 환자에서 척수 손상 후 8시간 내에 methylprednisolone(투여 방법: 1시간에 걸쳐서 methylprednisolone 30 ㎎/㎏을 투여하고, 23시간 동안에 methylprednisolone 5.4 ㎎/㎏/hr 투여함)투여는 감각(pinprick과 touch)을 개선시킨다. 운동 기능 개선을 위하여 손상 후 3시간 내에 methylprednisolone을 투여하면 24시간 동안만 methylprednisolone(5.4 ㎎/㎏/hr)을 투여하고, 손상 후 3시간에서 8시간 사이에 methylprednisolone을 투여하면 48시간 동안 methylprednisolone(5.4 ㎎/㎏/hr)을 투여하여야 한다.

3) 마취제

마취제는 척수 손상에 대한 보호 효과를 지니고 있고, 이것은 마취제에 의한 혈관 확장으로 나타나는 척수 혈류 개선과 관련이 있다(fentanyl/nitrous oxide>halothane and spinal lidocaine).

4. 척수 손상이 전신에 미치는 영향

1) 호흡기계

호흡부전은 급성 척수 손상으로 흔히 나타난다. 정상 호흡에 4개의 근육(횡격막, 늑간근, 복벽, 보조근육[accessory muscle])이 관여한다. 횡격막은 제3-5번 경추신경에 의하여 지배되는데 따라서 제1번 또는 2번 경수 손상을 지닌 환자는 호흡에 관여하는 횡격막의 기능을 잃게 되고, 즉시 숨을 쉬지 못하게 된다. 이것은 병원에 도착하기 전에 일어나는 사망의 원인이 된다. 제6번 경수 이하에 손상을 지닌 환자는 다양한 정도의 늑간근과 복근 장애를 지니고 있으나, 횡격막은 정상 기능을 지니고 있다. 기능적잔기용량(functional residual capacity), 강제폐활량(forced vital capacity), 최대흡기압(maximum inspiratory pressure), 최대호기압(maximum expiratory pressure) 등은 모두 감소되어 있다. 사지마비(tetraplegia) 환자에서 호흡양상은 현저한 제한성 호흡 기능장애(restrictive respiratory dysfunction)를 나타낸다. 복벽근의 마비는 기침하는 능력을 심하게 손상시킨다. 그래서 분비물의 저류(retention)와 무기폐가 나타나고 환기와 관류 불균형이 초래된다.

2) 심혈관계

척수 손상 즉시 나타나는 반응은 교감신경 자극에 의한 혈압상승과 부정맥이다. 그 후에 나타나는 반응은 말초혈관저항 감소와 정맥용량(venous capacitance) 증가를 수반하여 나타나는 척수쇼크이다. 5번 흉수보다 상부에서 척수손상을 받은 경우 심장으로 향하는 교감신경(cardiac accelerator fiber: T1-T4)이 차단되고 상대적으로 부교감신경 활동(unopposed vagal activity)이 우세하여 서맥과 저혈압을 나타낸다. 따라서 심장으로 향하는 교감신경 차단 때문에 척수 손상과 동반된 다른 외상에 의한 저혈량쇼크(hypovolemic shock)가 있어도 빈맥이 나타나지 않을 수 있다.

3) 근육

척추 손상 후 아세틸콜린(acetylcholine) 수용체는 손상 받은 근육섬유의 운동종말판(motor end-plate)으로부터 퍼져서 전체 근육막을 덮게 된다. Succinylcholine 같은 탈분극성 근이완제가 사용될 때 탈분극 때문에 혈청 칼륨 농도가 급격하게 증가한다. 손상 후 4일째부터 혈청 칼륨 농도가 증가하기 때문에 succinylcholine은 손상 직후 첫 72시간까지는 안전하게 사용될 수 있다. 또한 손상 후 succinylcholine이 안전하게 사용될 수 있는 시기는 손상 후 18개월 후부터이다. 그래서 척수 손상 후 18개월까지는 succinylcholine 사용을 피하는 것이 좋다.

4) 뼈

척수 손상 위치 아래에서 골 밀도는 매우 감소된다. 무기질 감소가 두개골을 제외한 골격 전체에서 나타난다.

5) 깊은정맥혈전증(deep venous thrombosis)

급성 척수 손상 환자에서 깊은정맥혈전증에 대한 예방이 없으면 환자의 60-100%에서 무증후(asymptomatic) 깊은정맥혈전증이 생긴다. 폐색전(pulmonary embolism)은 척수 손상 환자에서 손상 후 1년 내에 나타나는 사망(첫째: 호흡기[28%], 둘째: 심장[23%], 셋째: 폐색전[9.7%])의 3번째 흔한 원인이다. 7th American College of Chest Physician Conference on Antithrombotic and Thrombolytic Therapy에서 발표한 급성 척수 손상 환자에서 깊은정맥혈전증 예방을 위한 권장 사항들은 아래와 같다.

① 급성 척추 손상 후 모든 환자는 혈전예방(thromboprophylaxis) 치료를 받아야 한다.
② Low-dose unfractionated heparin (LDUH), graduated compression stocking (GCS), intermittent pneumatic compression (IPC)과 같은 치료들 중에서 하나만 사용하는 예방법은 피해야 한다.

③ IPC과 LDUH, 또는 IPC과 low-molecular-weight heparin(LMWH) 등 두 개를 동시에 사용하여야 한다.

④ 컴퓨터 단층촬영(computed tomographic scan, CT scan) 또는 자기공명영상촬영(magnetic resonance imaging scan, MRI scan)에서 불안전한 척추 손상과 척수주위혈종(perispinal hematoma)을 나타내는 환자는 LMWH 투여는 1–3일 경과 후에 시작한다.

⑤ 항응고제의 사용이 금기시 될 때 IPC 또는 GCS를 사용한다.

⑥ 하대정맥여과기(inferior vena cava filter)는 폐색전에 대한 일차혈전예방(primary thromboprophylaxis)으로 사용하지 말아야 한다. 즉 항응고제의 사용이 금기시 될 때 또는 항응고제 치료를 받고 있는 환자에서 폐색전이 나타날 때 하대정맥여과기가 사용된다.

⑦ 급성 척수 손상 후 회복기 동안 LMWH을 계속 투여하거나 또는 international normalized ratio(INR)를 2–3으로 유지하도록 vitamin K 대항제(antagonist)를 투여한다.

⑧ 깊은정맥혈전증의 예방은 3개월 동안 계속되어야 한다.

6) 체온

고위 경수 손상(high cervical cord injury)은 체온 조절의 정상적인 기전을 손상시킨다. 추위에 대한 반응으로 떨림(shivering)과 더위에 대한 반응으로 혈관 확장을 못하게 된다. 대부분의 사지마비 환자에서 체온은 떨어진다. 하지마비 또는 사지마비 환자의 체온은 부분적으로 변온성(poikilothermic)이 된다.

7) 피부

움직이지 못하고, 압박 부위의 무감각, 피부 혈류 조절 장애, 근위축 등으로 경수 손상 환자의 60%에서 욕창궤양(decubitus ulcer)이 생긴다. 욕창궤양은 자율신경반사이상(autonomic dysreflexia)을 일으킬 수 있고 척수 손상 환자에서 수술 받는 가장 흔한 원인이 된다.

8) 혈액

척수 손상 환자의 52.3%는 경도의 빈혈을 나타내고 이와 같은 빈혈의 대부분은 욕창 또는 요로감염 같은 만성질환과 관련이 있다.

9) 비뇨기계

손상 직후 배뇨의 자발적인 조절과 방광반사가 소실되고(areflexia), 요저류(urinary retention)가 나타난다. 이후 반사기(reflex phase) 동안에 반사배뇨(reflex voiding)가 일어나나 배뇨근–조임근협동장애(detrusor-sphincter dyssynergia)가 나타나서 배뇨근과 조임근이 동시에 수축한다. 또한 많은 잔뇨와 요로카테터(urethral catheter) 때문에 요로감염이 흔하게 나타난다. 척수 손상 환자에서 방광 관리(bladder management)의 주된 목적은 충분한 방광배액

(adequate bladder drainage), 저압요보존(low-pressure urine storage), 저압배뇨(low-pressure voiding) 등이다.

10) 위장관
척수 손상 직후에 급성 위마비(gastroparesis)와 장폐색증(ileus)이 흔히 나타난다. 누운 자세로 있는 사지마비 환자에서는 위배출시간(gastric emptying time)이 증가되어 있다. 따라서 손상 초기에 음식물의 경구 투여는 매우 조심하여야 한다.

5. 척수손상 환자의 마취전 평가

1) 완전 손상 또는 불완전 손상

2) 척수손상 후 경과된 시간
척수쇼크 또는 반사기(손상 후 3일에서 18개월 사이에 succinylcholine 사용은 고칼륨혈증을 일으킨다.)

3) 과거의 마취력(Previous anesthetic history)

4) 기도평가(Airway evaluation)

(1) Mallampati classification

(2) 목의 운동 반경(통증 , 신경학적 증상)

(3) 방사선학적 검사
  ① X-ray 필름
  ⅰ. 적절하고 양호한 뒤통수목뼈 접합(adequacy and quality of occipitocervical junction C1-C7)
  ⅱ. 뼈의 정렬(alignment of bone)
  ⅲ. 연골: 추간판 공간과 후관절(facet joint)
  ⅳ. 연조직 공간: 부종
  ⅴ. 측부 방사선(lateral X-ray): 앞쪽 환추-치상돌기 간격(AADI), 뒤쪽 환추-치상돌기 간격(PADI), 의식의 변화가 있는 환자 중 10%는 고식적인 방사선 검사에서 경추 신경 손상

을 발견 못할 수도 있다.

② CT 촬영

③ MRI 촬영

5) 호흡기계에 대한 평가

⑴ 기도 감염, 중환자실 입원 등

⑵ 기관절개술(tracheostomy)

⑶ 7번 경수 이상의 손상 환자: 폐활량을 측정한다.

⑷ 단순흉부촬영, 동맥혈가스분석

6) 심혈관계에 대한 평가

혈압, 심박수, 체위저혈압 병력, 자율신경반사이상 병력

7) 수술부위

척수손상으로 감각 손상을 받은 부위와 수술부위가 얼마나 떨어져 있는지 조사한다.

8) 근골격계

연축(spasm), 구축(contracture), 욕창

9) 투약

항응고제, baclofen, dantrolene

10) 과민반응(Allergy)

11) 전체혈구계산(Complete blood count)

욕창이 있는 경우 빈혈이 흔함

12) 요소(Urea)와 전해질

13) 간기능 검사

6. 척수쇼크

척추 손상 시에 급성 척수 압박으로, 심한 고혈압과 다양한 부정맥이 나타난다. 이러한 부정맥은 자율신경계인 교감신경과 부교감신경의 과도한 활동 때문에 생긴다. 이러한 현상은 몇 분 동안 지속되고 그 후에 교감신경방전(sympathetic discharge)의 갑작스러운 손실 때문에 수일에서 6-8주까지 지속되는 척수쇼크가 나타난다. 이 기간 동안에 기관삽관 또는 기관흡입(tracheal suction)같은 행위는 서맥과 심정지를 일으킬 수도 있다. 척수쇼크 동안에 손상 부위 하부에서 신경 연결(neuronal connection)의 변화가 나타나고, 근육 긴장도와 반사가 돌아오면서 척수쇼크에서 회복되어 최종적으로 반사기(reflex phase)에 들어간다.

7. 자율신경반사이상(Autonomic hyperreflexia)

자율신경반사이상은 제6번 흉수 상부에서 척수손상(횡절단: transection) 받은 환자의 85%에서 손상 후 1-3주 후부터 나타난다. 마취과의사에서 중요한 자율신경반사이상은 척수 손상 부위의 아래에서 어떤 자극으로 인한 방대하고 무질서한 자율신경반응(massive disordered autonomic response)이다. 방광 팽창과 장 팽창이 자율신경반사이상의 가장 흔한 원인이 된다. 병변부위의 아래는 vasoconstriction이 발생하고, carotid, aortic baroreceptor의 reflex에 의해 병변부위의 위쪽은 vasodilatation이 발생한다. 중요한 임상 특징은 고혈압, 두통, 발한과 서맥, hyperreflexia, 근경직등이다. 다른 특징은 오심, 구토, 동공 변화, 음경 발기, Horner syndrome 등을 포함한다. 증상의 발생은 손상 후 3주부터 12년까지 언제든지 일어날 수 있다.

자율신경반사이상에서 나타나는 신경생리적 변화(neurophysiologic change)는 뇌의 고위중추(higher center)로부터 하행억제(descending inhibition)의 소실과 척수 원위부 내에서 신경 연결의 변화 때문에 나타난다. 치료는 유발자극(방관팽창, 요로 감염, 분변박힘(fecal impaction))들을 제거하고, direct acting vasodilator (sodium nitroprusside)−beta blockers (esmolol) combination alpha & beta blockers (labetalol), ganglion blocking agent (trimetaphan, mecamylamine), sublingual nifedipine(10 ㎎), phentolamine(2-10 ㎎), prazosin, calcium channel blocker, hydralazine,clonidine 등을 고혈압의 치료에 사용한다.

8. 자세(Position)

척추 수술을 위한 대부분의 자세는 복와위(prone)이다.

1) 복와위

수술을 위하여 척추를 충분히 노출시키고, 수술 중 출혈을 줄이기 위하여 복부 압박을 피한다. 환기를 용이하게 하기 위하여 흉부 압박을 피한다. 말초 신경 등의 손상을 피하기 위하여 사지를 정상위치(normal position)로 유지한다. 눈에 압력이 가해지지 않게 머리를 지지한다. 오랜 수술 동안에 욕창을 피하기 위하여 충분한 패딩을 한다.

(1) 주술기허혈성시각신경병증(perioperative ischemic optic neuropathy, POION)

① 매우 드물고, 척추수술을 받는 환자 약 10,000명에서 2-3명 정도로 발생한다.

② 대부분 복와위와 연관되고, 또한 수술 중 빈혈, 저혈압, 술중 과도한 수액 투여, 긴 수술 시간 등이 POION의 위험인자들로 간주된다. 따라서 이러한 위험인자들을 발견하였을 때 적극적으로 교정하여야 한다.

그림 13-8
앞쪽 경추 수술 시의
수술실 배열.
N: 간호사,
S: 신경외과의사,
A: 마취과의사.

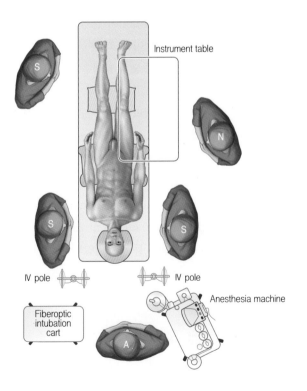

2) 경추 수술과 연관된 자세

(1) 앙와위(supine): 앞쪽 경추
앞쪽 경추 수술 시 다음에 열거한 사항을 숙지하여야 한다.
① large-bore pripheral intravenous line
② Arterial line: dorsalis pedis artery
③ Neuromuscular block check: posterior tibial nerve
④ CVP: femoral vein
⑤ protecting ulnar nerve, blood pressure cuff
⑥ Traction of head: spinal cord injury 주의
⑦ Traction of trachea: 수술 후 laryngeal dysfunction, airway swelling 등이 생길 수 있으므로 적어도 수술 후 하루 동안 주의 깊게 관찰해야 한다.
⑧ Breathing circuit 점검
⑨ Temporal artery pulse 촉지

(2) 복와위: 뒤쪽 경추 접근
① 자세와 연관된 손상

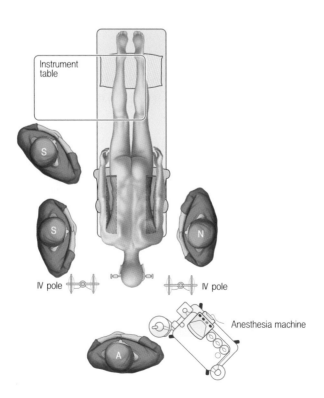

그림 13-9
뒤쪽 경추 수술 시의
수술실 배열.
N: 간호사,
S: 신경외과의사,
A: 마취과의사

 i) 눈 손상: 각막 찰과상(corneal abrasion), 황반 허혈(macular ischemia)

 ii) 얼굴, 팔꿈치, 무릎, 가슴, 남성의 생식기의 압박 손상

② 복와위에 의한 생리학적 변화와 연관된 손상: 머리가 심장보다 아래쪽에 위치하여 정맥 환류 부전(뇌, 얼굴, 목, 기도, 심한 얼굴 부종)이 생긴다.

③ Head clamp 사용 시 혈압, 자세에 의한 손상이 발생한다.

④ 60도 회전되면 척수 혈류가 감소하며, 80도 회전되면 혈류가 거의 정지된다.

⑤ 재갈(bite block): 삽관 튜브의 막힘(occlusion of the endotracheal tube), 혀 물기(biting on the tongue)

⑥ 우발적 발관(accidental extubation), 호흡회로의 분리(breathing circuit disconnection) 등

9. 마취관리

1) 전처치
전처치의 필요성과 약제의 선택은 환자의 불안정도, 환자의 상태, 마취와 수술을 고려하여 선택한다. 일반적으로 전처치는 선택 사항이고, 환자와 마취과의사의 판단에 따라서 처방한다. 각성 상태에서 기관삽관이 계획되어 있으면 침분비억제제(antisialogue)를 사용하는 것이 구강 분비물을 줄이고, 도포마취에 도움이 된다.

2) 기도 삽관
모든 기도 관리의 목적은 경추의 과도한 움직임과 전위(displacement)를 피하여 새로운 신경학적 결손과 기존의 신경학적 손상이 심해지는 것을 피하는 것이다.

(1) 중립 자세(neutral position)에서 시행한다.

(2) 경추 질환이 있는 환자에서 어려운 기관 삽관의 빈도가 매우 높다. 따라서 다음 질환에서는 특별한 기도관리가 요구된다.

 ① 류마티스 질환(Rheumatoid disease): 48%

 ② 경추 골절 또는 종양(cervical fracture or tumor): 23–24%

 ③ 고정 장치(fixation device) 등

(3) 경추가 불안정한(cervical spine instability) 환자의 경우: 기관 삽관에 의한 신경학적 손상(neurologic deterioration)의 위험도는 예측된 환자(recognized patient)에서는 1–2%, 예측 안 된 환자(unrecognized patient)에서는 10% 정도이다.

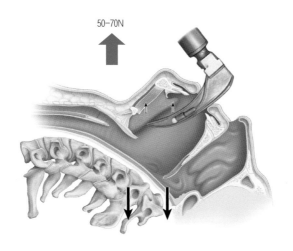

그림 13-10
후두경 삽입 시 가해지는 힘

(4) 후두경 삽입 시 처음 가해지는 힘: 위쪽으로 향하는 힘은 50-70 Newton 정도 된다(40 Newton이면 4 kg 정도의 무게를 들 수 있다). 어려운 기관 삽관의 경우에는 더 큰 힘을 사용하게 되는데, 이는 뒷머리(occiput)와 뒷머리-제1 경추 사이 공간(occiput-C1 interspace)을 신전시키고 아래 척추를 굴곡시키게 된다(그림 13-10).

(5) 고리중쇠불안정 때 생기는 기계적 문제(mechanical problem): 제1 경추 관절면(facet)이 머리뼈 바닥(base of the skull)에 비교적 단단히 고정되어 있고, 제1 경추는 딱딱한 고리 모양(rigid ring)이다. 따라서 만일 가로인대가 손상되어 있을 때 후두경(laryngoscope)으로 머리뼈와 경추를 들면 앞쪽 환추-치상돌기 간격(AADI)이 늘어나고 반대로 뒤쪽 환추-치상돌기 간

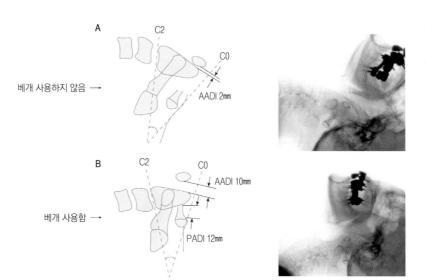

그림 13-11
중립자세(neutral position: A)와 냄새 맡는 자세(sniffing position: B) 시 앞쪽, 뒤쪽 환추-치상돌기 간격의 변화

격이 줄어들어 경추 신경을 압박할 수 있다.

(6) 냄새 맡는 자세(sniffing position): 자체로만 제1 경추와 제2 경추의 부분 탈구(C1 C2 sub-luxation)가 발생할 수 있으므로 주의해야 한다. 따라서 마취유도 전에 절대로 베개를 사용하지 말고 신경학적 증상이 없는 상태에서 모든 감시 장치를 부착하고 마취유도를 하여야 한다(그림 13-11).

(7) 앞쪽 환추-치상돌기 간격이 굴곡 시 5mm 이상이면 고리중쇠 불안정이 존재하는 것을 의미한다. 보통 앞쪽 환추-치상돌기 간격이 9mm 이상, 뒤쪽 환추-치상돌기 간격이 12mm 이하에서 경추신경압박(cervical cord compression)이 일어난다고 한다. 다운 증후군(down syn-drome) 환자의 15%에서 가로인대에 이상이 있으나 증상이 나타나는 것은 10%만 나타나므로 5세 이하에서는 꼭 X-ray로 점검을 하여야 한다. 고막 수술 시 머리의 과회전(extreme head rotation)이나 편도 절제술에서 머리의 과신전은 회전에 의한 부분 탈구(rotational sublux-ation)가 발생하므로 과다한 회전이나 신전을 피해야 한다. 따라서 소아에서 조금이라도 경추신경압박이 의심이 되면 면밀한 검사를 하여야 한다.

3) 삽관 방법
(1) 각성하기관삽관(awake intubation)
(2) 식도-기관 겸용 튜브(esophageal-tracheal combitube)(그림 13-12)
 ① 기도 내의 튜브 위치(tube in trachea position)
 ② 식도 내의 튜브 위치(tube in esophageal position): 제2 경추, 제3 경추 또는 제4 경추에 대한 낭대의 압력(cuff pressure against the body of C2, C3 and or C4)

그림 13-12
식도-기관 겸용 튜브 (esophageal-tracheal combitube)가 기도에 들어간 경우(A)와 식도에 들어간 경우(B)

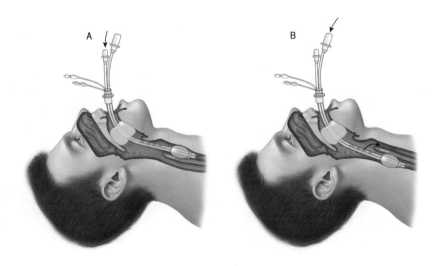

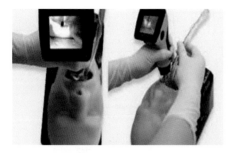

그림 13-13
Pentax를 사용하여 삽관

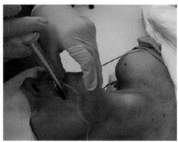

그림 13-14
광봉을 사용하여 삽관

(3) 굴곡성후두경삽관(fiberoptic endotracheal intubation): 가장 유용한 방법이며 손상을 최소한으로 줄일 수 있다.

(4) 비디오 후두경(Video Laryngoscope): 비디오 후두경의 종류는 굉장히 다양하다. 그림 13-13에서 PENTAX는 경추손상환자에서 많이 사용하는 비디오 후두경이다.

(5) 광봉(lightwand): 그림 13-14와 같이 광봉을 사용한다.

(6) 후두마스크(laryngeal mask airway), 삽관후두마스크(intubating laryngeal mask airway): 제2경추, 제3경추에 대한 낭대 압력(cuff pressure against C2 and C3)의 영향을 고려해야 한다.

(7) 직접 후두경 검사(Direct laryngoscopy [Bullard, WuScopes]): 직접 후두경 검사(direct la-ryngoscopy)와 기관 삽관은 어른에서 고리중쇠 관절을 9–25° 정도 신전시킨다.

(8) 맹목 경비기관 내 삽관(blind nasal endotracheal intubation)

(9) 수술적 기도 확보: 기관절개술(tracheostomy)

　　이상의 내용을 그림 13-15에 알고리즘으로 묘사했다.

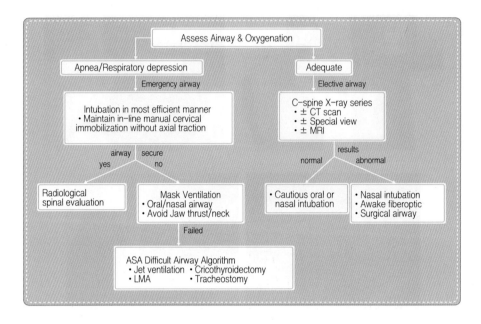

그림 13-15
경추손상이 의심되는
환자를 위한
기도관리 알고리즘.

4) 감시 장치(Monitoring)

(1) 심전도, 식도 청진기

(2) 혈압 감시장치: 비침습적 혈압계 또는 동맥 내 혈압 감시 장치

(3) 신경 차단 감시장치: 말단 신경 자극기

(4) 호기말 이산화탄소 분압 측정술

(5) 산소포화도 측정 장치

(6) 체온계

(7) 소변 카테터

(8) 중심정맥압 측정

(9) 신경 생리학적 감시: 체성감각유발전위(somatosensory evoked potentials), 운동유발전위(motor evoked potentials)

5) 마취

마취유도 후에 나타나는 저혈압을 줄이기 위하여 유도 전에 보통 500-1000 ㎖ 정도의 수액을 투여한다. 경추 손상을 지닌 척수쇼크 환자에서 기관삽관 또는 기도흡입 동안에 서맥 또는 심정지가 나타날 수도 있기 때문에 atropine을 미리 투여하여 서맥을 예방한다. 신경생리감시(neurophysiologic monitoring)와 술중각성검사(wake-up test)가 필요하면 아산화질소, 아편유사제(opioid)와 소량의 흡입마취제를 사용하는 것이 가장 좋다. 마취 유지 방법은 환자의 상태에 의하여 주로 결정된다. 척수 손상 후 자동조절 기능이 소실 때문에 저혈압은 2차

손상을 악화시키고, 고혈압은 출혈과 부종을 일으킨다. 따라서 정상적인 관류와 가스 교환 유지가 마취유지의 주된 목적이다. 경수병증(cervical myelopathy) 환자에서 수술중초음파검사(intraoperative doppler ultrasonography)는 평균동맥압 60 mmHg 이하에서는 전척수동맥을 통한 혈류 감소를 나타내기 때문에 마취 동안에 혈압은 환자의 평균 혈압보다 조금 높게 (수축기혈압: 110 mmHg 이상) 유지한다. 대사 억제와 혈류 증가를 일으키는 모든 마취제는 척수를 보호하는 효과를 지니고 있기 때문에 어떤 하나의 마취제가 다른 것에 비하여 우수하지는 않다. 심혈관계가 불완전하기 때문에 모든 약제는 천천히 투여하고, 수축촉진제(inotropic agent)가 순환을 유지하기 위하여 요구될 수도 있다.

6) 신경근차단제

신경근차단제 사용은 수술 중 신경생리감시(체성감각유발전위, 운동유발전위)를 고려하여야 한다. 고칼륨혈증의 위험 때문에 succinylcholine은 가능하면 손상 후 18개월까지 피하는 것이 좋다. 신경생리 감시장비의 사용을 고려하여 수술이 시작될 때쯤 근이완 효과가 줄어드는 근이완제(작용시간이 짧은 근이완제 또는 중간 정도 되는 근이완제: mivacuronium, atracuronium, vecuronium)를 사용하거나 마취를 깊게 하여 기관내삽관을 하는 것이 대안으로 사용될 수도 있다.

7) 환기

과환기는 척수를 감압시킬 수도 있으나, 척수 손상 초기에 사용한 저탄산혈증의 치료 효과는 실험연구에서 입증되지 않았다. 또한 과환기는 허혈을 일으킬 수도 있기 때문에 정상탄산상태 또는 경도의 저탄산혈증을 유지하는 것이 좋다.

8) 수액

수액 투여의 목적은 척수를 포함한 주요한 장기로 혈액을 공급하고, 수액의 과다 투여에 의한 정맥 울혈을 방지하는 것이다. 상부 흉수와 하부 경수에 손상을 지닌 환자는 폐부종을 자주 동반하기 때문에 수액 투여에 세심한 주의가 요구된다. 포도당 투여는 척수 허혈 후 신경기능 손상을 악화시키기 때문에 포도당을 포함한 수액을 투여하지 말아야 한다. 수술의 정도가 수액 요법에 영향을 미친다.

경추 부위에서 척추 고정을 하는 수술은 출혈이 많지 않다. 흉추와 요추 부위의 수술 특히 척추체제거술(corpectomy)이면서 여러 개의 척추체(vertebral body)에서 이루어지는 수술은 출혈이 많다. 정맥으로부터 나는 출혈을 줄이기 위하여 수술 부위를 심장보다 높게 위치시키고, 복압이 대정맥을 압박하지 못하게 복부에 가해지는 압력을 줄이고, 호기말 양압과 긴 양압환기를 피하고, 수액의 과다한 투여를 피한다.

10. 치료

궁극적으로 외과적 치료를 하게 되는데 그림 13-16의 순서로 환자를 치료하게 된다. 경추수술 방법은 다음과 같다.

그림 13-16
C1 C2 치료

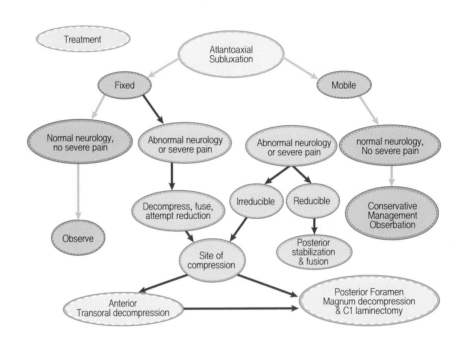

(1) Gallie method (그림 13-17)

그림 13-17
Gallie method

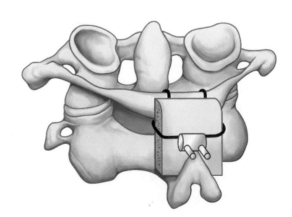

(2) Brooks Method (그림 13-18)

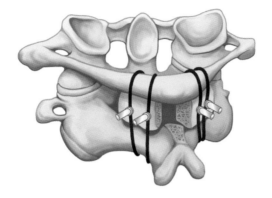

그림 13-18
Brooks Method

(3) Interspinous Method (그림 13-19)

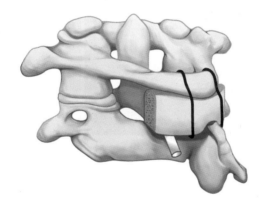

그림 13-19
Interspinous Method

(4) C1-C2 Transarticular screw method (그림 13-20)

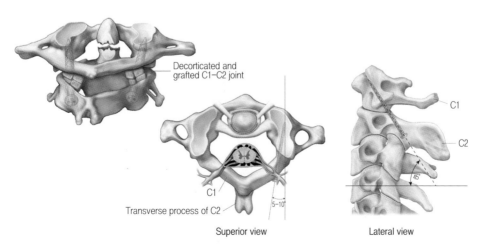

Decorticated and grafted C1-C2 joint

Transverse process of C2

C1

5-10°

Superior view

C1

C2

45°

Lateral view

그림 13-20
C1-C2 Transarticular screw method

이 경관절 나사못 고정술(Transarticular screw 방법)을 가장 많이 사용하는데 나사못(screw)이 들어갈 위치에 척추동맥(vertebral artery)이 있으면 매우 위험하므로 수술 전에 확인하는 것이 매우 중요하다(그림 13-21).

그림 13-21
척추동맥의 위치
(a)옆측, (b)뒤측

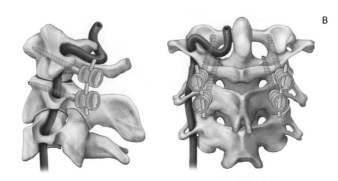

그림 13-22
high cervical spine
수술 후 확인 사진
(a) C1–C2 경관절 나사못
고정술(Transarticular screw
method)로 수술 중
(b) wiring 중
(c) 수술 후 C1–C2 고정 후

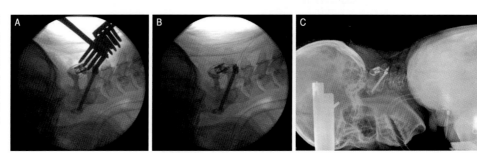

경추 골절 환자의 경우에는 골절된 상태로 삽관하게 되면 많은 신경학적 손상이 생기게 되므로 신경외과 의사와 상의한 후 경추를 도수정복(manual reduction)후 경추체 정열(cervical alinement 를 맞춘 후에 삽관하는 것이 가장 손상을 줄일 수 있는 방법이므로 상황을 보고 결정해야 한다.

아래 사진(그림 13-23)은 경추 골절 손상을 받은 상태의 사진(a)과 수술 후 사진(b)이다.

그림 13-23
(a) 수술 전 경추 골절
(b) 수술 후 경추 골절
고정시킨 상태

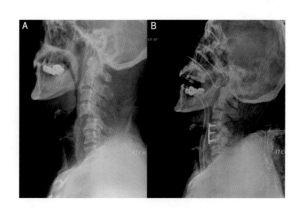

11. 경추 수술 후 관리

경추 수술을 받은 환자에서 재삽관은 많은 어려움과 위험이 있으므로 발관 시점은 환자의 상태와 상황을 고려하여 결정하여야 한다. 특히 신경학적 검사를 위한 이른 발관은 매우 위험도가 높아 주의하여야 한다. 또한 경부 척추 윗부분의 high cervical spine 수술인 경우 적어도 수술 후 48-72시간 동안은 주의 깊게 관찰하여야 한다.

1) 수술 후 기도 합병증

(1) 상부기도 폐쇄
 ① 앞쪽 경추 수술(anterior cervical spine surgery): 6.1%
 ② 뒤쪽 경추 수술(posterior cervical spine surgery): 7%
 ③ 굴곡성후두경 사용 시: 1%

(2) 인후통

(3) 쉰소리(hoarseness): >51%

(4) 삼킴 곤란(dysphagia)

(5) 일과성 성대 마비(transient vocal cord palsy)

2) 기도 합병증의 위험 요소(risk factor)

 ① 수술 시간: >10시간
 ② 수혈: >4단위
 ③ 비만
 ④ 재수술
 ⑤ 4개 이상의 경추 수술
 ⑥ 제2 경추가 포함된 수술

척추수술의 마취관리는 해부학, 질병의 병태생리학의 숙지, 수술과 관련된 전신적 영향의 이해, 신경외과 의사와의 충분한 대화를 통한 수술조작 및 수술 자세시 손상을 최소한으로 줄이고 이에 따른 적절한 감시장치와 마취약제의 선택으로 환자의 회복 및 예후향상에 많은 도움을 줄 수 있다고 사료된다. 모든 척추에서 손상위치에 따른 임상증상과 치료는 다음과 같다(표 13-1).

표 13-1 척추손상의 위치 임상증상 치료 요약

척수 손상	일상 소견	치료
환추후두 탈구	대개 불안정; 보통 치명적	정복, 고정, 유합
환추축 손상		
환추골 단독골절	대개 안정적/신경학적 손상 없음	필라델피아 목 보호대
치상 돌기 단독골절	대개 신경학적 손상 없음	고정
C1-2 전위 골절	보통 치명적 또는 사지마비	고정, 정복
C1-2 후방 아탈구	대개 신경학적 손상 없음	고정
중쇠뼈 뿌리 골절	신경학적 손상 없을 수 있음	고정
과굴곡 골절 C3-T1	아탈구는 불안정함	신경학적 손상 동반 시 감압
오목 탈구	다양한 신경학적 손상	견인, 수술
굴곡회전손상	다양한 신경학적 손상	전방 아탈구와 오목 탈구의 경우 관혈적 정복
압박골절 C3-T1		
쐐기 압박/파열 골절	빈번한 신경학적 손상	수술적 감압
눈물방울형 골절	대개 불안정	후방 유압
과신전 손상 C3-T1	중심척수증후군을 보이는 척추증 노인환자	고정; 척추관협착이 확실한 경우, 감압
흉추 손상	대개 불안전 신경학적 손상	정복, 고정
흉요추 손상	복잡한 신경학적 손상	감압, 유합
요추 손상	복잡한 신경학적 손상	정복, 감압
관롱 손상	다양한 신경학적 손상	감압/이물질 제거

▬▬ 참고문헌

- Anke A, Aksnes AK, Stanghelle JK, Hjeltnes N. Lung volumes in tetrapleic patients according to cervical spinal cord injury level. Scand J Rehabil Med 1993;25:73-7.
- Bracken MB, Shepard MJ, Collins WF, Holford TR, Young W, Baskin DS, et al. A randomized, controlled trial of methylprednisolone or naloxone in the treatment of acute spinal-cord injury. Results of the Second National Acute Spinal Cord Injury Study. N Eng J Med 1990;322:1405-11.
- Bracken MB, Shepard MJ, Holford TR, Leo-Summers L, Aldrich EF, Fazl M, et al. Administration of methylprednisolone for 24 or 48 hours or tirilazad mesylate for 48 hours in the treatment of acute spinal cord injury. Results of the Third National Acute Spinal Cord Injury Randomized Controlled Trial. National Acute Spinal Cord Injury Study. JAMA 1997;277:1597-604.
- Chang SH, Miller NR. The incidence of vision loss due to perioperative ischemic optic neuropathy associated with spine surgery: the Johns Hopkins Hospital Experience. Spine 2005; 30:1299-302.
- Colachis SC 3rd: Autonomic hyperreflexia with spinal cord injury. J Am Paraplegia Soc 1992; 15:171-86.
- Cole DJ, Shapiro HM, Drummond JC, Zivin JA. Halothane, fentnayl/nitrous oxide, and spinal lidocaine protect against spinal cord injury in the rat. Anesthesiology 1989;70:967-72.

- DeVivo MJ, Krause S, Lammertse DP. Recent trends in mortality and causes of death among persons with spinal cord injury. Arch Phys Med Rehabil 1999;80:1411-9.
- Drummond JC, Moore SS. The influence of dextrose administration on neurologic outcome after temporary spinal cord ischemia in the rabbit. Anesthesiology 1989;70:64-70.
- Ford RW, Malm DN. Therapeutic trial of hypercarbia and hypocarbia in acute experimental spinal cord injury. J Neurosurg 1984;61:925-30.
- Geerts WH, Pineo GF, Heit JA, Bergqvist D, Lassen MR, Colwell CW, Ray JG. Prevention of venous thromboembolism: the Seventh ACCP Conference on Antithrombotic and Thrombolytic Therapy. Chest 2004;126(3S):338S-400S.
- Grover VK, Tewari MK, Gupta SK, Kumar KV. Anaesthetic and intensive care aspects of spinal injury. Neurol India 2001;49:11-8.
- Hambly PR, Martin B. Anaesthesia for chronic spinal cord lesions. Anaesthesia 1998;53:273-89.
- Hoffman WE, Edelman G, Kochs E, Werner C, Segil L. Albrecht RF. Cerebral autoregulation in awake versus isoflurane-anesthetized rats. Anesth Analg 1991;73:753-7.
- Janssen L, Hansebout RR. Pathogenesis of spinal cord injury and newer treatments. A review. Spine 1989;14:23-32.
- Kim KA, Wang MY. Anesthetic considerations in the treatment of cervical myelopathy. Spine J 2006;6(S):207S-11S.
- Marshall WK, Mostrom JL. Neurosurgical diseases of the spine and spinal cord: anesthetic considerations, Anesthesia and Neurosurgery. 4th ed. Edited by Cottrell JE, Smith DS. Philadelphia, Mosby. 2001, pp 557-90.
- Perkach I. Long-term urologic management of patients with spinal cord injury. Uro Clin North Am 1993;20:423-34.
- Petrofskty JS. Thermoregulatory stress during rest and exercise in heat in patients with a spinal cord injury. Eur J Appl Physiol Occup Physiol 1992;64:503-7.
- Segal JL, Milne N, Brunnemann SR. Gastric emptying is impaired in patients with spinal cord injury. Am J Gastroenterol 1995;90:466-70.

KOREAN
SOCIETY OF
NEUROSCIENCE
IN ANESTHESIOLOGY
AND CRITICAL CARE

어린이 신경외과 수술의 마취관리

Pediatric Neuroanesthesia

14

학습목표

1. 어린이에서의 뇌생리의 특징과 병태생리, 머리뼈구조의 해부학적 특성을 설명한다.
2. 어린이에서 뇌신경마취 전 평가에 대한 고려사항을 설명한다.
3. 어린이에서 뇌신경마취 중 수액요법의 특징을 설명한다.
4. 어린이에서 뇌신경마취 중 감시장치에 대해 설명한다.
5. 어린이에서 뇌신경마취 중 체위(환자자세)에 대해 이해하고 임상에 적용한다.
6. 어린이에서 뇌신경마취 중 체온조절에 대해 이해하고 임상에 적용한다.
7. 어린이에서 뇌신경마취 후 각성 및 회복의 특징과 적절한 발관 시점에 대해 설명한다.
8. 어린이에서 뇌신경수술 후 관리에서 중요한 사항에 대해 이해하고 발생 가능한 합병증과 이에 대한 예방 및 처치에 대해 설명한다.
9. 어린이에서 신경외과적 특수 질환들의 특성을 이해하고 그에 따른 마취 전·중·후의 고려사항을 설명한다.
10. 근래에 도입된 어린이 신경외과 수술들의 절차 및 특성, 마취 고려사항에 대해 이해하고 임상에 적용한다.

어린이 신경외과 수술의 마취관리

Pediatric Neuroanesthesia

14

임병건
고려대학교 의과대학

영아와 어린이들에서 신경외과적 병소는 독특한 임상소견을 가지므로 이에 대한 이해와 대처가 필요하다. 수술 병소, 수술 및 마취에 대한 해부학적, 신경생리적 반응에서의 나이와 관련한 차이는 소아 환자와 성인 환자 사이에 이와 부합하는 임상적인 소견의 차이를 가져오게 된다. 신경외과학의 기술적인 발전과 소아신경외과학, 소아마취과학, 소아중환자 관리의 세부전문화로 인해 중추신경계의 외과적 병소를 가진 소아 환자의 수술적 치료 결과가 급격히 개선되어 왔다. 주술기 관리는 환아의 발달단계에 기초하며, 특히 신생아는 의인성 중추신경계 손상에 취약할 수 있다는 원칙에 입각하여야 한다. 본 단원에서는 신경외과 수술을 받는 어린이 환자의 주술기 마취관리에서 반드시 알아야 할 사항들을 소개하고, 특히 나이에 따라 발달단계별로 어떠한 해부학적, 신경생리적 차이점이 존재하며, 이러한 차이점이 마취관리에 어떠한 영향을 미치는지에 대해 중점적으로 설명하고자 한다.

1. 발달단계별 고려사항

어린 연령에서는 나이에 따라 뇌혈관 생리가 변화하고 머리뼈 발달이 진행한다는 점이 성인과 다른 영아 및 어린이의 신경생리적, 해부학적 특징이므로 이에 대한 이해가 필요하다.

1) 신경생리적 특성

(1) 뇌혈류

뇌혈류(cerebral blood flow)는 뇌대사율(cerebral metabolic rate)과 밀접히 연관이 되는데, 이 두 가지는 출생 직후부터 비례적으로 증가한다. 따라서 뇌혈류는 환자의 나이에 따라 다양하게 변화한다. 컴퓨터 단층촬영(computed tomography, CT) 관류스캔을 이용하여 뇌 전체의 평균 국소뇌혈류(regional cerebral blood flow)를 측정한 연구에 따르면 평균 국소뇌혈류가 생후 첫 6개월 동안 40 ㎖/100 g/min까지 증가하고 2-4세에 약 130 ㎖/100 g/min로 최고점에 도달하며, 이후 감소하여 7-8세에 약 50 ㎖/100 g/min 전후의 성인의 수준으로 안정된다고 하였다. 이러한 변화는 신경해부학적 발달의 결과를 잘 반영해 주는 것이다.

(2) 뇌대사율

어린이의 산소에 대한 뇌대사율(cerebral metabolic rate for oxygen, $CMRO_2$)은 5.2 ㎖/100 g/min로 성인의 3.5 ㎖/100 g/min에 비해 더 높다. 따라서 어린이의 뇌는 성인에 비해 저산소증에 취약하다. 하지만 평상시에 어린이는 상대적으로 높은 $CMRO_2$에 적합하도록 뇌혈류 및 포도당 사용도 증가되어 있다. 신생아는 비교적 낮은 $CMRO_2$(2.3 ㎖/100 g/min)를 가져서 저산소혈증에 대해 상대적 내성을 보인다.

(3) 동맥혈이산화탄소 및 산소분압

동맥혈이산화탄소분압(arterial partial pressure of carbon dioxide, Pa_{CO_2})은 뇌혈관에 강력한 혈관 확장 효과가 있어 Pa_{CO_2}가 증가하면 뇌혈류도 증가하는데, Pa_{CO_2}가 약 26-60 mmHg의 범위에서 이 두 변수는 선형 관계를 가진다. 출생 때 Pa_{CO_2}의 변화에 대한 뇌혈관 반응은 불완전하다. 중등도 저탄산혈증이 신생아의 뇌에 미치는 영향은 성인에 비해 덜하여 뇌혈류량이 심각한 저탄산혈증이 발생할 때까지 상대적으로 거의 변화하지 않는다. 성인에서는 뇌혈관계가 동맥혈산소분압(arterial partial pressure of oxygen, Pa_{O_2})의 변화에 덜 민감하여 Pa_{O_2}가 50 mmHg 이하로 감소할 때까지 뇌혈류가 증가하지 않다가 그 이하로 Pa_{O_2}가 감소하면 기하급수적으로 증가한다. 이에 반해 신생아에서는 Pa_{O_2}의 적은 감소에도 반응하여 뇌혈류가 증가한다.

(4) 뇌혈류의 자동조절

정상 신생아에서 뇌혈류가 일정하게 조절되는 대혈관자동조절(cerebral autoregulation)의 이상적인 평균동맥압(mean arterial pressure) 범위는 20-60 mmHg인데, 이는 출생 전후기(perinatal period) 동안 상대적으로 낮은 뇌대사요구량 및 혈압을 반영하는 것이다. 더욱 중요한 것은 자동조절곡선의 기울기가 이 각각 뇌혈류가 급격하게 떨어지고, 상승한다는 것이다(그림 14-1).

뇌혈관자동조절은 건강한 만삭 신생아에서 잘 보존된다. 그러나 중증 미숙 신생아(critically ill premature neonates)는 뇌혈류와 전신혈압(systemic blood pressure) 간에 선형상관(linear correlation) 관계를 가진다. 이처럼 뇌혈류가 혈압에 직접적으로 비례하여 증감되는 뇌혈류의 압력-수동성(pressure-passivity) 현상은 낮은 재태연령(gestational age)과 출생체중, 전신저혈압을 동반한 미숙아에서 잘 발생한다. 수축기동맥압은 미숙아에서 뇌관류압(cerebral perfusion pressure)의 지표로서 부적합하며, 이완기혈압과 뇌혈류속도가 뇌관류압의 더 좋은 지표일 수 있음을 유의해야 한다. 따라서 엄격한 혈압 조절은 신생아에서 뇌허혈

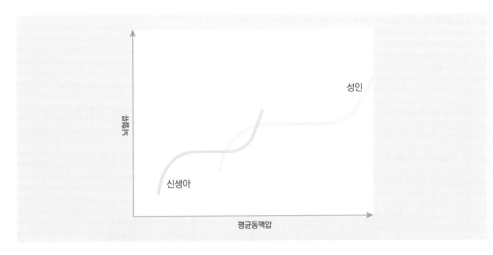

그림 14-1

어린이에서 뇌혈류
(cerebral blood flow)의
자동조절(autoregulation).
자동조절 곡선의 기울기는
곡선의 하한치와 상한치에서
가팔라지며 성인에 비해
신생아, 영아 및
작은 어린이들에서 곡선이
왼쪽으로 이동한다.

및 뇌실내출혈의 위험성을 최소화하는데 필수적이다.

경두개도플러(transcranial doppler) 검사상 뇌혈관자동조절이 유지되는 혈압의 하한치가 영아와 어린이 간에 차이가 없다는 것이 증명되었다. 이 소견은 2세 미만의 소아가 상대적으로 낮은 기저평균동맥압을 가지므로 낮은 자동조절예비력(autoregulatory reserve)을 가진다는 것을 암시하며, 이로 인해 더 큰 뇌허혈의 위험성을 가질 수 있다. 한편 심장폐우회로 (cardiopulmonary bypass)를 사용한 수술을 받는 영아 및 어린이에서 뇌관류에 대한 다양한 방식의 분석 결과 넓은 범위의 자동조절 혈압 하한치를 가진다는 것이 밝혀졌다. 이 결과는 소아환자에서 뇌관류의 가변성을 잘 반영해 주는 소견이며, 현재 사용하는 감시장치들을 통해 뇌관류를 최적화하기에는 아직 제한점이 있다는 사실을 보여준다.

(5) 머릿속압력

Monro-Kellie 가설은 뇌, 뇌척수액 및 두개내혈액의 용적의 합이 일정하다는 것이다. 따라서 일정한 머릿속압력(intracranial pressure)을 유지하려면 어느 하나가 증가하면 나머지 두 개 중 하나 또는 모두가 감소해야 한다. 반대로 어느 하나가 감소하면 다른 것들은 증가한다. 이 가설은 증가된 머릿속압력 또는 감소된 뇌척수액 용적과 관련된 임상 상황에서 유용한 이론적 배경이 되었다. 실제로 두개내저혈압(intracranial hypotension)이나 뇌척수액 용적의 감소를 보이는 많은 자기공명영상(magnetic resonance imaging, MRI)의 이상 소견이 이 가설에 의해 설명될 수 있다. 이러한 이상 소견에는 수막 증강(meningeal enhancement), 경막하 체액저류, 뇌정맥동의 충혈, 척추 경막외정맥신경총의 돌출 및 뇌하수체의 확대 등이 포함된다.

2) 해부학적 특성

(1) 머리의 크기

성인과 영아는 뇌로 가는 심장박출량의 비율이 다르다. 뇌혈류는 생후 첫 6개월 동안 심장박출량의 10~20%이고 다음 6개월과 4세까지 55%까지 증가하여 최고점에 도달한다. 영아와 어린이의 신체에 대한 머리 크기 비율이 성인보다 크므로 영아 및 어린이 머리는 상대적으로 큰 비율의 체표면적 및 혈액량을 가진다(그림 14-2). 이러한 특징으로 인해 나이가 어린 어린이일수록 신경외과수술을 받는 동안 혈역학적 불안정성과 관련한 위험성이 더 커진다.

그림 14-2
나이에 따른 머리의 크기 및 표면적의 변화. 신생아 및 영아의 머리의 크기 및 표면적이 성인에 비해 훨씬 더 크다.

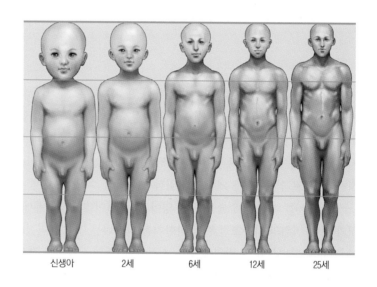

신생아   2세   6세   12세   25세

(2) 두개둥근천장 구조

영아의 두개둥근천장(cranial vault)은 끊임없이 변화하는 유동적인 상태에 놓여 있다. 열려 있는 숫구멍(fontanel)과 머리뼈봉합(cranial suture)은 두개내공간에 완충작용을 제공한다(그림 14-3). 뒤숫구멍은 생후 6개월 정도에 닫히고, 앞숫구멍은 1~1.5세경에 닫히며, 마지막으로 머리뼈봉합의 융합은 좀 느려서 10세 정도에 이르러서야 완전히 닫힐 수도 있다. 영아에서 천천히 커지는 종양이나 출혈로 인한 덩이효과(mass effect)는 대상적으로 팽창하는 숫구멍과 머리뼈봉합의 확장에 의해 종종 은폐된다. 그러나 대량출혈이나 뇌실통로의 폐쇄로 인해 두개내용적이 급성적으로 증가했을 경우에는 미성숙한 두개둥근천장의 팽창에 의해서도 완충되지 못하고 종종 생명을 위협하는 두개내고혈압(intracranial hypertension)이 발생하게 된다.

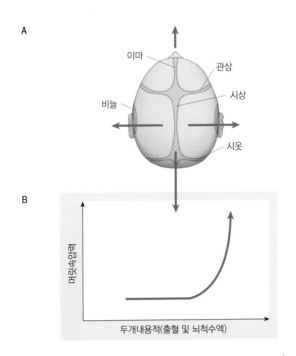

그림 14-3
신생아 및 영아에서
숫구멍과 머리뼈봉합의 역할.
(A) 영아기의 정상 머리뼈봉합.
열려 있는 숫구멍들과
머리뼈봉합은 두개내용적의
점진적인 확장을 허용한다.
(B) 처음에는 두개내용적의
증가에도 불구하고 신생아
머리뼈의 완충작용이
머릿속압력의 증가를 최소화한
다. 그러나 두개내용적(출혈 및
뇌척수액)의 증가가
지속되거나 급격히 증가하면
머릿속압력은 급격히 상승한다.

3) 미성숙한 기관계 기능과 관련한 약리학적 특성

신생아와 영아는 기능적으로 미성숙한 기관계(immature organ system)를 가진다. 신생아의 신장 체계는 감소된 사구체여과율(glomerular filtration rate)과 소변농축능력(urine concen-trating ability)이 특징적이다. 이러한 특징은 염류 및 물의 배설 감소로 나타나고 수액과 용질 부하의 들날쭉변동(fluctuation)에 대한 보상 능력이 제한된다. 따라서 이 시기의 환아에서 소변으로 배설되는 약물들의 반감기가 지연될 수 있다. 간기능 또한 신생아에서 감소되어 있다. 따라서 감소된 간효소의 활성도로 인해 약물의 대사가 지연될 수 있다. 체내총수분량(total body water)은 미숙아 시기에 85%에 달하나, 이후 감소하여 성인 때 65%에 이른다. 반면 체지방함량(body fat content)은 미숙아 시기에 1% 미만, 만삭아 시기는 15%, 성인에 이르러 35%까지 증가한다. 총단백수치(total protein level)도 이와 비슷한 경향을 보인다. 따라서 영아에서 친수성(hydrophilic) 약물은 더 많은 결합부위를 가지는 반면, 소수성(hydropho-bic) 약물은 더 적은 결합부위를 가진다. 이러한 요인들을 종합적으로 고려할 때 일반적으로 신생아에게 투여되는 약물의 체중교정용량(weight-adjusted dose) 및 투여 빈도를 감소시켜야 한다.

2. 수술 전 평가 및 준비

1) 병력청취, 신체검사 및 수술 전 검사

전신마취의 전신 효과와 수술의 생리적 스트레스를 감안할 때, 각 기관계 평가를 수행하여 동반질환을 확인하고 주술기 합병증의 위험성을 증가시키는 잠재적 생리적 장애를 예견하는 것이 필수적이다. 영아와 어린이에서 일반적으로 주술기 마취관리에 있어 주의할 사항들이 표 14-1에 기술되어 있다. 수술 전 검사는 예정된 신경외과 수술의 특성에 맞추어 시행해야 한다. 신경외과 수술과 연관되는 유의한 혈액상실의 위험성을 감안할 때, 적혈구용적율(hematocrit), 프로트롬빈시간, 부분트롬보플라스틴시간을 측정하여 잠행성 혈액질환의 유무를 확인해야 한다. 안장위병변(suprasellar lesion)을 가진 환자는 내분비적 검사를 받아야만 한다. 표 14-2에 신경학적 질환 및 문제점을 가진 소아 환자에서 세부적으로 주의할 사항들에 대해 요약해 보았다.

표 14-1 영아와 어린이의 주술기 마취관리에서 일반적인 주의사항

동반 질환 또는 상태	마취관리상 고려 사항
선천성 심질환	저산소증, 부정맥, 심혈관 불안정, 역설공기색전증
미숙(조산)	수술후 무호흡
위식도역류	흡인성 폐렴
상기도감염	후두경련, 기관지경련, 저산소증, 폐렴
머리얼굴이상(craniofacial anomaly)	어려운 기도관리

표 14-2 신경학적 질환을 동반한 영아와 어린이의 주술기 마취관리에서 세부적인 주의사항

동반 질환 또는 상태	마취관리상 고려 사항
탈신경손상(denervation injuries)	Succinylcholine 투여 후 고칼륨혈증, 비탈분극성 신경근차단제에 대한 저항성, 신경자극에 대한 이상반응
장기간 항경련제 투약	간기능 및 혈액학적 이상, 증가된 마취제 대사
동정맥기형	잠재된 울혈성 심부전
신경근질환	악성고열증, 호흡부전, 급성심장사
키아리기형(Chiari malformation)	무호흡, 흡인성 폐렴
시상하부 또는 뇌하수체 병터	요붕증, 갑상선기능저하증, 부신기능저하증

표 14-3 영아 및 어린이에서 두개내고혈압의 증상 및 징후

영아	어린이	영아 및 어린이
과민성	두통	의식 수준의 감소
팽만한 숫구멍	복시	뇌신경(3, 4번) 마비
벌어진 머리뼈봉합	시신경유두부종	상방주시의 소실(setting sun sign)
머리뼈의 확장	구토	뇌탈출의 징후, 쿠싱반사, 동공변화

　　종결된 의료소송 분석을 통해 신생아 및 영아가 다른 연령의 환자보다 주술기 이환율 및 사망률의 위험성이 더 높다고 밝혀졌다. 호흡기계 및 심장 관련 사고가 이러한 합병증들의 대다수를 차지한다. 많은 어린이 뇌신경 수술들의 시급성을 감안할 때, 철저한 수술 전 평가를 시행하는 것은 어려울 수 있다. 하지만 머리얼굴이상(craniofacial anomaly)이 있는 경우 기도확보를 위해 특수한 기술 및 장비를 요구할 수 있으므로 완벽한 기도평가가 필수적이다.

　　중증 또는 급성 두개내병변을 가지는 어린이는 머릿속압력이 상승할 가능성이 있다. 표 14-3은 영아 및 어린이에서 두개내고혈압의 증상과 징후들을 보여 준다. 이러한 증상과 징후가 관찰될 경우는 숨뇌증상(bulbar symptom) 및 수면장애와 같은 다른 신경학적 이상은 없는 지 함께 조사해야 한다. 두개내고혈압이 동반된 어린이 또는 청소년은 두통과 오심을 호소하지만 영아에서는 과민성 및 식욕저하 등의 비특이적 증상으로 나타날 수 있다. 이러한 환아들에서는 연령별로 세분화된 소아 글래스고혼수척도(Glasgow coma scale)를 이용하여 의식 수준을 정확히 평가해야 한다.

　　선천성 심질환은 출생 직후에 뚜렷하게 구분하기 어려울 수 있고 응급 신경외과 수술을 받는 신생아의 주술기 기간 동안 환아 상태를 악화시킬 수 있다. 따라서 심장초음파검사가 이러한 신생아에서 심장을 평가하는데 도움이 될 수 있고, 소아심장전문의는 의심되는 심장 문제를 가진 환아들에서 수술 전 심장기능을 최적화하기 위해 심장초음파검사를 시행해야 한다.

2) 마취전투약(premedication)

주술기 불안은 신경외과수술을 받는 어린이의 마취관리에 유의한 영향을 미치는데, 어린이의 인지 발달 정도 및 나이와 연관이 된다(표 14-4). 마취전투약으로서 진정제 투여는 수술 전 대기장소로부터 수술실까지 이동을 용이하게 한다. 경구로 투여된 미다졸람(midazolam)은 불안을 경감시키고 기억상실을 유발하는데 특히 효과적이다. 유치정맥카테터(indwelling intravenous catheter)가 삽입된 상태라면 미다졸람을 정맥 내로 천천히 적정 투여하여 진정(sedation)을 유도할 수 있다.

표 14-4　주술기 동안 소아 환자에게 영향을 미치는 인지 발달 요인

연령군	주의할 정서 요인
영아기(0–12개월)	없음; 부모로부터 쉽게 분리됨
학동전기(2–6세)	낯가림(stranger anxiety); 부모로부터 분리가 어려움
학동기(7–12세)	바늘 및 통증에 대한 공포
청소년기(13세 이상)	수술 및 자아상(self-image)에 대한 불안

3) 수술전금식(preoperative fasting)

수술 전 금식요법은 지난 수년 동안 현저히 진전되어 왔고 지역적인 선호도에 따라 다양하게 시행되고 있다. 경구 섭취를 제한하는 목적은 위내용물의 폐흡인의 위험성을 최소화하기 위함이다. 그러나 금식 시간이 연장될 경우 혈량저하증과 저혈당증이 발생할 가능성이 있고 이는 결과적으로 마취 동안 혈역학적 및 대사적 불안정을 일으킬 수 있다. 금식과 관련하여 제시되어 온 많은 권고사항들의 과학적 타당성이 아직 명확히 조사되지 않았을지라도 일반적인 금식 지침은 표 14-5의 내용과 같다.

표 14-5 소아 환자의 일반적인 금식 지침

금식 기간(시간)	금식할 음식 종류
2	맑은 액체(clear liquids)
4	모유
6	분유(infant formula)
8	고형 음식

3. 수술 중 마취관리(intraoperative management)

1) 마취 유도

환아의 수술전 상태는 마취 유도에 사용할 적절한 방법 및 약물의 선택에 영향을 준다. 전신마취의 유도는 주로 세보플루란(sevoflurane)의 흡입을 통해 이루어진다. 이후에 정맥카테터를 거치한 후 비탈분극성 신경근차단제(근이완제)를 주입하여 기관내삽관을 용이하게 한다. 환자가 이미 정맥카테터를 가지고 있는 경우에는 프로포폴(propofol, 2-4 mg/kg) 같은 진정-최면제를 주입하여 마취를 유도한다. 신생아는 프로포폴유발저혈압(propofol-induced hypotension)에 취약하여 특히 수술적 자극이 없을 때 약 30분까지도 지속될 수 있으므로 주의해야 한다. 구역 및 구토 증상을 동반한 환아나 금식 준수시간 내에 음식이나 액체를 섭취한 환아는 흡인성폐렴의 위험성이 있으므로 프로포폴 주입 직후 즉각적인 반지연골누르기(cricoid pressure) 적용 및 속효성(rapid-acting) 신경근차단제 투여를 이용한 빠른연속마취유도(rapid-sequence induction)를 시행해야 한다.

2) 기도 관리

(1) 기도의 구조와 기관내삽관

기도의 해부학 구조는 나이에 따라 발달단계별로 변화하므로 소아 기도 관리에 있어 다음과 같은 성인의 기도와의 차이점들을 파악하고, 이에 따른 기도 손상 및 어려운 기관내삽관 가능성에 대해 유념해야 한다.

① 영아 및 어린이 기도 및 머리의 특징

  i. 돌출한 뒤통수

  ii. 큰 혀

  iii. U자 모양의 늘어진 후두개

  iv. 상대적으로 전상방으로 위치한 후두(소아는 경추 3-4번, 성인은 경추 5-6번 높이에 위치)

  v. 상대적으로 좁은 기도: 과거부터 고전적으로 영아의 후두는 깔때기 모양이어서 반지연골 수준에서 가장 좁아진다고 알려져 있다. 이 특징으로 인해 영아의 기도에 빡빡할 정도로 꼭 맞는 기관튜브를 장시간 삽관, 거치한 경우 점막부종 발생으로 인해 성문하폐쇄(subglottic obstruction)가 초래될 위험성이 커진다. 하지만 최근 발전된 영상기법을 사용한 영아 및 어린이의 기도 분석 연구 결과, 가장 좁은 기도 부위는 윤상 연골이 아닌, 성문의 가로축이며, 소아의 기도는 발달단계에 따라 깔때기 모양에서 원통 모양으로 점점 변하는 것이 아니라, 이미 어릴 때부터 성인과 비슷하게 원통 모양일 가능성이 있다고 하였다. 그렇다 하더라도 여전히 영아 및 작은 어린이에서는 기관튜브의 거치와 관련하여 후두부종이 쉽게 발생하므로 기관튜브 선정에 매우 신중해야 하며, 기낭(cuff)을 가진 기관튜브도 사용할 수는 있지만, 이때는 기낭압을 자주 측정하여 기관손상을 최소화하도록 적절히 조정해야 한다.

② 기관튜브의 선정 및 위치결정

  영아의 기관(trachea)은 상대적으로 짧기 때문에 영아의 머리가 앞쪽으로 굴곡되었을 때 – 뒤머리뼈우묵(posterior fossa)이나 경추로의 뒤통수밑접근법(suboccipital approach)을 위한 체위를 취했을 때 – 기관튜브가 주기관지(mainstem bronchus) 속으로 쉽게 밀려들어갈 수 있다. 따라서 먼저 기관내삽관 동안 기관튜브가 정확한 위치에 있는지 확인하고, 최종적인 환자자세결정(patient positioning) 후 기관튜브가 주기관지로 잘못 위치한 것을 배제하기 위해 양폐야에서 청진을 철저히 시행함으로써 환아에게 수술 중 적절한 환기를 제공하도록 세심한 주의를 기울여야 한다. 수술 중 엎드린 자세(prone position)를 취하는 환아에게 용수철 강화튜브(wire-reinforced tube)가 주로 사용되지만, 코기관튜브(nasotracheal tube)가 가장 적합할 수 있는데, 이는 엎드린 자세에서도 쉽고 안정되게 거치할 수가 있고 머리가 굴곡될 때도 혀 밑에서 잘 꺾이지 않으며, 혀에 대한 압력손상도 방지해 주기 때문이다.

(2) 기관 발관(extubation)

기관 발관의 시점 결정은 어린이 뇌신경수술 후 어려움에 직면할 수 있는 쟁점 중 하나이다. 키아리기형(Chiari malformation)을 가진 환아나 뇌줄기수술(brainstem surgery)을 받는 환아에서 간헐적인 수술후 무호흡, 성대마비가 발생하거나 안정된 호흡 양상이 재개되기 전 여러 형태의 불규칙한 호흡을 보일 수 있다. 또한 심각한 기도부종과 수술후 기도폐쇄 등이 다량의 혈액상실에 따른 대량수혈을 시행한 엎드린 자세의 수술후 합병증으로 발생할 수 있다. 기관지폐형성이상(bronchopulmonary dysplasia)을 가진 영아나 신경근질환을 가진 어린이에서처럼 기존의 폐기능장애가 호흡부전의 발생 또는 우려로 인해 발관을 지연시킬 수 있다. 이러한 경우들에서 표준 기관 발관 기준과 20 ㎝H_2O 미만의 흡기압에서 기관튜브 공기누출(air leak)의 존재는 임상의사가 적절한 발관 시점을 결정하는 데 도움이 될 수 있다. 혀 및 성문상부종은 기도폐쇄를 일으킬 수 있고 직접후두경검사로 진단할 수 있다. 부종이 심할 때, 중환자실에서 수술후 폐환기보조, 두부거상자세 및 점진적인 강제 이뇨를 시행하면 24시간 이내에 상태가 호전된다.

3) 환자자세결정(patient positioning)

신생아나 영아는 신체 크기가 매우 작고 약하기 때문에 신경외과 및 마취통증의학과 의사 모두가 환아에게 적절한 접근이 가능하면서 환자자세가 미치는 생리적 영향을 최소화하고 잠재적 손상을 방지할 수 있도록 수술 전에 환자자세 및 위치결정에 대한 계획을 수립할 필요가 있다(표 14-6). 머리뼈절개술 및 경추 수술에서 머리뼈를 고정하는 표준 방법은 Mayfield 프레임을 이용한 고정이다. 그러나 영유아는 얇은 머리뼈를 가지고 있어서 골절과 경막외출혈의 위험성이 더 높다. 따라서 나이에 맞는 고정 핀을 사용하고 고정할 때 장력(tension)의 크기도 적절하게 적용해야 한다.

(1) 엎드린 자세(prone position)

엎드린 자세는 일반적으로 뒤머리뼈우묵(posterior fossa), 척추 및 척수(spinal cord) 수술에 사용된다. 소아 환자에서 앉은 자세는 잘 사용되지 않고 있지만, 엎드린 자세로 환기가 어려울 수 있는 비만 환아에게는 적합할 수 있다. 엎드린 자세의 생리적인 후유증 외에도, 광범위한 다양한 부위에서의 압박 및 신전 손상이 보고되어 왔다. 이를 방지하기 위해 가슴과 골반 쪽에 패딩(padding)을 적용하여 몸통을 지탱하고, 말굽 모양의 머리 받침을 사용할 경우는 부드러운 솜으로 받침에 닿는 얼굴 부위를 보호하고, 특히 눈이 눌리지 않는 지 반드시 잘 확인을 해야 한다. 또한 자유로운 복벽의 움직임을 보장하는 것이 중요한데, 이는 복벽이

표 14-6 환자자세결정(patient positioning)에 따른 주요 생리적 변화

자세	생리적 영향
두부 거상	뇌의 정맥혈배출의 증강 뇌관류압의 감소(잠재적 뇌혈류 감소) 하지의 정맥혈 정체 증가 기립성 저혈압
두부 하강	뇌정맥압 및 머릿속압력의 증가 폐의 기능잔기용량의 감소 폐순응도(lung compliance)의 감소
엎드림	얼굴, 혀, 목 등의 정맥울혈 폐순응도의 감소 복압의 증가에 따른 하대정맥 압박
옆누움	아래쪽 폐의 순응도 감소

눌려서 복강내압이 증가하면 환기가 악화되고 하대정맥이 압박되어 경막외정맥압(epidural venous pressure)과 출혈이 증가할 수 있기 때문이다. 겔(gel) 유형의 부드러운 가슴말이(chest roll)는 일반적으로 압력 손상을 방지하면서 복부 및 흉부 압력의 증가를 최소화하기 위해 흉부 측벽과 엉덩이를 높이고 지지하는 데 사용되며, 또한 이를 사용함으로써 공기색전을 조기 발견하기 위해 사용되는 전흉부 도플러 탐색자(precordial doppler probe)가 압박궤양(pressure sores)의 유발 가능성 없이 가슴에 부착, 적용될 수 있다.

(2) 머리의 위치 및 관련 합병증

많은 신경외과 수술은 수술 부위에서 정맥혈 및 뇌척수액 배출을 용이하게 하기 위해 환아의 머리를 약간 올린 자세로 수행된다. 그러나 이러한 자세에서 시상굴압(sagittal sinus pressure)이 머리 높이가 증가함에 따라 감소하고 정맥공기색전증(venous air embolism)의 가능성이 증가한다. 과도한 머리 굴곡은 종양이나 키아리기형과 같은 뒤머리뼈우묵쪽 병변을 가진 환아에서 뇌줄기 압박을 유발할 수 있다. 더욱이 머리의 과도한 회전은 목정맥(jugular vein)을 압박할 수 있으며, 이는 정맥혈복귀(venous return)를 방해하여 뇌관류의 손상 및 머릿속압력과 정맥 출혈의 증가를 일으키므로 주의해야 한다.

4) 혈관 통로 확보

신경외과 수술 중 작은 영유아에게 접근이 제한될 수 있기 때문에 수술 시작 전에 최적의 정맥내 통로를 확보하는 것이 필수적이다. 일반적으로 큰 구경을 가진 정맥삽입관 두 개를 확보하면 대부분의 머리뼈절개술에서 충분하다. 말초혈관통로의 확보가 실패하면 중심정맥관 삽입이 필요할 수 있다. 목정맥의 관삽입이 가능하나 머리의 굴곡이나 회전 등의 자세 변경에 따른 정맥로폐쇄 가능성을 미리 예견하고 나서 시행해야 한다. 대퇴정맥의 관삽입은 쇄

골하정맥카테터삽입과 관련한 기흉의 위험을 피하며, 대뇌정맥혈복귀에 영향을 미치지 않는다. 또한, 대퇴부 카테터는 머리에서 조작하는 동안 더 쉽게 접근할 수 있다. 머리뼈절개술 중에는 상당한 혈액상실과 혈역학적 불안정이 발생할 수 있으므로 동맥카테터를 거치하여 직접적인 혈압감시와 혈액가스분석을 위한 혈액채취를 시행한다.

5) 마취 유지

(1) 균형마취

세보플루란은 영아와 어린이의 마취 유도 및 유지를 위한 주요 마취제이며, 그 다음으로 아편유사제와 저용량(0.2-0.5%)의 이소플루란(isoflurane)이 마취 유지를 위해 많이 사용된다. 아산화질소의 사용은 뇌혈류 및 뇌대사율을 증가시킬 수 있기 때문에 머릿속압력이 증가한 환아에서는 피해야 한다. 또한 아산화질소는 공기로 채워진 체내 공간에 확산되는 특성이 있어 수술후 공기머리증을 악화시키고 머릿속압력을 상승시킬 위험성이 존재하므로 주의해야 한다. 수술 중 환자의 움직임을 피하고 마취제의 요구량을 최소화하기 위해 비탈분극성 신경근차단제를 사용한 깊은 신경근 차단(deep neuromuscular blockade) 상태를 유지할 수 있다. 하지만 어린이 환자에서 마취중 각성의 빈도가 0.8% 정도로 성인에서보다 높게 보고되고 있으므로 주의해야 한다. 장기간의 항경련제 치료를 받은 환아는 항경련제에 의해 유도된 효소 대사로 인해 더욱 많은 양의 신경근차단제와 아편유사 진통제 투여를 필요로 한다. 신경외과 수술 동안 운동 기능의 평가가 계획되었을 때는 신경근차단제 투여를 보류하거나 그 효과가 적절히 사라지도록 주의하여 투여해야 한다.

(2) 전정맥마취

전정맥마취(total intravenous anesthesia)도 유용하게 사용할 수 있는데, 어린이 환자에서 전정맥마취 사용의 일반적인 적응증에 대해 표 14-7에 정리하였다. 특히, 어린이 신경외과 수술 중 유발전위(evoked potential) 감시가 필요한 일부 뇌종양수술 및 척추 수술(척추측만증, 척수종양 등), 동반질환으로 근육 및 대사질환을 가진 경우 등에서는 흡입마취제 및 신경근차단제의 투여를 가급적 배제한 전정맥마취가 권고된다. 하지만 전정맥마취에서 주로 사용하는 정맥마취제인 프로포폴은 현재 국내에서 3세 이하의 소아에서 사용하지 말도록 권고되어 있고, 성인에서와 같이 소아에서 사용가능한 프로포폴의 목표농도조절주입(target controlled infusion) 방법이 여러 가지 제한점으로 인해 널리 보급되지 못한 상황이다. 그렇다 하더라도 최근 국내에서 개발되어 만 2-12세에서 사용가능한 Kim HS모형, 최근 국내에 상용화되기 시작한 만 1세, 체중 5 kg 이상에서 사용가능한 Paedfusor 및 Kataria 모형이 탑재된 목표농도조절주입펌프를 사용한다면 보다 안전하고 효과적인 프로포폴 정맥마취의 제공이 가능할 수 있다.

표 14-7 어린이 환자에서 전정맥마취 사용의 일반적인 적응증

환자 요인	악성고열증(malignant hyperthermia)의 병력, 감수성 또는 위험성 근디스트로피, 중심근병(core myopathy), 신경근육질환 수술후 구역/구토의 이전 병력, 멀미의 과거력 각성 섬망(emergence delirium)의 위험성 및 이전 병력 급성 또는 만성 반응성 기도(reactive airway)의 병력 안면마스크에 대한 공포 및 거부 알레르기 위험성의 최소화
수술적 요인	기도 수술 또는 공유된 기도 시술(shared airway procedure) 유발전위감시의 요구(예, 척추측만증 수술) 신경외과 수술 중이 수술 높은 수술후 구역/구토 빈도를 갖는 수술(예, 사시수술, 편도/아데노이드 수술)
시술특성요인	수술장외 마취(예, 자기공명영상 검사실) 신경근육질환 진단을 위한 근생검

(3) 신경독성

마취제유발 신경독성(anesthetic-induced neurotoxicity)은 전임상보고에서 완전히 입증되었지만, 후향적 임상연구 분석상 아직 결론에 이르지는 못하였다. 하지만 극도의 저체중 출생아는 신경학적 및 인지기능적으로 나쁜 결과를 가진다고 잘 알려져 있다. 뇌의 관류저하로 인한 뇌손상, 대사장애, 동반질환 및 수술 등이 신생아와 영아의 신경학적 결과를 악화시킬 가능성이 있다. 따라서, 이러한 취약한 환자들에서는 수술 중 저혈압, 저탄산혈증이 방지되어야 하고 산소화, 혈당 및 체온을 적극적으로 적절하게 관리해야 한다.

6) 수술 중 수액 및 전해질, 수혈, 혈당과 뇌부종 관리

(1) 수액 및 전해질 관리

머리뼈절개술 동안 혈역학적 안정성을 유지하기 위해서는 혈관내용적과 전해질의 주의 깊은 관리가 필요하다. 갑작스런 실혈이나 정맥공기색전증의 발생은 급속히 혈역학 상태를 악화시켜 심혈관 붕괴까지 초래할 수 있다. 따라서 정상 혈액량 상태가 수술 전반에 걸쳐 유지되어야 한다. 환자의 혈액량을 추정하는 것은 허용가능한 실혈량과 수혈을 시작할 시점을 결정하는 데 필수적이다. 혈액량은 표 14-8에 명시된 바와 같이 환자의 나이와 신체 크기에 따라 다르다. 생리식염수는 경도의 고장성 용액이어서 뇌부종을 감소시켜 주기 때문에 신경외과 수술 중 유지 수액으로 흔히 사용된다. 그러나 많은 양의 생리식염수(>60 mℓ/kg)를 급속주입하면 고염소혈증성산증(hyperchloremic acidosis)의 발생과 연관될 수 있다. 신생아나 영아의 비교적 큰 혈액량을 감안할 때, 유지 수액 투여의 속도는 환자의 체중에 의해 결정된다(표 14-9).

표 14-8 　 소아의 연령별 추정혈액량

시기(나이)	추정혈액량(㎖/kg)
조산아	100
만삭아	90
영아(1세 이하)	80
2-12세	75
청소년(13세 이상)	70

표 14-9 　 유지 수액 투여의 속도(일명 4-2-1 법칙)

체중(kg)	투여 속도
≤10	4 ㎖/kg/h
10-20	40 ㎖ + 10 kg을 초과하는 매 kg당 2 ㎖/kg/h
≥20	60 ㎖ + 20 kg을 초과하는 매 kg당 1 ㎖/kg/h

(2) 수혈 관리

영아와 어린이의 대부분의 머리뼈절개술에서 유의한 출혈이 있을 수 있으므로 최대허용실혈량(maximum allowable blood loss)을 미리 결정해야 마취전문의가 혈액을 환아에게 수혈해야 하는 시점을 알 수 있다. 그러나 혈액 수혈의 기준에 대한 단일지침은 없으며 수혈 여부의 결정은 수술의 유형, 환아의 기저건강상태, 수술 중후 추가적 실혈의 가능성에 따라 판단되어야 한다. 단, 적혈구용적률이 21-25%가량까지 낮아졌을 때 수혈을 고려할 수도 있다. 10 ㎖/kg가량의 농축적혈구 수혈은 적혈구용적률을 10%까지 올려준다. 처음에는 실혈량의 보충을 위해 상실된 혈액 1 ㎖당 3 ㎖의 생리식염수나 실혈량과 동일한 양의 5% 알부민과 같은 콜로이드를 투여해야 한다. 수술 범위 및 시간과 혈관상(vascular bed)의 노출 정도에 따라 3-10 ㎖/kg/h의 추가 수액 투여가 필요할 수 있다.

(3) 혈당 관리

소아 환자, 특히 영아는 저혈당(hypoglycemia) 발생의 위험성이 크다. 글리코겐 저장량이 제한적이고 포도당신합성(gluconeogenesis)이 제한된 작은 미숙아들은 적절한 혈당 수준을 유지하기 위해 포도당을 분당 5-6 mg/kg 정도로 지속주입해야 한다. 수술은 스트레스 반응을 유발시키므로 어린이들은 일반적으로 외인성 포도당 투여 없이 정상 혈청 포도당 수준을 유지할 수 있다. 하지만 금식 시간이 길어질수록 영아 및 어린이에서 의도하지 않은 저혈당이 발생할 수 있기 때문에 빈번한 혈당 측정이 권장된다. 최근 주술기의 엄격한 혈당 조절이 수술후감염을 감소시키지만 여전히 저혈당 발생의 위험성을 과도하게 증가시킨다는 일부 연구 결과가 있다.

(4) 뇌부종(cerebral edema) 관리

뇌부종은 초기에는 과다호흡(hyperventilation)을 유도하고 머리를 심장 위로 거상시켜 치료할 수 있다. 이러한 조작들(maneuvers)이 실패하면 만니톨(mannitol)을 0.25–1.0 g/kg의 용량으로 정맥내로 투여할 수 있다. 이 약제는 일시적으로 대뇌혈역학을 변화시키고 혈청삼투질농도(serum osmolality)를 10–20 mOsm/kg까지 증가시켜 준다. 그러나 만니톨의 반복 투여는 극단적인 고삼투질농도, 신부전 및 나아가서 뇌부종마저 유발할 수 있다. 푸로세미드(furosemide)는 급성 뇌부종을 감소시키는데 있어 만니톨의 유용한 보조약이며, 체외(in vitro) 시험에서 만니톨에 의한 반동성종창(rebound swelling)을 방지하는 것으로 나타났다. 이뇨제를 사용하는 경우 소변배출량을 혈관내용적 상태의 반영 지침으로 사용하기 어렵다.

7) 감시

(1) 혈역학 감시(hemodynamic monitoring)

① 침습적 동맥압 및 중심정맥압 감시

주요 머리뼈절개술 및 척추 수술을 받는 환자는 출혈, 정맥공기색전증, 뇌탈출증후군(brain herniation syndrome) 또는 뇌신경의 조작 등으로 인하여 갑작스러운 혈역학적 불안정의 위험에 처할 수 있다. 대뇌관류저하의 가능성이 있는 경우 일반적으로 지속적인 혈압감시를 위한 동맥삽입관을 거치한다. 중심정맥도관삽입술의 유용성은 논란의 여지가 있다. 성인에서 다중주입구멍(multiple-orifice)을 가진 카테터의 목정맥 또는 쇄골하정맥 삽입술은 특히 정맥공기색전증이 우려될 때 선호된다. 그러나 이러한 다중주입구멍 카테터는 영아 및 대부분의 작은 어린이들에게 너무 커서 카테터삽입술과 관련한 합병증이 발생할 수 있으므로 어린이 신경외과 수술에서는 잘 사용되지 않는다. 더욱이 중심정맥압의 감시는 작은 어린이의 혈관내용적을 정확하게 반영하지 않을 수 있다. 따라서 중심정맥도관 거치의 위험성이 그 이득보다 클 수 있다. 정맥공기색전증이 발생하더라도 단일주입구멍 카테터는 공기 흡인에 성공하지 못하는 경우가 많은데, 이는 이러한 환아들에게 사용된 작은 구경 카테터의 높은 저항 때문인 것으로 추정된다.

② 정맥공기색전증 감시

정맥공기색전증은 영아와 어린이의 여러 머리뼈절개술 동안 주로 발견되어 왔는데, 주된 이유는 작은 어린이의 머리가 신체의 나머지 부분에 비해 더 커서 엎드린 자세나 누운 자세에서 심장보다 높게 위치하기 때문이다. 표준 신경외과 수술의 환자자세는 뇌의 정맥혈 배출을 최적화하기 위해 환자 머리의 들어올리기를 종종 포함한다. 그러나, 이 수기는 뼈와 공동(sinus)의 열린 정맥 통로를 통해 정맥계로의 공기 혼입의 위험을 증가시킬 수 있다.

심장 결함이 있고 우좌션트(right-to-left shunt)의 가능성이 있는 환아(예: 타원공[foramen ovale] 및 동맥관개존증[patent ductus arteriosus])는 역설공기색전증(paradoxical air embolism)의 위험에 노출되어 있으며, 뇌경색 및 심근경색으로 이어질 수 있다. 전흉부 도플러 초음파(precordial Doppler ultrasound) 장치는 미세한 정맥공기색전을 검출할 수 있으며, 상당한 혈역학적 불안정이 나타나기 전, 조기에 정맥공기색전증을 발견하기 위해 모든 머리뼈절개술에서 호기말이산화탄소분압측정술(capnography) 및 동맥카테터와 함께 일상적으로 사용해야 한다. 도플러 탐색자는 앞가슴 – 대개 제4 늑간(즉, 젖꼭지 라인)에서 흉골의 바로 위나 오른쪽 – 에 위치하는 것이 가장 좋다. 엎드린 자세를 취한 약 6 kg 이하의 영아에서는 도플러 탐색자 위치의 대체 장소로서 등쪽 흉부에 부착할 수 있다. 정맥공기색전증이 발생했을 경우 도플러 소리의 특징적인 변화 외에도, 호기말 이산화탄소 분압의 급격한 감소, 부정맥, 심전도의 허혈성 변화, 또는 이 변화들의 조합이 관찰될 수 있다.

(2) 마취깊이 감시

과거에 마취깊이를 평가하는데 사용했던 환자의 움직임, 발한, 혈역학 수치 등은 비특이적인 소견으로 특히 심박수가 빠르고 혈압이 낮은 어린 소아 환자에게 적용하기에는 부적합하다.

마취유도 및 유지를 위해 흡입마취제를 사용하는 경우에는 최소폐포농도(minimal alveolar concentration, MAC)를 기준으로 감시, 투여하면 마취유지 및 회복 시기에 환아의 의식 상태를 예측할 수 있다. 반면에 프로포폴과 같은 정맥마취제를 주마취제로 사용하는 전정맥마취의 경우는 50% 유효농도나 목표농도조절주입에서의 효과처농도, 두 가지 방식 모두 실제로 소아 환자에게 마취유지 동안 지속적으로 적용 또는 확인하기가 어려워 마취 깊이를 예측하기 힘들다.

따라서 이때 마취깊이를 측정하기 위해 개발된 가공뇌파(processed electroencephalogram) 감시장치를 사용하는 것이 바람직한데, 그 중 대표적인 bispectral index (BIS) 감시를 사용하여 전신마취 중 특정 BIS 값으로 마취제를 적정한 연구들에서 2세 이상의 어린이에게 마취제 투여량을 줄이고 마취로부터 회복이 빨라지는 장점이 있었으나 아직 2세 미만 영아에서의 유용성은 신뢰하기 어렵다고 하였다. 또한 머리뼈절개술을 받는 경우 그 절개 부위에 따라 BIS센서의 정위치(이마접근법) 부착이 어려운 경우가 있어 다른 부위(뒤통수접근법 및 귀뒤쪽접근법)에서 BIS를 감시한 연구들이 보고되었는데, 다른 부위에서 측정한 BIS는 마취깊이의 변화를 반영하는 경향을 보이기는 하나 감시오차를 최소화하기 위해서는 정위치 센서부착이 매우 중요하다고 하였다.

한편 여러 가지 신경외과적 병리(천막위 및 천막밑종양, 동맥류, 동정맥기형, 척추병리 등)로 인해 신경외과 수술을 받는 많은 환자에서 BIS감시는 센서 부착이 불가능한 양쪽이마밑접근법(bifrontal approach) 수술을 제외하고는 거의 모든 환자에서 마취 동안 최면 상태를 잘 반영했다고 보고하였고, 특히 뇌전증 수술, 신경생리감시를 포함한 척추 수술, 각성하 개두술

(awake craniotomy), 중증 심장질환, 대량출혈, 신경외과 수술을 받는 임신환자 등에서 마취 깊이를 감시하는데 가장 장점이 있다고 하였다.

따라서 이러한 BIS감시의 유용성과 제한점에 대해 충분히 이해하고 환아 및 수술의 특성에 맞게 사용한다면 신경외과 수술을 받는 어린이에게 적절한 마취깊이를 제공해 줄 수 있을 것이다.

(3) 신경생리감시

신경생리감시(neurophysiologic monitoring)의 발전은 뇌 및 척수의 기능 영역에서 보다 확실한 신경외과적 절제를 안전하게 수행할 수 있는 능력을 향상시켜 주었다. 그러나 많은 마취 약제들의 신경생리감시에 대한 억제 효과는 이러한 감시의 유용성을 제한한다. 따라서 수술 전 계획의 주요 부분에 주술기 기간 동안 신경생리감시의 양식과 유형에 대한 철저한 논의를 포함시켜야 한다.

① 뇌의 기능통합감시(monitoring of the functional Integrity of the brain)
  i. 뇌전증병소의 확인 및 절제 범위 결정
    겉질뇌전도검사(electrocorticography)는 경막이 열린 후 뇌 표면에 거치된 격자(grid) 및 얇은 띠(strip) 형태의 전극을 통해 다원기록기(polygraph)에 뇌파 및 자극에 대한 반응을 지속적으로 기록하는 감시장치이다. 일부 뇌전증유발병소(epileptogenic foci)는 언어, 기억력, 운동 기능 또는 감각 기능을 조절하는 겉질 부위와 매우 가깝기 때문에 환아에게 겉질뇌전도검사를 적용하여 전기생리반응을 감시함으로써 이러한 정상기능부위의 의인성 손상을 최소화한다. 전신마취를 받는 어린이에서 운동 영역에 거치된 띠 형태의 전극을 사용한 겉질 자극의 반응 측정은 근전도(electromyography) 또는 근육 운동의 직접적인 시각관찰을 통해 이루어지므로 사전에 신경근 차단제의 투여는 중단해야 한다. 50-80 msec의 발작간극파(interictal spike) 또는 80-200 msec의 예파(sharp wave)로 구성되는 전기도발작(electrographic seizure) 또는 극파활동(spike activity) 소견이 기록상 명확히 나타난다면 뇌전증유발활동(epileptogenic activity)이 일어나는 부위라고 판명할 수 있다. 마취 동안 낮은 농도의 휘발성 흡입마취제와 아편유사제만을 병행하여 주의 깊게 투여하면 이러한 뇌파신호가 억제되지 않으면서 원하는 감시를 수행할 수 있다.
  ii. 뇌종양의 절제 범위 확인
    뇌의 중요한 기능담당영역에 종양이 위치하는 경우, 성인에서는 각성하 개두술을 시행하여 중요기능영역을 보존하면서 종양을 절제하지만, 어린이나 청소년에서는 각성하 개두술에 대한 협조가 잘 되지 않아 수술 진행이 어려운 경우가 많다. 이러한 경우 앞에서 언급한 뇌전증병소의 확인 및 절제와 마찬가지로 수술 중 시각 및 청각유발전위, 몸감각 유발전위(somatosensory evoked potential), 근전도와 같은 각종 신경생리감시를 해당 뇌부위의 특성에 맞게 선택, 적용하여 뇌겉질로부터 주요 신경로를 지나 뇌신경으로 이어지는 일련의 감각 및 운동 신호 전달 과정을 통합적으로 평가, 관리함으로써 중요영역의 손상을 방지하면서 안전하게 종양을 제거할 수 있다.

② 각성하 개두술(awake craniotomy)(1장 p14 참조)

뇌의 기능 영역에서 뇌전증유발병소의 외과적 절제술은 전신마취 환자에서 유의한 신경학적 결손을 초래할 수 있다. 신경 기능은 깨어 있고 협조가능한 환자에서 가장 잘 평가되므로 앞서 설명한 깊게 마취된 환자에서 겉질뇌전도검사만을 이용한 절제술보다 각성하 개두술을 수행하는 것이 보다 안전하고 정확한 방법일 수 있다. 이 기술의 성공을 위해서는 환자자세결정이 매우 중요하다. 반측와위(semilateral position)가 외과적 접근 및 마취과적 기도관리 접근을 용이하게 하고, 환자의 관찰이 수월할 뿐만 아니라 환자를 편안하게 할 수 있어서 가장 좋다.

겉질 자극에 의한 근육운동 또는 감각변화의 유도를 통해 해당기능을 담당하는 운동 및 감각 겉질 부위를 확인하는데 이를 뇌겉질기능위치화(cerebral cortical localization)라고 한다. 언어기능부위는 대뇌겉질 자극으로 언어정지(speech arrest)를 유발함으로써 확인된다. 언어기억은 해마 또는 외측 측두엽 겉질을 자극하여 검사한다. 뇌의 주요기능영역의 절제술 동안 진정 및 진통을 위해 국소마취와 프로포폴 및 펜타닐(fentanyl)을 이용한 머리뼈절개술을 받는 어린이에서 자극 검사 20분 전 프로포폴을 중단하면 겉질뇌전도검사가 방해받지 않을 만큼 환아가 각성할 수 있고, 10세 이상의 협조적인 어린이는 별 문제없이 수술을 견딜 수 있다. 레미펜타닐(remifentanil)과 프로포폴 조합 또는 덱스메데토미딘(dexmedetomidine)을 이용한 진정 또한 어린이에게 사용할 수 있다. 이때 BIS감시를 수행하는 것이 환아의 의식 상태를 파악하는데 도움이 될 수 있다.

하지만 여전히 어린이들을 대상으로 각성하 개두술을 수행하는 것은 현실적으로 매우 어렵고 보편적인 방법은 아니며, 반드시 환아가 성숙하고 심리적으로 이 과정에 참여할 준비가 되어 있어야 한다. 따라서 발달이 지연되거나 중증의 불안이나 정신적 장애가 있는 환아는 각성하 개두술의 대상이 아니다. 영유아는 일반적으로 이러한 과정에 협조할 수 없으므로 주요기능겉질의 부주의한 절제를 최소화하기 위해 광범위한 신경생리 감시를 동반한 전신마취가 필요하다.

③ 척수 및 척수신경뿌리의 기능통합감시

척수(spinal cord) 및 척수신경뿌리(spinal nerve root) 수술을 받는 환자는 허혈성 및 외상성 손상의 위험성이 있다. 척수 또는 척수신경뿌리 종양의 절제 도중 신경 손상이 발생할 위험을 정확히 평가하기는 어렵지만, 척수에 혈액을 공급하는 혈관의 압박이나 종양 자체의 절제에 의해 신경 손상이 발생, 악화될 수 있다. 마찬가지로, 뇌줄기수술은 뇌줄기에 위치하는 생명중추핵(vital nuclei)과 척수 경로들을 허혈과 직접적인 손상의 위험에 노출시킨다. 이러한 요인들 때문에 척수, 척수신경뿌리 및 뇌줄기 수술 중 신경생리 감시는 반드시 필요하다.

i. 몸감각유발전위

몸감각유발전위(somatosensory evoked potential, SSEP) 감시는 감각신경의 자극에 의해 유발되는 전위를 측정하는 감시장치로서 주로 척수의 등쪽(감각) 경로의 통합성을 평가한다. 정중, 경골, 드물게 장딴지 신경에 일정하게 주어지는 전류 자극에 대한 반응이 두피에 위치한 표면 전극 또는 신경외과 의사가 경막외에 위치시킨 양극성 전극을 통해 기록된다. 수술 도중 발생 가능한 신경기능장애를 구분하고 수술 동안 감시의 가능성을 평가하기 위해 먼저 기저 SSEP를 결정, 기록하고 나서 마취 및 수술 동안 지속적으로 SSEP의 잠복기(latency)와 진폭(amplitude)을 감시, 기록한다. SSEP감시를 통해 척수의 외과 조작 도중 손상 위험성이 있는 척수로(spinal tract)의 실시간 검사가 가능한데, SSEP 진폭의 50% 이상 감소가 신경손상을 암시하는 중요 소견이다. 하지만 많은 마취제들이 SSEP의 잠복기와 진폭에 영향을 미치는데 주로 잠복기를 연장시키고 진폭을 감소시킨다. 이때 두피 전극을 통해 기록된 대뇌겉질반응은 경막외에서 기록된 반응보다 마취제의 효과에 더 민감하다. 또한 여러 생리적인 요인들도 SSEP에 영향을 미치는데 저체온증, 저산소증, 고탄산혈증 등도 SSEP를 억제할 수 있으므로 SSEP반응의 억제 소견이 발생하였을 때 이러한 점들에 대한 충분한 고려와 해석이 필요하다.

신경외과 및 정형외과 수술을 받는 어린이에서 SSEP감시는 성인에서보다 전신마취의 억제 효과에 더 민감한 것으로 보인다. SSEP의 대뇌겉질반응은 10세 미만의 어린이와 척수형성이상(myelodysplasia) 또는 뇌성마비가 있는 어린이에서 덜 신뢰할 만하다. 하지만 이러한 환아들로부터 얻은 SSEP가 비록 감쇄된 대뇌겉질반응을 보였을지라도 비교적 강한 신호가 경추로부터 기록되었다고 보고되었다. 신경근 차단은 SSEP반응에서 근육에 의한 인공물(artifact)을 줄여 준다.

ii. 운동유발전위

겉질척수로(corticospinal tract)의 통합성은 운동겉질에 자기 또는 전기 자극을 준 후 그에 상응하는 근육군(주로 상지는 짧은엄지벌림근 및 새끼벌림근, 하지는 앞정강근 및 엄지벌림근)에서 복합근육활동전위(compound muscle action potential)를 감지하는 운동유발전위(motor evoked potential, MEP)에 의해 평가될 수 있다. 즉, MEP감시는 운동겉질과 하행운동경로(descending motor pathway)를 평가한다.

MEP는 자극을 주고 기록하는 위치 및 방법에 따라 신경운동유발전위(neurogenic MEP), 경막외운동유발전위(epidural [or spinal] MEP, D [direct]-wave) 및 근육운동유발전위(muscle MEP)로 나눌 수 있다. 즉, MEP감시는 손상되지 않은 피부(주로 두피)를 통해 뇌 또는 척수의 운동 영역을 자극하거나, 노출된 신경세포조직을 직접 자극하거나, 또는 직접적으로 척수신경뿌리를 자극(예, 계류척수증후군[tethered cord syndrome]에서 유착된 척수를 박리할 때)한 후, 자극에 대한 반응으로 복합근육활동전위 또는 날복합신경활동전위(efferent compound nerve action potential)를 기록하는 방식으로 수행된다. 다중파동 경두개자극(multiple pulse transcranial stimulation)은 적절한 크기 및 모양의 말초근육신호를 얻기 위해 필요한 자극 세기의 역치를 탐지하기 위해 점진적으로 에너지를 올리면서 대뇌겉질을 자극하는 방식이다. 이때 영아와 작은 어린이는 적절한 MEP 반응을 얻기 위해 더 높은 문턱전압(threshold voltage)과 더 긴 파동열(pulse trains)이 필요하다. 이러한 방식으로 수술전 결정된 자극 강도로 수술 중 간헐적인 경피적 전기 또는 자기 자극을 가하여 MEP를 측정하는데, 동일한 MEP를 유도하기 위하여 필요한 자극의 강도가 대개 기준치의 50% 이상 증가한 경우가 척수 손상의 민감한 표지자가 될 수 있다.

MEP는 일반적으로 SSEP보다 마취제의 억제 효과에 더욱 민감하다. 모든 휘발성 흡입마취제와 아산화질소는 muscle MEP에 대해 용량-의존적 억제 효과를 가진다. 특히, 신경근차단제는 이를 강력히 억제하므로 가급적 사용을 피하는 것이 좋다. 케타민, 프로포폴, 또는 에토미데이트(etomidate)의 지속주입은 대개 MEP를 잘 보존하므로 MEP 감시수술에서 일상적으로 사용되어 왔다. 복합근육활동전위가 아닌 복합신경활동전위를 측정하는 neurogenic MEP와 D-wave의 경우에는 신경근차단제의 투여에 의해 억제되지 않는다.

SSEP와 MEP감시는 각각 척수의 감각경로와 운동경로에 국한된 검사이다. 따라서 전반적인 척수 및 척수신경뿌리의 기능통합감시는 SSEP와 MEP의 병용감시를 수행할 때 가능해진다.

iii. 신경뿌리감시(nerve root monitoring)

계류척수증후군 및 경직(spasticity)에 대한 신경외과 수술은 척수신경뿌리의 확인 및 박리 동안 근전도감시를 사용한다. 척추유합부전(spinal dysraphism)으로 인한 계류척수증후군은 척수막탈출증(myelomeningocele), 종말끈(filum terminale)의 섬유지방종, 숨은척추갈림증(spina bifida occulta) 및 이전의 척추 수술 후 발생한 유착과 같은 상태들과 관련된 질환이다. 이 질환을 가진 환아에서 기능성 척수신경뿌리의 시각화 및 확인이 어려울 수 있어 수술적 박리 도중 의도하지 않은 손상을 초래할 수 있다. 이때 근전도감시는 기능성 척수신경뿌리를 확인하는 데 도움이 될 수 있다. 외부 항문 및 요도(여자의 경우) 괄약근에 근전도 전극을 거치하면 음부 신경(pudendal nerve, S2-S4)을 지배하는 신경뿌리를 지속적으로 감시할 수 있다. 풍선 압력계를 방광에 삽입하고 자극 중 압력 변화를 기록하면 배뇨근 기능을 평가할 수 있다. 또한 앞정강근과 장딴지근육의 움직임과 유발 활동전위는 시각적으로 또는 근전도에 의해 감지될 수 있다. 투명한 멸균 비닐 포(drape)를 사용하여 수술 동안 신생아나 미숙아를 덮어 주면 감염이나 손상을 방지해 주고 체온

유지에 도움이 될 뿐만 아니라 신경뿌리감시 중 근육 수축 및 움직임을 쉽게 관찰할 수 있다. 이때 근육 활동을 감지할 수 있도록 신경근차단제 투여는 중단해야 한다. 휘발성 흡입마취제와 아편유사제는 근육활동전위를 유의하게 방해하지 않는 것으로 보이며, 직접적인 신경뿌리자극이 종종 유의한 교감신경반응과 통증을 유발하기 때문에 환아에게 깊은 마취를 제공해야 한다.

(4) 척추 수술에서 수술 중 각성 검사(wake up test)

전기적 신경생리감시가 상용화되기 이전에 척추교정수술 중 척수기능을 평가하는데 유용하게 사용되었던 방법이다. 주요 장점은 앞척수기능(운동기능)을 명확하게 평가할 수 있다는 점이다. 이 검사의 위험 요소로는 우발적인 발관, 깊은 들숨으로 인한 공기색전증, 척추고정기의 이탈 등이 있다. 흡입마취와 전정맥마취 모두 각성 검사를 수행하는데 적합하며, BIS 감시와 같은 마취깊이 감시의 적용이 안전하고 효과적인 각성 검사 수행에 도움이 될 수 있다. 주요 제한점은 영유아에서 수행하기 어렵고 위험성이 높을 수 있다는 점과 단지 특정 시간(각성 검사 시행 도중)에만 척수 기능을 평가할 수 있고, 수술 동안 지속적이거나 반복적으로 평가하기 어렵다는 점이다. 따라서 근래에는 영아 및 어린이의 척추측만증 교정수술 중 척수기능을 평가하고 보존하기 위해 앞서 설명한 여러 신경생리 감시들을 종합적으로 적용하는 추세이다.

4. 특수 질환 및 쟁점

표 14-10에 흔한 어린이 신경외과 질환 및 수술과 그에 대한 마취 고려사항(anesthetic considerations (for pediatric neurosurgery))을 요약하였다. 가장 빈번하게 수행되는 수술 중 하나는 뇌척수액 배액을 위한 션트의 거치 수술 및 재수술이다. 대부분의 소아 종양은 뒤머리뼈우묵에 발생하며, 정중선에 가깝게 위치하여 상당수가 수두증(hydrocephalus)과 관련된다. 본 세부단원에서는 어린이 신경외과 수술 중 중요한 특수 질환 및 수술 절차, 주술기 관리에 있어 꼭 알아야 할 사항들을 주요 쟁점별로 소개하고자 한다.

1) 신생아 응급수술

신생아 수술은 주로 응급상황에서 이루어지기 때문에 진단되지 않은 선천성 기형과 미숙아의 이행 순환(transitional circulation) 지속으로 인해 주술기 이환율이 증가한다. 울혈성 심부전은 커다란 대뇌 동정맥기형(arteriovenous malformation)을 가진 신생아에서 발생할 수 있으며, 이러한 상태는 적극적인 혈역학적 보조를 필요로 한다. 더욱 흔하게 심장내 우좌션트가 폐쇄되지 않은 동맥관 개존증 또는 타원공을 통해 발생한다. 주술기의 신생아 호흡기계

표 14-10 어린이 신경외과 수술의 대표적인 질환과 마취 고려사항

연령군	병변	병인	마취 고려사항
신생아	뇌실내출혈 머리뼈함몰골절 뇌류 및 수막류	뇌실막밑 혈관 파열 겸자손상 머리뼈결함을 통해 뇌/ 수막의 팽출	조산과 연관된 문제들 연관된 뇌부종 큰 뇌/수막류는 기도관리를 어렵게 함 엎드린 자세 및 측와위 복원술후 머릿속압력의 증가 다양한 출혈량
영아	수막척수류 수두증 키아리기형	척추결함을 통해 수막/ 신경근 팽출 다양함 뒤머리뼈우묵내의 구조물들이 대공으로 압박됨	엎드린 자세 및 측와위 큰 결함을 봉합한 후 호흡제의 발생 머릿속압력 상승 목의 굴곡 시 뇌줄기 압박 수두증, 머릿속압력 상승 및 수막척수 류 동반 가능 수술후 호흡억제
	두개골조기유합증	머리뼈봉합의 조기 융합	개방 또는 내시경적 수술 상당한 출혈량 공기색전증 누운 자세 및 엎드린 자세
	머리얼굴뼈발생이상	발달 이상	긴 수술 시간 상당한 출혈량 뇌 수축 공기색전증 수술 중 기관내튜브 손상
	혈관기형	다양함	울혈성 심부전 대량출혈 유도저혈압
	경막하출혈	외상	연관된 손상
어린이 및 청소년	뒤머리뼈우묵 종양	뇌실막세포종 별아교세포종 수모세포종 기형종 뇌줄기 교종	수두증 머릿속압력 상승 엎드린 자세 또는 앉은 자세 공기색전증 뇌줄기 압박 수술후 뇌신경 기능이상 또는 뇌줄기 부종 및 압박

의 관리는 어려울 수 있는데, 이는 기도의 크기가 작고, 머리얼굴이상, 후두기관병변, 급성
(유리질막 질환, 잔류양수) 또는 만성(기관지폐형성이상) 질환 등을 동반할 수 있기 때문이다. 이러
한 상태는 지속적으로 변화하기 때문에 주술기 이환율을 최소화할 수 있도록 수술전에 상태
를 잘 파악하여 대처해야 한다.

신생아의 중추신경계는 통증을 감지하고 수술자극 후 스트레스 반응을 야기할 수 있으
며, 미숙아 역시 아픈 시술을 위해 마취가 필요하다. 그러나 미성숙한 신생아의 주요 기관계
는 마취제에 매우 민감하다. 신생아의 심근기능은 흡입 및 정맥마취제 모두에 특히 민감하
므로 이들 마취제는 심근 억제를 일으키지 않으면서 수술적 스트레스 반응을 차단하기 위해

표 14-11 신생아의 주술기 관리에서 주의해야 할 사항

신생아의 호흡 조절 및 역학에서의 특이점

고탄산혈증이 성인에서보다 더 약하게 호흡을 자극
저산소혈증이 지속적인 호흡부전 유발
주기변동호흡의 경향 및 수태연령 60주까지 수술후 무호흡의 위험성 증가
수술후 무기폐 발생 위험성 증가
횡격막이 쉽게 피로해짐
마취 중 기도폐쇄 및 흉복부비동조(thoracoabdominal asynchrony)의 위험성 증가

신생아 순환 및 심근 기능의 특징

제한된 기능적 예비량
약한 심근수축력
심근이 세포외 칼슘에 더욱 의존
부교감신경계 활성이 우세

미숙한 간기능

약물 투여 간격 및 유지 용량의 조정이 필요

미숙한 신기능

수액 제한 및 금식을 잘 견디지 못함

수술 중 합병증의 발생률 증가

기관튜브의 우발적인 이탈
기관튜브의 폐쇄
한쪽 기관지내 삽관
기흉
마취장비의 적용 실패
저체온증

신중하게 투여해야 한다. 아편유사제에 기반한 마취는 일반적으로 신생아에게 가장 안정된 혈역학을 제공해 준다. 그러나 신생아의 간 및 신장계는 완전히 발달하지 않았기 때문에 이러한 아편유사제 기반의 마취방식으로 마취된 신생아는 종종 마취로부터 각성이 지연되어 수술후 기계환기가 필요할 수 있다. 신생아의 주술기 관리에서 미성숙 및 작은 신체 크기와 관련된 위험성에 대해 표 14-11에 정리하였다.

척수막탈출증 또는 뇌탈출증(encephalocele)의 폐쇄수술은 특별한 문제들을 동반하므로 이에 대해 잘 숙지해야 한다. 기관내삽관을 위한 환아의 자세가 척수 또는 뇌를 덮는 막을 파열시킬 수 있다. 중앙이 비어 있는 도넛 모양의 부드러운 지지대 위에 신생아를 병변이 중앙에 오도록 조심스럽게 올려서 병변을 완충하면 부서지기 쉬운 막의 파열 가능성이 최소화된다. 어떤 경우에는 왼쪽 옆누움자세(lateral decubitus position)에서 기관내삽관을 시행해야 할 수도 있다. 이러한 질환들에서 수술 조건을 최적화하고 통증을 최소화하기 위해 전신

마취를 제공해야 한다. 작은 척수막탈출증의 폐쇄수술을 위한 척추마취의 사용은 신생아 수술에서 부위마취의 경험을 집적해 온 고도로 전문화된 마취전문의 집단에 의해 지지를 받아 왔으나, 이러한 방식은 보편적으로는 받아들여지지 않는다. 단순 척수막탈출증의 폐쇄수술 대부분은 상대적으로 매우 적은 실혈량을 가진다. 그러나 큰 병변을 수술할 경우는 결손을 덮기 위해 피부 조직을 상당 부분 절개 및 박리해야 할 수 있어 출혈 및 혈역학적 불안정성에 대한 위험이 더 크다. 최근 척수막탈출증 관리의 발전은 자궁내기간(intrauterine period) 태아 수술을 시행하는 조기 개입을 가능하게 하였다.

2) 두개골조기유합증

두개골조기유합증(craniosynostosis)의 수술적 치료는 조기에 시행될수록 최상의 결과를 얻을 수 있다. 그러나 이 수술 동안 영아는 혈액량의 상당 부분을 소실할 가능성이 있으며, 더 많은 머리뼈봉합이 포함될수록 실혈량은 커진다. 수술 중 정맥공기색전증이 종종 발생하므로 적절한 혈관내 혈액량의 유지를 통해 위험성을 최소화시켜야 한다. 지속적인 전흉부 도플러 초음파(precordial Doppler ultrasound) 감시를 이용한 공기색전의 조기 발견은, 다량의 공기가 혼입되기 전에 치료가 가능하도록 해준다. 혈역학적 불안정성이 발생하면 수술대를 트렌델렌부르크자세(trendelenburg position)로 변경한다. 이 조작은 환자의 혈압을 높이고 혈관내 공기유입을 방지한다. 신생아 및 어린 영아에서는 잠재적인 우좌션트 병변으로 인한 동맥색전증이 발생할 수 있는 특별한 위험성이 존재한다.

신경내시경수술(neuroendoscopy)은 수술절개, 박리 및 혈액상실을 최소화하도록 고안되어 있기 때문에 두개골조기유합증의 복원에 이 내시경적 수술방식을 적용함으로써 침습적 혈역학감시를 토대로 한 과도하지 않은 수액대치가 가능하였고, 현저히 낮은 이환율의 결과를 보였다. 내시경띠머리뼈절제술(endoscopic strip craniectomy)은 작은 두피절개를 통해 내시경을 삽입하여 융합된 머리뼈봉합의 절제를 수행한다. 이 최소침습적인 접근법은 실혈량 감소, 수술시간 단축, 신생아 및 영아의 수술후 회복의 개선 등의 결과와 연관된다. 또한, 이 시술 중 정맥공기색전증의 발생 빈도는 고전적인 개방수술(open surgery)과 비교하여 더 낮다. 단, 이 시술의 적응은 영아에게만 해당한다.

3) 수두증

수두증(hydrocephalus)은 어린이 신경외과 수술팀이 가장 흔하게 직면하는 질환이다. 출혈(신생아에서 뇌실내출혈이나 지주막하출혈), 선천성 문제(수도관협착), 외상, 감염 또는 종양(특히 뒤머리뼈우묵 부위)은 수두증을 일으킬 수 있다. 대개 과도하게 커진 환아의 머리 크기로 인해 누운 자세에서 환아의 머리가 과도하게 굴곡되어 기도가 좁아질 수 있으며, 이로 인해 마스크 환기 및 기관내삽관이 어려울 수 있다. 따라서 마취유도를 위해 빠른연속마취유도기법과 반지연골누르기를 적용한 기관내삽관이 반드시 수행되어야 한다. 정맥내관삽입(intravenous cannulation)이 불가능한 경우에는 세보플루란과 부드러운 반지연골누르기를 이용한 흡입마취유도가 하나의 유도방법이 될 수 있으나, 마스크환기가 어려울 수 있어 그리 바람직하지는 않다. 수두증의 병인이 확실하게 치료될 수 없다면, 뇌실배출관 또는 뇌실복강션트(ventriculoperitoneal shunt)의 수술적 거치를 수반한 관리를 제공해야 한다. 종종 복강이 뇌척수액을 흡수하지 못하는 상황이 발생하는데, 이때는 션트의 원위부말단을 우심방 또는 흉강내에 삽입해야 한다. 또한 션트의 원위부말단을 거치하는 동안 정맥공기색전증 발생의 가능성이 존재한다는 사실을 항상 염두에 두어야 한다.

수술후에 환자는 바뀐 의식상태와 최근의 복막 절개로 인해 급식이 시작되면 폐흡인 위험성이 높아지므로 주의 깊게 관찰해야 한다. 션트에서 급성 폐쇄가 발생하는 경우 영아와 어린이의 상대적으로 작은 두개둥근천장에서 머릿속압력의 치명적인 상승을 피하기 위해 신속하게 치료되어야 한다.

뇌척수액 생산의 원천을 축소시켜 주는 맥락얼기소작술(choroid plexus cautery)과 결합된 내시경적 제3 뇌실조루술(endoscopic third ventriculostomy)은 뇌실션트에 대한 실행 가능하고 효과적인 대안이다. 이 시술은 뇌척수액 흐름을 복원하기 위해 깔때기오목(infundibular recess) 뒤쪽의 제3 뇌실 바닥에 창을 만들어서 뇌실션트 거치의 필요성을 배제시켜 준다. 이 시술의 상대적 안전성에도 불구하고, 관류액의 출구 부족에 의한 급성 두개내고혈압과 제3 뇌실 바닥의 조작과 관련하여 출혈, 고혈압, 부정맥 및 신경성 폐부종 등의 합병증이 보고되었다.

4) 종양(tumors)

뇌종양은 유년기의 가장 흔한 고형 종양이며, 뇌종양의 종류 및 발생빈도는 표 14-12와 같다. 어린이에서 두개내종양의 대부분은 뒤머리뼈우묵에 발생한다. 이러한 병변은 덩이효과를 유발하여 뇌척수액 흐름을 막음으로써 두개내고혈압 및 수두증을 초래한다. 대부분의 신경외과 의사는 환아를 엎드린 자세를 취하게 하여 이 부위로 접근하는데, 수술 중 환아의 머리를 고정하는 핀은 심한 피부열상부터 머리뼈골절, 경막파열 및 두개내혈종까지 일으킬 수 있으므로 주의해야 한다.

표 14-12 어린이에서 주로 발생하는 원발성 뇌종양(위쪽에서부터 빈도순)

교종(glioma) 및 별아교세포종(astrocytoma)
뇌실막세포종(ependymoma)
수모세포종(medulloblastoma)
두개인두종(craniopharyngioma) 및 뇌하수체 종양(pituitary tumor)
맥락얼기 유두종(choroid plexus papilloma)
신경절신경아교종(ganglioglioma)
솔방울샘 종양(pineal tumor)
수막종(meningioma)

(1) 뒤머리뼈우묵 종양(posterior fossa tumor)

뒤머리뼈우묵 종양은 이 공간에 있는 여러 중요한 구조물들과 인접하여 있어 수술 중후 이 부위들의 조작 및 손상과 관련한 문제들이 발생 가능한데, 뇌줄기 및 하부 뇌신경, 특히 미주 신경 조작은 서맥 및 저혈압을 일으킬 수 있으며, 이 징후들은 숨뇌생명중추들(vital medullary centers)의 손상 가능성을 암시해 주는 중요 지표이다. 따라서 수술 중 신경외과 의사는 위험 부위를 조작하기 전에 이러한 합병증 발생에 대해 주의를 주어야 한다. 표 14-13은 이러한 구조물에 대한 침해의 징후들을 나열하고 있다. 호흡 중추 및 뇌신경의 손상은 환자의 기관 발관 후 무호흡 및 기도폐쇄를 일으킬 수 있어 수술 후 면밀한 관찰이 필요하다. 또한 수술 후 머리뼈피판(cranial bone flap)의 이동 및 거상은 공동의 파열, 대량실혈 또는 정맥 공기색전증을 일으킬 수 있으므로 유의해야 한다.

표 14-13 수술적 뇌줄기 조작의 효과

뇌줄기 영역	관련 징후	변화가 나타나는 감시 장치
5번 뇌신경(삼차신경)	고혈압, 서맥	동맥압, 심전도
7번 뇌신경(안면신경)	얼굴 근육의 움직임	근전도
10번 뇌신경(미주신경)	저혈압, 서맥	동맥압, 심전도
다리뇌 및 숨뇌	부정맥, 저혈압/고혈압, 빈맥/서맥, 불규칙한 호흡 양상	심전도, 동맥압, 호기말이산화탄소분압

(2) 두개인두종

두개인두종(craniopharyngioma)은 어린이와 청소년에서 가장 흔한 안장주변종양(perisellar tumor)이며, 시상하부 및 뇌하수체 기능장애와 관련이 있을 수 있다. 시상하부-뇌하수체-부신 축의 통합성이 불확실할 수 있기 때문에 일반적으로 주술기에 스테로이드 대체요법(덱사메타손 또는 히드로코르티손)을 시행한다. 또한 일부 환자에서는 요붕증(diabetes insipidus)이 수술전에 발생하므로 이에 뒤따르는 혈량저하 및 전해질 이상을 마취유도 전에 치료해야 한다. 요붕증이 수술전에 존재하지 않는다면, 대개 수술 후까지도 발생하지 않는다. 이와 달리 성인에서 요붕증의 발생률은 다양하지만, 나비뼈경유뇌하수체수술(transsphenoidal pituitary surgery) 후 대략 5~20% 범위로 발생한다. 이 합병증이 환자의 수술후 경과를 악화시킬 수 있지만, 대부분은 일시적이다. 이는 시상하부-뇌하수체 줄기가 손상된 경우조차도 뇌하수체 후엽에 수시간 동안 기능을 발휘할 수 있는 항이뇨호르몬이 대개 적절하게 보유되어 있기 때문이다. 안장의 수술적 노출을 위한 접근은 영유아는 전두엽 사이에서, 청소년은 코를 통해서 수행된다. 요붕증이 수술후에 발생한다면, 추후 경과를 예측하기 위해 혈청 전해질이 빈번히 측정되어야 한다.

5) 뇌전증(epilepsy)

의학적으로 난치성 뇌전증을 앓고 있는 영아 및 어린이에게 수술적 치료는 생존가능한 치료 선택이 되어 왔다. 이러한 환아의 마취와 관련하여 두 가지 주요 고려 사항을 염두에 두어야 한다. 첫째, 페니토인(phenytoin)과 카르바마제핀(carbamazepine)과 같은 항경련제의 장기투 여는 신경근차단제와 아편유사제를 포함한 여러 종류의 마취제의 신속한 신진 대사와 청소 를 유도한다. 따라서 이와 관련되는 마취제들의 요구량이 증가한다. 둘째, 많은 전신마취제 들은 뇌전증유발병소의 안전한 절제를 위해 사용되는 수술 중 신경생리감시의 민감도를 저 하시킬 수 있다. 또한 발작 형태를 재현하거나 운동 띠 영역을 식별하기 위해 대뇌겉질 자극 을 사용하는 경우에는 신경근 차단을 길항해야 한다.

(1) 고전적인 뇌전증 수술

고전적인 뇌전증 개두술(classical open epilepsy surgery)은 대개 두 차례의 머리뼈절개술을 필요로 한다. 먼저 환아의 뇌전증 증상과 관련한 병력청취, 발작형태, 신경학적검사, 뇌파검 사 및 영상진단검사 등을 통해 뇌전증유발병소(epileptogenic foci)가 의심되는 부위를 파악하 여 전신마취하에 첫번째 머리뼈절개술을 통해 절제술을 시행하거나 병변이 명확하지 않고 중요한 기능부위를 보존해야 할 경우는 뇌전증 발생이 의심되는 경막하 대뇌겉질표면에 삽 입형 겉질뇌전도검사 전극(격자 또는 띠 형태)을 거치시킨다(경막하겉질뇌전도검사(subdural elec- trocorticography)). 뇌전증유발병소가 비교적 깊은 뇌부위가 의심될 경우에는 경막하전극이 아닌 심부전극을 삽입해야 하는데, 수술 전 MRI 및 항법장치(navigation system)를 이용하 여 정위틀(stereotactic frame)을 환아의 머리에 부착시키고 수술 중 정위수술방법(stereotactic technique)을 사용하여 전극을 정확하게 목표지점에 거치시킨다. 이때 마취유도 동안 정위틀 이 마스크환기를 방해할 수 있으므로 정위틀 안쪽으로 마스크가 들어가서 환아의 코와 입주 위를 밀봉할 수 있는 지 신경외과 의사와 미리 상의하는 것이 좋다. 특히, 정위틀의 안면부 쪽에 위치한 수평막대의 하단부가 코뿌리점(nasion) 상방에 놓이도록 권고하는 것이 바람직 하다.

　환아가 마취에서 각성한 후 의식이 명료하고 편안한 상태로 특수화된 뇌파 검사실에서 발작(ictal) 또는 발작사이(interictal) 뇌파를 분석하여 뇌전증의 발생과 전파되는 양상을 감 시, 관찰하고 이와 더불어 삽입한 전극에 대한 전기적 자극을 통해 전극이 위치한 대뇌겉질 표면의 뇌전증유발병소 또는 다른 중요 뇌기능과의 연관성을 파악하는, 소위 기능적 지도화 (functional mapping)를 수행한다. 그 후 두번째 머리뼈절개술을 통해 침습적 뇌파감시를 위 해 삽입했던 전극을 제거하고 기능적 지도화를 통해 위치가 확인된 뇌전증유발병소를 절제 한다. 이때 경막이 열릴 때까지 아산화질소의 투여를 피하는 것이 중요한데, 이는 두개내공 기는 머리뼈절개술 후 3주까지 지속될 수 있고 아산화질소는 공기강(air cavity)의 급격한 팽 창을 일으켜 긴장성 공기머리증(tension pneumocephalus)을 유발할 수 있기 때문이다.

(2) 입체뇌전도검사 수술

최근 기존의 경막하겉질뇌전도검사에 비해 덜 침습적이고 광범위한 뇌부위에 삽입이 가능한 입체뇌전도검사(stereoelectroencephalography, SEEG) 기법이 개발되어 많은 주목을 받고 있다. 이 기법은 주로 깊은 뇌부위를 목표로 하여 보다 높은 해부학적 정확성을 가지고 여러 개의 심부전극을 뇌에 삽입해 뇌전증유발병소의 정확한 위치를 규명해 준다. SEEG의 가장 큰 장점은 경막하겉질뇌전도검사 전극의 삽입을 위해 필요한 큰 머리뼈절개술 없이도 양쪽 대뇌반구의 광범위한 영역에 굵기가 0.8 ㎜ 정도로 가는 전극을 거치할 수 있어 원하는 모든 겉질 부위에서 신호를 얻을 수 있으며, 수술적 위험성도 더 적다는 점이다. 그림 14-4는 SEEG 전극을 삽입한 외부 모식도와 측두엽에 삽입된 전극의 모습을 잘 보여주는 수술후 촬영한 CT 영상이다. 표 14-14에 SEEG와 경막하겉질뇌전도검사의 장단점 및 합병증에 대해 비교, 정리하였다. 더욱 최근에는 로봇보조SEEG(robot-assisted stereoelectroencephalography)가 개발되어 정확성, 안정성을 더욱 높이고 정위틀이 없이도 수행 가능하여 정위틀 거치 및 보정에 소요되는 시간 및 노력과 수술 시간도 단축할 수 있는 장점을 제공해 주지만 아직 매우 고비용이라는 단점이 있다. 이러한 최신 SEEG 삽입 관련 수술들을 위한 마취는 고식

그림 14-4
입체뇌전도검사 전극삽입술이 완료된 환자의 외부모식도(A) 및 정위 컴퓨터 단층촬영(stereotactic CT) 비조영증강 영상 사진(B). 영상 사진상 우측 측두엽에 삽입된 입체뇌전도검사 전극과 그에 따른 인공물(artifacts)이 관찰된다.

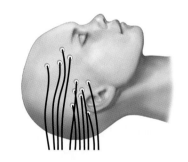
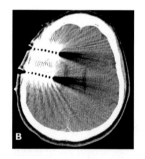

표 14-14 입체뇌전도검사와 경막하겉질뇌전도검사의 장단점 및 합병증 발생률의 비교

	입체뇌전도검사	경막하겉질뇌전도검사
장점	깊은 뇌전증유발병소 접근 가능 양쪽 뇌반구를 포함한 광범위한 적용범위 전극 위치의 높은 정확성 재수술을 포함하여 덜 침습적인 수술 치료 목적으로도 적용 가능함 수술전 해석을 위한 시간 절약	2-3세 미만의 영유아 가능 기능적 지도화 절제경계의 크기 결정 주요기능겉질의 위치 확인
단점	부족한 기능적 지도화 부족한 겉질방전(cortical discharge) 영유아에게 적용이 어려움	깊은 부위의 뇌전증유발병소 확인 어려움 양측병변 또는 양측성뇌전증에서 약함 수술전 기록 및 해석에 시간 소요
합병증 발생률	뇌내출혈(1.0%) 감염(0.8%)	두개내출혈(4.0%) 감염(3.0%) 머릿속압력의 상승(2.4%)

적인 어린이 뇌전증 수술의 마취와 크게 다르지 않으며, 신경근차단제를 포함한 마취제 선택에 있어 특별한 제한이 없다.

6) 혈관기형

혈관기형(vascular anomaly)은 영아와 어린이에서 드물지만, 이 질환의 대부분은 선천적인 병변으로 이른 시기에 나타난다.

(1) 동정맥션트

신생아에서 커다란 대뇌 동정맥션트(arteriovenous shunt)는 종종 이러한 병변과 공존하는 진행성 고박출심부전(high-output heart failure)을 상쇄하기 위해 수축촉진보조(inotropic support)가 필요할 수 있다. 혈관기형은 대개 갈렌정맥기형(vein of Galen malformation)이지만 때때로 진성 연질막 동정맥기형이다. 고유량 동정맥샛길(high flow arteriovenous fistula)의 초기 치료는 종종 중재적 방사선시술실에서 혈관내색전술로 시행된다. 이러한 혈관 병변의 수술적 절제는 대량출혈과 관련이 되어 침습적 혈역학감시뿐만 아니라 여러 정맥접근로의 확보를 요구한다. 간혹 두개내샛길의 급성 중단이 충혈성 뇌부종을 동반한 갑작스런 고혈압과 같은 극적인 혈역학적 변화를 유발할 수 있다. 이때 고혈압위기를 조절하기 위해서는 라베탈롤(labetalol) 및 니트로푸루시드(nitroprusside)와 같은 혈관확장제가 필요할 수 있다.

(2) 모야모야병

모야모야병(Moyamoya disease)은 드문 내경동맥의 만성 혈관막힘장애이며, 그 증상은 유년기에 일시적인 허혈성 발작, 재발성 뇌졸중 또는 두 가지 모두로 나타난다. 원인은 잘 알려져 있지 않지만, 이전의 두개내 방사선 조사, 신경섬유종증, 다운증후군 및 다양한 혈액장애와 관련될 수 있다. 이 질환의 환자의 마취관리는 뇌관류를 최적화하는 데 목표를 두어야 하는데, 이를 위하여 충분한 수술전 수분공급을 확인하고 수술 중 혈압을 환자의 수술전 수준으로 지속적으로 유지해야 한다. 또한 정상탄산상태(normocapnia)의 유지가 필수적인데, 이는 고탄산혈증이 허혈성 부위로부터 혈액을 정상부위로 이동시키는 이른바 뇌내혈류뺏앗김현상(intracerebral steal phenomenon) – 아직 병태생리학적 근거는 불충분하지만 – 을 일으켜 뇌허혈을 더욱 악화시킬 수 있기 때문이다. 이와 더불어 저탄산혈증(hypocapnia)유발 혈관수축도 뇌허혈 영역에서 뇌혈류를 현저하게 감소시킬 수 있다. 따라서 과다환기 및 저환기를 피할 수 있도록 적절하게 기계환기를 설정해야 하는데 호기말 이산화탄소 분압을 적절하게 조절, 유지하여 동맥혈이산화탄소분압이 정상범위를 유지하도록 하는 것이 중요하다. 이때 동맥카테터가 거치된 경우라면 동맥혈가스분석검사를 시행하여 동맥혈이산화탄소분압을 직접 확인하면 더욱 좋다. 수술 중 뇌허혈을 발견하기 위해 수술 중 뇌파감시를 수행할 수 있고, 정상 체온을 유지하기 위해 가온담요를 사용한 공기가온요법 등을 사용하고 지속적으로 체온을 측정하여 수술 후 떨림과 스트레스 반응을 방지한다. 아편유사제 기반 마취기법은 수술 중 뇌파감시를 방해하지 않으면서 환자에게 안정적인 마취 깊이를 제공하며, 고혈압이나 울음을 방지하면서 부드러운 발관을 용이하게 한다. 마취로부터 환자가 각성한 후에도 뇌관류의 최적화라는 동일한 전략이 수술후 기간으로도 확대 적용되어야 한다. 환자는 충분한 뇌관류를 유지하기 위해 수액투여를 받아야 하며 통증과 울음으로 인한 과다호흡, 이로 인한 뇌허혈 합병증 발생을 피하기 위해 적절한 아편유사제성 진통제를 투여해야 한다.

7) 외상(trauma)

어린이 두부 외상에는 이환율과 사망률을 최소화하기 위해 다기관 접근(multiple-organ approach)이 필요하다. 작은 어린이의 머리는 종종 부상의 충격점(point of impact)이 되지만 다른 기관도 손상될 수 있다. 기본 생명 유지 알고리듬(algorithm)은 개방기도와 적절한 호흡 및 순환을 보장하기 위해 즉시 적용되어야 한다. 나이에 맞는 혈압의 보존은 사망률을 최소화하기 위해 필수적이다(표 14-15). 영유아에서 몸통에 대한 머리 크기의 비율이 높기 때문에 가속-감속 손상이 더 흔하게 발생하며 광범위한 뇌 및 상부 경추 손상이 유발된다. 경추의 고정은 방사선 사진에서 경추 손상이 없는지 확인되기 전까지 환자의 기도 조작에 의한 2차 척수 손상을 피하기 위해 중요하다. 불안정한 경추는 후두경을 이용한 기관내삽관 동안 경추 견인으로 움직이지 않도록 고정해야 한다. 무딘 복부 외상과 긴 뼈 골절은 종종 머리 부상과 함께 발생하며 실혈의 주요 원인이 될 수 있다. 수술 기간 동안 조직관류를 보장하기 위해서는 환자의 혈액소실량을 결정질 용액 또는 혈액 제제로 적절히 보충해 주어야 한다. 출혈이 지속되는 경우 응고장애가 발생할 수 있으며, 특정 혈액 성분으로 치료해야 한다.

영아의 비우발적(고의적) 머리 손상은 종종 무수한 만성 및 급성 경막하혈종으로 나타난다. 이때는 다른 동반 손상, 골절 및 복부 외상의 존재를 확인해야 한다. 경막외 또는 경막하혈종의 배출을 위해 머리뼈절개술을 받는 작은 어린이는 심각한 실혈 및 정맥공기색전증의 위험이 있다. 수술 후 치료 및 관리에는 일반적으로 두개내고혈압의 치료와 가장 심각한 경우에는 뇌사판정이 포함된다.

어린이 두부 외상 관리는 현재 소수의 무작위 연구에 기반하고 있으며, 일련의 성인 대상

시기(나이)	수축기 혈압(mmHg)	이완기 혈압(mmHg)
미숙아	50-60	40
만삭아	70	40
1세	85	40
5세	95	55
10세	100	60
15세	110	65

표 14-15 어린이의 각성 시 표준 혈압

연구에서 추출한 데이터에 많이 의존하고 있다. 2012년에 소아 신경외과 의사 및 중환자실 전담의사 등 여러 세부전공 전문의 집단에 의해 영아, 어린이 및 청소년 환자에서 심각한 외상성 뇌손상의 급성 내과적 관리 지침이 소개되긴 하였으나, 근거중심관리는 여전히 이 분야에서 개발 중이다. 따라서 뇌혈관 생리학과 해부학에서 연령과 관련된 차이에 대한 기본적인 지식은 어린이 환자에게 성인기반의 두부 외상 관리 프로토콜을 적용하는 데 필수적이다.

8) 척추수술

어린이 척추수술에서 마취 고려사항(anesthetic considerations (for spine surgery))에 대해 표 14-16에 요약해 보았다.

표 14-16 어린이 척추수술에서 마취 고려사항

수술 전 평가

다른 선천성 결함을 찾기 위한 모든 기관계의 평가
신경계의 평가와 신경학적 결손의 기록
어려운 기도의 요인이 될 수 있는 해부학적 이상 여부의 평가
특정 연령과 관련된 마취 고려사항 평가(예, 미숙아 및 신생아)
동반된 병리에 대한 사전 인식(예, 키아리기형, 뇌성마비)
심폐기능 평가
이전 마취 기록
라텍스 알레르기 등 과민반응 과거력 및 잠재성 평가
심리학적 상태
마취전투약
일상적인 수술전 검사(필요한 경우 폐기능검사 및 심장초음파검사 등 추가)

마취 유도

어려운 기도나 불안정성 경추손상을 가진 경우 굴곡후두경삽관 고려
적절한 혈관 통로 확보
신경근 차단 감시를 포함한 일상적인 감시(필요한 경우 침습적 혈압 감시 추가)

마취 유지

기관튜브의 안정적 고정
엎드린 자세와 관련된 합병증 방지
수술 및 환아의 특성, 신경생리감시의 사용 등을 고려한 마취제 선택
척수 관류압의 유지 및 척수 압박의 방지
저체온의 예방
적절한 혈량 상태의 유지
출혈량의 예측 및 혈액제제 준비
혈액상실의 최소화
예방적 항생제 투여

수술 후 관리

집중치료실에서의 관리 필요성이 더 높음
수술 후 통증관리 중요

(1) 척추측만증(scoliosis)

척추측만증(scoliosis)은 척추가 옆으로 치우쳐지면서 측방으로 편위되거나 회전이 발생하여 고착된 구조적 측방 척주만곡(vertebral curvature)이 존재하는 상태이며, 곡선의 중증도는 Cobb 각도(angle)를 사용하여 서서 촬영한 척추 방사선 사진에서 평가되는데 10도를 넘으면 척추측만증이 진단되며, 40도를 넘으면 수술의 적응증이 된다.

척추측만증의 가장 흔한 형태는 특발성(idiopathic)으로 그 기원을 알 수 없지만 선천성(congenital)으로 발생하거나 신경근육질환, 외상, 감염 또는 신생물에 의해 이차적으로 발생할 수 있다. 선천성 척추측만증은 척추 분절의 실패 또는 형성 실패(반척추뼈[hemivertebra]의 형성)의 결과로 발생하는데, 종종 골덴하증후군(Goldenhar syndrome)이나 척추갈림증과 같은 전신질환의 일부로서 나타나며 신장, 심장, 호흡기 또는 신경계의 이상과 관련될 수 있다. 수술에 대한 적응증은 어떤 연령이든 진행성이 확인되는 경우이다. 특발성 척추측만증은 주로 10세 이상의 청소년에서 발생하나, 영아기에 발병하는 특발성 척추측만증(8세 이전)은 가장 심각한 예후를 지니고 있어 적절한 검사 및 치료를 받지 않으면 중년에 심폐기능부전이 발생할 수 있다.

① 수술 전 평가

수술은 척주만곡을 교정하고 자세를 개선하며 호흡기 기능장애의 진행을 줄이는 것을 목표로 한다. 심폐기능부전은 진행성 척추측만증의 결과로 나타나거나 동반 질환과 관련될 수 있으므로 주의 깊은 수술 전 평가가 필요하다. 폐활량 측정은 모든 환자에서 일상적으로 시행되며 대개 제한성 폐기능 결함을 나타낸다. 근디스트로피(muscular dystrophy)는 무증상 심장근육병(subclinical cardiomyopathy)에 의해 합병될 수 있다. 듀센(Duchenne) 근디스트로피 환자의 50% 이상이 확장심장근육병을 가지게 되고 심장의 박출률(ejection fraction)이 15세까지 45% 미만으로 감소한다. 박출률의 감소는 수술 중 급속한 체액 이동에 대처하는 데 어려움이 있음을 의미하므로 이러한 환자에서 좌심실 기능을 수술전에 평가하기 위

그림 14-5
선천성 척추측만증을 가진 3세 환아의 전체 척추 단순방사선 영상. (A) Whole spine AP. 척주가 좌측으로 심하게 휘어진 측만(scoliosis) 소견 보임. (B) Whole spine Lat. 척주가 흉추 상부에서 매우 심한 후만(kyphosis)을 보이고 갈비뼈를 포함한 가슴우리(thoracic cage)의 심한 변형이 관찰됨.

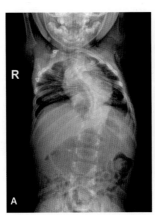
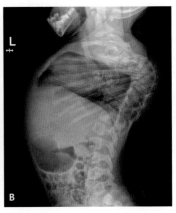

해 심장초음파검사를 시행해야 한다. 또한, 환아가 머리얼굴이상을 동반하거나 척주의 회전이 심하여 흉추 및 경추부에 척주후만(kyphosis)을 동반하는 경우(그림 14-5) 기관내삽관이 어려울 수 있으므로 주의 깊게 평가하고 충분한 대비를 한 후 마취유도를 진행해야 한다.

② 마취유도 및 유지

마취의 목표는 수술 중 신경생리감시가 가능하도록 안정된 마취 깊이를 유지하는 것이며, 이는 다양한 마취 기법을 사용하여 달성할 수 있다. 대개 프로포폴과 같은 정맥마취제로 마취유도 후 비탈분극성 신경근차단제를 투여하고 용수철 강화튜브로 기관내삽관을 시행한다. 마취유지를 위해 레미펜타닐 지속정주과 함께 0.6 MAC의 세보플루란 및 50% 아산화질소를 사용하거나 프로포폴 지속정주를 시행할 수 있다. 석시닐콜린(succinylcholine)은 횡문근융해, 고칼륨혈증 및 심장정지의 위험 때문에 근디스트로피 환자에게 금기이다. 흡입마취제에 노출된 듀센 근디스트로피, 베커(Becker) 근디스트로피, 그외 선천성 근디스트로피 환자들은 심장관련 합병증이 유발되거나, 드물지만 악성고열증(malignant hyperthermia)이 발생할 수 있으므로 전정맥마취를 시행하는 것이 안전하다(표 14-7 참조). 최근 소아연령에서 사용 가능한 소아 프로포폴 약동/약력학 모형이 탑재된 목표농도조절주입펌프가 국내에서 상용화되기 시작하여 실제 마취 현장에서 많이 도움이 될 것으로 기대한다.

　마취제의 선택은 수술 중 신경생리감시에 다양한 영향을 미친다. 흡입마취제, 프로포폴 및 아산화질소는 모두 SSEP와 MEP를 억제하며, 신경근차단제는 SSEP의 배경신호(background noise)를 줄여서 감시의 질을 높여줄 수 있지만 MEP를 강하게 억제한다. 그러나, 아편유사제는 거의 영향을 미치지 않는다. 혈압과 체온의 감소 또한 SSEP 및 MEP를 억제할 수 있다. 각 신경생리감시의 기저치 설정은 마취유도후 이루어지며 마취제의 조합 및 용량을 적절하게 선택, 사용하고 혈압, 체온 등의 생리적 지표가 정상으로 유지되는 상태에서 유발전위의 진폭 감소, 잠복기 증가 또는 파형 소실이 발생한다면 신경학적 손상을 고려해야 한다. 나사못 위치 확인 및 조정 등 수술적 교정 이후에도 신경학적 손상이 강력히 의심되는 경우 청소년 환자에서는 각성 검사를 시행하여 손상부위의 확인 및 처치를 수행할 수 있다.

③ 혈역학 감시(hemodynamic monitoring) 및 체온 유지

척추측만증 수술은 상당한 혈액 및 열 손실, 혈역학적 불안정성의 가능성이 높다. 표준 소아 전신마취 감시장치 외에도 침습적 동맥압감시와 요도관 삽입이 필수적이다. 두 개의 큰 구경의 말초정맥관을 거치하거나 중한 동반질환(예: 신경근육질환)의 존재 또는 말초정맥관 거치가 어려운 경우 중심정맥관을 삽입한다. 중심정맥압감시는 엎드린 자세에서 심실 충만의 지침으로 부적절할 수 있으며, 보다 정확한 감시로서 식도 도플러를 이용한 심장박출량감시를 수행할 수 있다. 수술 중 체온이 상당히 감소할 수 있으므로 지속적인 체온감시,

수액가온장치 및 가온공기담요를 마취유도부터 수술하는 동안 내내 적용해야 한다.

④ 혈액상실의 최소화

혈액상실을 최소화하기 위한 기법들을 적용하면 동종혈액수혈을 감소시킬 수 있다. 간단한 방법으로는 하대정맥의 압박을 피하기 위해 복부가 눌리지 않도록 엎드린 자세를 취하게 하거나 저체온증의 예방, 응고병증의 교정, 최소침습수술(minimally invasive surgery)과 같은 발전된 수술 기법을 적용시키는 방법이 있다. 압박스타킹과 공기부츠(pneumatic boots)의 사용은 항응고제의 사용을 피하면서 정맥혈전색전증을 예방한다.

유도저혈압은 척추수술 중 출혈을 감소시켜 준다고 알려져 왔다. 여러 혈관확장제들을 사용한 다양한 방법들이 보고되었으나 혈관확장제의 필요 없이 레미펜타닐 지속주입 및 흡입마취제의 사용으로 50-60 mmHg의 평균동맥압을 얻을 수 있다. 하지만 이때 예기치 못한 저혈압의 발생 및 수술적 조작으로 척수관류가 감소하고 신경학적 손상이 발생할 수 있으므로 주의해야 한다. 따라서 주요 장기로의 산소 전달을 보장하기 위해 지속적인 신경생리감시와 적절한 혈색소 수치를 유지하는 것이 중요하다.

아프로티닌(aprotinin)은 플라스민(plasmin)을 억제하고 혈소판 기능을 보존함으로써 척추측만증 수술에서 출혈을 줄일 수 있으나, 소에서 유래된 폴리펩티드이므로 과민반응을 일으킬 수 있다. 따라서 환자를 엎드린 자세로 돌리기 전에 시험약용량을 투여하여 과민반응을 배제해야 하고 6개월 이내에 단계적 수술을 다시 받는 경우에는 재투여해서는 안된다. 트라넥사민산(tranexamic acid)도 비슷한 기전으로 출혈을 감소시킨다는 보고가 있으나 아직 연구가 더 필요하다.

자가혈액(autologous blood)의 사용도 동종혈액수혈의 필요성을 감소시킬 수 있다. 여기에는 수술 전에 미리 혈액을 채취하여 보존해 두는 방법, 수술 중 급성 동량성 혈액희석(acute normovolemic hemodilution) 또는 혈액회수(cell salvage) 방법 등이 포함된다.

⑤ 수술 후 관리

척추측만증 교정은 일반적으로 장시간 진행되고 대량실혈을 동반하여 지속적인 출혈 및 통증으로 인해 수술 후 관리가 매우 어려워진다. 대부분의 환자들은 조기 신경학적 평가를 가능하게 하기 위해 수술 직후에 발관된다. 침습감시는 수술 후에도 지속되어야 하고, 특히 신경근육질환이 있거나 현저하게 저하된 심폐기능을 가진 어린이는 중환자실에서 집중감시 및 관리해야 한다. 수술 중 흉부성형술(thoracoplasty)을 시행한 경우 갈비뼈 절제 동안 내장측흉막(visceral pleura)이 손상될 수 있으므로 주의 깊게 관찰하여 의심스러운 경우, 수술 후 기흉(pneumothorax)의 발생 및 악화로 인한 합병증을 예방하기 위해 환자의 각성전 흉관을 삽입해야 한다. 이러한 경우를 포함하여 일부 환자는 발관전에 혈액량, 체온 및 신진대사 이상을 교정하기 위해 수술후 기계환기가 필요할 수 있다. 조절되지 않은 심한 수술후 통증은 호흡 및 혈역학적 합병증을 유발할 수 있으므로 적절한 수술후 통증 조절은 필수적이며 복합적인 진통접근법(multimodal analgesia approach)이 필요하다.

(2) 척추유합부전

척추유합부전은 소아 환자에서 척추후궁절제술(laminectomy)의 주된 적응증이다. 이 환아들 중 상당수는 척수막탈출증 폐쇄술 및 수차례의 교정술을 받은 병력이 있다. 척추유합부전 환아는 라텍스 알레르기(latex allergy)가 발생할 위험이 있다. 따라서 처음부터 신경관결함이 있는 모든 환아는 라텍스에 민감하다고 간주하고서 라텍스가 없는 안전한 환경에서 관리해야 한다. 라텍스 알레르기의 증상은 경미한 발진, 기관지경련, 일반 두드러기, 저산소혈증 및 저혈압에서부터 심폐허탈까지 다양하다. 이러한 환아의 수술을 시행하는 수술실 또한 라텍스가 없는 환경으로 조성해야 하며, 특히 파우더가 포함된 의료용 라텍스 장갑은 사용해서는 안된다. 아나필락시스가 발생한 경우 라텍스 출처의 제거와 수액 및 승압제의 투여로 신속하게 치료되어야 한다.

계류척수증후군에서 유착된 척수를 박리할 때 기능적 척수신경뿌리를 확인하는 데 도움이 되는 근전도감시를 수행해야 한다. 항문 괄약근과 하지의 근전도는 이들 근육군을 지배하는 신경에 대한 부주의한 손상의 발생을 최소화하기 위해 수행된다. 이때 정확한 근전도 감시를 위해 신경근 차단을 중지하거나 길항해야 한다. 수술 시야에서 신경외과 의사에 의한 경막외카테터의 삽입은 수술 후 통증관리를 위한 국소마취제 및 아편유사제의 투여를 가능하게 해 준다.

(3) 뇌성마비(cerebral palsy)

뇌성마비와 관련된 심한 경직은 선택적 뒤신경뿌리절단술(selective dorsal rhizotomy)에 의해 수술적으로 완화될 수 있는데, 이것은 수술적으로 뒤신경잔뿌리(dorsal rootlet)를 분리하여 척수의 운동신경 세포로의 구심성 입력을 감소시킴으로써 경직을 줄여 주고 이를 통해 강직 양측마비(spastic diplegia)와 관련된 과잉반사를 약화시킨다. 병적 신경잔뿌리는 직접적인 자극과 근전도에 대응하는 근육활동전위에 의해 확인 가능하다. 과도한 활동전위는 해당 신경잔뿌리가 지배하는 근육뿐만 아니라 다른 말단 근육군에서까지 유발될 수 있다. 이러한 비정상적인 신경잔뿌리는 구심성 신경전도를 감소시키기 위해 부분적으로 절단된다. 그러나 이러한 신경잔뿌리가 잠재적으로 정상적인 감각 및 고유감각 섬유를 포함할 수 있으므로 주의해야 한다.

9) 신경내시경수술

어린이 신경외과 수술 분야에서도 최소침습 내시경수술의 기술적 진보는 이루어져 왔으며, 모든 소아 연령군의 신경외과 수술에서 점점 더 활용되고 있다. 이러한 신경내시경수술에 대한 마취 고려사항은 본 단원에서 논의된 다른 신경외과 수술과 동일하다. 뇌실내 신경내시경수술(endoscopic intraventricular neurosurgery)은 두개내 병변에 대한 독특한 접근 방식을 대표하는 수술이지만, 그와 동시에 독특한 제한점을 가지고 잠재적 합병증을 유발할 수 있다. 그 대표적인 예로, 내시경적 제3 뇌실조루술 및 맥락얼기소작술은 영아 및 어린이에서 폐쇄성 수두증의 치료를 위해 승인된 상대적으로 안전한 기법이지만, 이 시술의 합병증으로 부정맥과 신경성 폐부종이 제3 뇌실 바닥의 조작과 관류액의 출구 부족에 의한 급성 두개내고혈압과 함께 보고되어 왔다. 따라서 영아기(infancy)에 시행된 신경내시경수술의 현재까지의 고무적인 결과에도 불구하고 다기관 무작위연구 등을 통해 전반적인 안전성과 인지발달 및 삶의 질에 대한 장기적인 영향에 대해 더욱 명확히 규명해야 할 것이다.

10) 신경영상의학(neuroradiology)

(1) 일반적인 신경영상의학 검사 및 시술에서의 고려 사항

영상 기술의 진보는 신경외과 수술 영역에 중추신경계 병변의 치료를 위한 다양한 진단적 및 치료적 중재적시술(diagnostic and therapeutic interventions)을 도입해 주었다. 영아 및 대부분의 어린이들은 영상의학 검사실에서 검사 또는 시술 동안 움직이지 않고 견디는 것이 불가하여 진정 또는 전신마취가 필요하다. 검사 시간이 짧고 과정이 단순한 신경영상의학(neuroradiology) 검사는 최소 또는 중등도 진정을 제공하여 수행할 수 있다. 하지만 검사 시간이 길어지거나 적절한 진정 상태를 유지하기 위해 반복적으로 진정제를 투여해야 하는 경우에는 통상적인 영상의학 검사실에서의 환아와 진정수행의사와의 공간적 거리를 고려할 때 미리 기도를 확보하고 진행하는 것이 바람직하다. 마취통증의학과 의사 및 소아과 의사로 구성된 여러 소아 진정(pediatric sedation) 연구 단체에서 발표한 권고 사항들이 신경영상의학 검사 및 시술을 받는 어린이 환자를 관리하기 위한 지침이 될 수 있다. 전신마취는 일반적으로 비협조적이거나 다른 의학적 문제를 동반한 환아에서 환자의 안전을 보장하면서 검사에서 운동인공물(motion artifact)을 최소화하기 위하여, 또는 혈관병변의 혈관내색전술처럼 통증을 일으킬 가능성이 있는 시술에서 사용된다.

(2) 다학제수술 및 정위방사선수술

수술전 또는 수술후 혈관조영술 및 색전술과 외과적 절제술로 구성된 하이브리드(hybrid) 수술의 출현은 영상의학과, 신경외과 및 마취통증의학과 전문의와 중환자실 전담의사로 이루어진 여러전문분야적팀접근(multidisciplinary team approach)을 요구한다. 이러한 절차가 주로 수술실 및 중환자실 밖에서 이루어지기 때문에 서면으로 작성된 위기 관리 계획 지침서가 사전에 마련되어야 한다.

새로운 신경외과 수술 기법인 감마 나이프, 사이버 나이프(cyber knife) 또는 선형 가속기를 사용하는 정위방사선수술(stereotactic radiosurgery)은 현재 어린이의 종양성 및 비종양성 두개내병변을 치료하는데 사용되고 있다. 정위방사선수술은 대개 장시간 진행이 되고, 여러 장소에서 수술이 진행되므로 여러 수술장외 장소에서의 마취 관련 장비와 인력의 점검 및 확충에 대한 세심한 관리가 필요하며, 정위틀의 사용과 관련된 주요한 마취 고려사항들 때문에 어린이 마취전문의는 어려움에 직면할 수 있다. 다른 신경영상의학 검사 및 시술들은 대부분 짧은 기간 동안의 진정 또는 마취를 요구하는 반면, 정위방사선수술은 덜 침습적이지만 매우 정확한 부위에 국한된 치료적 중재를 요구하므로 수술 전에 병변의 위치를 국소화하는 과정부터 수술 전 기간에 걸쳐 단일치료환경에서 최대 10-12시간의 마취유지가 필요할 수 있다. 이러한 수술은 실제적인 정위 치료뿐만 아니라 병변의 정확한 위치 파악을 위하여 혈관조영술, MRI 및 CT를 포함한 복합적인 영상 기술을 필요로 하므로 병원 내 여러 장소로 마취된 환아를 이동시킬 필요가 있고 이에 따른 위험성이 존재한다. 신경외과 및 영상의학과 의사 모두의 주요 관심사는 정위 체계에서 환아의 절대적인 부동성(absolute immobility)에 대한 요구이다. 이 기간 동안 환아가 움직이게 되면 치료 실패는 물론 두개골을 고정한 핀의 변위(pin displacement)와 연관되어 머리뼈골절 및 경막외 또는 경막하 혈종이 초래될 수 있다. 소아 환자, 특히 과거에 받은 방사선 치료에 이차적으로 발생한 골감소증성 머리뼈를 가진 환자의 경우 이러한 위험성이 커진다. 따라서 이러한 수술을 받는 환아에서 전신마취의 심폐합병증과 관련한 위험성이 진정을 받다가 움직여서 발생할 수 있는 핀의 변위 등에 의한 합병증의 위험보다 적다고 볼 수 있다. 또한 소아 진정은 저산소증, 기도폐쇄 및 흡인(aspiration)과 같은 호흡기 합병증뿐만 아니라 수술 중 기도 통제력이 상실되는 상황이 발생할 수 있고 이때 응급으로 기도 확보 및 기관내삽관을 수행하는 것이 매우 어려울 수 있다. 또한, 전신마취보다 진정 중 발작이 발생할 위험성이 더 크므로 발작 병력을 가진 환아의 정위방사선수술을 위해서는 전신마취를 수행함이 더욱 바람직하다.

5. 수술 후 관리(postoperative management)

1) 신경집중치료

소아신경집중치료(pediatric neurocritical care)는 고도로 전문화된 임상분야로서 급부상하고 있다. 일부 엄선된 환아는 대체 환경에서도 안전하게 관리될 수 있지만, 신경외과 수술을 받은 환아는 일반적으로 심폐 안정성과 신경기능의 회복이 보장될 때까지 집중치료실에서 수술후 관리가 필요하다. 전문화된 신경집중치료팀은 어린이 환자의 수술후 결과를 향상시킬 수 있다. 일단 환아가 중환자실로 오면 신경외과 및 마취통증의학과 팀이 책임 있는 중환자실 전담의사에게 환자의 현 상태, 향후 치료 및 책임에 대해 명확한 기술로 철저한 인계(handoff)를 함으로써 최적의 치료가 제공되도록 한다. 이때 환자 병력, 약물 치료, 수술과 관련한 특이 사항 및 예상되는 경과에 관한 명확한 의사 소통이 필수적이다.

새로 입실한 모든 환아는 마취로부터 정상적인 각성이 이루어졌는지, 신경학적 손상이 존재하는지 확인하기 위한 생리학적 및 신경학적 평가가 필요하다. 대개 기관튜브 발관후 초기 신경학적 평가가 수술실에서 이상적으로 이루어질 수 있지만, 체액 이동이 많거나 중한 합병증이 있는 불안정한 환자는 일반적으로 진정시키면서 천천히 깨우게 되므로 이 평가가 불가능할 수 있다. 이러한 상황에서 간헐적으로 진정 깊이를 얕게 하고 빈번한 신경학적 검사를 수행하는 것이 표준 치료이다.

2) 진정 및 진통

(1) 진정(sedation)

어린이 중환자실에서의 진정과 통증 조절은 독특한 난제들을 포함하고 있다. 이상적으로는 신경외과 수술을 받은 환자는 적절한 수술후 관리를 통해 편안하고 의식이 명료하며 협조가 잘 되어야 한다. 그러나 소아 환자의 경우 이러한 목표들은 상호 배타적일 수 있으며 안전한 회복을 보장하기 위해 종종 일정 수준의 진정이 필요하다. 이상적인 진정요법은 신경학적 평가를 허용하기 위해 간헐적으로 진정의 중단 및 회복이 가능하도록 단기작용 및 가역성 진정약제를 사용해야 한다. 프로포폴은 소아에서 장기간 사용하면 서맥, 횡문근융해, 대사산증 및 다발성 장기부전의 치명적인 증후군과 연관될 수 있으므로 제한적인 유용성을 가지고 있다. 이러한 프로포폴 주입 증후군(propofol infusion syndrome)의 기전은 불분명하지만, 프로포폴의 주입 기간 및 누적 용량과 관련된 것으로 보인다.

덱스메데토미딘(Dexmedetomidine)은 어린이 중환자실 환자에게 이점이 있는 단기작용 진정제로서 대개 호흡 억제 없이 자발적 환기를 잘 유지하는 장점을 가지고 있다. 이 약제는 진통작용을 가지고 있어 수술후 소아 환자에서 아편유사제와 벤조디아제핀(benzodiazepine)의 요구량을 감소시킨다. 덩어리(bolus) 주입후 혈압의 일시적인 증가가 관찰될 수 있으나 진정이 깊어지면서 저혈압과 서맥이 뒤따른다. 장시간 동안 덱스메데토미딘을 주입하면 간혹 저혈압과 고혈압이 모두 관찰되는 경우가 있으며, 24시간 이상 투여하고 갑자기 중지하면 빈맥 및 고혈압을 포함한 금단 증상이 나타난다. 신경외과 수술을 받은 어린이 환자의 통상적인 주술기 치료에서 이 약제의 적절한 사용 및 역할을 결정하기 위해서는 더 많은 경험과 조사가 필요할 것이다.

이러한 프로포폴과 덱스메데토미딘의 제한점을 감안할 때, 어린이 중환자실에서 사용되는 주진정제는 여전히 아편유사제성 진통제와 벤조디아제핀의 조합이며 대개 정맥내로 지

속 주입한다. 검증된 진정점수를 이용한 진정제의 적정이 권고되며, 정기적인 약물 휴일
(drug holiday)은 과도한 진정을 방지하는데 도움을 준다. 머릿속압력을 조절하거나 기계환기
를 용이하게 하기 위해 신경근차단제를 사용해야 한다면 신경근 감시를 수행함으로써 적절
한 신경근 차단을 제공하고 신경근 차단 연장과 근쇠약을 방지해야 한다. 3–5일 이상 진정
제 주입을 받은 영아 및 어린이는 내성이 발생하여 주입을 중단할 경우 금단 증상이 발생할
수 있다.

(2) 진통

중등도 및 중증의 통증을 치료하는 데 가장 일반적으로 사용되는 진통제인 아편유사제의 투
여가 신경학적 검사를 방해하고 수술후 결과에 악영향을 미칠 수 있기 때문에 두개내수술로
인한 통증은 효과적으로 치료되지 못했었고, 실제로 수술 후 신경외과 환자에서 중등도 및
중증의 통증이 흔한 것으로 조사되었다. 따라서 이러한 어려움을 극복하기 위해서는 복합적
인 진통접근법을 적용해야 하는데, 그 방법은 소량의 아편유사제의 투여와 함께 국소마취
제를 사용한 신경차단 또는 아세트아미노펜, 비스테로이드성 소염진통제, N-methyl-D-
aspartate 길항제, α2-아드레날린 작용제 등을 포함한 비아편유사제성 진통제를 적절히 보
충, 투여함으로써 진통을 극대화하면서 부작용을 최소화시킨다.

3) 기계환기 및 호흡보조

수술 후 기계환기는 지속적으로 수행해야 하는 신경학적 평가를 허용하면서 폐포가스교환
을 보조해 주는 것을 목표로 한다. 대부분의 환아에서 호흡구동(respiratory drive)을 지속적
으로 평가할 수 있는 유발양식(triggered mode)에 의한 보조환기가 조절환기보다 바람직하
다. 압력보조환기는 신생아에서조차도 필요한 호흡보조를 제공해 주면서 신경 기능의 표지
자로서 호흡조절기능의 상실 여부를 평가할 수 있는 편리하고 유용한 환기방식이다. 숫구멍
과 머리뼈봉합이 열려 있는 어린 영아에서 평균기도압과 머릿속압력은 서로 연관성이 거의
없다. 중환자실에서 깊은 진정, 조절환기 및 신경근 차단이 성인보다 어린이에서 더 많이 사
용되지만, 이러한 관리방식이 두개내고혈압이 존재하는 환아에게 어떠한 영향을 미치는지
에 대해서는 아직 알려져 있지 않다.

4) 혈역학보조

혈역학보조(hemodynamic support)는 저혈압을 방지하고, 적절한 뇌관류압을 유지하며, 일시
적인 혈압 변화로 인한 손상을 최소화하는 것을 목표로 한다. 극저체중출생아(very low birth
weight infant)에서조차 도파민과 에피네프린은 전신혈압을 보조하고 뇌혈류를 회복시키는
데 효과적이다. 두개내고혈압이 있는 취학전어린이(2–6세)의 중요한 임계뇌관류압(criti-
cal cerebral perfusion pressure)은 약 50 mmHg이며, 이보다 나이가 많은 어린이의 경우 55–

60 mmHg이다. 비록 낮은 뇌관류압 수치가 나쁜 결과의 강력한 예측 인자일지라도 뇌관류압을 올리기 위한 치료의 합병증(수액 과부하, 급성호흡곤란증후군 등)으로 인해 어떠한 이득도 상쇄될 수 있기 때문에 의도적으로 이러한 수치를 증가시키는 치료에 대해서는 논란의 여지가 있다. 모든 내과적인 치료 및 관리에도 불구하고 뇌관류압이 낮고 머릿속압력 상승이 지속될 때 감압머리뼈절제술(decompressive craniectomy)을 시행해야 하며, 어린이들에서 더욱 좋은 결과를 나타낸다.

5) 합병증관리

(1) 전해질 이상 및 수액관리
세심한 수액관리(fluid management)를 통해 적절한 혈관내용적과 전해질 수치를 유지하고 뇌부종을 방지하는 것이 신경외과 환자의 치료결과 및 예후에 매우 중요하다.

① 저나트륨혈증
  i. 항이뇨호르몬분비이상증후군
  항이뇨호르몬의 비삼투적 분비는 나트륨 수치가 높은 등장성 또는 고장성 수액의 수술 중 사용에도 불구하고 신경외과 수술후 저나트륨혈증을 흔하게 발생시키는데, 이를 항이뇨호르몬분비이상증후군(syndrome of inappropriate secretion of antidiuretic hormone, SIADH)이라고 한다. 전반적으로 모든 어린이의 10% 이상이 수술후 저나트륨혈증을 경험하는데, 이 비율은 신경외과 수술 후 훨씬 더 높을 것이다. 항이뇨호르몬의 증가는 통증과 오심부터 체액 이동 및 저혈량증에 이르기까지 다양한 자극으로 인해 발생할 수 있다. 갑작스럽고 인지하지 못한 혈청 나트륨 수치의 저하는 발작을 유발시킬 수 있기 때문에 주술기 기간 동안 전해질 수치를 면밀히 감시하는 것이 바람직하다. 중대한 저나트륨혈증이 발생했을 때, 발작 증상이 있으면 고장성 식염수를 빨리 투여하여 혈장 나트륨 수치를 올려 주어야 하며, 수분 섭취를 제한하고 이뇨제를 투여함으로써 유리수(free water) 과잉을 치료한다. 저나트륨혈증의 발생 위험성을 최소화하기 위해 주술기 기간에 저장성 용액의 투여는 피해야 한다.
  ii. 뇌성염분소실증후군
  뇌성염분소실증후군(cerebral salt wasting syndrome)은 어린이에서도 흔하며 두부외상 및 신경외과 수술 후에 나타날 수 있다. 이 증후군은 수막염, 머리덮개뼈재형성(calvarial remodeling), 종양 절제술 및 수두증과 관련하여 점점 증가된 빈도로 진단, 보고되어 왔으며, 그 빈도는 대략 1,000건의 수술 당 11.3건으로 발생하고 증상의 평균 지속 기간은 약 6일이다. 뇌성염분소실은 과도하게 높은 수준의 심방 또는 뇌나트륨이뇨펩티드에 의해 발생하는데 저나트륨혈증과 저혈량증을 보이고, 특히 나트륨의 과도한 소변 배출이 특징적이라는 점에서 SIADH와 감별이 가능하다. 고전적인 치료법은 염분 투여를 포함하지만, 플루드로코르티손(fludrocortisone)의 투여로 보다 신속하게 치료할 수 있다.

② 고나트륨혈증

i. 요붕증

요붕증은 뇌하수체 및 시상하부를 포함하거나 인접하여 시행되는 수술의 잘 알려진 합병증으로 가장 흔하게는 두개인두종과 연관되어 발생한다. 요붕증은 방대한 양(>4 mℓ/kg/h)의 묽은 소변과 상승한 혈청 나트륨 수치(>145 mEq/L)로부터 알아차리게 되는데, 소변이 줄어 배출되지 않으면 심한 탈수와 혈액량 감소가 초래되었음을 의미한다. 요붕증 관리에 대한 다양한 성공적인 접근 방식이 있기 때문에 수술후 관리로서 표준화된 여러 전문분야적 프로토콜을 사용하는 것이 도움이 된다. 의식이 없거나 경구 수액을 섭취할 수 없거나 정상적인 갈증 기전이 손상된 환자는 아르지닌 바소프레신(arginine vasopressin)의 지속적인 주입으로 가장 잘 치료된다. 그림 14-6는 최대 항이뇨 요법과 정맥내 수액의 엄격한 제한을 사용한 요붕증의 효과적인 주술기 관리 프로토콜의 예를 보여준다. 이 전략은 소변배출량으로 약용량을 적정하는 실수를 피하고 최대 항이뇨 치료를 받는 정상혈량을 가진 어린이에서 신장혈류량이 적절하게 유지된다는 사실을 인정하는 것이다. 소변배출량이 최소이므로(0.5 mℓ/kg/min), 혈량상태를 반영해 주는 다른 임상 표지자들이 면밀히 관찰되어야 한다. 마취로부터 각성한 후 갈증을 호소하는 환자는 경구 수액과 데스모프레신(desmopressin)으로 쉽게 치료가 전환될 수 있다.

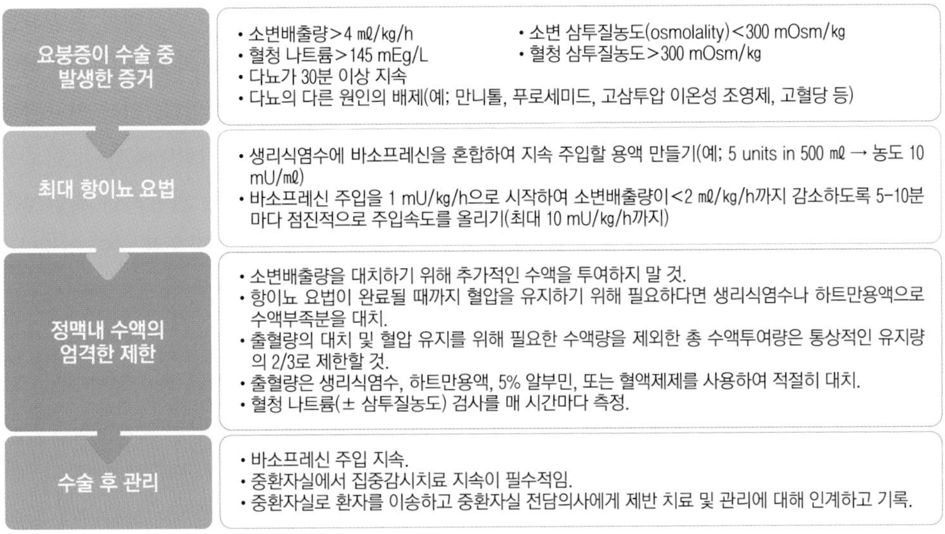

요붕증이 수술 중 발생한 증거	• 소변배출량>4 mℓ/kg/h　　• 소변 삼투질농도(osmolality)<300 mOsm/kg • 혈청 나트륨>145 mEg/L　　• 혈청 삼투질농도>300 mOsm/kg • 다뇨가 30분 이상 지속 • 다뇨의 다른 원인의 배제(예; 만니톨, 푸로세미드, 고삼투압 이온성 조영제, 고혈당 등)
최대 항이뇨 요법	• 생리식염수에 바소프레신을 혼합하여 지속 주입할 용액 만들기(예; 5 units in 500 mℓ → 농도 10 mU/mℓ) • 바소프레신 주입을 1 mU/kg/h으로 시작하여 소변배출량이<2 mℓ/kg/h까지 감소하도록 5-10분마다 점진적으로 주입속도를 올리기(최대 10 mU/kg/h까지)
정맥내 수액의 엄격한 제한	• 소변배출량을 대치하기 위해 추가적인 수액을 투여하지 말 것. • 항이뇨 요법이 완료될 때까지 혈압을 유지하기 위해 필요하다면 생리식염수나 하트만용액으로 수액부족분을 대치. • 출혈량의 대치 및 혈압 유지를 위해 필요한 수액량을 제외한 총 수액투여량은 통상적인 유지량의 2/3로 제한할 것. • 출혈량은 생리식염수, 하트만용액, 5% 알부민, 또는 혈액제제를 사용하여 적절히 대치. • 혈청 나트륨(± 삼투질농도) 검사를 매 시간마다 측정.
수술 후 관리	• 바소프레신 주입 지속. • 중환자실에서 집중감시치료 지속이 필수적임. • 중환자실로 환자를 이송하고 중환자실 전담의사에게 제반 치료 및 관리에 대해 인계하고 기록.

그림 14-6

요붕증의 주술기 관리를 위한 알고리듬

(2) 발작

발작(seizure)은 어린이 신경질환의 흔한 임상소견 중 하나이다. 원인이 설명되지 않은 의식 상태의 변화가 발생한 어린이들에서 비경련성 간질지속증(nonconvulsive status epilepticus) 이 감별진단에 고려되어야 한다. 신경외과 수술을 받은 어린이 환자에서 주술기 발작의 발생률은 7.4%이며 예방적 항경련제를 투여 받은 전체 코호트(cohort)의 4.4%였다. 주술기 발작과 관련된 독립적인 요인으로는 천막위종양, 2세 미만의 연령, 저나트륨혈증이 있다. 예방적 항경련제의 불분명한 효과를 감안할 때 이를 일상적으로 투여하는 것은 아직 근거가 부족하므로 추가 조사가 필요하다. 간질지속증(status epilepticus)의 경우, 로라제팜 0.1 mg/kg를 정맥내로 2분에 걸쳐 주입하거나 디아제팜 0.5 mg/kg를 직장내로 투여하면 효과가 있다. 초기 용량이 효과가 없다면 로라제팜은 10분 후에 반복 투여될 수 있으며, 포스페니토인 (fosphenytoin) 20 mg 페니토인 나트륨 당량(phenytoin sodium equivalent; 1.5 mg의 포스페니토인은 1 mg 페니토인 나트륨 당량과 동등)/kg를 정맥내 또는 근육내로 동반 투여할 수 있다. 호흡억제의 잠재적인 위험성에도 불구하고 페노바르비탈(phenobarbital) 20 mg/kg도 역시 효과적인 일차 항경련제이다.

난치성 간질지속증(Refractory status epilepticus)은 아직 해결되지 않은 중대한 난제들을 지속적으로 제시하고 있으며, 이를 효과적으로 관리하기 위한 정보를 제공해 줄 만한 전향적 연구가 없는 상태이다. 아직까지 약물유발혼수가 주치료로서 시행되고 있으며, 뇌파에서 돌발파억제(burst suppression)가 일어날 때까지 항경련제를 적정하여 투여함으로써 혼수를 유발시킬 수 있다. 약물은 펜토바르비탈, 미다졸람 또는 페노바르비탈을 사용한다. 기계환기는 앞에서 설명한대로 제공되며, 약물유발혼수치료는 대개 저혈압 및 심근억제를 초래하기 때문에 침습적 혈역학감시가 필요하다. 프로포폴은 발작을 줄이고 혼수상태를 유발하는데 효과적이지만 프로포폴 주입 증후군의 위험성 때문에 소아 환자에서의 사용은 제한적이다. 어린이 두부 외상후 발작 예방치료의 유용성은 아직 논란의 여지가 있다. 일부 연구결과가 이런 환자에서 일상적으로 발작 예방치료를 적용했을 때 성인보다 어린이에서 더 이로운 결과를 가져올 수 있다고 주장하지만, 무딘 두부 외상후 발작이 발생할 전반적인 위험성은 낮다. 따라서 이때 예방치료의 추가 이익은 적으며, 하나의 치료 선택사항으로 남아 있다.

(3) 머릿속압력의 상승

머릿속압력의 감시는 뇌부종이나 두개내종괴 병변이 갑자기 팽창할 위험성이 있는 외상 환아 및 신경외과 수술을 받은 환아에서 시행하는 것이 바람직하다. 어린이에서 머릿속압력 상승의 증상은 비특이적이며, 간헐적인 무호흡이 영아에서 나타나는 첫 징후일 수 있다. 간혹 뇌 CT 결과가 정상인 경우에서조차 머릿속압력의 상승이 존재할 수 있다. 신생아나 영아에서는 벌어진 머리뼈봉합과 부풀어오른 숫구멍 소견이 머릿속압력 상승의 임상적 증거를 제공하지만, 머릿속압력의 비침습적 양적 측정은 적용이 어렵고 정확하지 않을 수 있다. 이

때 뇌실내 카테터 거치가 머릿속압력 감시에서 선호되는데, 그 이유는 감시와 더불어 동시적으로 뇌척수액의 배액을 수행함으로써 중요한 치료적 이득을 제공할 수 있기 때문이다.

불행히도 영아 및 어린이에서 머릿속압력 상승의 치료는 여전히 성인 대상의 연구결과에 의해 주도되고 있다. 하지만 앞서 수술 후 혈역학보조와 관련하여 언급한 바와 같이 평균동맥압과 뇌관류압에 대한 목표 한계치(target threshold)가 연령에 따라 다르다는 사실은 잘 알려져 있다. 머릿속압력을 조절하기 위해 3%의 고장성 식염수(Hypertonic saline)를 이용한 삼투압요법(osmotherapy)이 덩어리 또는 주입 방식으로 널리 사용되지만, 이 치료는 성인에서보다 작은 어린이에서 더욱 빠르게 심한 고나트륨혈증을 유발할 수 있다.

6) 기타 수술 후 관리

성인 연구 결과로부터 추론된 수술후 관리의 다른 주요 요소로는 스테로이드의 회피, 수액관리에서 콜로이드보다 결정질의 선호, 과다환기에 대한 경계 등이 있다. 이 중 작은 어린이일수록 중환자실에서 부주의하게 과다환기를 받기 쉽고 이로 인해 뇌허혈이 발생할 수 있다는 사실을 인지하는 것이 특히 중요하다. 그러므로 분시환기량과 호기말 및 동맥혈 이산화탄소분압 수치의 주의 깊은 감시가 권고된다.

6. 맺음말

신경외과학의 기술적 진전과 신경외과학, 마취통증의학, 영상의학, 중환자 관리에 있어 소아신경전문분과의 설립, 그리고 이러한 세부분과들의 협력에 의한 여러전문분야적팀접근을 통해 신경외과 수술을 받는 영아 및 어린이 환자의 수술 결과 및 예후가 개선되고 있음에도 불구하고 이러한 환아들의 주술기 관리는 아직도 신경외과 및 마취통증의학과 의사, 중환자실 전담의사에게 많은 어려움을 안겨 주고 있다. 이러한 어려움들은 대부분 환아의 연령과 관련이 있는데 발달단계에 따른 해부학적 변화, 신경생리적 특징들과 밀접히 연관된다. 또한 발달과정에서 발생한 문제점들과 연관된 여러 특수 질환들이 신경외과적 수술을 요구하므로 이러한 질환들에 대해 잘 이해하고 주술기 동안 발생할 수 있는 독특한 문제점들과 이에 대한 마취 고려사항들을 면밀히 파악하고 적절한 관리와 치료를 제공해야 한다.

신경내시경수술 및 신경영상의학의 발전은 환아에게 보다 비침습적이고 정확하면서 안전한 치료를 제공할 수 있게 하였으나 주로 수술장 외에서 진행되는 다학제수술 및 정위방사선수술로 인해 어린이 마취전문의들은 새로운 어려움에 직면하게 되었다.

결론적으로 어린이 신경외과 수술에서 환아의 나이에 의해 좌우되는 여러 해부학적, 신경생리적 특성들과 발달과 관련된 신경외과적 특수 질환들의 특성, 그에 따른 주술기 마취 고려사항, 마취 및 수술 절차의 상호작용, 그리고 새로 개발된 신경외과 수술의 절차 및 특성에 대해 명확하게 이해하고 최선의 마취관리를 제공한다면 모든 치료 단계에서 환아의 주술기 이환율과 사망률을 최소화하는데 도움을 줄 수 있을 것이다.

참고문헌

• Akavipat P, Hungsawanich N, Jansin R . Alternative placement of bispectral index electrode for monitoring depth of anesthesia during neurosurgery. Acta Med Okayama 2014; 68: 151-5.

• American Academy of Pediatrics; American Academy of Pediatric Dentistry, Coté CJ, Wilson S; Work Group on Sedation. Guidelines for monitoring and management of pediatric patients during and after sedation for diagnostic and therapeutic procedures: an update. Paediatr Anaesth 2008; 18: 9-10.

• Costa P, Peretta P, Faccani G. Relevance of intraoperative D wave in spine and spinal cord surgeries. Eur Spine J 2013; 22: 840-8.

• Dahaba AA, Xue JX, Zhao GG, Liu QH, Xu GX, Bornemann H, et al. BIS-vista occipital montage in patients undergoing neurosurgical procedures during propofol-remifentanil anesthesia. Anesthesiology 2010; 112: 645-51.

• Edler A. Special anesthetic considerations for stereotactic radiosurgery in children. J Clin Anesth 2007; 19: 616-8.

• Furay C, Howell T. Paediatric neuroanaesthesia. Continuing Education in Anaesthesia Critical Care & Pain 2010; 10: 172-6.

• Iida K, Otsubo H. Stereoelectroencephalography: Indication and Efficacy. Neurol Med Chir (Tokyo) 2017; 57: 375-85.

• Kalita N, Goswami A, Goswami P. Making Pediatric Neuroanesthesia Safer. J Pediatr Neurosci 2017; 12: 305-12.

• Kim YS, Lim BG, Kang SW, Lee SH, Lee W, Lee IO. Assessment of chloral hydrate-centered pediatric sedation performed by non-anesthesiologists. Anesth Pain Med 2016; 11: 366-74.

• Kochanek PM, Carney N, Adelson PD, Ashwal S, Bell MJ, Bratton S, et al. Guidelines for the acute medical management of severe traumatic brain injury in infants, children, and adolescents--second edition. Pediatr Crit Care Med 2012; 13 Suppl 1: S1-82.

• Lee JR. Updated review in pediatric airway management. Anesth Pain Med 2017; 12: 195-200.

• McClain CD, Landrigan-Ossar M. Challenges in pediatric neuroanesthesia: awake craniotomy, intraoperative magnetic resonance imaging, and interventional neuroradiology. Anesthesiol Clin 2014; 32: 83-100.

• Paweletz A, Parr M, Heap P, Edi-Osagie N. Use of clear sterile drapes for invasive procedures. Arch Dis Child Fetal Neonatal Ed 2018; 103: F151.

• Rath GP, Dash HH. Anaesthesia for neurosurgical procedures in paediatric patients. Indian J Anaesth 2012; 56: 502-10.

• Salova EM, Lubnin AIu, Rylova AV, Tseĭtlin AM, Luk'ianov VI, Shimanskiĭ VN. [Monitoring the depth of anesthesia in neurosurgical patients]. Anesteziol Reanimatol 2011; 4: 22-7.

• Samagh N, Bhagat H, Grover VK, Sahni N, Agarwal A, Gupta SK. Retrospective analysis of perioperative factors on outcome of patients undergoing surgery for Moyamoya disease. J Neurosci Rural Pract 2015; 6: 262-5.

• Soriano III SG, McManus ML. Pediatric Neuroanesthesia and Critical Care. In: Cottrell and Patel's Neuroanesthesia. 6h ed. Edited by Cottrell JE, Patel P. New York, Elsevier Inc. 2017, pp 337-48.

• Soundararajan N, Cunliffe M. Anaesthesia for spinal surgery in children. Br J Anaesth 2007; 99: 86-94.

• Wintermark M, Lepori D, Cotting J, Roulet E, van Melle G, Meuli R, et al. Brain perfusion in children: evolution with age assessed by quantitative perfusion computed tomography. Pediatrics 2004; 113: 1642-52.

임산부 신경외과 수술의 마취관리

Anesthetic Management for Neurosurgery in the Pregnant Patients

15

학습목표

1. 임신의 생리적 변화를 설명한다
2. 임신의 생리적 변화가 뇌신경에 미치는 영향을 설명한다.
3. 자궁혈류량에 변화를 줄 수 있는 요인들 열거한다.
4. 약물의 태아 전달과 기형아 유발 위험성이 높은 약제를 열거한다.
5. 임신 중 개두술을 실시하는 시기와 마취관리를 설명한다.
6. 임신 중 척추수술에 따른 마취관리를 설명한다.

임산부 신경외과 수술의 마취관리

Anesthetic Management for Neurosurgery in the Pregnant Patients

이정진
성균관대학교 의과대학

15

임산부에서 신경학적 병변의 발생 빈도는 같은 연령대의 일반 환자와 비슷하지만 수술실에 들어오는 경우는 드물다. 임산부에서의 신경외과 수술은 유병률과 사망률이 높은 수술로, 수술을 결정할 때는 매우 신중히 결정하여야 한다. 또한 임산부의 마취는 임산부뿐 아니라 태아의 안전과 생명을 고려해야 하기 때문에 가장 적절한 마취 방법 및 수술을 선택하여야 한다. 임신 및 분만 중에는 임산부의 생리학적 변화가 매우 크기 때문에 임산부를 마취할 때 일반 환자와 동일하게 마취를 하면 곤란하다. 그러므로 마취과 의사는 임신에 따른 생리적 변화를 이해하고 그에 맞는 마취 방법을 선택해야 한다. 뇌신경 질환이 있는 일반 환자에서는 권장되는 마취 방법이지만, 임산부에게는 적합하지 않는 방법일 수도 있기 때문이다.

1. 임신의 생리학적 변화

1) 심혈관계 변화

임신 중에는 광물부신겉질호르몬(mineralocorticoid)의 증가로 나트륨(sodium)이 저류하고 체액이 증가하는데, 임신 초기부터 증가하기 시작하여 말기에는 혈장량이 약 40-50% 증가하고 적혈구 용적이 약 20%가량 증가하여, 총 혈액량은 약 25-40%가량 증가한다. 그러나 적혈구 증가량에 비해 상대적으로 혈장 증가 폭이 크기 때문에 희석성빈혈(dilutional anemia, 헤모글로빈 11-12 g/dℓ)을 보인다.

임신 중에는 태아의 성장에 따른 대사요구량의 증가에 따라 산모의 산소 소모량이 증가하고 심혈관계의 변화가 발생한다. 심박출량 증가는 임신의 중요한 생리학적 변화로서 임신 이전에 비해 약 30-40%가량 증가하는데, 임신 초기에는 일회박출량(stroke volume)의 증가가 심박출량 증가의 주 원인이며, 임신 28-32주 정도 되면 심박수가 10-15회/분 증가하여 심박출량 증가의 주 원인이 된다. 이와 같이, 심박출량은 임신 기간 중에 지속적으로 증가하는 양상을 보이는데, 임신 24주에서 32주 사이에 최고의 심박출량을 보이고, 임신 3기에 접어들면 심박출량의 증가는 매우 적은 것으로 보고되었다. 그러나 이러한 보고들은 누운자세

(supine position)에서 심박출량 측정이 이루어졌기 때문에 임신 3기에 커진 자궁으로 인해 하대정맥이 눌려 정맥환류량(venous return)이 줄어들며 심박출량이 감소되는 것을 고려하지 못한 결과였다. 최근의 연구들은 심박출량이 임신 3기까지 계속하여 증가하는 것으로 보고되고 있다.

분만 중에는 통증과 자궁 수축으로 인해 분만 전에 비해 심박출량이 약 60% 정도 추가로 증가할 수 있는데, 경막외진통법과 같은 적절한 방법을 사용하여 통증을 감소시키면 심박출량의 증가를 일부 억제시킬 수 있다. 그러나 자궁 수축은 자궁에 있던 약 300-500 ㎖ 정도의 혈액이 임산부 혈관으로 주입되는 효과가 있고, 누운자세저혈압증후군(supine hypotensive syndrome)을 보상하기 위해 전투여를 했던 수액이 있기 때문에 어느 정도의 심박출량 증가 효과가 있고, 이렇게 증가된 심박출량 부분은 통증을 감소시켜도 줄어들지 않고 남아 있으며, 분만 6-8주가 지나야 임신 전의 심박출량 수준으로 되돌아간다. 이러한 변화는 다중 임신에서 더 심하게 나타난다.

이와 같은 심박출량의 증가에도 불구하고 전신혈관저항의 감소로 수축기 혈압은 임신 전과 비교하여 큰 변화가 없고 이완기 혈압은 약 10-15 mmHg 정도 떨어지는데, 이는 황체호르몬(progesterone) 및 난포호르몬(estradiol)과 같은 임신성 호르몬 영향으로 혈관 저항이 감소하기 때문으로 알려져 있다. 심전도는 대개 정상 QRS 축(axis)을 보이지만 3기 이후의 산모에서는 자궁에 의해 심장이 오른쪽이나 왼쪽으로 치우쳐서 좌측축이탈(left axis deviation)이나 우측축이탈(right axis deviation)을 보이는 경우도 있다. 빈맥이나 조기 심방/심실성수축(premature atrial contraction/premature ventricular contraction)을 보이는 경우도 있고 발작심실상성 및 심실성 부정맥(paroxysmal supraventricular and ventricular arrhythmias)의 가능성도 증가한다.

임산부가 누운자세(supine position)를 취할 경우 비대해진 자궁이 하대 정맥을 압박하여 정맥환류량이 줄고, 이로 인해 심박출량이 감소하며, 자궁혈류량이 감소하여 태아로 전달되는 혈액 및 산소량이 감소할 경우 심각한 문제를 야기할 수 있다. 또한 대동맥을 눌러서 문제가 될 수 있으며, 전신마취 혹은 부위 마취로 인해 더욱 정맥환류량이 줄어들어 태아에 가는 혈액 및 산소 공급에 지장을 초래할 수 있다. 이러한 현상은 임신 2기부터 나타나 태아가 성장함에 따라 점차 더 심해질 수 있고 임신 36-38주에 최대에 이르며 그 이후에는 태아가 골반 아래쪽으로 가면서 감소하는 것으로 보고되었다. 그러므로 임산부에서 누운자세를 취해야 할 경우, 침대를 약 15° 정도 왼쪽으로 기울이거나, 우측 엉덩이에 포를 집어넣어 자궁을 좌측 전이시켜 누운자세저혈압증후군을 예방하여야 한다.

2) 호흡기계 변화

임신 중에는 분시환기량(minute ventilation)이 임신 전에 비해 임신 말기에 약 50% 정도 증가하는데, 이는 주로 일회환기량(tidal volume) 증가(40%)가 중요 원인이고 호흡수 증가(15%)

도 일부 기여하며, 증가된 분시환기량으로 인해 이산화탄소 분압이 32–35 mmHg로 낮게 나타난다. 이렇듯 호흡량이 증가하는 이유는 임신 중에 황체호르몬의 증가로 호흡 중추의 이산화탄소에 대한 반응 역치가 낮아지기 때문으로 추정하고 있다.

또한 임신 말기가 되면 비대해진 자궁이 횡격막을 위로 올려서 기능적잔기용량(functional residual capacity, FRC), 호기예비량(expiratory reserve volume, ERV), 잔기량(residual volume, RV)이 감소하는 반면, 폐쇄용적(closing capacity, CC)은 별 변화가 없어서 폐쇄용적이 기능적잔기용량보다 더 클 수 있고, 이로 인해 소기도 폐쇄, 션트율 증가 및 저산소혈증이 발생될 수 있다. 또한 기능적잔기용량은 무호흡 기간 중 산소의 저장 및 공급 장소가 되는데, 임신 말기에 기능적잔기용량이 감소되어 있는 상태에서 무호흡이 발생되면 저산소혈증이 급속하게 발생될 수 있다. 더구나 임신 중에는 산소요구량이 약 20% 정도 증가하기 때문에 저산소혈증에 노출될 경우가 많아지게 된다. 그러므로 마취 유도 전에 산소마스크를 통해 전산소화(preoxygenation)와 탈질소화(denitrogenation)를 충분히 실시하여 환자가 저산소혈증에 빠지는 것을 예방하여야 한다(표 15-1).

표 15-1 임신 중 생리적 변화

인자	변화
혈장량	40–50% ↑
총 혈액량	25–40% ↑
혈색소(hemoglobin)	11–12 g/dℓ
섬유소원(fibrinogen)	100% ↑
혈중콜린에스테라아제(cholinesterase) 활성도	20–30% ↓
전신혈관저항	50% ↓
심박출량	30–50% ↑
혈압	약간 ↓
기능적잔기용량	20–30% ↓
분시환기량	50% ↑
폐포환기량	70% ↑
산소소모량	20% ↑
이산화탄소생성량	35% ↑
동맥혈이산화탄소분압	10 mmHg ↓
동맥혈산소분압	10 mmHg ↑
분당폐포호흡량	32–40% ↓

임신 중에는 세포외액 축적으로 점막 부종이 많이 발생하는데, 그 중에서도 상기도 부종을 흔히 관찰할 수 있다. 그러므로 경비 기관내 삽관은 비출혈을 일으킬 가능성이 높기 때문에 가급적 시용하지 않는 것이 좋으며, 경구 기관내 삽관을 시행할 때도 가능한 적은 직경의 튜브를 사용하는 것이 바람직하다.

3) 신장계 변화

심박출량과 신장혈류량이 증가하면서 사구체여과율(glomerular filtration rate, GFR)도 증가하고, 사구체여과율의 증가로 혈장 혈액요소질소(blood urea nitrogen, BUN)와 크레아티닌(creatinine)이 임신 이전에 비해 약 40-50%가량 감소한 결과를 보인다(표 15-2). 이렇게 감소된 혈액요소질소와 크레아티닌은 분만 약 6주 후에 임신 이전 상태로 돌아온다. 또한 알도스테론(aldosterone)의 증가와 나트륨, 수분 재흡수로 인해 부종이 생겨서 머릿속압력 상승으로 인한 증상이 악화될 수 있다. 그러나 포도당과 아미노산은 효과적인 재흡수가 일어나지 못하여 임신 중에는 요당 및 아미노산뇨증이 발생할 수 있다.

표 15-2 신장 기능의 변화

	비 임산부	임산부
BUN(mg/dl)	13±3	8.7±1.5
Creatinine(mg/dl)	0.67±0.14	0.46 ±0.13

4) 위장관계 변화

임신 중에는 위장관 운동의 저하, 음식물 흡수 지연, 하부 식도조임근 압력 저하 등의 변화가 생기는데, 임신으로 인한 황체호르몬 증가를 그 원인으로 생각하고 있다. 임신 기간 중에 위배출시간(gastric emptying time)은 임신 이전과 비교하여 별 차이를 보이지 않지만 아편유사제제가 투여되거나 분만이 시작될 경우는 위배출시간이 지연되고, 위 용적과 위내압은 증가하게 된다. 이러한 위용적 및 위내압 증가와 하부 식도조임근 압력 저하로 위역류 및 폐흡인이 쉽게 발생될 수 있고, 가스트린(gastrin) 때문에 위 산도가 낮고 용량이 증가되어 있기 때문에 폐흡인이 발생할 경우 더욱 심각한 폐 합병증을 야기시킬 수 있다. 그러므로 임신 2기 즉 임신 약 14주부터는 임산부는 금식이 안되어 있다고 간주하고 전신 마취 유도 전에 제산제, H2 길항제 및 metoclopramide 등의 약제를 사용하여 폐흡인 예방을 시행하여야 하고, 기관내 삽관 시에도 일반적으로 신속삽관법(rapid sequence intubation)을 통해 신속한 기관내 삽관을 시행하는 것이 추천되고 있다. 그러나 머릿속압력이 상승되어 있는 뇌질환 환자에서는 이러한 기 관내 삽관법이 머릿속압력을 더욱 상승시켜서 좋지 않은 결과를 초래할 수 있기 때문에 다른 방법이 고려되어야 한다. 별 문제가 없는 산모의 경우는 수술 2시간 전까지 맑은 유동식(clear liquid)을 마실 수 있으나 비만, 당뇨가 있거나, 기도 삽관의 어려움이 예상되는 경우는 좀더 엄격한 제한이 필요하다.

5) 신경학적 변화

임신 초기부터 흡입마취제에 대한 최소폐포농도(minimum alveolar concentration, MAC)는 약 30-40% 정도 감소하는데, 이는 내인성 엔도르핀(endogenous endorphin)과 황체호르몬 농도가 임신과 함께 증가하기 때문으로 추정하고 있다. 그러므로 임산부에게 흡입마취제를 사용하여 전신마취를 유도 및 유지할 경우, 비 임산부에 비해 낮은 농도를 사용하여야 한다. 이러한 최소폐포농도의 감소는 출산 후 12-72시간까지 지속된다고 보고되고 있다. 임신 시 정맥마취제 요구량의 변화에 대해서는 다양하게 보고되고 있는데, 보고에 따르면 임신에 따른 정맥마취제의 요구량은 약 8-18% 정도 감소하며, 이는 흡입마취제에 비하면 다소 적은 차이이다.

임신 시 통증 역치도 높아지는데 황체호르몬과 여성호르몬을 주입하여 연구한 바에 따르면 척추의 아편유사물질수용체(opioid receptor)와 α2-노르아드레날린성 경로(noradrenergic pathways)를 통해 이루어진다고 보고되고 있다. 실제로 임신 중 통증 역치는 출산 후 24-48시간까지 증가하는 것으로 보고되나, 이러한 변화가 수술 전후 아편유사제성 진통제의 요구량을 감소시키는지에 대해서는 밝혀져 있지 않다.

임신 중에 척추마취 혹은 경막외마취에 사용되는 국소마취제의 필요양이 약 30-40% 정도 감소한다. 이와 같이 국소마취제 요구량이 감소하는 이유는 과거에는 커진 자궁으로 인한 대동정맥 압박으로 경막외혈관이 팽창하며, 경막외강의 용적이 감소하여 경막외마취에 필요한 국소마취제 요구량이 감소한다고 설명하였다. 그러나 최근 연구들에 의하면 임신 8-12주 정도의 임신 1기에서 자궁 크기가 변하지 않았음에도 국소마취의 요구량이 감소하는 것은 기존의 대동정맥 압박으로 설명할 수 없으며, 임신으로 인한 보상성호흡성알칼리증(compensatory respiratory alkalosis), 임신 중에 혈장 및 뇌척수액의 단백질 성분의 감소, 그리고 황체호르몬과 같은 임신성 호르몬의 영향 등의 원인들이 관련이 있다고 주장되고 있다.

6) 대사 변화

임신 말기로 갈수록 섬유소원(fibrinogen)같은 혈액응고인자가 증가하고 항응고인자는 감소하여 만성 보상성 파종성혈관내응고(disseminated intravascular coagulation)와 같은 양상을 보이며 혈소판수치가 감소하는 경우도 많다.

혈중 콜린에스테라아제(cholinesterase) 활성도 감소하는데 임신 말기에는 정상보다 20% 정도 낮은 수준으로 떨어진다. 태반에서 분비되는 젖샘자극호르몬(prolactin, lactogen)과 코티졸의 증가에 따라 임산부의 고혈당증과 케톤혈증의 가능성이 증가하게 되고 기존에 당뇨가 있는 환자에서는 이를 악화시킨다. 산모가 포도당을 조절하는 능력이 떨어지면 포도당이 태반을 통해 태아에게 전달되고 이는 태아에서 인슐린 분비를 촉진시켜 출생 직후 신생아가 저 혈당증에 빠지게 될 수도 있다. 특히 신경외과 수술을 받는 산모에서 혈당의 조절은 매우 중요하며 포도당이 섞이지 않는 수액을 주입하고 혈당치를 측정하여 조절해주어야 한다.

7) 경막외혈관 변화

임신으로 인해 커진 자궁과 대동정맥 압박으로 인한 기계적인 압박으로 정맥환류량의 상당부분이 경막외정맥얼기(epidural venous plexus)를 통해 이루어지기 때문에 경막외정맥혈관이 팽만되고 압력이 증가하게 된다. 또한 경막외정맥혈관은 해부학적으로 판막(valve)이 없는 구조를 갖고 있기 때문에 기침과 같은 갑작스러운 복부 압력 변화가 직접적으로 경막외정맥 혈관에 전달되어 파열될 수도 있다. 또한 임신 중에 분비되는 여성호르몬과 황체호르몬의 영향으로 경막외동맥혈관은 퇴행성 변화를 나타내게 되고, 이러한 해부학적 변화와 더불어 임신과 분만으로 인한 혈역학적 변화가 동반되어 나타나면 경막외동맥혈관이 파열되기도 한다.

2. 자궁혈류량(uterine blood flow, UBF)을 조절하는 요인

임신 말기가 되면 자궁혈류량이 약 700 ㎖/minute으로 전체 혈액량의 약 10%에 해당하며 아래 공식에 의해 결정된다.

UBF = (UAP-UVP)/UVR
UAP: uterine arterial pressure(자궁동맥압), UVP: uterine venous pressure(자궁정맥압),
UVR: uterine vascular resistance(자궁혈관저항)

임산부에서 저혈압이 발생하여 자궁혈류량이 감소하면 태아로 가는 혈액과 산소 양이 감소하기 때문에 즉각적인 처치를 해주어야 하는데, 현재까지 가장 적합한 약제로 알파와 베타효과가 동시에 있는 ephedrine이 선호되고 있다. Ephedrine은 자궁혈관저항은 변화시키지 않으면서 자궁동맥압을 증가시켜서 자궁혈류량을 증가시키는 효과를 나타내고 있는 약제로 알려져 있다. 또 다른 약제로 phenylephrine을 들 수 있다. 과거에는 phenylephrine이 순수한 알파 효과가 있어서 혈압을 상승시키지만 강력한 자궁 동맥 수축작용을 일으켜서 UBF가 감소되는 약으로 알려져 있었으나, 최근 보고에 의하면 소량의 phenylephrine, 즉 50-100 ㎍을 정주할 경우 자궁 혈류가 잘 유지되고 제왕절개술을 위한 척추마취에 ephedrine 단독 사용하는 경우보다 ephedrine과 phenylephrine을 병용 사용할 경우 신생아의 산증 발현 빈도가 더 낮았다는 보고도 있다.

자궁동맥압을 감소시키는 요인으로는 저혈량증, 마취약제 과량사용, 혈관확장제 과량사용, 척추마취나 경막외마취, 대동정맥압박 등이 있으며, 자궁정맥압을 증가시키는 요인으로는 자궁수축, 자궁긴장도의 증가, 대정맥 압박 등이 있다. 또한 전자간증, 고혈압, 통증과 유해한 자극으로 인한 내인성 카테콜아민(catecholamine) 분비, 혈관수축제 사용 등은 자궁혈관저항을 증가시키는 요인으로 작용한다.

3. 임산부 마취 시 마취약제의 선택

임산부의 마취 시 가장 고려해야 할 점은 마취 약제의 선택이다. 임신 시기에 따라 그 선택의 기준이 달라지는데 태아 장기 형성 기간, 즉 임신 1기(4-10주)에 많은 용량의 약제가 지속적으로 임산부에게 노출될 경우 그에 비례하여 태아 기형의 위험성은 커지게 된다. 그러므로 임신 1기에는 되도록 기형 발생의 가능성이 있는 약제에 대한 투여를 최소로 하는 것이 기형 발생을 억제하는 방법이다. 임신 중기 이후에는 형태적 결함보다는 발육부진이나 기능적 결함이 주로 오게 되며 태아의 뇌 발달에 영향을 미칠 수도 있음을 염두에 두어야 하며 말기에 제왕절개와 더불어 수술을 하는 경우는 마취 약제의 태반 이동에 따른 태아 억제를 고려하여 선택하여야 한다. 수정 후 2주까지는 장기 형성이 시작되지 않는 시기로 약제의 영

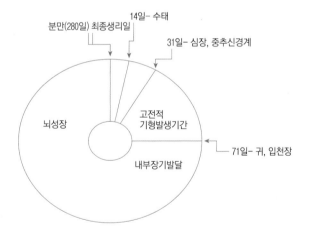

그림 15-1
임신 주기에 따른
태아의 발달

향을 받지 않거나 아예 자연유산이 되기 때문에 기형 발생의 위험은 적은 것으로 알려져 있다(그림 15-1).

그러나 이러한 약제의 영향에 대한 연구는 매우 제한적이며 태아에 대한 영향이 출생 직후가 아닌 학령기나 사춘기에 나타나는 경우도 있기 때문에 인과관계를 명확히 하기는 쉽지 않다. 또한 임신에서 마취와 무관하게 기형 발생률이 3% 정도이며 저산소증이 어떠한 약제보다 흔한 기형의 원인이라는 사실 또한 염두에 두어야 한다. 미국 식품영양청(FDA, U.S.

Food and Drug Administration)에서는 약제가 기형 발생에 미치는 영향을 5단계로 분류하였는데(category A, B, C, D, X) 대부분의 마취제는 동물실험에서는 기형이 유발된다는 보고가 있으나 사람에서는 안전하거나 데이터가 부족한 경우인 category B와 C에 해당한다. 그러나 이러한 분류가 지나치게 단순화 되어 있고 혼돈을 준다는 지적에 따라 2008년 이후로 사용하고 있지 않으며, 각 약제의 표지(labeling)에 이에 대해 자세히 적도록 하고 각 임상의가 위험대이익비율을 따져서 사용하도록 권고하고 있다. 실제 임상에서 사용하고 있는 약제 중에서 확실한 기형 유발이 증명된 경우는 Thalidomide, isotretinoin, warfarin, valproic acid, folate antagonist 등 5가지 약제이다. Briggs 등이 임신 및 수유 중 약제사용에 대한 유사한 정보를 제공하고 있다(표 15-3).

표 15-3 마취 약제의 기형발생 위험도에 대한 미국 식약청 카테고리

카테고리	분류기준	마취약제
A	사람에서의 대조군 연구에서 위험이 없다고 증명된 약제.	
B	사람에서 위험증거가 없다. 동물실험에서 위험이 있는데 사람에서 위험이 없거나, 동물실험에서 위험이 없고 사람에서 연구가 안되어 있는 약제.	Methohexital, Propofol, Desflurane Enflurane, Lidocaine Ropivacaine Meperidine Cisatracurium, Rocuronium
C	위험 가능성을 배제할 수 없다. 동물실험은 안되었거나 양성이고 사람에서 연구가 적절히 안되어있는 약제. 이점이 있으면 사용 가능하다.	Etomidate, Ketamine, Thiopental Halothane, Isoflurane, Sevoflurane, nitrous oxide B2−chloroprocaine, Bupivacaine, Tetracaine, Dex−medetomdine Alfentanil, Fentanyl, Sufentanil Morphine Atracurium, Vecuronium, Curare, Mivacurium, Pancuronium, Succinylcholine
D	인간에서 위험이 증명되었으나 생명에 위험한 상황에 대체할 약제가 없는 경우 사용 가능하다.	Diazepam, Midazolam
X	임신 중 금기. 인간과 동물실험에서 확실한 기형위험이 증명되어 이점이 있어도 사용금기임.	cocaine

1) 마취 약제와 기형 발생

일반적으로 마취기간 동안 일시적으로 투여되는 대부분의 마취 약제는 기형 발생을 일으키지 않는 것으로 알려져 있다. 어떠한 약제의 위험보다 임산부의 저혈압과 저산소혈증이 태아기형발생의 빈도를 증가시킨다.

흡입마취제가 태아의 기형 발생을 증가시킨다는 임상 보고는 없으나 임신 기간 중에 비산과적 수술을 받는 경우 태아 사망의 위험성이 증가하는데, 이는 흡입마취제의 영향이 아니라 임산부의 스트레스와 동반된 질환에서 기인된 결과일 가능성이 높다. 아산화질소(nitrous oxide, N_2O)는 동물 실험에서 태아 사망과 기형 발생의 빈도를 증가시키는 것으로 알려져 왔으나, 아직까지 실제 임산부를 대상으로 한 임상연구에서 이를 입증하는 결과는 보고되지 않고 있다. 동물 실험에서 태아 기형 발생을 증가시키는 원인으로 과거에는 methionine synthetase 억제로 인한 methionine과 tetrahydrofolate 감소를 그 원인으로 생각하였으나, 최근에는 α-adrenergic 자극에 의한 자궁혈류량 감소를 그 원인으로 추정하고 있다.

Propofol은 최근 신경외과 마취영역에서 가장 많이 사용되는 마취제로 전신마취 유도와 유지에 사용되며 빨리 배설되는 장점이 있으나, 대부분 비이온화 상태로 태반을 쉽게 통과하여 신생아에서 Apgar score를 낮춘다는 보고도 있으나 태아에서 신속하게 재분포되어 배설되므로 임산부에서 비교적 안전하게 사용할 수 있는 약제로 Category B에 해당한다. 그러나 임신 중 신경 외과 수술을 위해 propofol을 장기간(14–18시간) 정주한 2례에서 11시간 및 10시간 후 경증 대사 산증이 보고되었고, 저자들은 장시간의 수술이 예견된 경우 propofol의 사용을 제한하도록 권고하고 있다. 일부 국가에서 propofol의 임신 중 사용은 금기이다. Thiopental은 가장 많이 오랫동안 안전하게 사용되어온 정맥마취제로 신생아에 큰 영향을 미치지 않으며 여전히 임신 중 전신 마취를 위한 유도 약물로 가장 많이 사용된다. 쥐실험에서 고용량 투여 시 기형은 없었으나 발육부진이 보고되었다.

Diazepm은 과거 구순열이나 구개열을 초래한다는 보고가 있어 임산부에서 사용이 제한되어 왔고, 태아이완증(hypotonia), 저체온증, 수유불량의 특징이 있는 긴장저하영아증후군(floppy infant syndrome)을 초래한다는 보고가 있어 benzodiazepin계의 투약은 임산부에서는 권장되지 않는다(category D). 또한 항응고제로 사용되는 warfarin은 태아의 눈, 근골격계 및 중추 신경계 기형을 유발시킬 수 있기 때문에 임신 1기 중에는 시용을 제한해야 한다. 대부분의 근이완제, 아편유사제성 제재 및 국소마취제는 태아 기형을 일으키지 않는 것으로 알려 져 있으나, 장시간 cocaine (category X)을 투여 받은 임산부의 경우는 태아 기형의 위험성이 높다고 보고되었다. 최근 한 대조군 연구에서 임신 1기에 아편유사제(codeine, hydrocodone)의 사용이 태아의 심장, 척추, 위장 기형의 발생을 1.8–2배 증가시켰다고 보고하고 있다. Tramadol의 경우 신생아금단증후군(neonatal withdrawal syndrome)이 나타날 수 있다. 그러나 일반적으로 마취 중 사용되는 아편유사제성 제제는 큰 문제없이 사용할 수 있다.

2) 마취 약제와 태아의 뇌독성

최근 영아에서 마취제의 뇌독성에 대한 관심이 증가하고 있으며 몇몇 동물실험에서 분만 전의 태아에 대한 연구들이 진행되고 있다. 임신 2기는 배아형성(embryogenesis)이 끝난 시기이기 때문에 일반적으로 임산부의 마취가 태아에게 안전하다고 알려진 시기이다. 그러나 신경발생학적인 면에서 보면 임신 2기는 태아의 뇌발달이 폭발적으로 일어나는 시기이다. 임신 5주에서 25주 사이에 신경모세포(neuroblast)의 증식이 일어나고 임신 12주에 신경세포의 이동이 일어난다. 이러한 과정에 GABA와 Glutamate가 결정적인 역할을 한다. 따라서 임신2기에 마취제로 인해 태아의 GABA나 glutaminergic system에 인위적인 조정이 가해질 때 태아의 신경 발달에 영향을 미칠 거라 가정할 수 있다. 대표적인 정맥마취제인 propofol과 흡입마취제인 sevoflurane 등이 분만 전 어미 쥐에 투여된 경우 태어난 아기 쥐의 뇌의 조직학적 변화나 인지기능의 장애들이 보고되었다. 심지어 비교적 안전하다고 알려진 임신 2기에 투여된 isoflurane이 태어난 아기 쥐에서 행동장애를 일으켰다는 보고도 있다. 그러나 이러한 연구들에서 같이 사용된 고농도의 산소가 태아의 뇌발달에 영향을 미쳤을 가능성을 배제하기 힘들고 약제 사용시간이 임상적으로 흔히 사용되는 시간보다 훨씬 더 길었다는 점등이 제한 점으로 지적되며 아직 사람에서 이에 대한 연구가 진행되지 않았기 때문에 이 부분에 대한 연구가 더 진행되어야 할 것이다. 아직까지 마취과 의사들은 이러한 문제 때문에 마취제 사용에 제한을 두거나 꼭 필요한 산모의 수술을 미루는 것을 고려하지는 않지만 좀더 관심을 갖고 연구해야 할 분야이다.

3) 마취약제의 태반 이동

약제의 태반이동에는 여러 가지 인자가 관여한다. 주로 확산에 의해 이동하며 약제의 물리화학적 성질과 산모에서 약제의 혈중 농도, 태반의 상태, 태아와 산모 사이의 혈역학적 상관관계 등에 영향을 받는다.

지질용해도가 큰 약제일수록 생체막을 더 잘 통과하는데 마취과에서 사용하는 대부분의 약제는 지질용해도가 높아 태반을 잘 통과한다. 흡입마취제는 분자량이 작고 지질용해도가 높아서 쉽게 태반을 통과하여 태아로 전달되는데, 마취 유도에서 분만까지 소요된 시간, 즉 흡입마취제가 태아에 노출된 시간이 길수록 신생아 억제가 심하게 나타난다. 대표적 정맥마취제인 Thiopental, etomidate와 propofol은 지질용해도가 높고 이온화가 잘되지 않는 특성 때문에 태반 통과가 신속히 일어나지만, 이들 정맥 마취제들은 태아의 간에서 일차적으로 대사되어 비활성화되기 때문에 대부분 마취 유도 용량으로는 신생아 억제가 잘 일어나지 않는다. 아편유사제는 분자량이 작고 지질용해도가 높아서 태반 통과를 자유롭게 하기 때문에 산모에 투여했을 때 신생아의 호흡 저하와 과탄산혈증을 유발할 수 있다.

약제의 이혼화의 정도에 따라 지질 용해도가 달라지는 데 국소마취제나 아편유사제의 경우 약알칼리제제로 이온화정도가 낮아 지질용해도가 높으나 탈분극성 및 비 탈분극성 근이완제는 이온화율이 매우 높아서 지질용해도가 낮아 태반 통과가 매우 적다. 근이완 역전에 사용되는 neostigmine, edrophonium과 glycopyrrolate 역시 이온화율이 높아서 태반 통과가 잘 되지 않는다. 반면 atropine 및 scopolamine은 쉽게 태반을 통과한다. 항응고제로 사용되는 heparin은 이온화율이 매우 높아 태반 통과가 잘 되지 않는 반면 warfarin은 이온화 되지 않고 분자량이 작아서 쉽게 태반을 통과하여 선천성 기형을 유발할 수 있기 때문에 임신 1기에 투여하는 것을 금지하고 있다. 항고혈압제 중에서 베타차단제는 대부분 태반을 통과하는데, 그 중에서 labetalol의 태반 통과가 가장 적은 것으로 알려져 있다. 고농도 esmolol은 태아 서맥을 일으키는 것으로 알려져 있으며 sodium nitroprusside (SNP)는 태반 통과를 쉽게 하며 태아에 독성을 일으킬 수 있다.

산모에서 약제의 혈중농도가 태아에서의 혈중농도에 비해 높을수록 잘 이동한다. 태반의 성숙도도 약제 이동 속도에 영향을 미칠 수 있는데, 태반의 영양막상피 두께가 점차 얇아져서 임신 말기에 25 ㎜에서 2 ㎜로 감소한다. 태반에 의한 마취제의 흡수 및 생체내변환으로 태아에게 전달되는 약제의 양이 감소될 것으로 보이나 실제 산과마취에서 사용되는 마취약제들에 대한 태반의 흡수는 제한적이며 약물 대사의 증거도 없다.

태반으로 가는 혈류량도 영향을 미치는데 대동정맥 압박이나 저혈압 출혈 등에 의해 태반의 혈류를 감소되는 경우 태아로 가는 약제의 이동이 감소된다. 자궁이 수축될 때 diazepam을 정주한 경우 이완될 때 정주한 경우에 비해 태아에게 가는 약제의 양이 적었다. 태아의 국소 혈류량 변화는 또한 각 기관으로 가는 약제의 양에 영향을 미칠 수 있다. 예를 들어, 질식 및 산증 상태의 태아에서는 심박출량의 많은 부분이 태아의 뇌, 심장, 그리고 태반으로 관류된다. 동물실험에서 리도카인 정주시 질식상태의 비비 태아의 심장, 뇌 및 간에서의 약물 섭취가 질식상태가 아닌 대조군 태아에 비해 높게 관찰되었다.

4) 기타 요인들

혈청 콜린에스테라아제 활동은 임신말기에는 정상보다 20% 정도 낮은 수준으로 떨어지며, 산욕기에 가장 낮아진다. 그러나 보통 용량의 succinylcholine의 투여 시 정상적인 산모에서 무호흡시간을 늘어나게 하지는 않는 것으로 보인다.

임신 동안 총 단백량은 증가하지만 말기로 갈수록 혈장량이 늘어나면서 혈장 단백질이 희석되기 때문에 혈장 단백질 농도는 6 g/㎗ 미만으로 감소한다. 알부민이 상대적으로 더 감소하기 때문에 알부민−글로불린 비율도 감소한다. 이러한 혈장 단백질 농도의 감소는 단백질에 결합하는 약물의 자유분율을 증가시키기 때문에 임상적으로 의미가 있다. 약물의 단백결합은 유리 지방산(free fatty acid) 및 다른 내인성 치환 물질(endogenous displacing substances)의 농도가 증가할 때도 감소한다. 단백결합의 감소로 유리약물의 농도가 증가되지만, 만성 약물 투여의 경우, 유리약물의 제거 역시 증가하기 때문에 상쇄된다. 따라서 약물 전체(자유+결합) 농도는 감소할 것이고, 이를 보상하기 위해 목표 범위를 낮추어야 할 수도 있다. 이때 모니터링 된 농도가 유리약물인지 총 약물에 대한 것인지 여부를 아는 것이 중요하며 테오필린(theophylline), 페니토인(phenytoin)과 같은 몇몇 약물은 혈중농도를 모니터링하고 약용량을 조절해야 한다.

4. 임산부의 신경외과적 수술 시기

임신 1기에 수술을 하는 경우 특히 유산이나 사산의 위험성이 증가하고 태아기형발생의 위험도 증가하기 때문에 가능하면 수술 시기를 임신 2기 이후로 늦추는 것이 바람직하다. 임신 후반부에 뇌수술을 시행하여야 할 경우에는 조산의 위험성, 임산부의 유도 저혈압, 이뇨제 투여 및 과환기가 태아에 미치는 영향을 고려하여 수술시기를 결정하게 되는데, 일반적으로 태아의 생존율이 증가하는 임신 32주를 기준으로 한다. 임신 32주 이전에 뇌수술을 시행해야 하는 경우는 임신을 계속 유지하면서 뇌수술을 시행하고 32주 이후에 수술을 시행하는 경우는 제왕절개수술을 먼저 시행하여 신생아를 분만한 후 뇌수술을 계속 진행한다. 일반적으로 신경외과 병변의 치료 시에 사용되는 여러 가지 치료가 복잡하고 태아에게 좋지 않은 영양을 미칠 수 있기 때문에 양성병변이나 천천히 자라는 병변의 경우 최대한 수술 시기를 미루도록 하는 것이 바람직하나 외상성병변이나 혈종, 악성 종양처럼 수술 시기를 미룰 수 없는 경우도 발생한다.

5. 임신 중 두개강내 질환 및 치료법

1) 종류

(1) 거미막밑출혈(subarachnoid hemorrhage, SAH)
임신 중 SAH 빈도는 일반 환자와 비슷한 경향을 보여서 10,000명에 1명의 빈도로 발생되는데, 가장 흔한 원인으로 동맥류파열(ruptured aneurysm, 77%)과 동정맥기형(arteriovenous malformation, AVM, 23%)이 있다. 이러한 동맥류파열 및 동정맥기형에서 생기는 SAH는 상대적으로 임신 말기로 갈수록 그 빈도가 증가하는데 심박출량 증가와 임신성 호르몬의 영향으로 그 빈도가 증가되는 것으로 추정하고 있다.

아직까지 논란의 여지는 있지만, 뇌동맥류 파열에 의한 SAH는 가능한 빨리 뇌동맥류 결찰술(clipping)을 실시하여 혈관경련(vasospasm)과 재출혈(rebleeding)의 빈도를 낮추는 것이 임산부와 태아의 생존율을 높일 수 있는 방법이다. 임신 32주 이상의 산모나 26주 이후의 상태가 좋지 않은 산모의 경우 제왕절개를 먼저 하는 것이 추천되고 그 이전의 경우는 임신을 유지한다. 최근 많이 시행되는 코일색전술(endovascular coiling)의 경우 시술 후 48시간 동안 항응고요법(anticoagulation)을 해야 하는 점과 수술실 밖에서 시행되기 때문에 응급제왕절개를 동시에 하기에 어려움이 있다는 점 때문에 임산부에서는 선호되지 않는다. 뇌혈관경련을 예방하기 위한 삼중H요법(triple H therapy)은 이미 산모가 과다혈량(hypervolemia) 상태이고 혈액희석(hemodilution) 상태이기 때문에 크게 필요치 않고 nimodipine은 자간전증

(preeclampsia)의 치료제로 안전하게 사용되어 왔던 약제이므로 사용할 수 있다.

동정맥기형이 파열되어 머릿속압력이 상승된 임산부는 임신 시기와 상관없이 즉각적인 수술이 시행되어야 하지만, 파열되지 않아서 증상이 없는 동정맥기형은 출산 이후로 수술시기를 늦추어도 임산부 예후에 영향을 주지 않는다. 다만 동정맥기형이 파열되었지만 신경학적 증상이 안정적일 경우에는 수술 시기에 대한 논란이 있다.

(2) 종양

임신 기간 중에 두개강내 종양 발생 빈도는 일반 환자와 비슷한 결과를 보이지만, 수막종 (meningioma)과 같은 혈관성 종양의 경우는 임신 중에 혈액량이 증가하고, 수분 및 나트륨축적 효과에 의해 종양 주위에 부종을 유발시켜 조기에 증상이 발현될 수 있다. 또한 황체호르몬과 같은 임신성호르몬 효과에 의해 종양의 성장속도가 빨라져서 증상이 악화될 수 있다. 악성 종양과 진행 속도가 빠른 양성 종양의 경우는 즉시 수술을 시행해야 하지만, 수막종과 같이 진행속도가 느린 양성 종양의 경우는 주기적으로 세심한 진찰과 신경학적 검사를 계속하면서 종양의 진행 속도를 평가할 수 있다면, 분만 이후로 수술시기를 늦출 수 있다.

(3) 외상성 뇌손상

머리 부상을 포함한 외상은 임산부의 6-8%에서 발생하며 임산부 사망의 비산과적 원인 중 가장 큰 비율을 차지한다. 태아의 사망률은 이보다 훨씬 많은데 대부분 조기태반박리에 의해 발생한다. 임신한 환자의 외상성 뇌 손상은 다른 외상과 관련이 있을 수 있으며, 효과적인 산모 소생이 태아 소생을 가져오기 때문에 조기에 적극적인 소생술을 시행하는 것이 최우선 과제이다. 보통 산모의 대동정맥 압박을 피하기 위해 임신 20주 이후의 환자에서 오른쪽 엉덩이 아래에 쐐기를 박는데, 외상환자의 경우 척추 회전으로 동반된 척추 손상을 악화시킬 가능성이 있기 때문에 일으킬 수 있기 때문에, 전신을 왼쪽으로 기울이는 "로그롤링(log rolling)" 방법을 사용하는 것이 좋다.

2) 마취관리

(1) 마취유도

매우 불안해하는 임산부에게 진정제를 사용하여 전투약 하는 것이 불안 해소에 도움을 줄 수 있지만 저환기와 이로 인한 머릿속압력 상승 등의 문제를 일으킬 수 있기 때문에 수술실에 들어와서 마취과의사의 관찰하에 투여하는 것이 적절할 것이다. 또한 임산부는 마취유도 중에 음식물 역류로 인한 폐흡인의 가능성이 높기 때문에 위 내용물의 용량을 감소시키고 산도를 약화시킬 수 있는 metoclopramide, 제산제, ranitidine과 같은 H2길항제 등의 전투약제 투여가 도움이 될 수 있다. 폐흡인의 위험은 대부분 임신 20주 이후의 임산부에 해당되

지만, 임신 20주 이전이어도 위 역류가 있는 경우거나 분만 직후인 산모의 경우에도 위내용물 흡인의 위험이 남아 있기 때문에 조심해야 한다.

일반적으로 임산부에서 전신마취를 시행할 때 사용하는 신속삽관법은 기관내삽관에 따른 혈역학적 변화가 크고 머릿속압력을 상승시키기 때문에 조심스럽게 사용되어야 하며, 정맥마취제, 아편유사제재 및 비탈분극성 근이완제를 사용하여 용수환기를 시행하면서 서서히 마취유도를 하고 기관내삽관을 시행하는 것이 머릿속압력을 상승시키지 않는 방법이다. 유도 시 사용하는 마취 약제로는 thiopental이나 propofol 같은 약제를 사용하여 마취 유도를 하고 레미펜타닐 같은 작용시간이 짧은 아편유사제제를 병용하거나 삽관 자극을 줄이기 위해 리토카인 등을 사용하는 것도 추천된다. Succinylcholine대신 작용발현시간이 빠른 비탈분극성 근이완제인 rocuronium 0.9-2 mg/를 투여하면 1분 이내 삽관이 가능하다. 정맥마취제가 투여된 후 의식이 소실되면 기관내삽관이 성공적으로 거치되기 전까지 지속적으로 윤상연골을 하방으로 눌러주는 것이 폐 흡인의 위험성을 줄여주는데 도움이 될 수 있다. 이때 기관내튜브는 커프가 있는 튜브를 사용하여야 한다. 또한 임산부에서 예상치 못한 기관 삽관의 어려움이 보고되고 있기 때문에 마취유도 전 기도에 대한 검사가 더욱 면밀히 이루어져야 한다. 경추 손상을 입은 외상 환자의 경우 광섬유삽관술(fiberoptic technique)이 권장되나 시간, 장비 또는 전문 기술이 부족한 경우 선상고정법(in-line stabilization)을 하면서 직접후두경으로 삽관 하는 것이 더 유리할 수도 있다.

(2) 마취유지

일반적으로 마취 유지는 일반 환자의 뇌수술과 비슷하게 시행하는데, 급작스러운 혈역학적 변화가 나타나지 않도록 주의하면서 정상 산소분압, 정상 혈당, 정상 체온을 유지하면서 안정적인 마취 유지를 하면 된다. 저혈압과 저혈량(hypovolemia)은 산모와 태아 모두에게 좋지 않으므로 피해야 한다. 그리고 기형 발생을 일으킬 수 있다고 알려진 약제는 가급적 삼가야 한다. 뇌수술 중에 머릿속압력을 낮추고, 수술 조작을 쉽게 하기 위해 mannitol정주를 시행하는데, 이러한 mannitol의 이뇨 작용은 태아에서 탈수 작용을 일으켜 심각한 문제를 일으킬 수도 있다고 지적되었으나, 최근에는 임상에서 상용하는 용량인 0.5-1.0 g/kg에서는 별 문제가 되지 않는 것으로 보고되고 있다. 또한 mannitol정주는 태아의 뇌출혈을 일으킬 수 있기 때문에 조심스럽게 정주하여야 한다. 적은 양의 furosemide도 사용 가능하다. 대뇌 부종 및 고혈당의 위험을 줄이기 위해 뇌 및 척추 신경 외과 수술 중 수액요법은 등나트륨(isonatremic), 등장성(isotonic) 및 포도당제거(glucose free) 용액으로 구성되어야 하며 임산부에서도 동일하게 적용된다.

뇌 관류량을 줄여 머릿속압력을 낮추고 수술 조작을 쉽게 하기 위해 과환기를 실시하는데 이러한 과환기와 저탄산혈증은 임산부의 산소-헤모글로빈 해리곡선을 왼쪽으로 이동시키고 태아에 산소공급을 저하시켜서 태아산증을 유발할 수 있다. 또한 과환기는 흉곽내압을

증가시켜 심장으로 돌아오는 정맥환류량을 떨어뜨려 심박출량을 감소시킬 수 있다. 감소된 심 박출량으로 인해 태아로 가는 자궁 혈류량 역시 감소할 수 있기 때문에 심한 과환기는 태아에 해로운 결과를 초래할 수 있으므로, 임산부와 태아의 영향을 동시에 고려하여 적절한 환기가 이루어지도록 마취 유지를 하여야 한다. 임신 후반기에는 동맥혈 이산화탄소 분압(Pa_{O_2})이 32–35 mmHg 정도로 낮게 나타나므로, 뇌압 감소를 위해서는 동맥혈 이산화탄소 분압을 28–30 mmHg 정도로 유지하는 것이 태아에 악영향을 주지 않으면서 적절한 과환기 상태가 유지되는 것으로 보고되고 있다.

뇌동맥류 수술 시에 일시적으로 유도저혈압을 실시할 수 있는데, 혈압하강 정도에 비례하여 자궁 혈류량 역시 감소하기 때문에 임산부에서 유도저혈압은 신중히 사용되어야 한다. 유도저혈압이 사용되어야 한다면 최소한의 시간 동안 일시적으로 낮추어야 하며, 태아 심박수 감시장치를 통해 지속적으로 관찰하면서 이상 징후가 발견될 경우, 즉시 정상혈압으로 올릴 수 있는 준비가 되어 있어야 한다. 또한 유도 저혈압 약제로 흔히 사용되는 SNP는 태아에 간 독성을 일으킬 수 있으므로 저혈압을 일으킬 수 있는 다른 약제, 즉 베타차단제 혹은 흡입마취제 등과 같이 사용하여 SNP 사용량을 줄여야 하고, 투여되는 기간도 최소한으로 유지하는 것이 태아 독성을 줄이는 방법이다. 최근에는 기시부 혈관을 일시적으로 결찰함으로서 동맥류의 영구결찰을 용이하게 하는 방법이 주로 사용되기 때문에 유도저혈압의 요구는 현저히 줄어들었다. 그리고 뇌대사율을 줄이고 뇌보호를 하기 위해 환자 체온을 약 33–35℃로 유지하는 저체온법을 사용하는데, 이러한 경미한 저체온은 태아에 심각한 합병증을 유발하지 않지만 그 이하의 심한 저체온은 태아에 부정맥 등의 심각한 문제를 유발할 수 있기 때문에 되도록 피해야 한다.

태아가 나온 직후 자궁 수축을 위해 옥시토신을 투여하는데 5단위(unit) 정도의 양은 안전하게 투여되었다는 보고가 있다. 일반적인 제왕절개 시와 마찬가지로 수술 중 산모의 각성이 발생할 수 있으므로 적절한 마취 약제가 투여되고 있는지에 대해 세심한 주의가 필요하다. 단일 용량의 dexamethasone은 동물에서도 기형 유발이 보고되지 않고 임산부에서도 안전하게 사용되어 왔다. 또한 종양 부종을 감소시키기 위한 스테로이드의 투여(예를 들어, 하루 4회 dexamethasone 4 mg IM 또는 IV 주사)는 계면 활성제 생산을 증가시킴으로써 태아의 폐 성숙을 촉진시키는 역할을 한다.

(3) 회복기

기관내 튜브에 의한 자극으로 기침이 유발되고 혈압이 상승하는 등의 증상은 머릿속압력과 출혈 위험성을 증가시키기 때문에 수술이 종료될 때에 lidocaine 75–100 mg, fentanyl 25–50 μg을 정주하여 자극 증상을 완화시켜 주는 것이 도움이 될 수 있다. 특히, 수술 종료 후에 드레싱을 하기 위해 머리를 움직일 경우 기관내 튜브가 자극되어 기침이 유발되고 이로 인해 수술부위에 문제가 발생할 수 있기 때문에 드레싱이 끝날 때까지 근 이완제를 사용하는

것도 고려하여 볼 수 있다.

(4) 감시장치

임신 16주 이후의 임산부에서는 수술을 하는 동안 태아 심박수 감시(fetal heart rate monitoring)가 유용하게 사용될 수 있는데, 태아 심박수 감소 소견을 보일 경우에 자궁 혈류량 감소를 일으킬 수 있는 임산부의 저혈압, 저산소증 등의 이상증상이 있는지를 확인하고 빨리 교정하여 주는 것이 태아와 임산부의 안전에 도움이 될 수 있다. 태아의 심박수는 마취 자체에 의해서도 영향을 받을 수 있음을 미리 염두에 두고 평가해야 하는데 대개의 경우 마취 전에는 140-160회/분 정도의 심박수를 가지며 마취 후에는 느려진다. 특히 임신 25주 이상의 환자에서는 심박수 변이가 태아 상태의 중요한 척도라 할 수 있으며 마취유도 후 2분 이내에 변이가 소실되기 시작하며 심박수도 느려지고 마취 종료 후 60분에서 90분 후에 변이가 회복된다. 자궁이 배꼽 위까지 올라온 경우에는 외부용자궁수축 변환기(external uterine toco-dynamometer)를 거치하여 자궁강도를 측정할 수 있다. 이 감시장치들은 수술 이후에도 계속 감시하여야 하며 자궁수축 억제제가 필요한 경우도 있다.

(5) 부위마취

태아의 생존율이 높아질 때까지 수술을 연기할 수 있다면 분만 직후에 바로 신경외과적 수술을 시행하는 것이 합리적인 접근 방법이다. 분만 시 자궁 수축에 의한 통증 발생시 뇌압이 53 ㎝H$_2$O까지 오르고 분만2기에는 70 ㎝Hg까지도 이른다고 보고되고 있다. 이런 변화는 정상 뇌압 환자는 견딜 수 있으나 뇌탄성이 줄어들어 있는 환자에서는 극히 위험하다. 무통시술로 어느 정도 완화가 가능하다는 보고도 있으나 환자에 따라 부위 마취가 금기인 환자들도 있기 때문에 충분한 논의가 필요하다. 몇몇 성공적인 리포트도 있지만 뇌압이 높아져 있는 상태에서 경막 천공이 되어 척수가 흘러나오는 경우 극히 위험한 상태에 도달할 수 있다. 경막외 마취 하 분만 후 발견하지 못한 경막 천공으로 인한 치명적인 뇌간 탈출이 보고된 경우도 있다. 따라서 많은 마취과 의사들은 전신마취하에 제왕절개 후 뇌수술을 진행하는 것을 선호하며 부위마취를 고려할 때 이러한 위험성을 염두에 두어야 한다.

6. 임신 중 척추 질환 치료법

1) 수술적 치료

임신 3기에 요통이 종종 발생하지만 수술을 필요로 하는 신경학적 손상을 가지는 경우는 매우 드물다. 그러나 최근 40대 이후의 산모가 증가하면서 30대에 비해 추간판탈출증 등의 척추병변이 더 많이 발생하기 때문에 이러한 환자에서의 마취관리에 대한 관심이 필요해지고

있다. 척수종양, 말총 증후군(cauda equina syndrome), 척수-경막외 혈종(spontaneous spinal-epidural hematoma, SSEH) 등으로 신경학적 손상이 진행하는 경우, 보존적 치료에 반응하지 않는 극심한 통증으로 인해 임신 자체의 유지가 위험 받는 경우는 임신 주기와 상관없이 수술을 고려해야 한다. 태아를 분만하여 생존할 확률이 높은 시기에는 제왕절개술을 먼저 하여 신생아를 분만한 이후에 수술을 시행하고 그 이전에는 임신을 계속 유지하면서 빠른 시간 동안 신속히 수술을 시행하여 태아에 미치는 영향을 최소로 하여야 한다.

2) 마취관리

일반 임산부의 마취관리와 비슷한데, 자궁혈류량을 유지하기 위해 정상 혈압을 유지하고 아편유사제를 함께 사용하여 흡입마취제 사용량을 줄여서 태아로 전달되는 흡입마취제 양을 줄여주어야 하며, 수술 중에는 태아심박수감시장치를 부착하여 지속적으로 태아 상태를 관찰하여야 한다.

이때 환자의 자세가 중요한데 임신 2기 이후에 수술하는 경우 대부분 수술부위의 방향과 상관없이 왼쪽옆누움자세를 권하는데, 복압이 증가하는 경우 조기진통을 유발할 가능성이 있고 오른쪽옆누움자세는 누운자세와 마찬가지로 하대정맥과 대동맥을 압박하여 대동정맥증후군(aortocaval syndrome)이 발생할 가능성이 있기 때문이다. 그러나 최근 임신 3기에 오른쪽옆누움자세에서 척추마취 하에 안전하게 수술을 한 경우도 보고되고 있는데 저자들은 병변의 방향에 따라 외과의에게 편안한 방향을 취하여 수술시간을 줄이는 것이 더 안전하다고 주장하고 있다. 또한 엎드린자세에서 가슴과 골반 쪽에 충분한 쿠션을 받쳐 저혈압을 예방하고 무사히 수술을 시행한 경우들도 보고되고 있는데, 이 보고들에 따르면 Wilson frame과 같은 기구를 이용하여 양측 쇄골과 골반을 잘 지지하여 frame 하방으로 자궁과 배가 처지도록 만들면 하대정맥과 대동맥이 눌리지 않고, 저혈압이 발생되지 않는다. 그러나 이 경우 태아감시가 힘들고 응급제왕절개가 필요한 경우 바로 시행하기 힘들며, 경막외정맥의 출혈이 증가하는 단점이 있다. 제왕절개술과 동시에 수술을 진행하는 경우는 먼저 누운자세에서 제왕절개술을 시행하고 다시 엎드린자세를 취하여 척추수술을 하면 된다.

마취방법은 전신마취나 부위마취 모두 가능하다. 부위 마취를 하는 경우 기관삽관의 필요성이 없고 수술 후 진통효과가 뛰어나며 전신마취에 필요한 다양한 약제를 주입하지 않아도 되는 장점이 있다. 또한 산모가 자발호흡을 하기 때문에 흉곽내압이 낮아 경막외정맥이 덜 팽창되어 출혈이 줄어들고 수술시야가 깨끗하다는 장점이 있다. 0.5% 고비 중 부피바카인을 척수강 내에 주입하는 경우 90-120분 정도의 마취시간을 유지할 수 있고 수술이 길어지는 경우 다시 약제를 척수강 내로 주입할 수도 있다. 그러나 경막파열이 발생하는 경우 등 전신마취로 전환가능성도 있다. 경막외마취의 경우 경막외정맥이 충혈되어 경막외 공간이 좁아져 있고 알부민 농도의 감소로 단백결합이 감소하여 국소마취제의 독성의 위험이 증가한다. 또한 부위마취 시 혈압 감소의 가능성이 높기 때문에 자궁혈류의 감소로 태아절박

(fetal distress)나 조기분만 등이 유발될 수 있는 점을 염두에 두고 승압제를 적절히 사용하여 혈압을 유지해야 한다.

███████ 참고문헌

• Balki M, Manninen PH. Craniotomy for suprasellar meningioma in a 28-week pregnant woman without fetal heart rate monitoring. Can J Anaesth 2004;51:573-6.

• Belin Y. Non-obstetric surgery during pregnancy. In: Shnider and Levinson's Anesthesia for Obstetrics. 5th ed. Edited by Suresh MS, Segal S, Preston RL, Fernando R, Mason CL: Philadephia, Lippincott Williams & Wilkins. 2013, pp 804-15.

• Braveman FR, Scavone BM, Blessing ME, Wong CA. Obstetrical Anesthesia. In Clinical Anesthesia. 7th ed. Edited by Barash PG, Cullen BF, Stoelting RK, Cahalan MK, Stock MC, Ortega R.: Philadelphia, Wolters Kluwer Health. 2013, pp 1145-77.

• Briggs GG, Freedman RK, Yaffe SJ. Drugs in pregnancy and lactation: a reference guide to fetal and neonatal risk, 9th ed. Philadelphia, Lippincott Williams and Wilkins. 2011.

• Carvalho B, Wong CA. Drug labeling in the practice of obstetric anesthesia. Am J Obstet Gynecol 2015;212:24-7.

• Gin T, Yankowitz J. Pharmacology and Nonanesthetic Drugs During Pregnancy and Lactation. In Chestnut's Obstetric Anesthesia: Principles and Practice. 5th ed. Edited by Chestnut DH, Wong CA, Tsen LC, Kee WDN, Beilin Y, Mhyre JM, et al: Philadelphia, Elsevier. 2014, pp 03-25.

• Han ST, Kim JH, Min KT. Anesthetic Management of Patients with Intracranial Aneurysmal Rupture in Pregnancy: 5 cases reported. Korean J Anesthesiol 2001;41:510-7.

• Kofke WA, Wuest HP, Mc Ginnis LA. Cesarean section following ruptured cerebral aneurysm and neuroresuscitation. Anesthesiology 1984;60:242-5.

• Kovari VZ, Horvath. Surgical management of cauda syndrome in third trimester of pregnancy focusing on spinal anesthesia and right lateral positioning during surgery as possible practices. Eur Spine J 2018 Feb 22. doi: 10.1007/s00586-018-5519-y. [Epub ahead of print] Review

• Lennon RL, Sundt TM Jr, Gronert GA. Combined cesarean section and clipping of intracerebral aneurysm. Anesthesiology 1984;60:240-2.

• Lockhart EM, Baysinger CL. The parturient with intracranial and spinal pathology. In In Shnider and Levinson's Anesthesia for Obstetrics. 5th ed. Edited by Suresh MS, Segal S, Preston RL, Fernando R, Mason CL: Philadephia, Lippincott Williams & Wilkins, 2013, pp 551-71.

• Palanisamy A. Maternal anesthesia and fetal neurodevelopment. Int J Obstet Anesth. 2012;21:152-62.

• Van de velde M. Nonobstetric Surgery During Pregnancy. In Chestnut's Obstetric Anesthesia: Principles and Practice. 5th ed. Edited by Chestnut DH, Wong CA, Tsen LC, Kee WDN, Beilin Y, Mhyre JM et al.: Philadelphia, Elsevier. 2014, pp 358-79.

• Wang LP, Paech MJ. Neuroanesthesia for the pregnant woman. Anesth Analg 2008;107:193-200.

• Wright PM, Iftikhar M, Fitzpatrick KT, Moore J, Thompson W. Vasopressor therapy for hypotension during epidural anesthesia for cesarean section: effects on maternal and fetal flow velocity ratios. Anesth Analg 1992;75:56-63.

중재적 신경방사선학적 시술을 위한 마취관리

Anesthetic Management for Interventional Neuroradiologic Procedure

16

중재적 신경방사선학적 시술을 위한 마취관리

16

Anesthetic Management for Interventional Neuroradiologic
Procedure

전영태
서울대학교 의과대학

중재적 신경방사선학(interventional neuroradiology, INR)은 1960년에 방사선 촬영 하에 대뇌 누공(cerebral fistula) 색전술을 시행하면서 임상에 도입되었다. 1990년대에 Guglielmi Detachable Coil이 개발되어 뇌동맥류 치료에 사용되면서 많은 발전을 이루게 되었다. 신경외 과에서는 혈관내수술이라는 용어를 사용하며 대한뇌혈관내수술학회(Society for Korean Endovascular Neruosurgeons)가 활발한 활동을 하고 있다. 중재적 신경방사선학적 시술은 최근 에 급격한 발전을 이루어 영역을 엄청나게 확장하고 있다. 뇌동맥류, 뇌동정맥기형, 경막누 공 치료 이외에도 종양 색전술, 두개내외 혈관 성형술, 스텐트, 거대 동맥류 치료를 위한 경 동맥 차단술 등 많은 분야에서 사용되고 있다.

1. 일반적인 고려사항

기저 질환, 신경학적 상태, 사용될 방사선학적 시술 등을 고려하여 전반적인 환자 평가가 이 루어져야 한다. 항응고제, 항 혈소판제제 사용 여부를 파악해야 한다. 신경외과 수술과 같이 머리속압력을 조절하고 뇌관류압을 유지하는 것이 중요하다.

2. 마취와 관련된 고려사항

많은 중재적 신경방사선학적 시술은 마취나 진정을 필요로 하지 않는다. 시술 동안 환자의 움직임에 의한 허상(artifact)을 방지하고 해상도를 좋게 하고 카테터와 관련된 합병증을 줄이 기 위한 경우 전신마취가 필요하다. 두개강외 시술을 할 때나 종양색전술 시 경막을 자극하게 되면 통증이 심하므로 적절한 진통이 필요하다. 아산화질소는 공기 색전을 크게 하므로 사용 하지 않는다. 수술 중 혈관내카테터를 통한 세척 또는 조영제 사용으로 인한 이뇨 효과가 있 으므로 도뇨관을 삽입하는 게 좋다. 혈전증을 방지하기 위해 heparin (70-100 unit/kg)를 투여한다. 혈관조영실은 대개 주 수술실로부터 떨어져 있는 경우가 많다. 수술장 외 마취, 생소한 환경, 마취 장비의 부족, 즉각적인 도움을 받을 수 없다는 점이 마취의 어려운 점이다.

3. 마취관리

1) 수술 전 준비사항

일반적인 마취전평가 외에도 신경학적 평가가 필요하다. 신경학적 검사를 통하여 신경학적 이상을 파악한다. 혈압 조절이 요구되므로 혈압과 심혈관 상태에 대한 주의깊은 평가가 필요하다. 뇌 허혈을 예방하기 위해 사용되는 칼슘차단제가 혈역학에 영향을 줄 수 있다. 또한 칼슘차단제 또는 경피(transdermal) nitroglycerin이 카테터에 의해 유발된 혈관 수축을 줄이기 위해 사용되기도 한다. 대부분의 시술에서 항응고제를 사용하므로 응고 기능에 대한 평가도 중요하다. 진정을 할 때 코를 골게 되면 뇌혈관조영술의 해상도가 떨어질 수 있으므로 기도에 대한 평가도 세심하게 이루어져야 한다. 마취전투약으로는 환자의 상태에 따라 항불안제를 투여한다. 시술은 장시간이 소요되므로 환자는 가능한 편한 자세가 되어야 하고 압박을 받는 부위에는 패딩을 하도록 한다. 수술대에는 공기 침대나 스펀지 같은 것으로 환자가 오래 누워 있어도 편하게 해야 한다. 대퇴동맥 천자 후에는 환자의 무릎 밑에 베개나 패드를 받쳐 환자의 다리를 적당히 굴절되게 해야 한다. 정맥로를 확보할 때에는 수술포로 인해 정맥로 접근이 어려울 수 있으므로 연결 부위가 새지 않도록 하고 충분한 길이의 튜브를 사용한다.

2) 마취 방법

(1) 환자 감시

환자의 술중 혈압을 감시하기 위해 동맥내 카테터를 통한 직접 혈압 측정을 시행한다. 주로 대퇴동맥 카테터 삽입기 덮개에 있는 연결 부분에 동맥관을 연결하여 혈압을 측정한다. 이때 안쪽을 통과하는 카테터 때문에 damping이 발생하여 수축기 혈압은 낮게 나타나고 이완기 혈압은 높게 나타나지만 평균동맥압은 차이가 없다. 안쪽으로 동축(co-axial) 또는 삼축(tri-axial) 카테터 시스템을 이용하여 경동맥, 척추 동맥의 혈압을 측정할 수 있다. 동축 카테터를 사용하는 경우 동맥의 혈전증이나 혈관 수축이 일어나는 경우에는 동맥 파형의 감폭(damping)이 발생한다. 수술 후에 지속적으로 혈압을 감시하거나 혈액 검사가 필요한 경우 요골동맥로를 확보하는게 좋다. 맥박산소포화도는 대퇴동맥 폐쇄나 원위부 색전증을 빨리 발견하기 위해 대퇴동맥 천자하는 쪽의 엄지발가락에서 측정하는게 좋다. 다른 감시 장치로는 5 전극 심전도, 자동혈압계, 호기말이산화탄소측정기, 체온계 등을 사용한다. 중추신경계 감시를 위해서 뇌파(EEG), 유발 전위(evoked potential), 경두개 도플러(transcranial Doppler) 등을 사용할 수 있지만 실제 임상에서 잘 사용하지 않는다.

(2) 마취 선택

마취 방법의 선택은 센터마다 다르고 특별히 우위에 있는 방법은 없다고 되어 있다. 대체적으로 진단을 위한 혈관조영술에는 진정이나 감시마취를 사용하고 중재적 시술을 위해서는 전신마취를 사용한다.

(3) 진정

진정의 목적은 시술 중 통증이나 불편을 최소화하고, 환자의 불안감을 해소하고, 시술 중 움직이지 않게 하는데 있다. 신경학적 검사가 요구될 때 진정 깊이를 빠르게 감소시킬 수 있어야 한다. 시술 시 항암제 투여 요법이나 경화 치료를 제외하면 통증은 별로 없으나 경동맥에 조영제를 투여할 때 통증을 느끼거나(burning pain) 혈관을 확장 또는 견인할 때 통증이 발생할 수 있다. 시술 시 환자가 오랜 기간 도뇨관을 삽입한 채 움직이지 않고 누워 있어야 하기 때문에 상당히 불편을 느낄 수 있다. 시술 시 환자가 움직이게 되면 영상이 안 좋아지고 혈관 손상을 일으킬 수 있으므로 환자가 움직이지 않도록 하는 것이 중요하다. 경비기도유지기는 비출혈의 위험성이 있으므로 항응고제 투여 후에는 삽입하지 않도록 한다.

　　진정 약제로는 소량의 midazolam, fentanyl을 사용한다. Dexmedetomidine은 진정, 불안 해소, 진통 등의 작용이 있고 호흡 억제를 일으키지 않는다는 장점이 있다. 하지만 진정에 따른 상기도 폐쇄를 일으킬 수 있고 수술 후 혈압이 낮아 곁순환을 통해 관류압이 유지되는 환자에서는 사용하지 않는게 좋다.

(4) 전신마취

전신마취는 환자의 움직임을 억제하고 영상의 질을 좋게 하기 위해서 시행한다. 항암요법이나 경화치료와 같이 통증이 심하거나, 뇌동맥류 코일 삽입과 같이 환자가 조금만 움직여도 위험이 따르는 시술에는 전신마취를 시행한다. 단점으로는 수술 중 신경학적 평가를 할 수 없고, 기관내삽관에 따른 고혈압이나 발관에 따른 기침 등에 의한 뇌압 상승을 방지할 수 없다는 것이다. 대부분의 마취제가 혈역학적 변화를 크게 일으키지 않고, 마취 깊이를 빠르게 조절할 수 있고, 부드럽고 빠른 각성을 유지할 수 있다. 특정한 마취 방법이 우월한 뇌 보호 효과를 보이지는 않아 정맥마취나 흡입마취 중에 선택하여 사용하면 된다. 아산화질소는 조영제나 세척 용액을 투여할 때 미세 공기 방울이 커질 위험이 있어 사용하지 않는다. 후두마스크를 사용하면 혈역학적 자극이 적고 각성이 부드러워 기관내튜브 대용으로 사용될 수 있다.

3) 항응고요법

혈전증이나 색전증 등의 합병증을 방지하기 위해 항응고제를 투여한다. 대개 활성응고시간의 기저치를 측정한 다음, 활성응고시간(activated clotting time)을 기저치의 2-3배로 연장시키는 것을 목적으로 heparin 70 IU/kg를 정주한다. 시술 동안 heparin을 지속적으로 투여하거나 활성응고시간을 1시간마다 측정하여 간헐적으로 투여한다. 필요하면 시술이 끝난 후 protamine으로 heparin의 항응고 효과를 가역할 수 있다. Desmopressin (DDAVP)이 heparin이나 ticlopidine과 같은 항응고제에 의한 출혈 시간 연장을 단축시킨다는 보고가 있다.

4) 조영제와 신장병증

환자들은 상당한 양의 조영제를 투여 받게 되어(300 ㎖까지) 급성신손상을 일으킬 가능성이 있다. 모든 환자들은 혈장 크레아티닌과 신 사구체 여과율을 검사받아야 한다. 가급적이면 적은 용량과 희석한 조영제를 사용하고 충분한 수액을 공급하면 급성신손상을 감소시킬 수 있다. 수술 후에도 72시간까지 매일 신기능을 검사해야 한다.

5) 유도고혈압

계획적으로 또는 우발적으로 대뇌동맥이 폐쇄되는 경우 곁순환을 통해 뇌혈류량을 증가시키기 위해 혈압을 증가시키는 것이 필요하다. 혈압 상승의 정도는 환자 상태와 질환에 따라 다르게 한다. 유도고혈압 동안 환자의 혈압을 평균 혈압보다 30-40% 정도 상승시키거나 뇌허혈 증상이 없어질 정도로 상승시킨다. 일반적으로 phenylephrine이 최우선적으로 사용되는데 충분히 혈압을 올릴 수 없는 경우 norepinephrine이나 vasopressin을 상용한다. 유도고혈압을 사용하는 경우 심전도를 통해 심근 허혈이 나타나는지 관찰해야 한다.

6) 유도저혈압

유도저혈압은 뇌동정맥기형 환자에서 접착제를 투여하기 전에 동정맥루를 통한 혈류량을 감소시키거나 경동맥 차단 시 뇌혈관의 예비력을 시험하기 위해 사용한다. 혈압강하제는 환자 상태나 혈압 조절 목표 등을 고려하여 선택한다. 주로 nicardipine이나 nitroprusside 등이 사용되며 잠시 혈류를 정지시키기 위해 adenosine을 사용할 수 있다.

4. 질환에 따른 구체적인 시술

1) 뇌동맥류

중재적 치료의 발전으로 혈관내수술이 뇌 동맥류의 우선적인 치료 방법이 되었다. 동맥류 목이 넓거나 근위부 혈관에 폐색이 있거나 복잡한 모양인 경우에는 수술적 치료를 하고 있다. 가장 기본적인 접근 방법은 근위부 모동맥(주로 경동맥)을 막고 동맥류낭을 폐쇄시키는 것이다. 목이 넓거나 큰 낭을 가진 복잡한 동맥류의 경우에는 일시적으로 풍선이나(그림 16-1) 스텐트(그림 16-2)를 사용한다. 전신마취를 하게 되면 환자가 움직이지 않고 신체적으로 안정되어 파열의 위험이 적어지므로 주로 전신마취하에 시행한다. 동맥류는 주로 혈관이 분지하는 윌리스환(Circle of Willis)에 발생한다. 파열의 위험도는 동맥류의 크기에 비례하는데 12 ㎜ 이하를 소동맥류, 12-24 ㎜를 대동맥류, 24 ㎜ 이상을 거대동맥류라고 한다.

코일 시술 합병증으로는 동맥류 파열, 출혈, 폐색 등이 있다. 갑자기 고혈압, 서맥이 발생하거나 화면에서 조영제가 혈관밖으로 누출되면 동맥류 파열을 의심한다. 시술 중 동맥류가 파열이 되면 protamine으로 heparin을 역전시키고(1 ㎎/100 IU heparin) 혈압을 낮춘 후 코일 삽입을 계속 한다. 혈전색전증이 발생하면 응괴를 기구나 약제를 이용하여 제거한다. 코일이나 풍선이 잘못 위치되어 뇌허혈이 발생하면 수액과 승압제를 투여하여 곁순환이 되도록 한다.

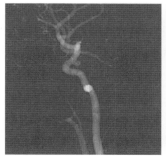 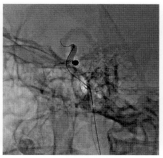 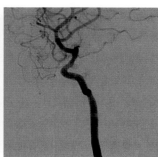

그림 16-1
비파열성 내경동맥 동맥류 (좌측)를 풍선을 이용하여 동맥류 낭(aneurysmall sac) 안에 코일을 거치함 (중간, 우측).

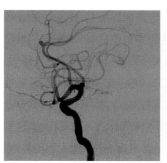 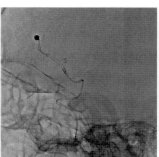 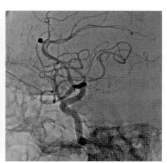

그림 16-2
목이 넓은 전뇌동맥 동맥류 (좌측)를 스텐트를 이용하여 코일을 거치함(중간, 우측).

2) 뇌동맥류출혈 환자의 혈관 연축 치료를 위한 혈관 성형술

거미막밑출혈(subarachnoid hemorrhage, SAH) 환자의 1/4에서는 혈관경련이 발생할 수 있다. 거미막밑출혈 환자에서 혈관경련에 대한 혈관내 치료는 풍선을 이용하여 혈관 내경을 기계적으로 확장시키는 풍선 혈관성형술(balloon angioplasty)과 미세 도관을 통하여 혈관 확장 약물을 연축된 동맥에 직접 주입하는 약물 혈관성형술(pharmacologic angioplasty) 두 가지가 있다. 혈관성형술은 파열동맥류로 인해 코일이나 클립을 시행한 환자에서 혈관경련으로 허혈이 발생할 때 시행한다. 과거에는 papaverine을 사용했었는데 뇌경색을 일으키는 사례들이 보고되어 nicardipine이나 verapamil 같은 칼슘통로길항제가 사용되고 있고 최근에 nimodipine의 사용도 보고되었다. 동맥내 혈관 확장제 투여는 저혈압과 서맥을 유발할 수 있어 뇌관류압 유지에 주의하여야 한다. 새롭게 관심을 받고 있는 약제들로는 phosphodi-esterase 억제제인 milinone과 statin제제가 있다. Milinone은 혈관 확장 효과가 우수하고 전신 부작용이 적은 장점이 있다.

3) 경동맥 차단 검사(Carotid occlusion test)와 치료적 경동맥 차단술(Therapeutic carotid occlusion)

내경동맥의 커다란 방추형 동맥류나 내경동맥을 감싸고 있는 종양 수술 시 근위부 내경동맥을 차단할 수 있다. 경동맥 차단에 의한 영향을 미리 파악하기 위해 시험적으로 차단 검사를 시행한다. 검사를 통해 곁순환이 적절한 지 뇌가 감당할 수 있을지 알아본다. 유도저혈압(평균 혈압의 10-20% 감소)을 같이 사용하면 검사의 신뢰성을 높일 수 있다. 안전하고 신속한 혈압 감소가 필요하므로 혈압을 낮추는 약제의 선택이 중요하다. 시술 도중 신경학적인 검사가 필요하므로 진정은 약한 정도로 해야 한다.

4) 뇌동정맥 기형(Cerebral arteriovenous malformation)

뇌동정맥 기형의 치료법으로는 약물치료, 혈관색전술, 방사선 치료, 수술 등이 있다. 색전술은 동정맥루와 영양 동맥들을 가능한 많이 차단하는 것이다. 뇌동정맥 기형의 치료 목표는 자발성 출혈을 방지하는 것이다. 파열되지 않은 뇌동정맥 기형 출혈의 위험성이 낮아 내과적 치료가 권고된다. 2014년도에 Lancet에 발표된 논문에 의하면 파열되지 않은 뇌동정맥 기형 치료에 대한 임상 시험(ARUBA)에서 내과적 치료가 색전술이나 수술에 비해서 우월하였다. 색전술은 수술이나 방사선 수술의 보조 요법으로 주로 사용된다. 뇌혈관색전술을 보조요법으로 사용하는 경우 여러 장점이 있다. 첫째, 병소가 크고 수술 접근이 어려운 위치에 있거나 위험한 부위에 있는 경우에는 뇌혈관색전술을 하여 크기를 줄인 후 미세수술이나 방사선 수술을 병용하여 치료 효과를 높일 수 있다. 둘째, 동정맥 단락(arteriovenous shunt)을 막아서 혈역학적 변화에 적응하게 하여 normal perfusion-pressure breakthrough를 예방할 수 있다. 셋째, 고유량의 영양 동맥을 막게 되면 신경학적 손상이나 난치성 발작이 있는 환자에서 증상이 개선된다. 넷째, 뇌동정맥기형의 10% 환자에서 동반되는 뇌동맥류를 막아서 출혈을 예방할 수 있다.

색전술 시 전신마취를 하면 구조물이 잘 보이고 환자가 움직이지 않아서 전신마취가 선호된다. 색전 물질로는 cyanoacrylate glue나 Onyx®가 많이 사용된다. 색전술을 시행할 때 glue가 배출정맥이나 전신 정맥 순환계로 들어가지 않도록 혈압을 낮게 유지하는게 좋다. 마취과 의사의 경험과 환자의 심혈관상태를 고려하여 약제를 선택하면 되는데 adenosine 이 일시적으로 혈압을 낮출 수 있어 추천되고 있다. 만성적으로 저혈압으로 유지되던 혈관에 갑자기 정상혈압에 노출되면 출혈이나 부종이 발생할 수 있어 유도저혈압(평균 혈압의 10-20% 감소)을 사용하는 게 좋다.

5) 동맥경화 치료를 위한 혈관성형술(Angioplasty for atherosclerosis)

혈관벽에 생긴 죽종(atheroma)에 의한 협착성 병변을 치료하기 위해 혈관성형술이나 스텐트가 사용되고 있다. 혈전색전증(thromboembolism)이 이 시술의 위험한 합병증이다. 이러한 합병증을 예방하기 위해 혈관 내 필터나 풍선을 거치하기도 한다. 경동맥성형술의 경우에는 약간의 진정이 요구되지만 두개내혈관 성형술의 경우에는 전신마취가 필요하다. 두개내혈관은 혈관벽이 얇아서 파열될 가능성이 높으므로 특히 주의해야 한다. 곁순환을 증가시키기 위해서 유도고혈압이 필요할 수 있다. 혈관성형술 시 경동맥체(carotid body)를 자극해서 심한 서맥이 무수축이 발생할 수 있어 경피조율전극(transcutaneous pacing lead)을 부착할 수 있다. 풍선을 팽창할 때 서맥이 발생하면 atropine이나 glycopyrrolate를 정주한다. 가능한 합병증으로는 혈관 폐색, 천공, 박리, 경련, 뇌허혈, 뇌경색 등이 발생할 수 있다. 경동맥 내막 절제술처럼 혈관성형술 후 5%에서 뇌부종이나 출혈이 발생한다. 원인은 잘 모르지만 뇌과관류(cerebral hyperperfusion)와 수술 후 혈압 조절이 잘 되지 않는 것과 관련과 있는 것으로 보인다.

6) 허혈성 뇌경색

혈전용해술은 급성혈전색전증이나 정맥동혈전증 등과 같은 혈관 폐색을 재소통시키기 위하여 미세도관을 폐색된 혈관에 거치한 후 recombinant tissue plasminogen activator, streptokinase, urokinase 등과 같은 혈전용해제를 직접 혈전 주위에 주입하는 치료법이다. 또한 미세도관으로 미세철선을 사용한 혈전의 기계적 분쇄 치료를 시도할 수도 있다. 마취와 관련해서는 뇌경색 환자가 노인이 많아 동반 질환이 많다는 점을 주의해야 한다. 전신마취나 진정의 사용은 논란이 있어 마취 방법은 각 기관에서 선호하는 대로 하면 되지만 중요한 것은 시술 시기가 중요하므로 마취로 인해 시술이 늦어져서는 안된다.

5. 수술 후 관리

시술 후에는 혈역학적 불안정이나 신경학적 증상 악화에 대해 주의 깊게 관찰하여야 한다. 이송 중이나 회복 중에도 혈압 조절이 필요한 경우도 있다. 만성적으로 혈압이 낮고 허혈 상태인 혈관에 갑작스럽게 정상적인 혈압이 복원되면 출혈이나 부종이 발생할 수 있으므로 (normal perfusion pressure breakthrough) 항고혈압제(labetalol, esmolol) 등을 사용하여 평균 혈압을 24시간 동안 10~20% 정도 낮게 유지한다. 발병 기전은 잘 모르지만 단순한 혈역학적인 영향 보다는 신경혈관단위의 온전성(integrity)이 상실되어 발생한 것으로 생각된다. 뇌충혈이 발생할 수 있는데 증상이 없는 경우가 많으므로 주의하여야 한다. 최근에 더욱 발달된 컴퓨터 단층 촬영이나 자기공명영상으로 쉽게 진단할 수 있다. 폐쇄성 합병증이 있거나 혈관 연축이 발생한 경우 뇌 관류압을 유지하기 위해 phenylephrine이나 norepinephrine 등으로 혈압을 평균 혈압보다 20~30% 정도 높게 유지한다. 뇌동맥류 출혈의 환자는 3주 동안 nimodipine을 정주하거나 비위관을 통해 투여한다. 대부분의 환자는 3개월 동안 aspirin 75 mg을 투여한다. 조영제와 마취제에 의한 수술 후 구역질과 구토가 문제가 될 수 있다. 고삼투질 조영제에 의한 대량의 삼투성 이뇨가 발생할 수 있어 수액 관리가 중요하다. 또한 급성신손상이 발생할 수 있다. 위험인자로는 75세 이상 연령, 기저 신 질환, 고혈압, 당뇨, 저혈량증, 신독성 제제의 동시 투여 등이 있다. 수술 후 72시간까지 신기능을 감시해야 한다.

■■■ 참고문헌

- Varma MK, Price K, Jayakrishnan V, Manickam B, Kessell G. Anaesthetic considerations for interventional neuroradiology. British journal of anaesthesia 2007;99:75-85.
- Schulenburg E, Matta B. Anaesthesia for interventional neuroradiology. Curr Opin Anaesthesiol 2011;24:426-32.
- Reddy U, Smith M. Anesthetic management of endovascular procedures for cerebrovascular atherosclerosis. Curr Opin Anaesthesiol 2012;25:486-92.
- Lee CZ, Young WL. Anesthesia for endovascular neurosurgery and interventional neuroradiology. Anesthesiol Clin 2012;30:127-47.
- Patel S, Appleby I. Anaesthesia for interventional neuroradiology. Anaesthesia & Intensive Care Medicine 2013;14:387-90.
- Mohr JP, Parides MK, Stapf C, et al. Medical management with or without interventional therapy for unruptured brain arteriovenous malformations (ARUBA): a multicentre, non-blinded, randomised trial. Lancet 2014;383:614-21.
- Guercio JR, Nimjee SM, James ML, McDonagh DL. Anesthesia for interventional neuroradiology. Int Anesthesiol Clin 2015;53:87-106.
- Patel S, Reddy U. Anaesthesia for interventional neuroradiology. BJA Education 2016; 16: 147-52.
- Phull BS, Appleby I. Anaesthesia for interventional neuroradiology. Anaesthesia & Intensive Care Medicine 2016;17:619-24.
- Talke PO, Dowd CF, Lee CZ: Interventional Neuroradiology Anesthetic Management. In: Neuroanesthesia 6th ed. Edited by Cottrell JE and Patel P: St. Louis, Elsevier. 2016, pp 248-62.

뇌신경 중환자의 관리

Perioperative Management of Neurosurgical Patients

뇌신경 중환자의 관리

Perioperative Management of Neurosurgical Patients

이기원, 스티븐 비부
뉴저지 주립의대

1. 거미막밑출혈(Subarachnoid hemorrhage)

다양한 형태의 거미막밑출혈(subarachnoid hemorrhage, SAH)이 존재한다: 동맥류파열에 의한 것, 동정맥기형 또는 동정맥루로 인한 것, 외상성이나 뇌실질출혈로 인한 것들이다. 이 단원에서는 동맥류파열로 인한 SAH를 중심으로 논의할 것이다. SAH의 논의에 있어서 환자의 기도, 호흡, 순환(ABC)에 관한 평가와 조치는 이미 처음부터 착수되었다고 전제한다. 뇌 컴퓨터단층촬영(CT)으로 SAH의 존재와 파급 정도를 파악한다. SAH의 중증도는 헌트와 헤스 등급으로 평가하는 것이 보통이다. 이 등급체계는 영상학적인 소견이 아닌 환자가 나타내는 임상상에만 기초한다.

등급 I. 증상이 없거나 경미한 두통, 미미한 목 경직
등급 II. 중등도에서 심한 두통과 목 경직, 대뇌신경 마비 외의 신경학 결손은 없음.
등급 III. 나른함(Drowsy), 혼란(confusion), 또는 경도의 국소성 신경학 결손
등급 IV. 혼미(Stupor), 중간에서 심각한 편측마비, 대뇌제거경축(decerebrate rigidity)과 식물상태(vegetative)의 초기
등급 V. 깊은 혼수(deep coma), 대뇌제거경축, 빈사상태(moribund)

SAH는 시기별로 상이한 외과적, 내과적 난관을 초래하는 다상의 임상기를 포괄하는 유동적인 질환이기에 Hunt와 Hess 등급만으로는 사망률을 정확하게 예측하기 어렵다. 하지만 일반적으로 낮은 등급(1-2등급)은 낮은 사망률을, 중간 등급(3등급)은 약 40-50%의 사망률을, 나쁜 등급(4-5등급)에서는 높은 사망률을 가지는 게 보통이다. 아주 오래 전부터, 5등급의 SAH는 100% 사망에 근접한다고 여겨 왔다. 근래에는 최소침습적 코일색전술과 혈류전환 스텐트술(flow diversion stenting) 등을 통해서 수술의 합병증이 줄었다. 아울러 정교한 다모드 감시장비과 경계집중치료를 위한 전용 공간의 도입들이 나쁜 등급의 SAH 환자들이 보였던 높은 사망 빈도를 줄이는 데 기여하고 있다.

Hunt와 Hess 4등급과 5등급인 나쁜 등급 SAH의 경우 우선적으로 행해야 할 결정적인 절차는 응급으로 EVD를 삽입하는 것이다. 만약 뇌실내출혈(intraventricular hemorrhage)이 있었다면 EVD를 통해서 배액될 수 있으며 ICP에 적극적인 치료를 가할 수도 있다. 높은 ICP 상태가 치료되지 않은 채 방치되면 그것만으로 임상상의 빠른 악화와 사망의 원인이 된다. 뇌실내 혈액은 제삼뇌실을 막음으로써 폐쇄성뇌수종(obstructive hydrocephalus)을 일으킨다. 이렇게 되면, 뇌관류압(cerebral perfusion pressure) 계산(calculation)식에 따라, 뇌관류압(CPP=MAP−ICP)이 하락한다. 이 계산식은 동등한 평균동맥압을 가정하여 만들어졌지만 실제로도 동일하게 작용한다. ICP가 상승하면서 CPP는 감소하여 뇌의 허혈성손상을 초래한다. SAH의 주술기에서는 단지 ICP만 중요시하는 것보다는 CPP를 최적화하는 치료가 중요하다. 당장 염두에 두어야 할 두 개의 중요한 임상 시나리오를 제시하겠다.

시나리오 1: ICP=20 mmHg, MAP=60 mmHg
시나리오 2: ICP=20 mmHg, MAP=90 mmHg

파열된 동맥류의 출혈이 멎고, 신경성 심근기절 등의 내과적 합병증이 존재하지 않는 이상, 높은 MAP로 적정 CPP를 확보한다. 대개 임상의사들은 MAP 60 mmHg가 넉넉하다고 보는 경향이 있지만 만약 MAP 60 mmHg에 ICP가 20 mmHg라면(시나리오 1) CPP는 겨우 40 mmHg로서 충분치 않다. 나쁜 등급의 SAH와 기타 심각한 신경학적 질환에서 40 mmHg 정도의 CPP로는 산소 전달이 적절하게 이루어질 수 없다. 반면에, 두 번째 시나리오처럼 ICP가 위와 같은 20 mmHg에서라도 MAP 90 mmHg로 충분한 CPP를 얻을 수 있다. 충분한 CPP를 얻고 나면 임상의사는 머릿속압력상승의 병태생리에 관해 고민할 시간을 얻고 ICP를 낮추

그림 17-1
머릿속압력의
파형분석

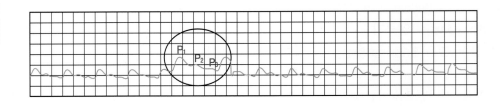

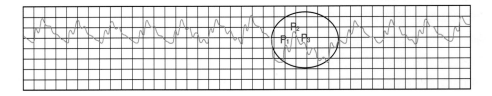

는 다음 단계로 진입할 여유를 가질 수 있다.

이 단계에서, EVD 삽입만으로 환자의 임상상의 호전되기도 한다. 상승되었던 ICP가 해소되면 실제로도 Hunt와 Hess의 등급이 나아지고 이로써 사망률도 낮아진다. 앞서 언급한 것처럼 이 환자의 높은 Hunt와 Hess 등급은 사망률을 높였지만 이제 낮은 Hunt와 Hess 등급을 가지게 될 것이고 보다 나은 결과를 낳을 것이다.

SAH가 발발한 첫 며칠 동안 생길 수 있는 염려스러운 합병증은 ICP가 상승하는 것이다. ICP를 객관적으로 측정하는 것에 더하여 뇌조직의 유순도를 평가하기 위해서 ICP의 파형을 관찰하는 것도 중요하다(그림 17-1). 현재의 ICP가 정상이라고 하더라도 ICP의 파형에서 유순도가 낮은 것으로 관찰된다면 ICP의 상승이 임박했음을 시사하며, 특히 머리 높이를 바꾸거나 환자의 동요가 심해질 때 더욱 그러하다. ICP 상승이 일어나면, 신경학상태, 뇌 CT 등에서 악화가 드러나는데, 이는 종국에는 진행속도도 빠르고 치명적이기에 급히 조치되어야 한다. ICP 치료는 0-20 mmHg를 목표로 하는 것이 좋다. 체계적으로 접근하는 것이 바람직하다. 기관내튜브 흡인처럼 기침과 불안정을 유발하는 외부 자극을 피함으로써 환자의 ICP가 증가하지 않도록 간수하는 것이다. 외과적 견지에서는 두 번째 EVD가 필요할 수 있다. 최악의 국면에서는 감압을 위해서 반머리뼈절제(hemicraniectomy)나 양쪽이마뼈머리뼈절개(bifrontal craniotomy)를 시행하는 것이지만 이 국면에 들어서기 전에 비외과적 조치가 시도될 수 있다. 즉, 시도할 수 있는 첫 번째 선택은 진정제로서 여러 약제가 쓰인다. Propofol은 1 내지 2 mg/kg로 시작해서 5-50 mcg/kg/min으로 유지하는데 이것만으로 충분한 경우도 많다. 이보다 높은 용량으로 propofol을 24시간 넘게 쓰면 프로포폴정주증후군(propofol infusion syndrome)이 병발할 수 있다. 이 현상은 성인에서는 드물고 흔히 소아에서 보고된다. 혈역학적 불안정이 염려된다면 midazolam을 쓴다. 2분에 걸쳐서 10-50 mcg/kg을 투여한 뒤 20-200 mcg/kg/hr로 유지한다. Fentanyl 같은 진통제를 더하면 추가적인 ICP 감소를 도모할 수 있다. 즉각적이고 한시적 조치로서, 과환기를 써서 ICP를 낮출 수 있다. 목표 동맥혈이산화탄소분압을 30-35 mmHg로 한다. 이로써 뇌혈관의 수축을 야기하여 뇌동맥 혈류량을 줄이고 ICP가 낮아진다. 분명히 너무 오랜 혈관수축은 뇌허혈을 촉발할 것이므로 이를 염두에 두어야 한다. 과환기는 시간을 버는 수단으로서 단기간으로만(단지 한두 시간) 국한하여야 하지 장시간 사용해서는 안된다. 뇌부종을 줄이는 추가적인 방법 중에는 삼투압요법이 있다. 25% Mannitol을 30분에 걸쳐서 1-1.5 gm/kg로 쓰고 6시간마다 반복할 수 있다. 삼투요법에서는 혈청의 오스몰농도를 360 mOsm/kg이 초과하지 않도록 철저히 관리하여야 하며 osmole gap은 10 mOsm/kg 미만으로 유지한다. 고장식염수, 23.4% NaCl은 삼투요법의 두 번째 수단으로서 매 여섯 시간마다 30 ㎖씩 투여할 수 있다. 혈청 나트륨 농도는 150-155 mEq/L로 유지해야 한다.

전술한 뇌혈류 감소를 도모하는 단계들에 더해서 barbiturate 혼수(barbiturate coma)를 써서 뇌조직의 대사요구량을 낮추는 것이 적절하다. 첫 1시간 동안 10 mg/kg로 유도한 뒤에는 1-3 mg/kg/hr로 유지한다. Pentobarbital 지속정주 중에는 뇌파를 지속적으로 감시하여 돌발파억제(burst-suppression)가 나오는 것을 목표로 한다. 돌발파억제는 10초 시간구획 안에 1-2개의 돌발파(burst)가 나오는 정도가 적당하다. Pentobarbital을 쓰는 동안 염두에 둘 사항은 이 약제의 긴 반감기로서 15-50시간에 달하며 간질환과 간손상이 있는 경우에는 더욱 연장될 수 있다는 점이다. 여기에 더할 수 있는 불응성 IICP 발작에 대한 또 하나의 치료적 조치는 저체온요법(Therapeutic hypothermia)이다. Barbiturate coma와 유사하게 저체온은 뇌대사요구량을 줄여서 뇌혈류를 줄인다. 최대효과를 얻을 수 있는 목표 체온은 섭씨 32-33도이며 최소목표인 섭씨 36도에서도 일정한 정도의 이점을 보인다. 저체온에 수반되는 떨림은 반드시 막아야 한다. 표면냉각 장치 또는 혈관내 냉각장치를 써서 저체온을 성취할 수 있는데, 표면냉각 쪽이 합병증이 적지만 발현이 늦고 떨림(shivering)을 초래할 개연성이 높다. 떨림(shivering)을 막는 약물 요법에는 마그네슘, buspirone, dexmedetomidine, meperidine, propofol, clonidine의 정맥주사가 있다.

상승된 ICP에 즉각적으로 대응하는 과정에 걸쳐 EVD 관리가 병행되어야 한다. EVD는 규칙적으로 점검하고 배액량을 매시간마다 기록해야 한다. 생산된 뇌척수액이 전혀 흡수되지 않았다고 가정할 때 생산는 총량을 450 ㎖로 간주할 수 있지만 일반적으로는 하루에 250 ㎖가량이다. 환자의 임상상이 호전되면서 EVD의 높이를 환자의 눈썹 바로 위까지 조정할 수 있다. 이로써 뇌척수액의 생리적인 경로인 제사뇌실로의 통과를 돕는다. 다시 강조하는 바 모든 치료 내내 배액량을 측정해야 한다. EVD를 언제 그만두어도 좋을지에 대해서는 정립된 지침이 없다. 다만 EVD 높이를 하루에 5 ㎝씩 올려서 눈썹 위로 20 ㎝에 도달하는 때로 잡는 것이 합리적으로 보인다. 그 높이에서 EVD의 배액을 24시간 동안 시험적으로 잠글 수 있다. 뇌수종 발생의 초기 징후를 구분하는 데 뇌CT가 도움이 된다. 관자뿔(temporal horn)의 팽창이 특징적일 것이다. EVD를 잠근 동안에 다음 사항들이 보이면 EVD를 제거할 수 없다: ICP가 25 ㎜Hg 이상으로 5분 동안 유지되는 것, ICP 상승을 시사하는 신경학검사 소견, 피부절개창으로 뇌척수액이 배출되는 것들이다. EVD 잠금 시도가 실패한 경우 뇌실복강단락(ventriculoperitoneal shunt)을 삽입할 필요가 있다. 논의를 뇌동맥류파열로 인한 SAH에 국한할 때, 약 35%의 환자에서 뇌실복강단락이 필요하다. 이 가운데 10-20%에서는 평생 뇌척수액 단락을 가지고 살아야 한다. 거미막과립(arachnoid granulation)이 혈액성분으로 막히거나 연질뇌척수막(leptomeninges)의 섬유화와 유착 등으로 인해서 뇌척수액의 자연배액 기전에 장애가 발생하는 것이 이유이다. EVD를 통한 장기 CSF 배액이 만성적인 뇌수종의 발생과 연관되어 있다. 그러므로 더 이상 필요치 않은 EVD를 제거하여야 한다는 데 치료의 방점을 두어야 한다.

치료의 기본조치와 EVD 삽입을 통해 환자가 안정되면, SAH의 초기부터 환자의 임상상을 최적화하는 데 노력해야 한다. 목표는 세 개이다. 첫째는 정상혈량(normovolemia) 유지이다. 이 목표를 구현하고자 교정해야 할 요소들에는, 지속적으로 너무 낮은 CVP (0-3 ㎜Hg),

심한 빈혈(Hgb<7 gm/㎗), 낮은 폐동맥쐐기압(PAWP<10 mmHg), 낮은 GEDV1(<680 ㎖/㎡), 높은 SVV(>13%), 높은 PPV(>13%), 낮은 SVI(<40 ㎖/㎡), 그리고 적은 소변량(<0.5 ㎖/kg/hr)이 있다. 이 모든 혈역학 변수들 각각은 정보의 단편을 가지고 있으므로, 복합변수들을 통합하여 해석하는 것보다 어느 하나의 관찰값을 우위에 두어서는 안된다. 임상상이 분명치 않을수록 더 많은 변수를 통해 판단하는 것이 바람직하다.

둘째는, 정상혈압(normotension)을 유지하는 것으로서 수축기혈압을 기준으로 100-140 mmHg, 평균동맥혈압으로는 70-90 mmHg를 유지하는 것이다. 일단 동맥류가 안정되면(secured; clipped; coil-filled) SBP를 보다 넉넉한 100-180 mmHg로, MBP를 70-100 mmHg로 유지하는 것이 좋다. 셋째로, 정상 심박출량을 유지하는 것으로서, CO 5-8 L/min 또는 CI 3-5 L/min/㎡으로 설정한다. 이상의 요인들을 성취하였음에도 SAH 관리 중 난관에 봉착할 수 있는데, 증상혈관경련(symptomatic vasospasm)이 그것이다. CT 소견을 기초로 평가하는 변형피셔등급(modified Fisher Grade)이 높을수록 증상혈관경련이 합병하는 것과 연관이 높아진다. 고전적인 Fisher 등급에 비해서 이 등급체계가 가진 핵심적인 장점은, 점수와 혈관경련의 빈도가 선형연관을 가진다는 점 외에, 뇌실내혈액의 존재를 중요시한다는 점에 있다. 뇌실내혈액은 증상혈관경련과 지연대뇌허혈(delayed cerebral ischemia, DCI)의 독립적인 위험요인이다.

등급 I: 지주막하 혈액이 얇고 넓게 퍼졌거나 국소적으로 존재하되 뇌실내에는 혈액이 없음.
등급 II: 지주막하 혈액이 얇고 넓게 퍼졌거나 국소적으로 존재하면서 뇌실내 혈액이 존재.
등급 III: 두꺼운 층의 넓은 또는 국소성 지주막하 출혈이 있지만 뇌실내에는 혈액이 없음.
등급 IV: 두꺼운 층의 넓은 또는 국소성 지주막하 출혈이 있으면서 뇌실내 혈액도 존재.

혈관경련의 발생을 알아내기 위해서 쉼 없이 노력해야 한다. 한 가지 수단으로써, 매일 경두개도플러초음파(Transcranial doppler, TCD)를 시행한다. 흔히 혈관경련이 있다고 수용되는 평균유속은 120 cm/s 이상이다. 유속이 단 하루만 돌출 상승하였다가 수일간 정상을 유지하더라도, 우연한 단일 이상값이라기보다는 혈관경련인 경우가 있다. Lindegaard비는 MCA의 평균유속을 같은 쪽 속목동맥의 유속으로 나눈 값으로(Lindegaard ratio=mean V_{MCA}/mean V_{ICA}), 3.5 이상일 때 심각한 혈관경련이 일어났음을 시사하는 견실한 소견이다. 다만, 교란변수들을 제거하여야 한다. 가령, Lindegaard비는 5이고 MCA의 유속이 겨우 50 ㎝/sec이라면, ICA의 유속이 10 ㎝/sec이라는 뜻으로서 Lindegaard비 자체는 높은 값이지만 혈관경련을 가리키는 상황이라고 보기 어렵다. 또, 발열로 MCA 유속이 높아졌다면 이도 혈관경련이 아니다. 과다혈량으로 MCA 유속이 높아졌다면 이도 혈관경련이 아니다. 혈관경련이 의심될 때 CT혈관조영으로 비침습적인 뇌혈관의 영상을 확보할 수 있다. CT기술의 발달은 작은 동맥류(민감도는 92%)나 혈관경련을 찾아내는 데 있어서 위음성률을 낮추고 있다. 조영제신병증(contrastinduced nephropathy) 발생을 고려해야 하며, 고령이거나 신기능이 저하된 환자들은 특히 위험이 높다. 신병증을 저감하려면 환자들에게 충분히 수액을 공급해야 하며 다음 방편들을 동원한다: ① 적어도 12시간 동안 식염수 1 ㎖/kg/h 공급, 또는 ② 적어도 12시간 동안 탄산수소나트륨 3 ㎖/kg/h 투여, ③ N-acetylcysteine 600 ㎎ 정맥주사와 검사 후 이틀간 600 ㎎씩 하루 두 번 복용. ②와 ③은 병용하거나 선택할 수 있다.

혈관경련이 발견되었다면 심각하고 불가역적인 뇌허혈을 방지하려면 두 시간 이내에 치료가 시작되어야 한다. 비침습적인 치료로는 고혈압-정상혈량요법(Hypertension-normovolemia)이다. 예방적인 삼중H요법(고혈압, 고혈량, 심장에 대한 고활력요법)이 뇌혈관경련의 발생을 막지 못함은 이미 밝혀졌지만 일단 혈관경련의 징후가 임상상, 감시상에서 분명히 드러난다면 고혈압, 정상혈량요법의 적응증이 된다. 권고되는 혈역학 지표들의 목표는 다음과 같다: SVV<10%, PPV<13%, GEDVI>680 ㎖/㎡, SVI>40 ㎖/㎡, CI>3L/min/㎡, 소변량>0.5 ㎖/kg/hr. SBP 140-200 ㎜Hg든 MBP 100-130 ㎜Hg든 모두 고혈압요법에서 받아들여지는 목표이다.

침습적인 치료로 동맥내혈관확장제 투여가 있다. 선택할 수 있는 약물로 papaverine, nicardipine, verapamil, milrinone과 nitroglycerine이 있다. 혈관조영으로 문제가 되는 혈관을 찾아서 해당 혈관으로 약물을 바로 투여하면 즉시 확장효과를 나타낸다. 불행히도 이것으로 완전히 치료되는 것이 아니어서 수 시간 또는 며칠이 지나면 혈관들은 다시 경련을 일으킨다. 다른 치료로 풍선혈관성형술이 있다. 효과가 좀 더 오래 지속될 것이지만 이 방법은 잠재적으로 치명적인 합병증을 가지고 있다. 즉, 풍선혈관성형술은 혈관 파열의 위험을 높인다. 혈관경련을 치료하는 의사들마다 안전하다고 느끼는 수준이 다양하듯 치료의 수단도 다양하다.

SAH 치료에서 마주치는 다른 합병증으로 저나트륨혈증(hyponatremia)이 있다. 저나트륨혈증을 진단할 때는 대뇌의 염소모증후군(cerebral salt wasting syndrome, CSWS)과 부적절항이뇨호르몬증후군(syndrome of inappropriate antidiuretic, SIADH)를 감별하는 것이 필수적이다. CSWS를 SIADH처럼 치료하려 들면 심각한 저혈량과 허혈성뇌손상이 초래된다. 혈관내용적을 우선적으로 평가하는 것이 중요하다. 목표는 정상혈량을 유지하는 것이다. 식염복용과 더불어 등장성식염수를 정맥으로 공급하는 것이 CSWS에서는 적절하다. 염 소모가 심해지면 고장성식염수도 투여할 수 있다. 여기에 더하여 fludrocortisone 등의 부신수질호르몬을 써서 나트륨의 재흡수를 촉진한다. 과용적을 시사하는 체액상태라면 저나트륨혈증은 SIADH로부터 기인했을 개연성이 높으며 다른 치료전략을 세워야 한다. SIADH에 시달리는 환자에서는 수분이 저류되어서 희석저나트륨혈증이 생긴 것이다. 첫 단계는 수분제한이며, 심한 환자에서는 vasopressin 수용체에 직접 길항하는 약제를 쓴다. Conivaptan을 20 ㎎을 30분에 걸쳐서 정맥으로 주입한 뒤 20 mg/day (최대 40 mg/day)로 유지한다. 복용할 수 있는 약제로 tolvaptan이 있다. Tolvaptan은 하루에 15 ㎎씩 투여하며 필요하다면

60 mg까지 증량할 수 있다. Vaptan계 약물치료 중에는 환자로 하여금 스스로 갈증을 느끼도록 하고 수분제한을 하지 않는 것이 중요할 것이다. Vaptan 치료와 수분제한과 고장성식염수 요법을 병행한다면 나트륨 혈청치가 빠르고 급격하게 상승함으로써 중추교뇌수초용해증(central pontine myelynolysis)이 발생할 수 있다. SIADH의 치료에서는 단계적으로 접근하는 것이 보다 안전하고 비용효과적이다: ① 수분제한, ② 염분알약, ③ 이상의 치료를 중단하고 정맥이나 경구로 vaptan 치료를 하는 단계이다. 최악의 상황은 CSWS를 SIADH로 오인함으로써 수분을 제한할 때 발생할 것이다. 이로써 혈관내용적이 더욱 위축된다. 특히 혈관경련이 일어난 동맥류파열 SAH 관리에서는 결코 있어서는 안될 실수이다. CSWS가 합병된 혈관경련에 vaptan을 써서 수분배설을 촉진하는 치료를(aquaresis) 가하는 것은 최악의 결과를 초래한다.

SAH에서 혈관경련이 사라지고 나면 발생할 수 있는 잠재적인 합병증은 발작교감신경항진증(paroxysmal sympathetic hyperactivity, PSH)으로서, 교감부신 과흥분성의 폭주가 다량의 교감신경흥분 증상을 초래하는 것이 특징이다. PSH의 직접적인 병태생리는 아직 제대로 해명되지 못했지만 특정 질환들에서 높은 연관을 보이는데 이들은 SAH, 외상성 뇌손상, 척수손상, 저산소증, 뇌졸중이다. 이때 치료는 대중치료이다. Benzodiazepines, 베타차단제, baclofen, bromocriptine, 아편제, 그리고 항경련제(사이뇌에서 기원하는 간질모양의 방전이 거론되곤 했다) 등이 유용하다. 이상의 약제들은 환자의 전반적인 상태에 잘 안배해서 쓸 필요가 있다. PSH 증상의 조절에서 과도하게 진정제를 투여하는 것은 회복과 중환자실 퇴실을 방해한다는 점은 기억해야 한다.

요약하면, 주술기 동안 혈역학을 적절히 관리하는 것이 동맥류파열로 인한 SAH의 장기적인 기능성결과를 개선하는 데 중요하다. 혈관경련의 발생과 사망은 첫 손상의 정도와 혈액의 양에 달려 있다. 높은 등급이었다면, 기도, 호흡, 순환에 대한 조치 후에 EVD를 삽입하는 것이 무엇보다 중요하다("ABC and EVD"). 나쁜 등급의 SAH에서 맞서야 할 초기 문제는 항상 머릿속압력상승이다. ICP를 낮추기만 하는 것이 아니라 CPP도 적합화해야 한다. 맞서야 하는 두 번째 문제는 증상혈관경련으로서 대개는 3-14일에 발생하며 적은 수의 환자에서는 14일 후에 DCI가 생긴다. 파열되었던 동맥류가 봉합된 이상, 증상혈관경련 환자의 집중치료의 목표는 고혈압, 정상혈량요법이다. 심박출량을 늘임으로써 뇌의 산소계측값들을 개선할 수도 있다. 약물과 기계적인 수단을 동원하여 혈관확장을 도모하는 중재술이 지체없이 행해져야 한다. 뇌의 염소모증후군은 혈관용적의 축소가 동반되며 반드시 교정되어야 하는데 SIADH와 혼동하지 말아야 한다. 혈관경련기가 지나면 뇌실복강단락을 삽입해야 할 뿐 아니라 발작교감신경과흥분을 포함한 다른 문제들이 합병할 수 있다.

2. 혈관성형술(Major vascular recanalization, CEA, CAS, EC-IC bypass and M1 recannalization)

증상목동맥협착은 목동맥내막절제(carotid endarterectomy, CEA)나 목동맥혈관성형및스텐트삽입(carotid angioplasty and stenting, CAS)을 통해 재소통을 이루어야 2차뇌졸중을 예방할 수 있다. 수술 전에 혈압의 변동에 따라 환자의 신경학적인 결손이 악화되는 혈류장애를 보인다면(이른바, 혈압의존성 뇌허혈["pressure-dependent" cerebral ischemia]), 혈압을 높게 유지하는 것이 좋다. 일반적인 기저값보다 적어도 10-20% 높은 값을 취하는 것이 합리적이다. 환자가 혈압의존성이 아니라면, 고혈압요법은 불요하며 가급적이면 빨리 재소통 시술을 행하는 것이 필요하다. 미국심장학회는 증상목동맥협착 환자에게 14일 이내에 재소통 시술을 행하도록 권고하고 있다. 시술 후에는 혈압을 높게 유지해서는 곤란하다. 이는 모든 종류의 주요 혈관재건술, 모야모양병에서 행하는 STA-MCA단락(superficial temporal artery to middle cerebral artery bypass) 이후나 근위MCA협착에서 행하는 풍선혈관성형및스텐트삽입 이후에도 똑같이 적용된다. 주요 혈관의 재소통이 일어나면 과거에는 오랫동안 협착되었던 분절에 대량의 동맥혈류가 유입되면 과관류증후군(hyperperfusion syndrome)이 발생할 위험이 높아지며 잠재적으로 출혈합병증이 동반한다. 대단위 연구를 통해 입증된 절대값은 없지만 시술 후에 SBP는 140-150 mmHg 미만으로 유지하는 것이 타당하다. 즉, 시술 전에는 혈압을 높게, 시술 후에는 낮게 유지하는 것이 통칙이다.

1) 뇌내출혈(Intracerebral hemorrhage; ICH)

ICH 관리는 이질적인 환자군에 대한 방대한 요목으로서, 비록 ICH 환자의 대다수가 기저에 고혈압을 가지고 있을지언정 환자 개별의 원인과 병태생리에 따른 상이한 치료 패러다임을 요한다. 자발적 고혈압성 ICH가 가장 흔하며 먼저 논의한다. 기저의 저혈압이 지속되면서 환자들은 뇌의 출혈로 인해서 급성의 신경학적 결손을 나타낸다. 출혈이 가장 빈번하게 발생하는 장소는 caudate-putamen, globus pallidus, thalamus, pons와 소뇌이다. 모두 중간크기에서 작은 관통동맥 또는 관통세동맥(medium to small perforating artery and arteriole)이 혈액을 공급하는 부위들이다. 외과적 치료의 적응증은 이 원고에서 다루지 않을 것이다. 자발적고혈압성 ICH의 가장 무서운 합병증은 혈종의 팽창으로서 33-38%에서 발생한다. 혈압과 혈종의 팽창 사이의 관계가 완전히 밝혀진 것은 아니지만 혈압을 통제하는 것이 현명할 것이다. 보편적으로 수용되는 SBP의 목표는 140-160 mmHg 미만으로 유지하는 것이다. 어떤 ICH 증례는 기저에 응고장애가 있는데, 항응고치료에 의했거나 다른 변화의 결과일 수 있다. 혈종 팽창을 막기 위해서 warfarin, 응고인자 Xa 길항제, 직접항트롬빈제(direct antithrombins)들은 즉시 역전되어야 한다. Warfarin은 신선동결혈장과 비타민 K 병용요법 또는 프로트롬빈농축제(prothrombin complex concentrate)로 역전할 수 있다. 직접항트로빈제인 dabigatran은 최근에 미국 FDA의 허가를 획득한 idarucizumab을 써서 길항한다. FDA

는 이 원고가 작성된 2018년 5월 현재 응고인자 Xa 길항제인 rivaroxaban과 apixaban의 새로운 길항제를 허가했다: Andexxa로서 응고인자 Xa의 재조합체이다. 일부 ICH 환자들은 뇌아밀로이드혈관병증(cerebral amyloid angiopathy) 등의 기저병리에 기인한다. 이 환자들은 평생 미세출혈(microhemorrhage)을 앓아 왔으며 특징적인 MRI 소견으로 식별할 수 있다. 이 환자군은 재발성출혈이 빈번하므로 장기적인 항응고치료를 피하는 것이 좋다. 항혈소판제를 쓰던 환자들의(관동맥질환에 쓰이는 아스피린이 대표적인 예이다) ICH에서는, 특히 수술을 받는다면, 혈소판수혈이 필요할 수 있지만 혈소판수혈의 이점이 불명하므로 일상적으로 행해서는 안된다. 종종 신경학영상을 매일 촬영하지만 늘 유용한 것은 아니다. 반드시 기억할 사항은 자발적 고혈압성 ICH에서 통계학적으로 유의한 혈종의 팽창은 첫 24시간 동안(특히 첫 12시간 이내) 벌어진다는 점이다. 최초의 뇌CT 촬영 후 "안정" 촬영으로서 두 번째 CT촬영을 하는 것이 좋다. 안정적인 24시간이 지난 뒤에 뇌CT를 매일 촬영하는 것은 추천하지 않으며 비용효과도 나쁘다. ICH에서 나타나는 신경학적 결손은 전적으로 종괴효과에 기인한다. 근래의 연구들은 최소침습적으로(천자침과 EVD 모양의 배액관을 정위적으로 적용하여) 혈종을 제거하는 기법에 중심을 두고 있다.

2) 외상성 뇌손상(Traumatic Brain Injury, TBI)

TBI 관리는 기도, 호흡, 순환을 확보하는 데서 시작한다. 혈역학안정을 확보한 후에는 CT를 포함한 신경학 영상의 확보가 권장된다. 모든 TBI 환자가 응급 hemicraniotomy 또는 hemicraniectomy를 요하는 것은 아니다. 이와 같이, bifrontal craniotomy를 포함한, 적극적인 수술적 치료는 심각한 뇌부종을 동반하면서, 생명을 위협하는 뇌탈장과 불응성두개내고혈압이 발생한 경우를 위해 남겨 두는 것이 좋다. 심각한 출혈성 좌상을(뇌실질의 출혈타박상이 작고 다소성으로 흩어져 있는 경우) 가진 심각한 TBI에서는 첫 24-48시간 동안 출혈이 활짝 팽창할 수 있는데 이는 잠재적으로 치명적이다. 이런 타박상이 병발하는 최악의 위치는 anterior temporal lobe tips과 medial bifrontal lobe로서 이들은 모두 두개골의 뼈와 인접했다. 이런 심각한 TBI에서 ICP 감시로 얻을 수 있는 정보가 많다. IVH와 뇌수종이 존재한다면 EVD가 진단적 치료적 취지에서 선호된다. 뇌실의 크기가 정상인 환자라면 fiberoptic bolt를 응용한 뇌압 측정만으로 충분할 것이다. 오랫동안 뇌압의 치료 역치는 20 mmHg로 간주되었지만 2016년에 출판된 TBI 관리지침에서는 치료의 기준으로 20 mmHg이 아닌 22 mmHg를 채택하였다. 높은 등급의 뇌동맥류 파열에 의한 SAH로 인한 두개내고혈압처럼, 심한 TBI로 인한 높은 ICP에서는 ICP의 감소만이 아니라 CPP의 최적화를 요구한다. CPP는 60-70 mmHg를 목표로 하는 것이 좋다. CPP를 모르거나 치료의 목표가 없는 상태에서 단지 MAP를 올리는 치료는 폐의 합병증을 초래할 수 있어서 추천되지 않는다. 폐포가 산소를 들일 수 없다면 뇌로도 산소를 전달할 도리가 없다. 뇌에만 국한하는 치료는 좋은 결과를 낳지 못할 것이다. 다수의 대규모 시험을 통해서 스테로이드요법은 결과를 개선하지 못할뿐더러 어쩌면 해로울 수도 있다고 알려졌다. 예방적 항경련제는 첫 7일 동안 추천된다. 현대의 진보된 신경계중환자실에서 응용하는 다모드감시(multimodal monitoring)는 오늘날 진보를 거듭하고 있으며 TBI 집중치료의 미래를 좌우할 전망이다. 멀티모드감시장비는 개별 환자의 자율조절상태에 기초한 맞춤치료를 가능하게 해 준다. "적절한 최소 CPP 역치가 60 mmHg인지 70 mmHg인지는 불명확하다(7장 p13 참고). 환자의 자율조절상태에 달려 있다" 미래의 TBI 집중치료는, 선험적이고 기준에 의해서 좌우되어 겨우 두 개 환자군만을 배치했던 RCT로부터 유래했던 흑백 접근법을 그치고 환자 개별 맞춤 치료로 선회할 것이다.

참고문헌

• Ricardo J. Komotar, M.D. J. Michael Schmidt, Ph.D. Robert M. Starke, M.D. Jan Claassen, M.D. Katja E. Wartenberg, M.D. Kiwon Lee, M.D. Neeraj Badjatia, M.D.E. Sander Connolly, Jr., M.D. Stephan A. Mayer, M.D. RESUSCITATION AND CRITICAL CARE OF POOR-GRADE SUBARACHNOID HEMORRHAGE. Neurosurgery, Volume 64, Issue 3, 1 March 2009, Pages 397–411.
• The NEURO-ICU BOOK, 1st edition 2012, Kiwon Lee, MD, McGraw-Hill, NY, NY.
• The NEURO-ICU BOOK, 2nd edition 2017, Kiwon Lee, MD, McGraw-Hill, NY, NY.
• Carney et al. Guidelines for the Management of Severe Traumatic Brain Injury, Fourth Edition, Brain Trauma Foundation. Neurosurgery 01-10. 2016.

신경외과 수술 후 통증관리

Postoperative Pain Management for the Neurosurgical Patients

18

신경외과 수술 후 통증관리

Postoperative Pain Management for the Neurosurgical Patients

18

정성태
전남대학교 의과대학

신경외과 환자들의 수술 후 통증관리가 일반적인 수술 후 통증관리와 다른 점은 부작용을 최소화하면서 보다 좋은 진통 효과를 내고 동시에 신경학적 검사가 가능하게 하는 것이다. 이것을 위해서는 통증 치료를 위해 다양한 약물과 기술을 이용한 적절한 방법을 동원하여 최적의 효과를 거둘 수 있도록 해야 한다. 또한 무작위 대조군 시험을 통하여 치료 방법에 대한 지속적인 검증이 필요하며 적절한 평가, 관심, 진통을 포함한 환자의 전체적 상황에 대한 관리도 함께 동반되어야 한다.

1. 개두술을 시행한 환자의 통증관리

개두술을 시행한 환자들은 움직임에 의해 수술부위의 장력이 증가되지 않기 때문에 수술 후 통증이 심하지 않다고 믿어 왔고, 실제로 과거의 문헌에서는 5-15%의 환자에서만 심한 통증이 발생한다고 기술되어 있다. 이러한 생각과 함께 의식상태의 변화나 호흡의 억제를 두려워하여 많은 의사들이 수술 후 통증 조절을 위해 아편유사제를 투여하는 데에는 인색한 경향이 있었다. 그러나 최근에는 개두술을 시행한 환자의 상당수가 중등도 이상의 통증을 호소하며 일부 환자에서 만성 통증이 발생할 수도 있다고 보고되었다. 또한 아편유사제의 필요성과 안전성에 관한 보고들도 발표되고 있다.

1) 해부학

(1) 두피

두피는 총 다섯 개의 층, 즉 피부, 피하조직, 모상건막(galea aponeurotica), 근막하층 그리고 두개골막으로 이루어져 있다. 두개골막은 골막에 해당하는 구조물이며 그 위로는 근육층이 있는데 크게 후두전두근(occipitotemporalis)과 측두두정근(temporoparietalis)으로 나눌 수 있다. 이 근육들은 모상건막과 연결되어서 두정골에서부터 눈썹 부위까지 덮고 있다.

(2) 두개골

두개골의 위쪽 부분은 뇌를 감싸고 보호하는 역할을 한다. 나머지 부분은 얼굴을 형성하며 그 아래로는 턱이 연결된다. 두개골의 위쪽 부분을 제거하면 두개 기저가 있으며 전, 중, 후 두개와의 세 부분으로 나뉜다. 두개 기저의 아래쪽 면은 울퉁불퉁하고 여러 개의 중요한 구멍들이 있어 이를 통해 뇌간, 뇌신경 및 혈관들이 지나간다.

(3) 수막

뇌는 경막(dura mater), 거미막(arachnoid mater), 연막(pia mater)의 세 층으로 덮여 있다. 대뇌 경막은 두개골의 안쪽 면에서 골막을 이루면서 뇌 조직을 지지하는 막을 형성한다. 후두개 와의 경막은 감각신경이 풍부하게 분포하고 있어 수술 후 통증에 있어 중요한 역할을 하는 것으로 생각된다.

(4) 신경지배

① 두피의 신경분포

뇌신경과 척수신경 전, 후 가지(ventral and dorsal spinal rami)에 지배를 받는다. 두피의 각 부분과 경막의 신경 지배를 알아보면 다음과 같다(그림 18-1).

 i. 이마: 삼차신경의 안신경의 가지(branches of the ophthalmic division)
 ii. 측두부: 삼차신경의 상악 및 하악의 가지(branches of the mandibular and maxillary divisions)
 iii. 후두부: 대후두신경(greater occipital nerve)
 iv. 귀 뒤부분: 소후두신경(lesser occipital nerve)

그림 18-1
두피의 주요 신경분포

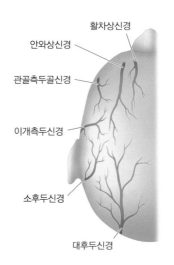
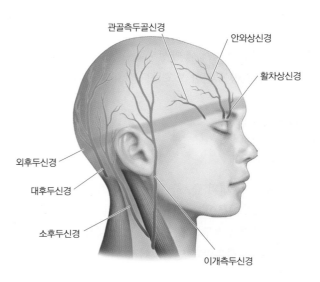

② 경막의 신경분포

경막은 여러 종류의 신경들로부터 형성된 풍부한 신경총이 지배하고 있다. 전, 중두개와의 경막은 삼차신경의 제1 분지(안신경)에서 나온 전, 후사골신경(ant. & post. ethmondal nerve)이 분포하고 중두개와에서 두정부와 접형골의 소익(lesser wing)에는 삼차신경 2분지인 상악신경의 중경뇌막신경(nervus meningeus medius)이, 측궁융부(lateral convexity) 근처의 중두개와에는 3분지의 극공신경(nervus spinosus)이 분포한다. 소뇌겸과 대뇌겸, 위시상 및 횡정맥동(superior sagittal and transverse sinus)에는 안신경의 분지에 해당하는 천막신경(nervus tentorii)이 후두개와에는 1-3 목신경과 상목교감신경절이 주로 담당하고 안면신경과 설인신경, 미주신경의 회귀신경의 일부 가지도 분포한다(그림 18-2).

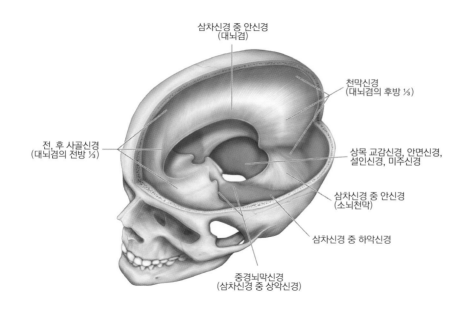

삼차신경 중 안신경
(대뇌겸)

천막신경
(대뇌겸의 후방 ⅓)

전, 후 사골신경
(대뇌겸의 전방 ⅓)

상목 교감신경, 안면신경,
설인신경, 미주신경

삼차신경 중 안신경
(소뇌천막)

삼차신경 중 하악신경

중경뇌막신경
(삼차신경 중 상악신경)

그림 18-2
경막의 여러 신경 지배에
관한 모식도

2) 통증의 특징과 위험인자

(1) 통증의 특징

개두술 후 급성통증은 주로 후두부와 경부주변에서 발생하고, 이는 두개골 근육 및 연조직과 연관되어 있다. 통증의 양상은 긴장성 두통과 비슷하며, 박동성과 압박성 통증이 일정한 강도로 지속적으로 발생하는 양상을 보이는 두피와 근육, 피하조직에서 유래된 체성통증이다. 수술 후 첫 48시간 내에 중등도 이상의 통증을 경험하게 되며, 진통제를 제공 받았음에도 많은 수에서 중등도 이상의 통증을 경험한다고 보고되었다. 이는 여러 주요기관에서 개두술 후 급성 통증의 치료 향상의 여지가 있음을 보여준다.

수술 종류에 따라 약 10-50%의 환자에서 수술 후 2-3개월 이상 지속되는 개두술 후 만성통증(chronic postcraniotomy pain, CCP)을 경험한다고 알려져 있다. 수술적 절개 및 다른 주술기중 사건들은 만성통증 및 두통에 영향을 미치는 중추신경계의 지속적인 변화를 유발할 수도 있다.

(2) 위험인자

① 환자 요인

다양한 수술에서 전신마취 후 중증도 수술 후 통증의 독립적인 예측인자로는 젊은 사람, 여성, 수술 전 통증의 정도, 절개 크기, 수술의 종류가 있다. 두개술을 받는 환자에서도 동일한 경향을 띤다. 이 중 여성과 젊은 사람에서 가장 높은 유병률을 보인다. 개두술의 통증을 경험하게 되는 가능성은 1년에 3% 정도 감소한다. 하지만, 나이, 성별, ASA 신체등급이 통증의 양상과 강도를 예측할 수 없다는 상반된 결과도 있다. 신경외과수술을 받는 환자는 높은 수준의 불안을 경험한다. 불안, 우울, 수술 전 통증 또한 개두술 후 통증 발생의 위험인자가 될 수 있다.

② 수술적 요인

개두술 위치는 수술 후 통증의 양상과 정도에 영향을 미칠 수 있다. 일반적으로 천막하(infratentoral procedure) 부위를 수술받은 환자에서 천막상(supratentorial procedure) 부위의 수술보다 통증이 더 심한 것으로 알려져 있다. 측두하(subtemporal) 및 후두하(suboccipital) 접근법을 통한 수술에서 높은 수술 후 통증 발생을 보이고, 전두부 개두술에서 낮은 통증점수를 보인다. 개두술 위치와 통증 정도의 관계는 두개골 주위 근육의 해부학적 위치로 일정부분 설명이 가능하다. 뇌천막과 연관된 수술적 위치보다는 근육의 손상 및 수술적 접근에 관련된 근육의 정도와 관련이 있다.

③ 개두술 후 만성통증과 관련된 위험 인자

개두술 후 만성통증의 정도와 유병률은 천막상 부위의 수술보다 천막하 부위 수술 후에 높다. 만성통증 발생의 기전으로, 유착(경막과 두개골 혹은 근육 사이, 경막과 뇌 사이), 경막의 당겨짐, 측두부 근육 및 후두부 아래 근육의 손상, 말초 신경의 포획, 무균적 수막염, 혹은 드물게 뇌척수액의 누출 등이 제시된다. 효과적인 수술적 조작이 개두술 후 만성통증을 예방할수 있는지는 명확하지 않지만, 근육의 기능을 잘 보존하고, 두개골피판을 잘 고정시키며, 경막이 당기지 않게 섬세하게 닫기, 두개내의 혈액과 뼈 파편의 꼼꼼한 제거가 권고되고 있다.

개두술 후 급성통증의 치료는 장기적인 회복에 영향을 미친다. 수술 후 급성통증의 정도는 만성통증의 유병률과 연관이 있다. 또한, 국소마취제의 국소 침윤은 개두술 후 지속적인 통증 및 신경병성 통증의 발생을 줄여준다.

3) 개두술 후 급성통증

(1) 기전 및 양상

환자들은 통증이 주로 표층에서 느껴진다고 말하므로 내장성통증(visceral pain)이라기보다는 체성통증(somatic pain)인 것으로 생각된다. 천막상부 수술 후 통증은 삼차신경과 연관되며 천막하부 수술의 경우는 제5, 9, 10 뇌신경이 관여하는 것으로 생각된다. 후두하 또는 측두하 접근법을 시행한 경우 통증의 발생이 많은데, 이는 측두근이나 두판상근(splenius capitis), 경판상근(splenius cervicis) 등의 근육과 주변 조직의 손상에 의한 것이다. 통증의 양상은 전형적인 침해수용성의 형태이고 수술 절개나 두피의 박리에 의한 결과로 발생되며 뇌 조직 자체로부터 발생하지는 않는 것으로 보인다. 호소하는 통증의 양상은 주로 박동성이거나 두드리는 듯한 느낌으로 긴장성 두통과 비슷한 경우가 많다. 여성과 젊은 사람에서 더 심한 통증을 호소하는 경향이 있다.

(2) 발생률

개두술은 다른 수술에 비해 통증을 덜 유발하는 것으로 생각되어 왔다. 그러나 최근에는 개두술을 시행한 환자의 50% 이상에서 중등도 이상의 통증을 경험하는 것으로 보고되었고, 주로 수술 후 48시간 이내에 발생하지만 일부 환자들은 그 이후에도 통증을 느끼는 것으로 보고되고 있다. 개두술 후의 통증이 다른 수술에 비해 덜 심하다고 볼 수는 있겠으나 이러한 환자들 중 일부가 부적절한 치료를 받고 있다는 데에는 많은 이들이 동의하고 있다. 일반적으로 수술적 접근 방법에 따라 통증의 정도가 다른 것으로 알려져 있는데, 천막상부 수술에 비해 두개기저, 특히 후두개와 종양이나 청신경종(acoustic neuroma) 수술 후에 심한 통증이 발생하는 경우가 많은 것으로 보고되었다. 후두개와 접근을 이용한 청신경종 수술 후 67%에서 심한 통증이 발생했다는 보고가 있는데 이는 목덜미 인대(nuchal ligament)의 박리나 근육들에 의한 경막의 당겨짐 때문이라고 생각된다. 그러나 이와 같은 수술부위에 따른 통증 발생의 차이에 대해서는 논란이 있으며 대규모의 전향적인 연구가 필요하다.

(3) 수술 후 통증의 생리적 영향

부적절한 진통은 교감신경 활성도와 혈압을 증가시키고 뇌혈류 및 산소 소모량을 증가시키며, 자동조절기전이 소실되었거나 뇌출혈이 있는 환자 및 거미막하출혈 후 재출혈 환자 등에서는 뇌압을 증가시킬 수도 있다.

(4) 개두술 후 통증의 치료

통증완화를 위해서 개두술을 받는 환자의 주술기의 모든 단계에 중재적 치료가 요구된다. 이는 교육, 위험 분석, 통증 협진 등과 같은 비약리적인 방법뿐 아니라 약리적인 방법이 사용된다(표 18-1).

표 18-1 개두술 후 통증의 주술기 중재치료

수술 전	위험도 평가 및 분류 환자 교육 전투약
수술 중	마취 방법 아편유사제 선택 정맥내 아세트아미노펜 비스테로이드성 소염진통제 부위마취: 두피 침윤, 신경차단술 마취보조제: 덱스메데토미딘, 케타민, 코티코스테로이드, 리도카인
수술 후	아편유사제 선택 경구재제 변환 자가조절진통 비스테로이드성 소염진통제 평가 및 약제 지시 모음의 표준화 환자 중심 통증 조절 비약물 통증 기법 두부 드레싱 변경

① 수술 전 중재치료

i. 수술 전 위험 평가

수술 전 수술 후 통증 발생의 고위험 환자(불안, 우울감, 만성통증)를 미리 평가하는 것은 수술 후 통증관리를 향상시킬 수 있다.

ii. 수술 전 교육

예상되는 통증, 치료, 약물 부작용에 대한 정보제공이 도움이 된다. 모든 신경외과 수술을 받는 환자에게 확증된 건 아니지만, 암에 의해 개두술을 받는 환자에게는 권장되고 있다.

iii. 수술 전 약물

수술 전 경구로 투여하는 가바펜틴이나 아세트아미노펜이 통증을 완화시킬 수 있다. 개두술을 받는 환자에서, 수술 전 가바펜틴의 투여는 마취약제 사용의 감소와 48시간 이후까지 진통제 사용을 감소시켰다. 하지만 기관 발관을 늦추고 수술 후 진정을 증가시켰다. 이런 효과는 수술 전 장기간 복용했을 때 나타나고 한번의 전투약으로는 효과가 없다. 다른 효과로는 섬망 감소, 아편유사제 감소효과(opioid-sparing effect), 수술 전 불안 감소, 수면질 향상, 수술 후 오심 및 구토의 감소, 핀 고정장치를 위치시킬 때 혈역학적 영향을 줄여준다. 아세트아미노펜의 수술 전 투약의 개두술 후 통증완화에 대한 효과는 아직 명확하지 않다.

② 수술 중 중재적 치료

i. 마취방법(흡입마취와 정맥마취)

몇몇 연구에서 세보프루란을 이용한 흡입마취가 정맥마취와 비교하여 개두술 후 통증이 더 높게 발생함을 보여줬다. 수술의 결과에는 두 마취방법이 영향을 미치지는 않았다.

ii. 수술 중 아편유사제 사용

작용시간이 매우 짧은 아편유사제인 레미펜타닐은 약리학적 특성 때문에 신경외과 마취에 널리 사용되고 있지만, 수술 후 통증 측면에서는 논란이 있다. 레미펜타닐은 용량의존적으로 수술 후 통증과 통증 감수성을 증가시킨다. 이런 효과는 신경학적 회복과 평가 시간을 단축시켜줄 수 있다는 점에서 상쇄된다. 다른 아편유사제 비해 레민펜타닐을 사용하면 회복실에서 통증완화를 위한 진통제의 사용이 증가하는 반면 신경학적 회복이 빨라진다. 모르핀과 레미펜타닐을 동시 사용했을 때 회복의 질에 영향을 미치지 않는다. 레미펜타닐의 용량제한(0.2 mcg/kg/min 이하)과 다른 진통제의 동시 사용이 아편유사제의 급성 내성과 통각과민(opioid-induced hyperalgesia)을 완화시키는데 유용할 수 있다.

iii. 수술 중 아세트아미노펜의 정맥투여

아세트아미노펜은 진정을 일으키지 않고 진통효과를 낼 수 있다. 단독 사용으로는 개두술 후 통증조절에 효과적이지 않지만, 급성통증의 치료에 있어 다른 약제들과 복합투여에 있어 이상적인 약제로 사용될 수 있다.

iv. 비스테로이드성 소염진통제

COX-1/COX-2 차단제를 수술 중 사용하는 것은 의문에 여지가 있다. 항혈소판 효과로 인해 수술 전에 사용하면 1.1%의 환자에서 두개내 출혈과 연관된다. 수술 중 사용이 두개내 출혈의 위험을 높인다는 결정적 증거를 제시하지 못하고 있다. 또한 혈종, 신기능 장애, 위장관 궤양의 증가도 보여주지 못했다. 비록 비스테로이드성 소염진통제의 사용이 논란으로 남아 있지만, 선택적 COX-2 차단제는 응고기능에 더욱 안전하다.

v. 두피 국소침윤

국소마취제의 두피 침윤은 신경외과 수술 동안 널리 사용되고 있다. 에피네프린을 사용하면 국소적 혈관수축 및 출혈을 감소시킬 수 있고, 머리고정 장치 사용 및 절개 시 혈역학적 반응을 감소시킬 수 있다. 하지만 수술 후 통증약물에 대한 필요는 감소시키지 않는다. 비록 수술 후 첫 한 시간 이상의 통증치료에 효과가 없지만, 지속적인 통증 특히, 신경병증성 통증으로 발전하는 걸 막아서 환자의 삶의 질과 재활에 도움이 될 수 있다.

vi. 두피신경 차단

두피신경 차단은 두피의 주요한 감각지배 신경을 국소마취제 침윤으로 시행한다. 비록 경막에 작용하지 않지만, 혈역학적 반응을 억제하고 주술기 진통작용을 위해 전신마취와 함께 시행된다. 수술 종류에 따른 범위와 진통효과의 기간에 대해서 정립된 바는 없다. 하지만, 수술 후 진통효과는 최대 24시간 지속될 수 있고, 두피 국소침윤보다 더 좋은 진통효과를 보인다. 몇몇 연구에서는 수술 중 안정성, 마취제요구량 감소, 수술 후 통증의 감소에 영향을 미치지 않는다는 결과를 보이고 있다. 국소마취제 독성은 반드시 고려돼야 하며, 상대적으로 안전하더라도, 낮은 가능성으로 안면마비가 발생될 수 있으므로 차단술 이후 주의를 기울여야 한다.

vii. 덱스메데토미딘(dexmedetomidine)

몇몇 연구에서 수술 중 덱스메데토미딘의 사용이 개두술 후 통증을 감소시킨다고 하였다. 아편유사제 감소효과가 있고, 수술 중 더 좋은 진통효과와 함께 혈압 조절에 도움이 된다.

viii. 케타민

NMDA 차단제로 아편유사제와 비슷한 통증감소효과를 제공한다. 초창기 개두술환자에서 머릿속압력, 경련 역치, 의식정도에 영향을 미친다는 것 때문에 사용에 의문이 있었다. 하지만, 케타민이 대뇌혈역학에 영향을 미치지 않고, 실질적으로 대뇌 혈류를 향상시킨다고 연구결과가 나오고 있다. GABA에 작용하는 약제와 동시 사용 시, 환각작용의 부작용은 상쇄된다. 그럼에도 불구하고, 연구결과의 부족과 인지능력의 변화, 부정적인 경험, 어지러움, 시야 흐려짐의 이유로 신경외과 분야에서 이견이 존재한다.

ix. 스테로이드

코티코스테로이드는 뇌부종 및 수술 후 구역 및 오심감소를 위해 개두술을 받는 환자에게 빈번히 사용되고 있다. 수술 중 덱사메사손을 사용하지 않은 경우 개두술 후 통증이 증가하는 소견을 보였다. 하지만, 신경외과적 수술을 받는 환자에서 덱사메사손의 진통효과는 일부에서만 확인되었다.

x. 리도카인

주술기중 정맥내 리도카인 주입은 복부수술을 받은 환자의 초기 수술 후 통증을 감소시킨다는 보고가 있다. 신경외과 수술에서는 천막상 개두술 후 진통효과를 상승시켰다.

③ 수술 후 중재치료

최근 수술 후 통증 치료에 관해 많은 발전이 있었음에도 불구하고 개두술 후 통증에 관해서는 이러한 방법들이 적용되지 않는 경향이 있다. 아편유사제는 다수의 부작용에도 불구하고, 초기 개두술 후 통증의 주된 치료이다. 초기 개두술의 신경학적 검사를 방해하는 것, 호흡억제, 구역, 과도한 진정이 발생할 수 있어 신중한 적정과 감시가 필요하다. 약한 아편유사제인 codeine은 호흡억제에 대해 천장효과(ceiling effect)가 있는 것으로 알려져 있고, 동공검사를 방해할 가능성이 낮아서 몇몇 외과수술 센터에서 통상적으로 사용된다. 몇몇 연구에서 codeine은 모든 개두술 후 통증을 조절하는데 부적절함을 보여줬다. 그럼에도 불구하고, codeine은 몇몇 센터에서 개두술 후 주된 통증조절 방법으로 사용된다. 최근까지도 codeine을 간헐적으로 근주 하는 방법이 주로 사용되고 있는데, 이는 강한 아편유사제를 사용할 경우 호흡 억제가 초래될 것을 우려하기 때문인 것으로 보인다. 그러나 최근에는 morphine 등을 이용한 통증 자가조절법이나 두피신경 차단법 등이 효과적인 것으로 보고되고 있다.

i. 아편유사제

i) 약한 아편유사제

Tramadol은 비교적 호흡억제나 진정 작용이 약하기 때문에 가끔 사용되기는 하나, 단독 사용으로는 진통 효과가 충분하지 않고 구역, 구토의 발생이 morphine이나 codeine보다 많은 것으로 보고된 바 있다. 또 이를 위해 투여한 ondansetron이 tramadol의 진통효과를 감소시킨다는 보고가 있다. Tramadol로 유발된 경련에 대한 불명확한 위험성은 논란의 여지가 있다. 이것의 임상적인 발생률은 꽤 낮음에도 불구하고, 두부손상, 뇌졸중, 신경학적&정신과적 약제 및 보조요인에 의해 증가된다.

Codeine 30-60 mg을 수술 직후부터 4시간 간격으로 경구, 직장내 또는 근주로 투여할 수 있는데, 호흡억제에 대해 천장효과가 있고 동공반사에 영향을 미치지 않는 것으로 알려져 있어 과거로부터 개두술 후 통증 치료에 가장 적합한 것으로 여겨져 왔다. Codeine의 효력은 morphine의 10-13분의 1이며, 체내에서 시토크롬(cytochrome) P450에 의해 대사되어 morphine으로 탈메틸화 됨으로써 진통효과를 나타낸다. 따라서 codeine의 진통효과는 각 개인의 P450 유전자의 변이성에 따라 많은 차이를 보이는데, 약 10%의 환자에서는 투여된 codeine의 0.5% 이하만이 탈메틸화 되며 대부분 15%를 넘지 않는다. 따라서 최근에는 개두술 후 통증에 codeine을 사용하는 것은 적절치 않으며 morphine을 이용한 통증자가조절을 시행하는 것이 효과적이라는 주장이 제기되고 있다. Buprenorphine 등의 작용제/대항제는 codeine이나 morphine에 비해 특별한 장점이 없다.

ii) 강한 아편유사제

개두술 후 morphine 10 mg 근주와 codeine 60 mg 근주의 효과를 비교한 이중 맹검 연구에서 morphine이 보다 효과적이었으며 특이한 부작용 등은 나타나지 않았다고 보고되었다. 그러나 morphine을 사용할 경우 호흡억제로 의해 뇌혈류가 증가됨에 따라 뇌압이 상승될 수 있으며 특히 뇌 유순도가 감소된 환자에서 문제가 될 수 있다. 소량의 morphine을 투여한 경우에도 동맥혈 이산화탄소 분압이 증가하여 뇌 관류에 문제를 일으킬 수도 있다는 주장도 있으나, 그 발생률이 낮을뿐 아니라 결과적으로 신경학적 이상 또는 기타 임상적인 이상 징후가 나타났다는 보고는 없었다. 이에 따라 최근에는 morphine과 같은 강한 아편유사제의 사용이 권고되고 있으며 특히 통증자가조절법을 통해 투여하는 것이 안전하고 효과적이라는 보고가 증가하고 있다.

ii. 비스테로이드성 소염진통제

Paracetamol은 단독으로는 개두술 후 적절한 진통을 얻기 어렵고 tramadol이나 nalbuphine 등과 함께 사용하는 경우 효과적일 수 있다. 30 mg/kg의 paracetamol과 1.5 mg/kg의 tramadol을 수술 종료 1시간 전에 정주하고 그 후 6시간마다 paracetamol 1.5 mg/kg을 정주하며 시각통증등급이 30 ㎜ 이상일 경우 tramadol 1.5 mg/kg을 정주하여 충분한 진통을 얻을 수 있는데, 이때 tramadol을 대신해서 nalbuphine 0.15 mg/kg을 사용할 수도 있다. 한편 oxycodone을 이용한 통증자가조절을 시행하는 환자에서 ketoprofen 100 mg 또는 paracetamol 1 g을 8시간 간격으로 투여하여 통증이 잘 조절되었으며 그 중에서도 ketoprofen을 투여한 군에서 oxycodone 요구량이 더 낮았다는 보고도 있다. 따라서 비스테로이드성 소염진통제는 수술 후 아편유사제 요구량을 감소시키거나 진통효과를 향상시키기 위해 사용될 수 있다. 그러나 드물긴 하지만 출혈경향이나 신혈류 감소를 일으킬 수 있고 indomethacin의 경우 뇌혈류를 감소시킬 수 있으므로 주의하여야 한다.

iii. 통증자가조절법(patient controlled analgesia, PCA)

Morphine을 이용한 통증자가조절법에 관한 보고가 많으며 일반적으로 일시 투여량 1-1.5 mg, 폐쇄간격 5-10분, 4시간 제한 40-50 mg으로 시행하는 것으로 알려져 있다. Oxycodone의 경우 일시투여량 0.03 mg/kg, 폐쇄간격 10분으로 설정하고 ketoprofen 또는 paracetamol을 보조진통제로 사용하여 효과적인 진통을 얻었다는 보고가 있다. 통증자가조절법을 시행하면 환자 스스로 진통제 투여량을 조절할 수 있으므로, 적절한 진통효과를 얻으면서도 호흡억제와 같은 부작용을 피할 수 있을 것으로 생각된다. 보고된 바에 따르면 morphine 또는 oxycodone을 이용한 통증자가조절 시 호흡억제는 잘 나타나지 않는 것 같다. 최근의 연구에서는 morphine을 이용한 통증자가조절을 시행하면서 동맥혈 이산화탄소 분압을 측정한 결과, morphine 투여군에서 그 값이 증가하기는 하였으나 tramadol이나 codeine군과 비교하여 차이를 보이지 않는다고 보고하였다. 따라서 morphine과 같은 강한 아편유사제를 통증자가조절법을 통해 투여한다면 더 낮은 용량으로 효과적인 진통을 얻으면서 호흡억제와 같은 부작용 또한 피할 수 있을 것으로 생각된다.

iv. 두피신경 차단

국소마취제의 국소침윤 또는 두피신경 차단은 수술 후 통증을 감소시키는 것으로 보고되었다. 25 ㎖의 0.25% bupivacaine을 1:200,000 epinephrine과 함께 절개부위에 침윤하여 수술 직후의 통증을 감소시킬 수 있고, 0.75% ropivacaine 20 ㎖를 이용하여 두피신경 차단을 시행한 경우 술후 48시간까지 지속되는 진통 효과가 있었다는 보고도 있다. 최근 1:200,000의 epinephrine이 첨가된 ropivacaine으로 두피신경 차단을 시행한 후 그 혈중농도를 측정한 연구에서는 평균 36 mg/kg이 투여된 후 최고 혈중농도는 1.5±0.6 ㎍/㎖이었고 최고치에 이르는 시간은 15-45분이었으며 심혈관계 또는 중추신경계 독성 증

상은 나타나지 않았다. 건강한 자원자를 대상으로 한 실험에서 중추신경계 독성이 나타난 혈중농도가 2.2 μg/ml이었다는 점을 감안하면 이와 같은 혈중농도는 안전한 것으로 생각할 수 있을 것이다. 또한 최고 혈중농도에 이르는 시간이 짧은 것은 두피에 혈관이 풍부함을 나타낸다. 두피신경 차단을 시행하는 방법은 다음과 같다(그림 18-1 참조).

i) 안와상신경(supraorbital nerve) 및 활차상신경(supratrochlear nerve): 두 신경이 안와에서 나오는 부위인 눈썹 상방의 정중앙에서 피부에 대해 수직으로 진입하여 2 ml의 국소마취제를 주입한다.

ii) 이개측두신경(auriculotemporal nerve): 이주(tragus) 전방의 1.5 cm 부위에서 피부에 수직으로 바늘을 진입한 후 근막을 뚫고 깊은 부위에서 1.5 ml, 다시 바늘을 약간 빼내어 표층에서 1.5 ml를 주입한다.

iii) 큰귓바퀴신경(great auricular nerve)의 분지인 뒤귓바퀴신경(postauricular nerve): 이주 후방 1.5 cm 부위에서 뼈에 접촉한 후 2 ml를 주입한다.

iv) 대·소 후두신경(greater·lessser occipital nerve) 및 제3 후두신경(third occipital nerve): 뒤통수융기(occipital protuberance)와 꼭지돌기(mastoid process)의 중간 지점에서 위목덜미선(superior nuchal line)을 따라 3 ml를 주입한다.

4) 개두술 후 만성통증

(1) 정의
국제두통학회는 개두술 후 만성두통(Postoperative chronic headache)을 다음 4개의 기준으로 정의하였다.

① 다양한 강도의 통증이 있지만, 개두술의 절개부위에서 가장 심함
② 외상 이외의 원인으로 개두술을 시행
③ 개두술 후 7일 이내에 발생
④ 통증이 개두술 후 3개월 이상 지속

(2) 발생률
조절되지 않는 간질의 치료를 위해 전방 측두엽 절제술을 시행한 환자들을 조사한 결과 6%에서 2개월–1년간 지속되는 두통이 있었고, 12%에서는 1년 이후에도 통증이 지속되었다고 하였다. 최근 뇌동맥류 수술을 시행하고 6개월이 지난 환자들의 두통에 관한 연구에서는, 29%의 환자에서 만성통증이 발생하였으며 여성 및 우울, 불안 등의 증상을 보인 환자에서 발생률이 높았다고 하였다. 만성통증은 특히 청신경종 수술 후 많이 발생하는 것으로 보이는데 이러한 환자들의 44%에서 만성 통증이 발생한다고 한다.

(3) 기전

개두술 후 만성통증의 발생 기전은 아직 명확히 밝혀져 있지 않다. 구부리는 자세나 기침 등 머릿속압력을 상승시키는 조작에 의해 이러한 통증이 심해지는 것으로 보아 경막과의 관련성을 생각할 수 있다. 이와 관련하여 목 근육이나 피하조직이 경막과 유착됨으로써 만성 통증이 발생할 수 있다는 가설이 제기되었다. 이를 바탕으로 최근에는 두개절제술(craniectomy)을 시행하기 보다는 개두술(craniotomy)을 시행하고, 과거에 두개절제술을 시행했던 환자들에게는 두개골 성형술(cranioplasty)을 시행하게 하였다. 그러나 이러한 변화에도 불구하고 만성 통증의 발생은 줄어들지 않았으므로 그 기전을 설명하기에는 불충분한 것 같다. 한편 개두술 후 만성 통증을 보이는 환자들에서 무균성 수막염이 발생되었음을 실험실 검사와 가돌리늄(gadolinium) 자기공명영상을 통해 증명한 연구가 있었는데 수술 중 경막의 자극이나 뼛가루 등에 의해 염증 반응이 발생하고 이에 따라 경막에 분포하는 통각 수용체들이 감작되어 만성 통증이 발생할 수 있다는 것이다. 그 외에 목 근육 활성도의 증가, 전정 기능 이상(vestibular imbalance), 후두신경 주변의 반흔 조직, 뇌척수액 유출에 의한 통증 및 삼차신경의 활성화에 의한 발작적인 통증 등을 생각할 수 있다.

(4) 통증의 양상

통증은 주로 긴장성 두통과 비슷한 양상이나 간헐적으로 편두통 양상의 발작적 악화가 나타나기도 하며 가끔 절개부위에서 찌르는 듯한 통증을 호소하기도 한다. 통증을 주로 호소하는 부위는 뒷목이나 후두부, 윗머리, 전두부 등이며 육체적 또는 정서적 스트레스, 앞으로 구부리는 자세나 기침 등에 의해 악화되는 경향이 있다.

(5) 치료

대부분의 경우 비약물 및 약물 치료 등의 여러 전문분야적 접근(multidisciplinary approach)을 통해 효과적으로 치료될 수 있다.

① 비약물적 치료

경피전기신경자극, 물리치료, 침 등의 대체요법, 인지행동치료 및 이완요법, 고주파 열응고술 또는 냉동진통법 등이 있다.

② 약물치료

비스테로이드성 소염진통제를 투여할 수 있고 유발점주사(trigger point injection)나 botulinum toxin A 주사를 근긴장도가 증가된 부위에 시행할 수 있다. 다른 만성통증의 경우와 마찬가지로 항우울제, 항경련제, 나트륨 통로 차단제, NMDA 수용체 차단제, 선택적 세로토닌 재흡수 억제제 등을 투여할 수 있다. 심한 통증이 조절되지 않는 경우에는 아편유사

제를 사용할 수도 있다.

2. 척추수술 후 통증 조절

1) 척추수술 후 통증조절 시 고려사항

일반적으로 척추수술을 받는 환자들은 만성적으로 허리 통증을 겪어 왔고 장기간의 약물을 이용하여 통증 치료를 받아왔기 때문에 많은 양의 진통제와 아편유사제를 필요로 한다. 소위 척추수술 후 지속되는 통증을 호소하는 척추수술 후 통증증후군의 경우에 재수술을 실시하면 적절한 수술 후 통증 치료가 어려울 수 있다. 이미 한번 경험한 수술 후 통증에 대해 심각한 공포심을 갖고 있기 때문이다. 게다가 이러한 환자들은 수술 전후에 적절한 신경학적 검사가 요구되며 수술 결과를 확인하기 위해서는 각성 상태가 필수적이다. 환자가 편히 쉬는 상태에서만 진통효과가 있는 것으로는 충분하지 않다. 조기보행과 후유증 방지, 재원기간의 단축이 중요하기 때문에 조기 보행을 가능하게 하기 위한 적절한 진통 조절과 환자의 안전이 필수적이다.

2) 허리통증의 특징

요통은 척추의 여러 구조물의 통각수용체와 기계수용체(mechanoreceptor)에서 발생한다. 통증을 유발하는 구조물은 척추, 추간판, 경막, 신경근, 후관절 피막(facet joint capsules), 근육, 인대, 건 등이 포함된다. 척수신경근은 교감신경, 부교감신경 등과 연결되어 있고 상지와 흉부, 복부, 골반, 하지 등과 연결되어 있다. 이러한 구조로 인하여 요통 환자에서 연관통이 동반되며, 연관통이 있는 환자는 대체적으로 통증의 강도가 높다.

3) 척추수술 후 통증 조절의 방법

(1) 비경구적 투여

① 아편유사제

아편유사제는 단독으로 쓰이거나 다른 진통제와 혼합하여 사용할 수 있다. 아편유사제는 통증 조절에 매우 좋은 약제이지만 의료진이나 환자가 아편유사제를 투여함으로써 발생할 수 있는 진정, 호흡부전, 중독 등의 부작용을 염려하여 진통효과를 거둘 수 있는 충분한 양을 투여하지 못하는 경우가 있다. 투여방법은 간헐적 혹은 필요한 때에(PRN) 투여하는 방법, 일정한 시간 간격에 의한 근육 주사 요법이나 정맥 통증자가조절법이 사용하기가 쉽고 더 나은 진통효과를 보인다. 통증자가조절법 사용 시 아편유사제 단독으로 쓰일 경우 적절

한 진통 효과를 보이려면 많은 부작용이 생길 수 있다. 그러므로 다른 약제와 동시에 사용하는 것이 아편유사제의 사용량을 줄임으로써 부작용을 최소화시킬 수 있다.

② 비스테로이드성 소염진통제

일반적인 술후 진통에 소염진통제를 사용하여 유용한 진통효과를 거둘 수 있지만 척추 수술 후 통증을 조절하기 위하여 소염진통제를 단독으로 투여할 경우는 적절한 진통을 거두기 어렵다. 그러므로 아편유사제 등과 함께 투여했을 경우에 각각 따로 투여했을 때보다 훨씬 좋은 결과를 거둘 수 있다. Ketorolac은 소염진통제 중에서 가장 많이 연구된 약이다. 이것은 매우 좋은 진통효과와 아편유사제 사용량을 감소시키는 능력을 갖고 있다. Ketorolac은 약물 효과가 즉각적으로 나타나지 않기 때문에(근주 후 30-60분) 수술 후 심한 급성 통증에서 단독적으로 쓰이기보다 아편유사제와 함께 사용하는 것이 매우 효과적이다. 게다가 뼈치유(bone healing)의 초기에 prostaglandin E2가 매우 중요한 역할을 하는데 소염진통제가 뼈치유에 악영향을 끼칠 수 있음이 보고되었다. 주로 높은 용량(120-240 ㎎/d)의 ketorolac이 척추수술 후에 불유합과 관련이 있다.

③ 스테로이드

술 후 통증을 줄이기 위하여 코티코스테로이드를 정주하는 방법이 있다. 스테로이드는 phospholipase A2를 억제함으로써 통각 수용체의 역치를 높일 수 있으며 일부 환자에서 척추 수술 후 발생하는 척추 신경근의 염증과 관련된 방사통이나 연관통을 억제할 수 있다고 보고되었다.

④ 아세트아미노펜

아세트아미노펜 전구체인 정주 가능한 propacetamol의 수술 후 진통 효과와 아편유사제 감소효과에 대해 연구됐다. 작용기전은 prostaglandin의 억제와 하행성 세로토닌 억제경로(descending serotonergic inhibitory pathway)의 활성화에 관여되는 것으로 알려져 있다. 소염진통제가 금기이거나 지혈장애가 우려되는 환자에서 paracetamol을 아편유사제의 보조제로 사용할 수 있다.

(2) 척수강내 투여(intrathecal administration)

① 아편유사제

척수강내 아편유사제는 수술 전후 급성 통증의 치료에서 광범위하게 사용된다. Fentanyl, alfentanil, sufentanil과 같은 지질친화성 아편유사제는 morphine에 비해 더 짧은 지속 시간을 갖는다(2-4시간 대 18-24시간). Morphine은 긴 작용 시간을 갖고 있고 신경독성

이 적기 때문에 척수강내 아편유사제 중 술 후 통증치료를 할 때 가장 많이 사용된다. 보존제가 첨가되지 않은 morphine이 사용되며 정맥으로 사용할 때와 유사한 부작용을 유발한다. 0.3 ㎎ 이상의 용량을 투여 받은 환자에서 오심, 구토, 소양감, 요저류, 호흡억제 등이 발생할 수 있다. 진정작용과 호흡억제 때문에 척수강내 morphine을 투여 받은 경우에는 적어도 24시간 동안 입원하여 관찰하여야 한다. 지질친화성 아편유사제와 비교했을 때 morphine은 외래환자의 수술 후 진통에는 적절하지 않다.

척추 수술 후에 척수강내 morphine의 투여에 관한 연구는 제한적이다. 여러 부위의 척추 수술 후에 수술 후 통증 치료로 척수강내 morphine(20 ㎍/kg)의 사용이 좋은 결과를 가져왔다는 보고가 있으며 환자들은 수술 직후부터 편안해하였고, 다른 약제보다 더 긴 기간 동안 진통작용이 있었으며, 부가적인 아편유사제의 사용이 감소하였다고 하였다. 또한 척추수술 이후에 통증 경감을 위해 2-20 ㎍/kg의 다양한 용량을 일회 주입하여 술 후 통증 효과는 36시간까지 지속되었고 부가적인 진통제의 필요성이 감소하였다는 보고도 있다. 척수강내 아편유사제는 척수막(thecal sac)이 노출되었을 때 집도의에 의하여 쉽게 투여될 수 있으나 척수 수술 후에 호흡 부전을 유발할 수 있으므로 주의를 요한다.

② 국소마취제

수술 후 통증 치료를 위한 척수강내 국소마취제 주입은 대부분 아편유사제와 혼합하여 투여한다. 많은 연구들에서 선택적 후방신경근절제술(selective dorsal rhizotomy) 이후의 통증 치료에서 bupivacaine과 morphine의 지속적인 척수강내 투여가 좋은 효과를 가져온다고 보고하였다. 0.6 ㎍/h의 morphine과 40 ㎍/kg/h bupivacaine은 좋은 진통 효과를 보이고, 비경구적인 아편유사제의 필요성을 줄이고, 부작용이 적다고 알려졌다.

③ 기타 약제

척수강내 국소마취제에 clonidine과 neostigmine을 첨가하면 더 지속적인 감각, 운동 차단을 가져온다. 지속적인 차단은 척추수술 후에 하지의 신경학적 검사를 평가하기 위한 필요성 때문에 초기에는 피해야 한다. 한 연구는 무릎 전치환 수술 이후에 척수강내 morphine(250 ㎍)과 척수강내 clonidine(25 or 75 ㎍)의 혼합 투여로 술 후 진통에 효과적이고 추가적인 진통제의 필요성을 경감시킨다고 보고하였다.

(3) 경막외강내 투여(epidural administration)

① 아편유사제, 국소마취제

수술 후 통증 치료를 위한 약물의 경막외강 주입에 대한 안전성과 효용성에 대해 연구한 몇몇의 임상 연구가 있다. 척수강내 투여와 비교하여 경막외강 아편유사제는 호흡억제, 요저류 등의 유발이 낮아 더 나은 안전성을 제공한다. 그렇지만 척수 수술 후에 정주 혹은 근주에 의한 아편유사제 투여와 비교하였을 경우에는 그 안전성과 효과에 대하여는 반론의 여지가 있다.

아편유사제는 운동기능이나 교감신경차단 없이 척수 후각의 수용체에 작용함으로써 통증의 전달을 억제한다. 이러한 작용기전은 수술 후 운동기능과 감각기능을 검사하여야 하는 척추수술 환자의 술 후 통증 치료에 유용하게 사용될 수 있다. 경막외강 아편유사제는 근육주사나 정맥주사로 사용할 때보다 더 적은 용량으로 더 긴 시간 진통효과를 나타낸다. 경막외강 아편유사제도 오심, 구토, 소양감 등의 부작용이 자주 나타난다. 경막외강에 국소마취제를 주입하여 술 후 통증을 제어할 수 있지만 국소마취제 단독으로 진통작용을 거둘 수 있는 용량에서는 운동기능 차단과 교감신경 차단에 의한 저혈압 등이 초래될 수 있다. 그러므로 국소마취제와 아편유사제를 혼합하여 경막외강에 투여함으로써 단독으로 사용할 때보다 각각의 요구량을 줄여주고 부작용의 빈도도 감소시킬 수 있을 뿐만 아니라 진통효과의 질도 향상된다. 사용되는 약제는 다양하나 ropivacaine이 bupivacaine에 비하여 안전성이 높고 운동기능보다 감각기능에 대한 선택적 효과를 갖는다. 경막외강 주입을 위하여 단일 또는 이중 카테터(single and double catheter), 간헐적 정주, 경막외 통증자가조절법(epidural patient controlled analgesia), 지속적 정주 등과 같은 방법이 연구되었다. 비경구 투여 방법과 마찬가지로 간헐적인 경막외 약물 투여 방법은 불필요한 통증을 경험할 수 있고 경막외 통증자가조절법에 의해서 더 나은 통증조절이 가능하며 부작용도 적다. 경막외강 아편유사제와 국소마취제의 혼합투여에 의한 장점으로는 아편유사제 요구량 감소, 폐질환에 의한 위험도 감소, 보다 나은 환자의 만족 등이 있다. 한 연구에서 경막외 통증자가조절법과 정맥 통증자가조절법의 진통효과에서 차이가 없다고 보고하였으며 경구섭취, 거동, 장기능 회복, 입원 기간 등에서 차이가 없었고 오히려 경막외 통증자가조절법에서 부작용의 빈도가 높다고 보고하였다. 투여되는 방법에 따른 진통효과와 부작용에 대하여는 환자 관리에 대한 표준화된 방법, 약물의 종류, 용량, 혼합 정도 등이 서로 다르기 때문에 각각의 치료방법에 대하여 상호 비교 우위적인 결론은 내릴 수 없다.

② 기타 약제

α-2 수용체에 작용하는 약제는 아편유사제 혹은 국소마취제 등의 진통효과를 강화하기 위한 보조제로 사용되었다. Clonidine이 보통 사용되며 아편유사제에 비하여 호흡부전의 빈도가 낮고 경막외강에 투여되었을 때 신경병증성 통증 치료에 효과적이다. Bupivacaine, fentanyl과 clonidine을 동시 투여하여 좋은 진통효과를 보고한 결과가 있으며 경막외강 clonidine으로 혈역학적으로 안정된 상태에서 향상된 진통효과를 거두었다는 보고도 있다. Clonidine 4 $\mu g/kg$ 이상을 경막외강에 투여하였을 경우에 70% 이상에서 통증의 경감 효과가 있고 진통효과가 4-5시간 동안 지속되었다. 가장 흔한 부작용으로는 서맥, 저혈압, 진정 등이 예상된다.

4) 척추수술 후 통증증후군(post-spine surgery syndrome, PSSS)

척추수술실패증후군(Failed Back Surgery Syndrome, FBSS)이란 수술의 최종결과가 환자와 외과의의 수술 전 기대치에 부합하지 못할 때 이를 일반적으로 일컫는 비특이적인 용어이다. 척추 수술을 받은 후에도 통증이 줄어들지 않거나, 오히려 증가하거나, 다른 합병증 등의 증상이 발생하는 경우를 말하는 것으로 이는 의료진의 과실을 전제로 하지 않는 용어임에도 불구하고, 'failed'라는 단어가 주는 의미로 인해 의료진의 과실이 연상되어, 최근에는 척추수술 후 통증증후군(post-spine surgery syndrome, PSSS)이라는 용어로 대체하여 사용하고 있다. 연구에 따라 다양하지만, PSSS의 유병률은 20-40% 정도로 다양하게 보고되고 있으며, 70세 이하의 요추 추간판탈출증 환자에서 척추 수술 2년 후 요통이나 하지 방사통의 재발률은 5-36%로 보고되고 있다. 척추 수술을 했음에도 통증이 지속되는 상황이기 때문에 의료진 및 치료에 대한 불신을 갖는 경우가 있어 치료가 어려운 경우가 있다. 이를 숙지하여 발생의 원인 및 진단, 적합한 치료법의 선택에 각별한 신경을 기울여야 한다.

(1) 원인

척추수술 후 통증증후군은 수술 전 요인과 수술 후 요인을 포함하는 다양한 원인에 의해서 발생할 수 있다(표 18-2).

표 18-2   척추수술 후 통증증후군의 원인

수술 전 요인	
환자요인	
심리적	불안, 우울, 미흡한 대처 전략, 건강염려증
사회적	소송, 근로자 보상
수술요인	
재수술	재수술 척추 불안정 위험성의 50% 증가
후보자 선택	(예) 중심성통증에 대한 미세디스크수술
수술 선택	(예) 여러 분절의 병소에 대한 부적절한 감압
수술 후 요인	
진행성 질환	(예) 최근의 디스크 탈출, 척추전방전위
경막외 섬유화	
수술적 합병증	(예) 신경손상, 감염, 혈종
새로운 척추 불안정성	(예) 수직 협착

① 수술 전 요인

통증의 발생에 대한 정확한 원인의 진단 및 사회적, 경제적, 심리적 요인 등 다양한 인자들에 의해 수술의 효과가 결정될 수도 있다. 환자의 구조적 문제와 적합하지 않은 수술을 선택할 경우, 수술 후에도 통증이 지속될 확률이 높다.

i. 척추수술 후 통증증후군의 발생의 가장 큰 원인은 통증의 원인에 대한 부정확한 진단이다. 통증의 원인에 대한 정확한 진단이 수술의 성공적인 결과를 결정한다. 척추 수술에는 하지통을 개선하기 위한 수술(예, 신경근 감압술 또는 척추신경 증상의 치료를 위한 추간판절제술)과 축성(axial) 요통을 개선하기 위한 수술(예, 추간판성 통증이나 불안정성의 치료를 위한 유합술)이 있다. 만약 주로 축성요통을 보이는 환자에게 감압술을 시행하거나 유합술없이 추간판절제술을 실행했다면, 적절한 수술을 실행했다고 볼 수 없으며 따라서 수술이 실패할 가능성도 높아진다. 여러 분절에 문제가 있는 경우 의사가 가장 상태가 좋지 않은 분절만 선택해서 수술을 한다면 인접 분절에 남아있는 문제가 원인이 될 수 있다. 수술이 운동분절에 미칠 영향을 충분히 고려하지 않았을 때에도 척추수술 후 통증증후군이 발생한다. 예를 들어, 하지통을 보이는 환자가 척추관협착증과 매우 미약한 척추전방전위증을 동반할 때, 유합술 없이 감압술만 시행한다면, 많은 경우에서 척추전방전위증이 진행되어 진행성 요통으로 발전한다.

ii. 우울증, 불안장애, 신체화장애, 건강염려증 등은 수술 결과에 악영향을 미치는 특별한 정신과적인 요인들이다.

iii. 소송이나 근로자의 보상 문제와 같은 경제적 영향 역시 척추수술 후 통증증후군에 영향을 미치는 것으로 알려져 있다. 이러한 요인들은 환자의 수술 후 통증 향상에 대한 동기 부여를 방해할 수 있는 2차 이득(secondary gain) 같은 복잡한 문제를 생성하기도 한다.

② 수술 후 요인

i. 진행성 질환

수술이 완벽했더라도 재발의 가능성은 여전히 남아 있다. 추간판 절제술 후 최대 15%의 환자에서 수술 부위나 인접한 분절에서 추간판 탈출이 재발하는 것으로 알려져 있다. 척추전방전위증 같은 경우에도, 원래 병의 진행이 인접한 부위에서 발생함으로써 수술 후에도 통증을 악화시킬 수 있다.

ii. 경막외 섬유증(epidural fibrosis)

경막외 섬유증은 경막외강을 포함하는 수술에서 피할 수 없는 합병증일 수 있다. 척추수술 후 통증증후군 환자의 20-36%에서 경막외 섬유증이 통증의 원인이 되거나 유발인자 중 하나이다.

iii. 수술 합병증

감염, 혈종, 가성수막류(pseudomeningocele), 신경손상 등이 수술 후 지속적인 통증을 일으킬 수 있다. 이러한 합병증들은 빠르게 진행하거나 영구적인 신경학적 결손을 남길 수 있으므로 조기진단과 치료가 필요하다. 후기에 주로 발생하는 합병증에는 후관절 골절(facet joint fracture), 추경나사의 문제, 골 이식의 붕괴나 재흡수, 전위 등이 있다.

iv. 새로 발생한 척추 불안정성

척추수술은 체중부하의 분포를 변화시킬 수 있다. 척추궁 절제술(laminectomy) 후에 후관절의 문제는 축성통증을 유발할 수 있고, 척추감압술 후 관절의 불안정 또한 통증을 야기할 수 있다. 추간판 제거술 후 인접한 관절로 체중부하의 증가는 기존의 추간판 변성을 가속화시킬 수 있다.

(2) 진단

① 병력청취

현재통증을 철저히 기술하고, 수술 전후의 통증, 시간에 따른 통증 재발의 경과, 특정 활동에 대한 통증 반응을 비교하는 것이 중요하다. 척추수술 후 통증증후군 환자 통증이 주로 요통(axial pain)인가 하지통(radicular pain)인가 구분하는 것이 중요하다. 요통이 주요 증상인 경우 추간판성 통증, 후관절 통증, 천장관절 통증 등을 원인으로 의심할 수 있다. 하지통이 주요 증상인 경우는 잔류 추간공협착증, 잔류 또는 재발성 추간판탈출증, 신경병성 통증, 말초신경 손상도 원인으로 작용할 수 있다.

② 시간경과에 따른 통증발생에 따른 분류

요통이 전혀 개선되지 않았거나 수술 후 수일 내지 수개월 내에 재발할 때는 수술에서 증후성 구조의 병리가 적절히 해결되지 않았거나, 잘못된 부위에 수술이 실행되는 등의 합병증이 있었거나, 또는 특정 환자에게 잘못된 수술이 실행되었을 가능성이 높다. 통증이 부분적으로 완화되었을 경우에는 구조적 문제 중 일부만이 교정되었음을 의미한다. 새로운 하지통이 조기에 나타날 경우, 수술 중에 신경이 직접적으로 손상되었거나, 추경나사가 잘못 고정되었거나, 또는 정맥혈전증을 의심할 수 있다.

처음에는 통증이 개선되었다가 1개월 내지 6개월 후에 재발하는 경우에는 잔류, 재발, 또는 새로운 병리를 의심해 볼 수 있다. 만약 수술 전의 증상과 유사하다면 잔류 병리 또는 재발의 가능성이 높다. 추간판 탈출증의 재발, 내고정술의 실패(추경나사의 해리), 불안정성, 후기 감염의 가능성도 있다. 후기에 재발되는 통증이 수술 전의 통증과 비교했을 때 병소나 특징에 차이를 보인다면 새로운 질병일 가능성이 높다. 인접 분절의 추간판 통증, 추간판 탈출증, 또는 후관절 통증을 예로 들 수 있다.

③ 영상학적 검사

표준 X선 검사는 정렬, 추간판 공간의 협착 정도, 척추 전방 전위증, 그리고 유합술이 실행된 경우에는 가성관절증을 평가할 때 사용된다. MRI는 가성관절증을 제외한 대부분의 척추수술 후 통증증후군 환자에게 가장 적합한 검사방법이다. 척추관 협착증에 매우 훌륭한 검사이며 후관절과 황색인대의 비대, 활액낭, 또는 경막외 지방 증식을 감지할 수 있다. 감압술이 신경근을 적절히 감압하였는지와 지주막염도 확인할 수 있다.

④ 진단적 시술

진단적 진통제 주사는 후관절과 천장관절 통증의 진단에 기준이 되는 방법이다. 경추간공 경막외 주사(transforaminal epidural block, TFEB)은 MRI나 CT스캔상에서 압박된 것으로 보이는 신경이 실제로 통증유발인자인지 조사할 때 사용할 수 있다. 특정 척수신경으로 진통제를 주사한 후에 문제의 통증이 완화되면 TFEB양성으로 정의할 수 있다.

(3) 치료

① 보존적 치료

척추수술 후 통증증후군 환자에서 운동이나 물리치료, 재활치료 등을 일차적으로 고려해 볼 수 있다. 이러한 치료는 근육강화나, 기능적인 개선에 도움을 줄 수 있다. 보존적 치료는 약물 치료와 동반해서 시행하면 더 효과적이다.

② 약물 치료

척추 수술 후 발생하는 신경병증 통증의 개선을 위해 gabapentin, pregabalin이 효과가 있는 것으로 알려져 있다. 이러한 약제들을 주술기 동안 사용했을 때, 척추 수술 후 발생하는 신경병증통증을 예방하는데 도움을 줄 수 있다는 연구 결과도 있다.

③ 중재적 술기(interventional procedures)

i. Epidural injection

척추수술 후의 척추관 협착증은 중심성, 외측성, 또는 양쪽 모두에 나타날 수 있다. 척추수술 후 통증증후군 환자들 사이에서는 중심성 협착증보다는 외측강 또는 추간공협착증이 더 많이 발생한다. 중심성협착증은 먼저 약물치료, 재활, 경막외 스테로이드 주사로 치료할 수 있다.

ii. 유착박리술(adhesiolysis)

척추수술 후 조직이 치유되는 과정에서 경막외강 섬유 유착(fibrotic adhesion)의 형성은 20-36%의 환자에서 신경근을 압박해서 요통이나 하지 통증을 유발할 수 있다. Hyaluronidase나 hypertonic saline 등을 이용하여 유착박리를 시행해 볼 수 있으며, 경막외 내시경(epiduroscopy)를 이용하면 유착 부위를 직접 확인하면서 박리가 용이하다.

iii. 고주파 열치료(radiofrequency ablation, RFA)

내측지 차단술(medial branch block, MBB)이나 후관절 차단술(facet joint block)을 진단적 목적

으로 후관절에 의해 유발되는 통증환자에서 사용 후 양성 반응을 보이면 6-24개월 정도
의 통증 감소를 기대하면서 RFA를 시행해 볼 수 있다.

④ 신경조정술(neuromodulation)

척추수술 후 통증증후군에서 척수자극술(spinal cord stimulation, SCS)이나 척수강내 약물주입
장치(intrathecal drug delivery system, IDDS)를 통한 신경조정술은 만성통증의 치료에 있어 아
편유사제의 의존을 줄일 수 있고, 통증치료에 보다 효과적이다. 이러한 효과는 신경근 통
증 및 신경병증 통증이 주된 경우 효과적이다. SCS가 적절한 치료효과를 보이지 못하거나
심한 부작용을 보였을 때, IDDS를 통한 직접적인 약물투여가 효과적일 수도 있다.

참고문헌

- Ayoub C, Girard F, Boudreault D, Chouinard P, Ruel M, Moumdjian R. A comparison between scalp nerve block and morphine for transitional analgesia after remifentanil-based anesthesia in neurosurgery. Anesth Analg 2006;103:1237-40.
- Baber Z, Erdek MA. Failed back surgery syndrome: current perspectives. J Pain Res. 2016;9:979-87.
- Costello TG, Cormack JR, Hoy C, Wyss A, Braniff V, Martin K, et al. Plasma ropivacaine levels following scalp block for awake craniotomy. J Neurosurg Anesthesiol 2004;16:147-50.
- Cottrell JE and Patel P. Cottrell and Patel's Neuroanesthesia 6th ed. Philadelphia, Elsevier 2017; pp 424-31.
- de Gray LC, Matta BF. Acute and chronic pain following craniotomy: a review. Anaesthesia 2005;60:693-704.
- Dunn Lk, Naik BI, Nemergut EC, Durieux ME. Post-craniotomy pain management: Beyond opioids. Curr Neurol Neurosci Rep 2016;16:93.
- Gelb AW, Salevsky F, Chung F, Ringaert K, McTaggart-Cowan RM, Wong T, et al. Remifentanil with morphine transitional analgesia shortens neurological recovery compared to fentanyl for supratentorial craniotomy. Can J Anaesth. 2003;50:946-52.
- Headache Classification Subcommittee of the International Headache Society. The International Classification of Headache Disorders: 2nd edition. Cephalalgia 2004; 24 Suppl 1:9-160.
- Nguyen A, Girard F, Boudreault D, Fugére F, Ruel M, Moumdjian R, et al. Scalp nerve blocks decrease the severity of pain after craniotomy. Anesth Analg 2001;93:1272-6.
- Ortiz-Cardona J, Bendo AA. Perioperative pain management in the neurosurgical patient. Anesthesiology Clinic 2007;25:655-74.
- Rahimi SY, Vender JR, Macomson SD, French A, Smith JR, Alleyne CH Jr. Postoperative pain management after craniotomy: evaluation and cost analysis. Neurosurgery 2006;59:852-7.
- Roberts GC. Post-craniotomy analgesia: current practices in British neurosurgical centres--a survey of post-craniotomy analgesic practices. Eur J Anaesthesiol 2005;22:328-32.
- Schofferman J. Failed back surgery syndrome. In: Bonica's Management of Pain 4th ed. Edited by Fishman SM, Ballantyne JC, Rathmell JP: Philadelphia, Lippincott Williams & Wilkins. 2010, pp 1130-40.
- Sudheer PS, Logan SW, Terblanche C, Ateleanu B, Hall JE. Comparison of the analgesic efficacy and respiratory effects of morphine, tramadol and codeine after craniotomy. Anaesthesia 2007;62:555-60.
- Vacas S and Van de Wiele B. Designing a pain management protocol for craniotomy: A narrative review and consideration of promising practices. Surg Neurol Int. 2017;8:291.

부풀어오른 뇌

용어집

ileptic wave sensory nervous system sensorineural hearing loss sense evoked monitoring decompressive
aphy subcortical thalamus subcortical electric stimulation electrocorticography traction clipping transluminal
matoma subdural hematoma nasotracheal intubation cervical myelopathy transesophageal echocardiography
al vertebral surgery hypernatremia gyrus atlas hyperosmolar fluid hyperchloremic metabolic acidosis high
phalus pneumoencephalus air embolism hyperventilation diffuse cerebral injury diffuse axonal injury lighted
international 10-20 system flexible laryngoscopic intubation polarity myodystrophy spinous process muscler
cute spinal injury acute respiratory distress syndrome endotracheal intubation extubation; tracheal extubation
al ganglia risk for teratogenesis pneumothorax deep vein thrombosis transsphenoidal pituitary surgery patent
ortex-spinal cord - peripheral nerve electrocorticography; EcoG cerebral infarct cerebral perfusion pressure,
n callosomarginal artery brain protection cerebral edema cerebral oxygen metabolism cerebral oxygenation
t ventriculoperitoneal shunt extraventricular drainage vein of lateral recess of fourth ventricle brain herniation
rhea CSF fistula CSF drainage CSF rhinorrhea cerebral contusion electroencephalography; EEG pituitary
e stimuli unipolar montage cerebral arteriovenous shunt cerebral hemispherectomy cerebral oxygen demand
medetomidine burst supression pupil size artery, -ies arterial pressure management arterial aneurysm
al pressure, PaCO, arteriovenous shunt skull; cranium craniosynostosis intracranial hypertension intracranial
lp scalp nerve block scalp nerve block (in the operating theater) digital EEG tremor; shivering latex allergy
anesthetics ice of anesthetics emergence from anesthesia membrane potential mannitol acromegaly
rine multimodal monitoring Moyamoya disease sternocleidomastoid muscle omohyoid muscle jugular vein(s)
vagus nerve insertion of vagus stimulator density spectral array supine position vasopressin external
background electric noise white matter beta beta ratio beta blocker limbic system modified Fisher Grade
antidiuretic hormone, SIADH watershed video laryngoscopy bone conduction triple H therapy
edema cerebellum cerebellar peduncle pediatric neurocritical care pediatric sedation internal carotid artery
defect fluid management tract fontanelle steroid optic chiasm visual evoked potential thalamus
oked potential rapid sequence (tracheal) intubation signal/noise ratio sylvian fissure deep brain stimulation
nia ophthalmic artery acoustic neuroma facial nerve motor evoked potential sitting position albumin supine
rnal carotid artery traumatic brain injury lumbar vertebra lumbar tapping diabetes insipidus, DI motor nerve,
confounding factors evoked potential coagulopathy consciousness diuretics bispectral analysis secondary
ncephalography; SEEG uterine blood flow stimulus magnetic MEP, mMEP autoregulation free running EMG
etal cortex frontal lobe preoxygenation premotor cortex prefrontal cortex total intravenous anesthesia, TIVA
um intravenous anesthetic normovolemia vein stereotactic radiosurgery median nerve SSEP crystalloid
brain middle latency auditory evoked potential central venous catheter postcentral gyrus interventional
or pollicis brevis spinal cord spinocerebellar tract intramedullary spinal cord tumor spinal cord injury spinal
dysraphism scoliosis scoliosis infratentorial tumor sacral spine auditory auditory cortex auditory pathway
nography common carotid artery minimal invasive surgery intervertebral foramen extrapyramidal movement
rine corticosteroid colloid Cushing's triad Cushing syndrome xenon desynchronization denitrogenation fetal
EEG mean arterial pressure, MAP equibratory sense pulmonary arterial pressure lung protection pulmonary
n paraplegia inferior sagittal sinus anticonvulsant ischemia-prone factor heparin vasospasm vasospasm
ment atlanto-dens interval posterior fossa surgery laryngoscopy laryngeal mask inhalation anesthetic

tight brain

ㄱ

경추 극상돌기	cervical spinous process
경추골절	cervical fracture
경추손상	cervical injury
경추수술후 기도합병증	airway complication after cervical vertebral surgery
고나트륨혈증	hypernatremia
고랑	gyrus
고리뼈	atlas
고삼투성제제	hyperosmolar fluid
고염소혈증성대사성산증	hyperchloremic metabolic acidosis
고위 경수손상	high cervical injury
고장식염수	hypertonic saline
고저 영역제거 여과기	high/low elimination filter
과염소혈증성산증	hyperchloremic acidosis
고체온	hyperthermia
고탄산혈증	hypercapnia
고혈당	hyperglycemia
고혈압	hypertension
곧은정맥동	straight venous sinus
공기머리증	pneumocephalus
공기뇌증	pneumoencephalus
공기색전증	air embolism
과환기	hyperventilation
광범위 뇌손상	diffuse cerebral injury
광범위 축삭손상	diffuse axonal injury
광봉	lighted stylet
광자극	light stimulation
교뇌	pons
교뇌동맥	pontine artery
교류전원	alternating electric current, AC
교질액	colloid
국소뇌허혈	focal cerebral ischemia
국소마취제	local anesthetic
국소성뇌손상	focal brain injury
국소허혈	focal ischemia
국소 혈류량	local blood flow
국제 10-20체계	International 10-20 system
굴곡성후두경삽관	flexible laryngoscopic intubation
극성	polarity
근디스트로피	myodystrophy
극상돌기	spinous process
근수축	muscler contraction
근위축	amyotrophia; muscular dystrophy
근육성운동유발전위	muscular motor-evoked potential
근전도	electromyography
글래스고혼수척도	Glasgow Coma Scale, GCS
글루타메이트	glutamate
급성동량성혈액희석	acute normovolemic hemodilution
급성척수손상	acute spinal injury
급성호흡곤란증후군	acute respiratory distress syndrome

ㄴ

뇌실내출혈	intraventricular hemarrhage
뇌실복강단락술	ventriculoperitoneal shunt
뇌실복강션트	ventriculoperitoneal shunt
뇌실외배액술	extraventricular drainage
제사뇌실외측오목정맥	vein of lateral recess of fourth ventricle
뇌이탈	brain herniation
뇌전증	epilepsia
뇌정위수술	stereotactic brain surgery
뇌조직산소분압	brain tissue oxygen partial pressure
뇌졸중	stroke
뇌종양	brain tumor
뇌중간선전위	midline shift
뇌지도	brain map
뇌진탕	cerebral concussion
뇌척수액	cerebrospinal fluid, CSF
뇌척수액귓물	CSF otorrhea
뇌척수액루	CSF fistula
뇌척수액배액	CSF drainage
뇌척수액콧물	CSF rhinorrhea
뇌타박상	cerebral contusion
뇌파	electroencephalography, EEG
뇌하수체	pituitary
뇌하수체기능저하증	hypopituitarism
뇌하수체 종양	pituitary tumor
뇌허혈	cerebral ischemia
뇌혈관	cerebral vessel
뇌혈류(량)	cerebral blood flow, CBF
뇌혈류자동조절	CBF autoregulation
누운자세저혈압증후군	supine hypotensive syndrome

ㄷ

다모드감시	multimodal monitoring
다회자극	multiple stimuli
단극몽타주	unipolar montage
대뇌동정맥션트	cerebral arteriovenous shunt
대뇌반구절제술	cerebral hemispherectomy
대뇌산소소모량	cerebral oxygen demand
대뇌염소모증후군	cerebral salt wasting syndrome
대대뇌정맥	great cerebral vein
대동맥궁	aortic arch
대사	metabolism
대사산물	metabolite
대혈관자동조절	autoregulation of the great vessels
데스모프레신	desmopressin
데제린-루시 증후군	Dejerine-Roussy syndrome
덱스메데토미딘	dexmedetomidine

돌발파억제	burst supression
동공크기	pupil size
동맥	artery, -ies
동맥압관리	arterial pressure management
동맥류	arterial aneurysm
동정맥기형	arteriovenous malformation
동맥카테터	arterial catheter
동맥혈-경정맥구혈 산소함량 차이	arterio-jugular difference of oxygen content, $AJDO_2$
동맥혈산소분압	arterial blood oxygen partial pressure, PaO_2
동맥혈이산화탄소분압	arterial blood carbon dioxide partial pressure, $PaCO_2$
동정맥션트	arteriovenous shunt
두개골	skull; cranium
두개골조기유합증	craniosynostosis
두개내고혈압	intracranial hypertention
두개내압력	intracranial pressure, ICP
두개내 압력-부피 관계 곡선	intracranial pressure-volume relationship curve
두개내종양	intracranial tumor
두개내출혈	intracranial hemorrhage
두개뇌외상	extracranial trauma
두개바닥	skull base
두개인두종	craniopharyngioma
두부손상	head injury
두피	scalp
두피신경차단	scalp nerve block
두피신경차단마취	scalp nerve block (in the operating theater)
디지털뇌파	digital EEG
떨림	tremor; shivering

ㄹ

라텍스 알레르기	latex allergy
로봇입체뇌전도검사(수술)	robot-assisted stereoelectroencephalography; robot-assisted SEEG
류머티스관절염	rheumatic arthritis
리도카인	lidocaine
린데가르트 비	Lindegaard ratio

ㅁ

말총	cauda equina
마취심도	depth of anesthesia
마취의 깊이	depth of anesthesia
마취제	anesthetics
마취제의 선택	choice of anesthetics
마취로부터의 각성	emergence from anesthesia
막전위	membrane potential

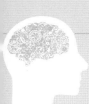

만니톨	mannitol
말단비대증	acromegaly
말초신경	peripheral nerve
맹목경비기관내삽관	blind nasotracheal intubation
머리공기증	pneumocephalus
머리뼈	skull
머리뼈봉합	cranial suture
머리얼굴이상	craniofacial malformation
머릿속압력	intracranial pressure, ICP
머릿속압력 상승	increased ICP, IICP
먼로-켈리 독트린	Monro-Kellie doctrine
멀티모드감시	multimodal monitoring
모야모야병	Moyamoya disease
목빗근	sternocleidomastoid muscle
목뿔근, 어깨	omohyoid muscle
목정맥	jugular vein(s)
목표농도조절주입	target-controlled infusion
몸감각신경(전달)	somatosensory nerve
몸감각유발전위	somatosensory evoked potential
몽타주	montage
무의식	unconsciousness
무지외전근	adductor pollicis
물뇌증	hydrocephalus
미세혈관감압술	microvascular decompression
미주신경	vagus nerve
미주신경 자극기 삽입	insertion of vagus nerve stimulator
밀도스펙트럼 배열	density spectral array

ㅂ

바로누운자세	supine position
바소프레신	vasopressin
바깥목동맥	external carotid artery
반복와위	semi-prone position
반측와위	semi-lateral position
반회후두신경	recurrent laryngeal nerve
발관	tracheal extubation
발열	fever
발작	seizure
발작간극파	interictal spike
발작교감신경항진증	paroxysmal sympathetic hyperactivity, PSH
배경전기소음	background electric noise
백질	white matter
베타	beta
베타비율	beta ratio
베타차단제	beta blocker
변연계	limbic system

변형피셔등급	modified Fisher Grade
병터	lesion
빠른연속기관내삽관	rapid sequence (tracheal) intubation
복와위	prone position
복합근육활동전위	compound muscular action potential
부신겉질호르몬	adrenocortical hormone
부위마취	regional anesthesia
부적절항이뇨호르몬증후군	syndrome of inappropriate antidiuretic hormone, SIADH
부풀어오른 뇌	tight brain
분수령	watershed
비디오후두경	video laryngoscopy
뼈전도	bone conduction

ㅅ

삼중에이치(H)요법	triple H therapy
삼투요법	osmotherapy
상완신경총	brachial plexus
색전술	embolization
성장호르몬	growth hormone, GH
세계신경외과의사연합등급	World Federation of Neurosurgeon's classification, WFNS classification
세포자멸사	apoptosis
석시닐콜린	succinylcholine
세포독성부종	cytotoxic edema
소뇌	cerebellum
소뇌다리뇌각	cerebellar peduncle
소아신경집중치료	pediatric neurocritical care
소아 진정	pediatric sedation
속목동맥	internal carotid artery
속목정맥	internal jugular vein
물뇌증	hydrocephalus
수막	meninx, -ges
수술중각성	intraoperative awareness
수술중각성(검사법)	intraoperative awakening test
수술전금식	preoperative nil per os, preoperative NPO
수술후시야결손	postoperative visual defect
수액요법	fluid management
수혈	transfusion
숫구멍	fontanelle
스테로이드	steroid
시각교차	optic chiasm
시각유발전위	visual evoked potential
시상	thalamus
시상하부-뇌하수체 축	hypophysis-pituitary axis
시신경	optic nerve
식도-기관 겸용 튜브	esophago-tracheal combitube
신경근차단제	neuromuscular blocking agent

신경내시경수술	neuroendoscopic surgery
신경반사저하	hyporeflexia
신경반사항진	hyperreflexia
신경성운동유발전위	neuronal motor evoked potential
신속기관내삽관	rapid sequence (tracheal) intubation
신호소음비	signal/noise ratio
실비우스구	syvian fissure
심부뇌자극	deep brain stimulation
심부정맥	cardiac arrhythmia
심장수술	cardiac surgery
심전도	electrocardiography
심폐정지	cardiopulmonary arrest

ㅇ

아날로그뇌파	analog EEG
아산화질소	nitrous oxide, N_2O
아세틸콜린 수용체	acetylcholine receptor
아편유사제	opioid
아프로티닌	aprotinin
악성고열증	malignant hyperthermia
안동맥	ophthalmic artery
안뜰신경집종	acoustic neuroma
안면신경 운동유발전위	facial nerve motor evoked potential
앉은자세	sitting position
알부민	albumin
앙와위	supine position
양극몽타주	bipolar montage
언어	language
엎드린 자세	prone position
에스상정맥동	sigmoid sinus
에토미데이트	etomidate
여러전문분야적팀접근	multidisciplinary team approach
영상진단(술)	diagnostic imaging
옆누움자세	lateral position
온목동맥	common carotid artery
외경동맥	external carotid artery
외상성뇌손상	traumatic brain injury
요추	lumbar vertebra
요추천자	lumbar tapping
요붕증	diabetes insipidus, DI
운동신경(계)	motor nerve, -ous system
우심방카테터	right atrial catheter, RAC
운동유발전위	motor evoked potential
윌리스씨고리	circle of Willis
유도고혈압	deliberate hypertension
유도저혈압	deliberate hypotension

유발근전도	triggered electromyography
유발전위	evoked potential
유발전위 교란원인	confounding factors, evoked potential
응고장애	coagulopathy
의식	consciousness
이뇨제	diuretics
이중분광분석	bispectral analysis
이차손상	secondary injury
이차신경세포	secondary neuron
이탈	herniation
일차손상	primary injury
일차신경세포	primary neuron
일차운동겉질	primary motor cortex
일차운동영역	primary motor area
임계뇌관류압	critical CPP
임산부	parturient
임피던스	impedance
입둘레근	orbicularis oris
입체뇌전도검사(수술)	stereoelectroencephalography, SEEG

ㅈ

자궁혈류	uterine blood flow
자극	stimulus
자기장자극운동유발전위	magnetic MEP, mMEP
자동조절능	autoregulation
자발근전도	free running EMG
자세잡기	positioning
자신경	ulnar nerve
자율신경반사이상	autonomic dysreflexia
재출혈	rebleeding
저나트륨혈증	hyponatremia
저산소혈증	hypoxemia
저체온(요법)	hypothermia (-ic therapy)
저체온(증)	hypotherima
저혈당	hypoglycemia
저혈압	hypotension
적혈구용적률	hematocrit
전두-두정 겉질	frontoparietal cortex
전두엽	frontal lobe
전산소투여	preoxygenation
전운동겉질	premotor cortex
전전두엽겉질	prefrontal cortex
전정맥마취	total intravenous anesthesia, TIVA
전해질	electrolyte
전혈임피던스 응집법	whole blood aggregation with impedance method
지혈	hemostasis

전흉부도플러	precordial doppler
점탄성시험	viscoelastic test
정맥공기색전증	venous air embolism
정맥동합류	confluence of sinuses, confluens sinuum
정맥마취제	intravenous anesthetic
정상혈량	normovolemia
정맥	vein
정위방사선수술	stereotactic radiosurgery
정중신경몸감각유발전위	median nerve SSEP
정질액	crystalloid
제왕절개수술	caesarean delivery
조영제	radiocontrast dye
조영제신병증	radiocontrast nephropathy
주술기허혈성시각신경병증	perioperative ischemic optic neuropathy, POION
주술기허혈성안신경증	perioperative ischemic opto-neuropathy, POION
중간뇌	midbrain
중간잠복기청각유발전위	middle latency auditory evoked potential
중심정맥도관	central venous catheter
중심뒤이랑	postcentral gyrus
중재적신경방사선학시술	interventional neuroradiologic procedure, INR
증상혈관경련	symptomatic vasospasm
지연대뇌허혈	delayed cerebral ischemia, DCI
직접겉질자극운동유발전위	direct cortical stimulation MEP, DCS-MEP
직접동맥압감시	direct arterial pressure monitoring
짧은엄지벌림근	adductor pollicis brevis

ㅊ

척수	spinal cord
척수소뇌로	spinocerebellar tract
척수속질종양	intramedullary spinal cord tumor
척수손상	spinal cord injury
척수쇼크	spinal shock
척수수술	spinal surgery
척수전각	anterior horn, spinal cord
척수혈류	spinal blood flow
척수후근	dorsal root, spinal cord
척추동맥	spinal artery
척추마취	spinal anesthesia
척추만곡증	scoliosis
척추수술	vertebral surgery
척추신경근	spinal nerve root
척추유합부전	spinal dysraphism
척추옆굽음증	scoliosis
척추측만증	scoliosis
천막하 종양	infratentorial tumor
천추	sacral spine

청각	autditory
청각겉질	auditory cortex
청각신경전달로	auditory pathway
청각유발전위	auditory evoked potential
청반핵	locus ceruleus
청신경	acoustic nerve
청신경집종	acoustic neuroma
체성감각유발전위	somatosensory evoked potential
체온	body temperature
체온유지	temperature maintenance
체위	position
초음파	ultrasonography
총경동맥	common carotid artery
최소침습수술	minimal invasive surgery
추간공	intervertebral foramen
추체외로운동	extrapyramidal movement
축색	axon
축성차단	axial block
축소인간 뇌지도	cortical homunculus
출혈 저감	bleeding reduction
측와위	lateral position
침습적동맥압(측정)	invasive arterial pressure (monitoring)

ㅋ

칼슘길항제	calcium antagonist
칼슘통로차단제	calcium channel blocker
컴퓨터	computer
케타민	ketamine
코르티코스테로이드	corticosteroid
콜로이드용액	collod
쿠싱삼징	Cushing's triad
쿠싱증후군	Cushing syndrome
크세논	xenon

ㅌ

탈동조화	desynchronization
탈질소화	denitrogenation
태아의 뇌독성	fetal cerebral toxicity
터키안	sella turcica
통증	pain
통증자가조절법	patient-controlled analgesia, PCA
트라넥사민산	tranexamic acid
트렌델렌부르크자세	Trendelenburg position

ㅍ

파워스펙트럼 분석	power spectral analysis
편측얼굴연축	hemifacial spasm
편평파	flat wave
편평뇌파	isoelectric EEG
평균동맥압	mean arterial pressure, MAP
평형감각	equibratory sense
폐동맥압	pulmonary arterial pressure
폐보호	lung protection
폐색전	pulmonary embolism
폐흡인	pulmonary aspiration
폐쇄물뇌증	obstructive hydrocephalus
푸리에변환	Fourier transformation
프로포폴	propofol
프로포폴정주증후군	propofol infusion syndrome
플루드로코르티손	fludrocortisone

ㅎ

하대정맥여과기	IVC filter
하문압정맥	Inferior portal vein
하반신마비	paraplegia
하시상정맥동	inferior sagittal sinus
항경련제	anticonvulsant
허혈에 취약한 요소	Ischemia-prone factor
헤파린	heparin
혈관경련	vasospasm
혈관연축	vasospasm
혈관확장제	vasodilator
혈압관리	blood pressure management
혈액회수	blood salvage
혈액희석	hemodilution
혈전예방	thrombophylaxis
호기말이산화탄소분압	end-tidal carbon dioxide partial pressure, $PETCO_2$
호너증후군	Horner syndrome
환기관리	ventilatory management
환추-치상돌기간격	atlanto-dens interval
후두개와 병소 수술	posterior fossa surgery
후두경	laryngoscopy
후두마스크	laryngeal mask
흡입마취제	inhalation anethetic

A

acetylcholine receptor	아세틸콜린 수용체
acoustic nerve	청신경
acoustic neuroma	안뜰신경집종
acoustic neuroma	청신경집종
acromegaly	말단비대증
acute normovolemic hemodilution	급성동량성혈액희석
acute respiratory distress syndrome	급성호흡곤란증후군
acute spinal injury	급성척수손상
adductor pollicis	무지외전근
adductor pollicis brevis	짧은엄지벌림근
adrenocortical hormone	부신겉질호르몬
air embolism	공기색전증
airway complication after cervical vertebral surgery	경추수술후 기도합병증
airway establishment	기도확보
airway management	기도관리
albumin	알부민
alternating electric current, AC	교류전원
amyotrophia; muscular dystrophy	근위축
analog EEG	아날로그뇌파
anesthetics	마취제
anterior horn, spinal cord	척수전각
anticonvulsant	항경련제
aortic arch	대동맥궁
apoptosis	세포자멸사
aprotinin	아프로티닌
arachnoid, arachnoid membrane	거미막
arterial aneurysm	동맥류
arterial blood carbon dioxide partial pressure, PaCO2	동맥혈이산화탄소분압
arterial blood oxygen partial pressure, PaO2	동맥혈산소분압
arterial catheter	동맥카테터
arterial pressure management	동맥압관리
arterio-jugular difference of oxygen content, AJDO2	동맥혈-경정맥구혈 산소함량 차이
arteriovenous malformation	동정맥기형
arteriovenous shunt	동정맥션트
artery, -ies	동맥
atlanto-dens interval	환추-치상돌기간격
atlas	고리뼈
auditory cortex	청각겉질
auditory evoked potential	청각유발전위
auditory pathway	청각신경전달로
autditory	청각
autonomic dysreflexia	자율신경반사이상
autoregulation	자동조절능
autoregulation of the great vessels	대혈관자동조절
awake craniotomy	각성개두술
awake craniotomy	각성하개두술
awake ntubation	각성하기관삽관
axial block	축성차단
axon	축색

B

background electric noise	배경전기소음
basal ganglia	기저핵
basal vein	기저정맥
basilar artery	기저동맥
beta	베타
beta blocker	베타차단제
beta ratio	베타비율
bipolar montage	양극몽타주
bispectral analysis	이중분광분석
bleeding reduction	출혈 저감
blind nasotracheal intubation	맹목경비기관내삽관
blood pressure management	혈압관리
blood salvage	혈액회수
body temperature	체온
bone conduction	뼈전도
brachial plexus	상완신경총
brain herniation	뇌이탈
brain map	뇌지도
brain protection	뇌보호
brain tissue oxygen partial pressure	뇌조직산소분압
brain toxicity	뇌독성
brain tumor	뇌종양
brainstem	뇌간
brainstem auditory evoked potential	뇌간청각유발전위
burst supression	돌발파억제

C

caesarean delivery	제왕절개수술
calcium antagonist	칼슘길항제
calcium channel blocker	칼슘통로차단제
callosomarginal artery	뇌량변연동맥
cardiac arrhythmia	심부정맥
cardiac surgery	심장수술
cardiopulmonary arrest	심폐정지
carotid artery	경동맥
cauda equina	말총
CBF autoregulation	뇌혈류자동조절
central venous catheter	중심정맥도관
cerebellar peduncle	소뇌다리뇌각
cerebellum	소뇌
cerebral ischemia	뇌허혈
cerebral aneurysm	뇌동맥류
cerebral arteriovenous malformation	뇌동정맥기형
cerebral arteriovenous shunt	대뇌동정맥션트
cerebral blood flow, CBF	뇌혈류(량)
cerebral concussion	뇌진탕

D

decompressive craniectomy	감압머리뼈절제술(어린이 신경외과수술)
deep brain stimulation	심부뇌자극
deep vein thrombosis	깊은정맥혈전증
Dejerine-Roussy syndrome	데제린-루시 증후군
delayed cerebral ischemia, DCI	지연대뇌허혈
deliberate hypertension	유도고혈압
deliberate hypotension	유도저혈압
denitrogenation	탈질소화
density spectral array	밀도스펙트럼 배열
depth of anesthesia	마취심도
depth of anesthesia	마취의 깊이
desmopressin	데스모프레신
desynchronization	탈동조화
dexmedetomidine	덱스메데토미딘
diabetes insipidus, DI	요붕증
diagnostic imaging	영상진단(술)
diffuse axonal injury	광범위 축삭손상
diffuse cerebral injury	광범위 뇌손상
digital EEG	디지털뇌파
direct arterial pressure monitoring	직접동맥압감시
direct cortical stimulation MEP, DCS-MEP	직접겉질자극운동유발전위
diuretics	이뇨제
dorsal root, spinal cord	척수후근
dura, dural membrane	경막
dural sinuses	경질막정맥동

E

electrocardiography	심전도
electrocorticography	겉질뇌파
electrocorticography	겉질파
electrocorticography; EcoG	뇌겉질파
electroencephalography, EEG	뇌파
electrolyte	전해질
electromyography	근전도
embolization	색전술
emergence	각성
emergence from anesthesia	마취로부터의 각성
endoscopic third ventriculostomy	내시경적 제3 뇌실조루술
endotracheal intubation	기관내삽관
end-tidal carbon dioxide partial pressure, $PETCO_2$	호기말이산화탄소분압
epidural administration	경막외강내 투여
epidural anesthesia	경막외마취
epidural hematoma	경막외혈종
epilepsia	뇌전증
epilepsy	간질
epilepsy surgery	간질수술

epileptic seizure	간질발작
epileptic wave	간질파
equibratory sense	평형감각
esophago-tracheal combitube	식도-기관 겸용 튜브
etomidate	에토미데이트
evoked potential	유발전위
external carotid artery	바깥목동맥
external carotid artery	외경동맥
extracranial trauma	두개뇌외상
extrapyramidal movement	추체외로운동
extraventricular drainage	뇌실외배액술
extubation; tracheal extubation	기관내튜브 발관

facial nerve motor evoked potential	안면신경 운동유발전위
fetal cerebral toxicity	태아의 뇌독성
fever	발열
flat wave	편평파
flexible laryngoscopic intubation	굴곡성후두경삽관
fludrocortisone	플루드로코르티손
fluid management	수액요법
focal brain injury	국소성뇌손상
focal cerebral ischemia	국소뇌허혈
focal ischemia	국소허혈
fontanelle	숫구멍
Fourier transformation	푸리에변환
free running EMG	자발근전도
frontal lobe	전두엽
frontoparietal cortex	전두-두정 겉질
functional brain mapping	기능적지도화
functional mapping of brain cortex	뇌겉질기능위치화

GABA	가바(GABA)
gabapentin	가바펜틴
giant cerebral aneurysm	거대뇌동맥류
Glasgow Coma Scale, GCS	글래스고혼수척도
glutamate	글루타메이트
great cerebral vein	대대뇌정맥
growth hormone, GH	성장호르몬
gyrus	고랑

H

head injury	두부손상
hematocrit	적혈구용적률
hemifacial spasm	편측얼굴연축

hemodilution	혈액희석
hemostasis	지혈
heparin	헤파린
herniation	이탈
high cervical injury	고위 경수손상
high/low elimination filter	고저 영역제거 여과기
Horner syndrome	호너증후군
hydrocephalus	물뇌증
hydrocephalus	물뇌증
hypercapnia	고탄산혈증
hyperchloremic acidosis	과염소혈증성산증
hyperchloremic metabolic acidosis	고염소혈증성대사성산증
hyperglycemia	고혈당
hypernatremia	고나트륨혈증
hyperosmolar fluid	고삼투성제제
hyperreflexia	신경반사항진
hypertension	고혈압
hyperthermia	고체온
hypertonic saline	고장식염수
hyperventilation	과환기
hypoglycemia	저혈당
hyponatremia	저나트륨혈증
hypophysis−pituitary axis	시상하부-뇌하수체 축
hypopituitarism	뇌하수체기능저하증
hyporeflexia	신경반사저하
hypotension	저혈압
hypotherima	저체온(증)
hypothermia (−ic therapy)	저체온(요법)
hypoxemia	저산소혈증

impedance	임피던스
increased ICP, IICP	머릿속압력 상승
infection	감염
Inferior portal vein	하문압정맥
inferior sagittal sinus	하시상정맥동
infratentorial tumor	천막하 종양
inhalation anethetic	흡입마취제
insertion of vagus nerve stimulator	미주신경 자극기 삽입
interictal spike	발작간극파
internal carotid artery	속목동맥
internal jugular vein	내경동맥
internal jugular vein	속목정맥
International 10−20 system	국제 10-20체계
interventional neuroradiologic procedure, INR	중재적신경방사선학시술
intervertebral foramen	추간공
intracerebral hematoma	뇌내혈종
intracerebral hemorrhage, ICH	뇌내출혈
intracerebral steal	뇌내혈류빼앗김현상

intracranial hemorrhage   두개내출혈
intracranial hypertention   두개내고혈압
intracranial pressure, ICP   두개내압력
intracranial pressure, ICP   머릿속압력
intracranial pressure-volume relationship curve   두개내 압력-부피 관계 곡선
intracranial tumor   두개내종양
intramedullary spinal cord tumor   척수속질종양
intraoperative awakening test   수술중각성(검사법)
intraoperative awareness   수술중각성
intravenous anesthetic   정맥마취제
intraventricular hemarrhage   뇌실내출혈
invasive arterial pressure (monitoring)   침습적동맥압(측정)
Ischemia-prone factor   허혈에 취약한 요소
isoelectric EEG   편평뇌파
IVC filter   하대정맥여과기

J

jugular vein(s)   목정맥
jugular venous oxygen saturation, $SjvO_2$ 경정맥구혈산소포화도

K

ketamine   케타민

L

language   언어
laryngeal mask   후두마스크
laryngoscopy   후두경
lateral position   옆누움자세
lateral position   측와위
latex allergy   라텍스 알레르기
lesion   병터
lidocaine   리도카인
light stimulation   광자극
lighted stylet   광봉
limbic system   변연계
Lindegaard ratio   린데가르트 비
local anesthetic   국소마취제
local blood flow   국소 혈류량
locus ceruleus   청반핵
lumbar tapping   요추천자
lumbar vertebra   요추
lung protection   폐보호

M

macroglossia	거대설증
magnetic MEP, mMEP	자기장자극운동유발전위
malignant hyperthermia	악성고열증
mannitol	만니톨
mean arterial pressure, MAP	평균동맥압
median nerve SSEP	정중신경몸감각유발전위
membrane potential	막전위
meninx, -ges	수막
metabolism	대사
metabolite	대사산물
microvascular decompression	미세혈관감압술
midbrain	중간뇌
middle latency auditory evoked potential	중간잠복기청각유발전위
midline shift	뇌중간선전위
minimal invasive surgery	최소침습수술
modified Fisher Grade	변형피셔등급
monitoring	감시
Monro-Kellie doctrine	먼로-켈리 독트린
montage	몽타주
motor evoked potential	운동유발전위
motor nerve, -ous system	운동신경(계)
Moyamoya disease	모야모야병
multidisciplinary team approach	여러전문분야적팀접근
multimodal monitoring	다모드감시
multimodal monitoring	멀티모드감시
multiple stimuli	다회자극
muscler contraction	근수축
muscular motor-evoked potential	근육성운동유발전위
myodystrophy	근디스트로피

N

nasotracheal intubation	경비기관내삽관
neuroendoscopic surgery	신경내시경수술
neuromuscular blocking agent	신경근차단제
neuronal motor evoked potential	신경성운동유발전위
nitrous oxide, N_2O	아산화질소
normovolemia	정상혈량

O

obstructive hydrocephalus	폐쇄물뇌증
omohyoid muscle	목뿔근, 어깨
ophthalmic artery	안동맥
opioid	아편유사제

optic chiasm 시각교차
optic nerve 시신경
orbicularis oris 입둘레근
osmotherapy 삼투요법

P

pain 통증
paradoxical airw embolism 기이공기색전증
paraplegia 하반신마비
paroxysmal sympathetic hyperactivity, PSH 발작교감신경항진증
parturient 임산부
patent foramen ovale 난원공개존증
patient-controlled analgesia, PCA 통증자가조절법
pediatric neurocritical care 소아신경집중치료
pediatric sedation 소아 진정
perioperative ischemic optic neuropathy, POION 주술기허혈성시각신경병증
perioperative ischemic opto-neuropathy, POION 주술기허혈성안신경증
peripheral nerve 말초신경
pituitary 뇌하수체
pituitary tumor 뇌하수체 종양
pneumocephalus 공기머리증
pneumocephalus 머리공기증
pneumoencephalus 공기뇌증
pneumothorax 기흉
polarity 극성
pons 교뇌
pontine artery 교뇌동맥
position 체위
positioning 자세잡기
postcentral gyrus 중심뒤이랑
postcraniotomy pain 개두술후통증
posterior fossa surgery 후두개와 병소 수술
postoperative visual defect 수술후시야결손
power spectral analysis 파워스펙트럼 분석
precordial doppler 전흉부도플러
prefrontal cortex 전전두엽겉질
premotor cortex 전운동겉질
preoperative nil per os, preoperative NPO 수술전금식
preoxygenation 전산소투여
primary injury 일차손상
primary motor area 일차운동영역
primary motor cortex 일차운동겉질
primary neuron 일차신경세포
prone position 복와위
prone position 엎드린 자세
propofol 프로포폴
propofol infusion syndrome 프로포폴정주증후군
pulmonary arterial pressure 폐동맥압
pulmonary aspiration 폐흡인

| pulmonary embolism | 폐색전 |
| pupil size | 동공크기 |

R

radiocontrast dye	조영제
radiocontrast nephropathy	조영제신병증
rapid sequence (tracheal) intubation	빠른연속기관내삽관
rapid sequence (tracheal) intubation	신속기관내삽관
rebleeding	재출혈
recurrent laryngeal nerve	반회후두신경
regional anesthesia	부위마취
rheumatic arthritis	류머티스관절염
right atrial catheter, RAC	우심방카테터
rigidity	강직
risk for teratogenesis	기형발생 위험도
robot-assisted stereoelectroencephalography; robot-assisted SEEG	로봇입체뇌전도검사(수술)

S

sacral spine	천추
scalp	두피
scalp nerve block	두피신경차단
scalp nerve block (in the operating theater)	두피신경차단마취
scoliosis	척추만곡증
scoliosis	척추옆굽음증
scoliosis	척추측만증
secondary injury	이차손상
secondary neuron	이차신경세포
seizure	발작
seizure-like behaviour	경련양상 행동
sella turcica	터키안
semi-lateral position	반측와위
semi-prone position	반복와위
sense evoked	감각유발
sensorineural hearing loss	감각신경난청
sensory nervous system	감각신경(계)
sigmoid sinus	에스상정맥동
signal/noise ratio	신호소음비
sitting position	앉은자세
skull	머리뼈
skull base	두개바닥
skull base fracture	기저두개골절
skull; cranium	두개골
somatosensory evoked potential	몸감각유발전위
somatosensory evoked potential	체성감각유발전위
somatosensory nerve	몸감각신경(전달)

spinal anesthesia	척추마취
spinal artery	척추동맥
spinal blood flow	척수혈류
spinal cord	척수
spinal cord injury	척수손상
spinal dysraphism	척추유합부전
spinal nerve root	척추신경근
spinal shock	척수쇼크
spinal surgery	척수수술
spinocerebellar tract	척수소뇌로
spinous process	극상돌기
status epilepticus	간질지속증
status epilepticus	난치성간질지속증
stereoelectroencephalography, SEEG	입체뇌전도검사(수술)
stereotactic brain surgery	뇌정위수술
stereotactic radiosurgery	정위방사선수술
sternocleidomastoid muscle	목빗근
steroid	스테로이드
stimulus	자극
straight venous sinus	곧은정맥동
stroke	뇌졸중
subarachnoid hemorrhage, SAH	거미막밑출혈
subcortical electric stimulation	겉질밑 전기자극
subcortical thalamus	겉질밑 시상
subdural hematoma	경막하혈종
succinylcholine	석시닐콜린
supine hypotensive syndrome	누운자세저혈압증후군
supine position	바로누운자세
supine position	앙와위
symptomatic vasospasm	증상혈관경련
syndrome of inappropriate antidiuretic hormone, SIADH	부적절항이뇨호르몬증후군
syvian fissure	실비우스구

T

target-controlled infusion	목표농도조절주입
temperature maintenance	체온유지
thalamus	시상
thrombophylaxis	혈전예방
tight brain	부풀어오른 뇌
total intravenous anesthesia, TIVA	전정맥마취
tracheal extubation	발관
tracheostomy	기관절개술
tracheostomy	기관조루술
traction	견인
trancranial doppler	경두개도플러
tranexamic acid	트라넥사민산
transesophageal echocardiography	경식도심초음파
transfusion	수혈
transluminal balloon angioplasty	경관풍선혈관성형술

transsphenoidal approach	경접형동접근법
transsphenoidal pituitary surgery	나비뼈경유뇌하수체수술
transverse (venous) sinus	가로정맥동
traumatic brain injury	외상성뇌손상
tremor; shivering	떨림
Trendelenburg position	트렌델렌부르크자세
triggered electromyography	유발근전도
triple H therapy	삼중에이치(H)요법

U

ulnar nerve	자신경
ultrasonography	초음파
unconsciousness	무의식
unipolar montage	단극몽타주
uterine blood flow	자궁혈류

V

vagus nerve	미주신경
vasodilator	혈관확장제
vasopressin	바소프레신
vasospasm	혈관경련
vasospasm	혈관연축
vein	정맥
vein of lateral recess of fourth ventricle	제사뇌실외측오목정맥
venous air embolism	정맥공기색전증
ventilatory management	환기관리
ventriculoperitoneal shunt	뇌실복강단락술
ventriculoperitoneal shunt	뇌실복강션트
vertebral surgery	척추수술
video laryngoscopy	비디오후두경
viscoelastic test	점탄성시험
visual evoked potential	시각유발전위

W

watershed	분수령
white matter	백질
whole blood aggregation with impedance method	전혈임피던스 응집법
World Federation of Neurosurgeon's classification, WFNS classification	세계신경외과의사연합등급
xenon	크세논

두개내고혈압

부풀어오른 뇌

가로정맥동 가바(GABA) 가바펜틴 각성 각성개두술 각성하기관삽관 긴질 긴질수술 간질발작 간질지속증 간질파 감각신경(계) 갑각신경나노입관유발 감시 감압머리뼈절 질파 견인 결찰 경관풍선혈관성형술 경동맥 경두개노들러 경련 경란앙심 행동 경막 경막외마취 경막외강내 투여 경막외혈증 경막하혈증 경비기관삽관 경수범증 경식도심초음파 리뼈 고삼투성제제 고멸소혈증성대사신증 고위 경수손상 고장식멸수 고저 멸역제거 여과기 과염소혈증성산증 고체온 고탄산혈증 고위압 곧은정맥동 공기머리증 공기 성뇌손상 국소허혈 국소 혈유량 국제 10~20계저 굴곡성후두경삽관 극성 근디스트로피 극상돌기 근수축 근위축 근육성운동유발전위 근전도 글래스고혼수척도 글루타메이트, 기도확보 기이공기색전증 기저동맥 기저두개골절 기저핵 기형발생 위험도 기흥 깊은정맥혈전증 나비배경유뇌하수체 난원공개증증 난치성간질지속증 내경동맥 너 류뼛맛김현상 뇌내혈증 뇌대사율 뇌독성 뇌동맥류 뇌동정맥기형 뇌량변연동맥 뇌보호 뇌부종 뇌산소대사 뇌산소화 감 뇌성마비 뇌성염분소실증후군 뇌성염소소실증후군 분압 뇌졸중 뇌신경 뇌실전위 뇌지도 뇌진탕 뇌척수액 뇌척수액깃물 뇌척수액배액 뇌척수액배액 뇌척수액콘틀 냅타박상 뇌파 뇌하수체 뇌하수체기능저하증 뇌하수체 종양 대뇌산소소모율 대뇌막소모율 대뇌피질정맥 대동맥궁 대사 대사산물 대혈관자동조절 대스모프레신 데제린루시 증후군 덱스메데토미딘 돌발파멸제 동공크기 동맥 동맥압 골초기유합증 뇌내압력 두개내압력 두개내 압력-부피 관계 곡선 두개내종양 두개내출혈 두개뇌외상 두개바닥 두개인두증 두부손상 두피 두피신경차단 두피신경차단마취 취제 마취제 마취심도 마취로보터의 각정 만니톨 말단비대증 말초신경 맹관 S자기단삽관 맹인공기증 머리뼈 머리뼈봉합 머리얼굴이상 머릿속압력 머릿속압력 상승 면 의식 무지외전근 미세혈관감압술 미주신경 미주신경선율 미주신경긴장 산일 길도 펜트럴 배열 등누운자세 바소프레신 바깥목동맥 반통막위 반측와위 반측후두신경 발관 발길 복와위 복합근육활동전위 부신걸질호르몬 부위마취 부적절항이노르몬증후군 수럼 비디오후두경 뼈진도 삼중에이치(H)요법 삼투요법 상안신경총 색전술 속목정맥 물뇌증 수막 수술중각성 수술중각성(검사법) 수술전금식 수술후시엥소 수혈 숨구멍 스테로이드 시각교차 시각부벌전위 시상 시상하부-뇌하수체 축 시 실비우스구 심부뇌자극 심부정맥 심장수술 심전도 실폐정지 아날로그뇌파 아산회질소 아세틸콜린 수용체 아편유사제 아프로티닌 악성고열증 안동맥 안뜰신경집총 안면신경 옆누움자세 온목동맥 외정동맥 외상성뇌손상 요추 요추천자 요통증 운동신경(계) 우심방카테터 운동유발전위 월리스씨고리 유도고혈압 유도저혈압 유발근전도 유착완의 유비 입겔뇌관류압 입산부 임피던스 입들레그 입체뇌전도검사(수술) 자궁혈류 자극 자기장자극운동유발전위 자동조절능 자발근전도 자세잡기 자신경 자율신경검사이상 재출혈 지상 열걸질 전정맥마취 전해질 전혈임피던스 응집법 지혈 전층부도플러 점탄성시험 정맥공기색전증 정맥동합류 정맥마취제 정성혈량 정맥 정위방사선수술 정중선경돔감각유발전 정맥도관 총심뒤이랑 중재적신경방사선시술 증상혈관견련 지연대뇌허혈 직접겉질자극운동유발전위 직접동맥압감시 짧은엄지벌림근 척수 척수소뇌로 척수속질종양 척수손 척추측만증 천막아래 종양 천추 정각 청각걸질 청각신경전달로 청각유발전위 청반핵 청신경 청신경집종 체성감각유발전위 체온 체온유지 체위 초음파 총경동맥 최소침습수술 타민 코르티코스테로이드 콜로이드용액 쿠싱삼징 쿠싱증후군 크세논 탈동조화 탈질소화 태아뇌독성 터키안 통증 통증자가조절법 트라넥사민산 트렌델렌부르크자세 파워스 프로포폴성증후군 플루드로코르티손 하대정맥여과기 하문압정맥 하반신마비 하시상정맥동 항경련제 허혈에 취약한 요소 헤파린 혈관견련 혈관연축 혈관확장제 혈압관리 헬 입마취제 transverse (venous) sinus GABA gabapentin emergence awake craniotomy awake intubation epilepsy epilepsy surgery epileptic seizure status e craniectomy infection rigidity postcraniotomy pain giant cerebral aneurysm macroglossia arachnoid, arachnoid membrane subarachnoid hemorrhage, SAH ele balloon angioplasty carotid artery trancranial doppler convulsion, seizure seizure-like behaviour dura, dural membrane epidural administration epidural anesthesi transsphenoidal approach jugular venous oxygen saturation, SjvO₂ dural sinuses cervical spinous process cervical fracture cervical injury airway complicatio cervical injury hypertonic saline high/low elimination filter hyperchloremic acidosis hyperthermia hypercapnia hyperglycemia hypertension straight venous sinu stylet light stimulation pons pontine artery alternating electric current, AC colloid focal cerebral ischemia local anesthetic focal brain injury focal ischemia loc contraction amyotrophia: muscular dystrophy muscular motor-evoked potential electromyography Glasgow Coma Scale, GCS glutamate acute normovolemic he tracheostomy tracheostomy functional brain mapping airway management airway establishment paradoxical airw embolism basilar artery skull base fracture ba foramen ovale status epilepticus internal jugular vein endoscopic third ventriculostomy brainstem brainstem auditory evoked potential functional mapping of b CPP intracerebral hemorrhage, ICH intracerebral steal intracerebral hematoma cerebral metabolic rate brain toxicity cerebral aneurysm cerebral arteriovenou monitoring cerebral palsy cerebral salt wasting syndrome cerebral salt wasting syndrome cerebral injury cerebral nerves intraventricular hemorrhage ventriculop epilepsia stereotactic brain surgery brain tissue oxygen partial pressure stroke brain tumor midline shift brain map cerebral concussion cerebrospinal fluid, C hypopituitarism pituitary tumor cerebral ischemia cerebral vessel cerebral blood flow, CBF CBF autoregulation supine hypotensive syndrome multimodal moni cerebral salt wasting syndrome great cerebral vein aortic arch metabolism metabolite autoregulation of the great vessels desmopressin Dejerine-Roussy arterioveous malformation arterial catheter arterio-jugular difference of oxygen content, AJDO₂ arterial blood oxygen partial pressure, PaO₂ arterial blood carbo pressure, ICP intracranial pressure volume relationship curve intracranial tumor intracranial hemorrhage extracranial trauma skull base craniopharyngioma he robot-assisted stereoelectroencephalography: robot-assisted SEEG rheumatic arthritis lidocaine Lindegaard ratio cauda equina depth of anesthesia depth o peripheral nerve blind nasotracheal intubation pneumocephalus skull cranial suture craniofacial malformation intracranial pressure, ICP increased ICP, IICP Mor target-controlled infusion somatosensory nerve somatosensory evoked potential montage unconsciousness adductor pollicis hydrocephalus microvascular de carotid artery semi-prone position semi-lateral position recurrent laryngeal nerve tracheal extubation fever seizure interictal spike paroxysmal sympathetic hyp lesion rapid sequence (tracheal) intubation prone position compound muscular action potential adrenocortical hormone regional anesthesia syndrome of i osmotherapy brachial plexus embolization growth hormone, GH World Federation of Neurosurgeon's classification, WFNS classification apoptosis succinylchol internal jugular vein hydrocephalus meninx, -ges intraoperative awareness intraoperative awakening test preoperative nil per os, preoperative NPO postop hypophysis-pituitary axis optic nerve esophago-tracheal combitube neuromuscular blocking agent neuroendoscopic surgery hyporeflexia hyperreflexia neur cardiac arrhythmia cardiac surgery electrocardiography cardiopulmonary arrest analog EEG nitrous oxide, N₂O acetylcholine receptor opioid aprotinin malign position bipolar montage language prone position sigmoid sinus etomidate multidisciplinary team approach diagnostic imaging lateral position common carot -ous system right atrial catheter, RAC motor evoked potential circle of Willis deliberate hypertension deliberate hypotension triggered electromyography evok injury secondary neuron herniation primary injury primary neuron primary motor cortex primary motor area critical CPP parturient impedance orbicularis oris positioning ulnar nerve autonomic dysreflexia rebleeding hyponatremia hypoxemia hypothermia (-ic therapy) hypotherima hypoglycemia hypotension hematoc electrolyte whole blood aggregation with impedance method hemostasis precordial doppler viscoelastic test venous air embolism confluence of sinuses, caesarean delivery radiocontrast dye radiocontrast nephropathy perioperative ischemic optic neuropathy, POION perioperative ischemic opto-neuropathy neuroradiologic procedure, INR symptomatic vasospasm delayed cerebral ischemia, DCI direct cortical stimulation MEP, DCS-MEP direct arterial pressure mon shock spinal surgery anterior horn, spinal cord spinal blood flow dorsal root, spinal cord spinal artery spinal anesthesia scoliosis vertebral surgery spinal nerv auditory evoked potential locus ceruleus acoustic nerve acoustic neuroma somatosensory evoked potential body temperature temperature maintenance po axon axial block cortical homunculus bleeding reduction lateral position invasive arterial pressure (monitoring) calcium antagonist calcium channel blocker cor cerebral toxicity sella turcica pain patient-controlled analgesia, PCA tranexamic acid Trendelenburg position power spectral analysis hemifacial spasm flat wa embolism pulmonary aspiration obstructive hydrocephalus Fourier transformation propofol propofol infusion syndrome fludrocortisone IVC filter Inf vasodilator blood pressure management blood salvage hemodilution thrombophylaxis end-tidal carbon dioxide partial pressure, PETCO₂ Horner syndrome vent

ㄱ

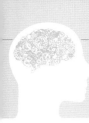